PASO A PASO

3

Una carreta de bueyes típica de Costa Rica

PASO A PASO

3

Myriam Met
Coordinator of Foreign Languages
Montgomery County Public Schools
Rockville, MD

Richard S. Sayers
Longmont, CO

Carol Eubanks Wargin
Glen Crest Junior High School
Glen Ellyn, IL

Prentice Hall

Glenview, Illinois
Needham, Massachusetts
Upper Saddle River, New Jersey

Visit our Web site at http://www.pasoapaso.com

ISBN: 0-673-60167-6

7 8 9 10 11 12 DOC 09 08 07 06 05

Prentice Hall
Upper Saddle River, New Jersey 07458

Contributing Writers

Margaret Juanita Azevedo
Stanford University
Palo Alto, CA

Madela Ezcurra
New York, NY

Thomasina Pagán Hannum
Albuquerque, NM

Martha E. Heard
Río Rancho Public Schools
Río Rancho, NM

Mary Mosley, Ph.D.
Fulton, MO

Craig Reubelt
The University of Chicago
Laboratory Schools
Chicago, IL

Reader Consultants

The authors and editors would like to express our heartfelt thanks to the following team of reader consultants. Each of them read the manuscript, chapter-by-chapter, offering suggestions and providing encouragement. Their contribution has been invaluable.

Rosario Martínez-Cantú
Northside Health Careers High School
San Antonio, TX

Greg Duncan
InterPrep
Marietta, GA

Walter Kleinmann
Sewanhaka Central High School District
New Hyde Park, NY

Bernadette M. Reynolds
Parker, CO

Rudolf L. Schonfeld, Ph.D.
Parsippany-Troy Hills School District
Parsippany, NJ

Edra Staffieri
North Central High School
Indianapolis, IN

Connie Johnson Vargas
Apple Valley High School
Apple Valley, CA

Marcia Payne Wooten
Starmount High School
Boonville, NC

Tabla de materias

Mapas   xiv

PASODOBLE
Una revista escolar para los jóvenes

Escuela San Martín, Caracas, Venezuela	2
¿Qué están haciendo?	3
¿Qué clase de persona eres tú?	4
La moda	6
Caricaturas	8
Nuestros pasatiempos	10
El día de fiesta que más me impresionó	11
Los tiempos cambian	12
Tesoros del mundo hispano	14
La salud	16
Nuestras películas favoritas	18
Las muchachas nunca deben romper las reglas	20
Vamos de vacaciones	22
El siglo XXI—unas predicciones	24

CAPÍTULO 1   ¿Quién soy yo en realidad?   27

Tema
► La identidad

Objetivos
► Describir las cualidades de una persona
► Describir cómo te relacionas con los demás
► Hablar sobre cuál es tu papel en la sociedad
► Comparar tus relaciones con la familia, amigos y compañeros con las de los jóvenes hispanos

Anticipación   28

Vocabulario para comunicarse
   ¿Cómo eres? 30

Tema para investigar
   ¿Cuál es tu papel en la sociedad? 36

Álbum cultural   40

Gramática en contexto   44
   Repaso: Los mandatos afirmativos con tú 45
   Repaso: Los complementos directos e indirectos 46
   Otros usos de lo 48

Puntos de vista: *Sopa de actividades*   50

Para leer: *El color de tu personalidad*   52

Para escribir   54

Repaso: ¿Lo sabes bien?   56

Resumen del vocabulario   57

CAPÍTULO 2   ¿Prefieres vivir en la ciudad o en el campo?   59

Tema
► La ciudad y el campo

Objetivos
► Describir cómo es la vida en un lugar
► Comparar la vida de antes con la vida de ahora
► Indicar las ventajas y las desventajas de vivir en cierto lugar
► Comparar la vida de la ciudad con la vida del campo en los países hispanos

Anticipación   60

Vocabulario para comunicarse
   ¿Dónde te gustaría vivir? 62

Tema para investigar
   Ventajas y desventajas 68

Álbum cultural   72

Gramática en contexto   76
   Repaso: El imperfecto 77
   Repaso: Otros usos del imperfecto 79
   El participio pasado como adjetivo 81

Puntos de vista: *Sopa de actividades*   84

Para leer: *Benvinguts a Cálig*   86

Para escribir   88

Repaso: ¿Lo sabes bien?   90

Resumen del vocabulario   91

CAPÍTULO 3   ¿Qué nos dicen las obras de arte?   93

Tema
► El arte

Objetivos
► Describir una obra de arte
► Interpretar el mensaje de una obra de arte
► Dar una opinión sobre una obra de arte
► Identificar algunos de los principales pintores del mundo hispano

Anticipación   94

Vocabulario para comunicarse
¿Qué tipo de arte prefieres? 96

Tema para investigar
La pintura en el siglo XX 102

Álbum cultural   106

Gramática en contexto   110
Repaso: El pretérito del verbo poner 111
El pretérito de los verbos influir *y* contribuir 112
Repaso: El imperfecto progresivo 113
Repaso: El uso del pretérito y del imperfecto progresivo 114

Puntos de vista: *Sopa de actividades*   116
Para leer: *Entrevista con Rufino Tamayo*   118
Para escribir   120
Repaso: ¿Lo sabes bien?   122
Resumen del vocabulario   123

CAPÍTULO 4   ¿Cómo nos influye la televisión?   125

Tema
► La televisión

Objetivos
► Dar tu opinión sobre los programas de televisión
► Comentar programas de televisión que has visto
► Describir cómo te influye la televisión
► Comparar la influencia de la televisión en los Estados Unidos con la influencia que tiene en los países hispanos

Anticipación   126

Vocabulario para comunicarse
¿Qué programas grabas? 128

Tema para investigar
La televisión y tú 134

Álbum cultural   138

Gramática en contexto   142
El presente perfecto 143
Los participios pasados irregulares 145
Repaso: El pretérito de poder, tener *y* estar 147
Repaso: El pretérito de decir *y* dar 148

Puntos de vista: *Sopa de actividades*   150
Para leer: *Cómo usar la televisión*   152
Para escribir   154
Repaso: ¿Lo sabes bien?   156
Resumen del vocabulario   157

CAPÍTULO 5 ¿Cómo se relacionan el pasado y el presente?

Tema

► La civilización maya

Objetivos

► Describir las características de la civilización maya

► Hablar de las contribuciones de la civilización maya

► Explicar cómo nos han influido otras civilizaciones

► Identificar lo que sigue existiendo de la civilización maya en la vida de hoy

Anticipación 160

Vocabulario para comunicarse
El pasado y el presente 162

Tema para investigar
Los mayas de antes y de hoy 168

Álbum cultural 172

Gramática en contexto 176
Hace . . . que/Hacía . . . que 177
El pluscuamperfecto 178
El verbo seguir *y el presente progresivo* 180

Puntos de vista: *Sopa de actividades* 182

Para leer: *Me llamo Rigoberta Menchú* 184

Para escribir 186

Repaso: ¿Lo sabes bien? 188

Resumen del vocabulario 189

CAPÍTULO 6 ¿Cómo nos podemos comunicar mejor?

Tema

► Tecnología y comunicación

Objetivos

► Escribir y enviar una carta

► Hablar de diferentes medios de comunicación

► Dar tu opinión sobre las comunicaciones en el futuro

► Explicar el impacto de la tecnología en la vida diaria de los países hispanos

Anticipación 192

Vocabulario para comunicarse
¿Cómo nos comunicamos? 194

Tema para investigar
Comunicación y tecnología 200

Álbum cultural 204

Gramática en contexto 208
Repaso: El futuro 209
El futuro: Continuación 211
Uso de los complementos directos e indirectos 212

Puntos de vista: *Sopa de actividades* 214

Para leer: *El mejor amigo del hombre* 216

Para escribir 218

Repaso: ¿Lo sabes bien? 220

Resumen del vocabulario 221

CAPÍTULO 7 ¿Debes servir a la comunidad para graduarte?

223

Tema

▶ El servicio a la comunidad

Objetivos

▶ Hablar de cuáles son tus responsabilidades en la sociedad

▶ Expresar tu opinión sobre el trabajo voluntario

▶ Describir las oportunidades de trabajo voluntario que existen en tu comunidad

▶ Comparar el trabajo voluntario en los países de habla hispana y en los Estados Unidos

Anticipación	224
Vocabulario para comunicarse	
El servicio a la comunidad 226	
Tema para investigar	
¿Debe ser obligatorio o no? 230	
Álbum cultural	234
Gramática en contexto	238
Repaso: El subjuntivo 239	
El subjuntivo: Continuación 241	
La voz pasiva: Ser + *participio pasado* 243	
Puntos de vista: *Sopa de actividades*	246
Para leer: *Entrevista con una Amiga*	248
Para escribir	250
Repaso: ¿Lo sabes bien?	252
Resumen del vocabulario	253

CAPÍTULO 8 ¿Cómo se explica . . . ?

255

Tema

▶ Fenómenos extraordinarios

Objetivos

▶ Identificar y describir algunos fenómenos extraordinarios

▶ Dar tu opinión sobre esos fenómenos

▶ Indicar si estás seguro(a) o si dudas de algo

▶ Comparar algunos mitos y leyendas de los países hispanos con los que existen en los Estados Unidos

Anticipación	256
Vocabulario para comunicarse	
¿Cómo se explica . . . ? 258	
Tema para investigar	
¿Cómo lo podemos saber? 264	
Álbum cultural	268
Gramática en contexto	272
El subjuntivo con expresiones de duda 273	
El subjuntivo: Verbos irregulares 275	
El presente perfecto del subjuntivo 277	
Puntos de vista: *Sopa de actividades*	280
Para leer: *El Iztaccíhuatl y el Popocatépetl*	282
Para escribir	286
Repaso: ¿Lo sabes bien?	288
Resumen del vocabulario	289

CAPÍTULO 9 Cómo tener éxito en el mundo del trabajo

291

Tema

► El trabajo

Objetivos

► Hablar de diferentes tipos de trabajo

► Describir las cualidades y habilidades que se necesitan para realizar un trabajo

► Explicar los pasos necesarios para buscar y conseguir trabajo

► Hablar sobre cómo ha cambiado el mundo del trabajo en los países hispanos

Anticipación 292

Vocabulario para comunicarse
¿Necesitas un buen trabajo? 294

Tema para investigar
¿Cómo te estás preparando? 300

Álbum cultural 304

Gramática en contexto 308
Repaso: Mandatos afirmativos y negativos con tú 309
El subjuntivo en cláusulas adjetivas 311
El subjuntivo con cuando 312

Puntos de vista: *Sopa de actividades* 314

Para leer: *¿Qué tipo de inteligencia tienes?* 316

Para escribir 320

Repaso: ¿Lo sabes bien? 322

Resumen del vocabulario 323

CAPÍTULO 10 ¿Cómo se puede controlar la violencia?

325

Tema

► El control de la violencia

Objetivos

► Describir un hecho de violencia

► Hablar de las causas de la violencia y de sus efectos en la sociedad

► Dar tu opinión sobre diferentes medidas para controlar la violencia

► Dar ejemplos del control de la violencia en los países de habla hispana y en los Estados Unidos

Anticipación 326

Vocabulario para comunicarse
La violencia en nuestra vida 328

Tema para investigar
La violencia y la justicia 334

Álbum cultural 338

Gramática en contexto 342
Mandatos afirmativos y negativos con Ud. *y* Uds. 343
El subjuntivo con expresiones de emoción 346

Puntos de vista: *Sopa de actividades* 350

Para leer: *Hasta aclarar el misterio* 352

Para escribir 358

Repaso: ¿Lo sabes bien? 360

Resumen del vocabulario 361

CAPÍTULO 11   ¿Cómo se mezclan culturas diferentes?   363

Tema
► La mezcla de culturas

Objetivos

► Describir cómo interactúan dos o más culturas

► Hablar de la fusión de culturas en España antes de 1492

► Explicar la fusión de culturas que tuvo lugar cuando los españoles llegaron a las Américas

► Describir el impacto de diferentes culturas hispanas en los Estados Unidos hoy en día

Anticipación   364

Vocabulario para comunicarse
     Musulmanes, judíos y cristianos en España 366

Tema para investigar
     ¿Una cultura española, africana o indígena? 372

Álbum cultural   376

Gramática en contexto   380
     El imperfecto del subjuntivo 381
     El imperfecto del subjuntivo: Los verbos irregulares 382
     El subjuntivo en frases con para que 384

Puntos de vista: *Sopa de actividades*   386

Para leer: *La tercera raíz de México*   388

Para escribir   392

Repaso: ¿Lo sabes bien?   394

Resumen del vocabulario   395

CAPÍTULO 12   ¿Por qué hace falta saber otro idioma?   397

Tema
► El aprendizaje de otras lenguas

Objetivos

► Describir una situación donde es práctico hablar una lengua extranjera

► Decir qué ventajas tendrás para tu futuro trabajo o profesión si sabes un idioma extranjero

► Explicar cómo una lengua te puede ayudar a comunicarte con personas de otras culturas

► Comparar el aprendizaje de otras lenguas en los países de habla hispana y en los Estados Unidos

Anticipación   398

Vocabulario para comunicarse
     ¿Por qué hace falta saber una lengua extranjera? 400

Tema para investigar
     ¿Para qué sirve hablar una lengua extranjera? 406

Álbum cultural   410

Gramática en contexto   414
     El condicional 415
     El imperfecto del subjuntivo con si 417

Puntos de vista: *Sopa de actividades*   420

Para leer: *Nieve*   422

Para escribir   424

Repaso: ¿Lo sabes bien?   426

Resumen del vocabulario   427

FONDO LITERARIO

Capítulo 1   430
El valor de las opiniones, *Don Juan Manuel*

Capítulo 2   436
El vendedor de globos, *Eduardo Robles Boza
(Tío Patota)*

Capítulo 3   440
La persistencia de la memoria: El arte viviente
Patricia Harris y David Lyon

Capítulo 4   444
La sexta tele, *Alfredo Gómez Cerdá*

Capítulo 5   454
Quetzal no muere nunca *(una leyenda
de Guatemala)*

Capítulo 6
Una carta a Dios, *Gregorio López y Fuentes*   458
Apocalipsis, *Marco Denevi*   462

Capítulo 7   464
La pobreza, *María Luisa Góngora Pacheco*

Capítulo 8   468
La herencia *(una leyenda de México)*

Capítulo 9   476
Naranjas, *Ángela McEwan-Alvarado*

Capítulo 10   482
Espuma y nada más, *Hernando Téllez*

Capítulo 11   488
Balada de los dos abuelos, *Nicolás Guillén*

Capítulo 12   492
Las salamandras, *Tomás Rivera*

Verbos 498

Vocabulario español-inglés 505

Vocabulario inglés-español 522

Más práctica y tarea 541

Examen cumulativo 583

Índice 589

Acknowledgments 591

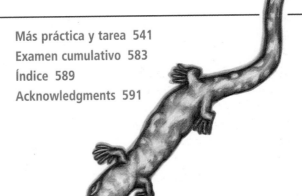

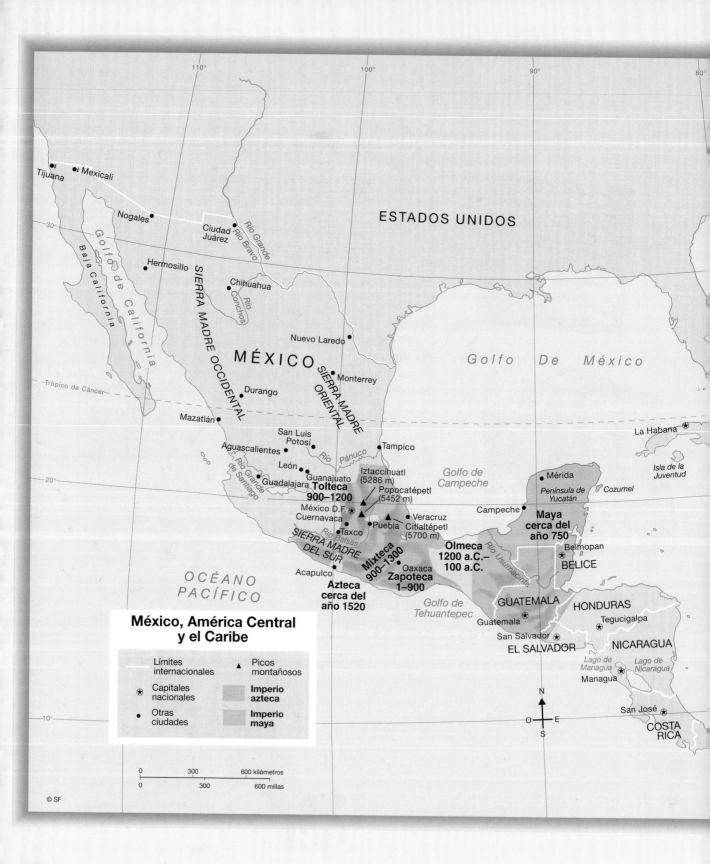

México, América Central y el Caribe

110°　　　　100°　　　　90°　　　　80°

ESTADOS UNIDOS

Tijuana
Mexicali
Nogales
Ciudad Juárez
Río Grande
Río Bravo
Hermosillo
Chihuahua
Río Conchos
Nuevo Laredo
Monterrey

MÉXICO

SIERRA MADRE OCCIDENTAL
SIERRA MADRE ORIENTAL

Durango
Mazatlán
Trópico de Cáncer

Golfo de California

Baja California

San Luis Potosí
Aguascalientes
León
Guadalajara
Guanajuato
Río Grande de Santiago
Río Pánuco
Tampico

Iztaccíhuatl (5286 m)
Tolteca 900–1200
Popocatépetl (5452 m)
México D.F.
Cuernavaca
Taxco
Río Balsas
Puebla
Veracruz
Citlaltépetl (5700 m)

Mixteca 900–1300
Oaxaca
Zapoteca 1–900

Acapulco

SIERRA MADRE DEL SUR

OCÉANO PACÍFICO

Azteca cerca del año 1520

Golfo De México

Golfo de Campeche

Mérida
Península de Yucatán
Cozumel
Campeche

Maya cerca del año 750

Olmeca 1200 a.C.– 100 a.C.
Río Usumacinta

Belmopan
BELICE

GUATEMALA
Guatemala
San Salvador
EL SALVADOR

Golfo de Tehuantepec

HONDURAS
Tegucigalpa

NICARAGUA
Lago de Managua
Managua
Lago de Nicaragua

San José
COSTA RICA

La Habana
Isla de la Juventud

30°

20°

10°

México, América Central y el Caribe

Límites internacionales	▲ Picos montañosos
⊛ Capitales nacionales	Imperio azteca
• Otras ciudades	Imperio maya

0　　300　　600 kilómetros
0　　300　　600 millas

N
O　E
S

© SF

XIV

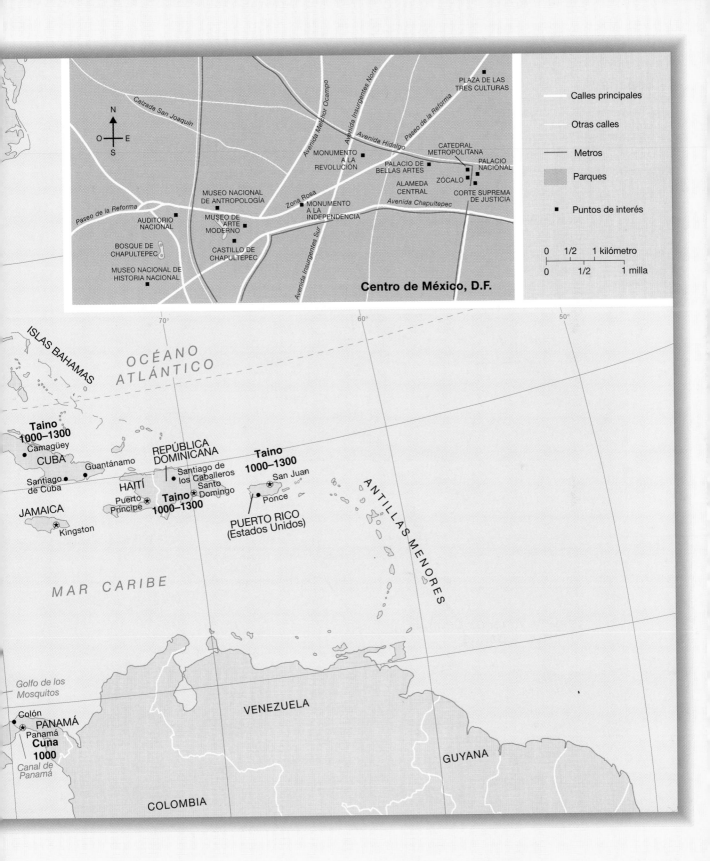

Centro de México, D.F.

Calzada San Joaquín

N
O · E
S

Avenida Melchor Ocampo

Avenida Insurgentes Norte

Avenida Hidalgo

Paseo de la Reforma

PLAZA DE LAS
TRES CULTURAS

MONUMENTO
A LA
REVOLUCIÓN

CATEDRAL
METROPOLITANA

PALACIO DE
BELLAS ARTES

PALACIO
NACIONAL

ZÓCALO

ALAMEDA
CENTRAL

CORTE SUPREMA
DE JUSTICIA

Zona Rosa

MONUMENTO
A LA
INDEPENDENCIA

Avenida Chapultepec

MUSEO NACIONAL
DE ANTROPOLOGÍA

Paseo de la Reforma

AUDITORIO
NACIONAL

MUSEO DE
ARTE
MODERNO

Avenida Insurgentes Sur

BOSQUE DE
CHAPULTEPEC

CASTILLO DE
CHAPULTEPEC

MUSEO NACIONAL DE
HISTORIA NACIONAL

Calles principales

Otras calles

Metros

Parques

Puntos de interés

0   1/2   1 kilómetro
0   1/2   1 milla

ISLAS BAHAMAS

OCÉANO
ATLÁNTICO

70°   60°   50°

**Taino
1000–1300**
Camagüey
CUBA
Guantánamo
Santiago
de Cuba

REPÚBLICA
DOMINICANA

Santiago de
los Caballeros
Santo
Domingo

**Taino
1000–1300**

San Juan

JAMAICA
Puerto
Príncipe
HAITÍ
**Taino
1000–1300**
Ponce

Kingston

PUERTO RICO
(Estados Unidos)

ANTILLAS MENORES

MAR CARIBE

Golfo de los
Mosquitos

VENEZUELA

Colón
PANAMÁ
Panamá
**Cuna
1000**
Canal de
Panamá

GUYANA

COLOMBIA

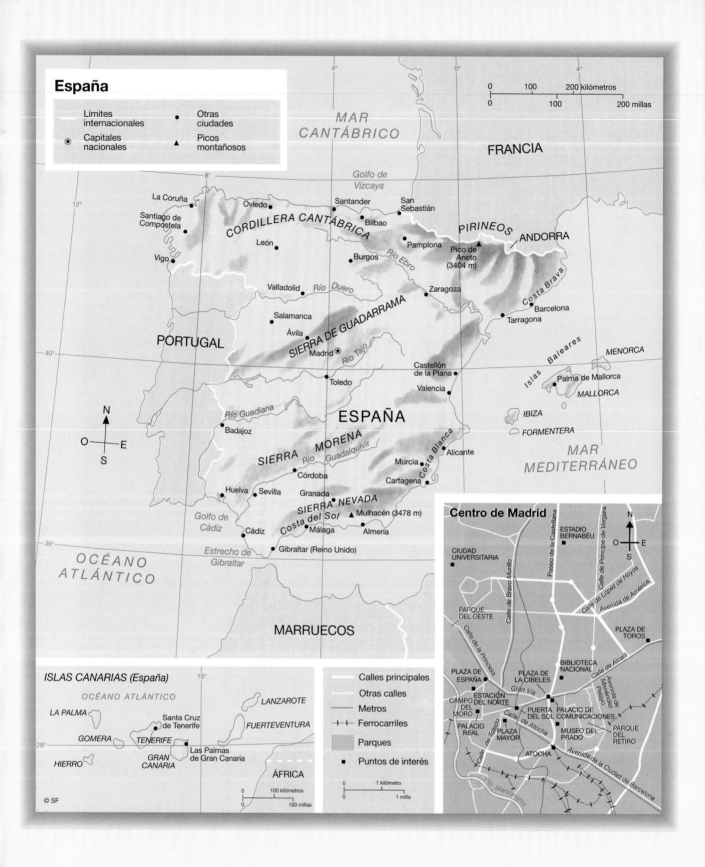

España

Límites internacionales
Capitales nacionales
Otras ciudades
Picos montañosos

MAR CANTÁBRICO

FRANCIA

0 100 200 kilómetros
0 100 200 millas

Golfo de Vizcaya

La Coruña
Santiago de Compostela
Oviedo
Santander
San Sebastián
Bilbao
PIRINEOS
ANDORRA
León
Pamplona
Pico de Aneto (3404 m)
Vigo
Burgos
Río Ebro
CORDILLERA CANTÁBRICA
Zaragoza
Costa Brava
Valladolid
Río Duero
Barcelona
Salamanca
Tarragona
Ávila
SIERRA DE GUADARRAMA
Madrid
Río Tajo
Castellón de la Plana
Islas Baleares
MENORCA
Toledo
Valencia
Palma de Mallorca
MALLORCA
PORTUGAL
ESPAÑA
Río Guadiana
IBIZA
Badajoz
FORMENTERA
SIERRA MORENA
Río Guadalquivir
Costa Blanca
Alicante
MAR MEDITERRÁNEO
Murcia
Córdoba
Cartagena
Huelva
Sevilla
Granada
SIERRA NEVADA
Costa del Sol
Mulhacén (3478 m)
Almería
Golfo de Cádiz
Cádiz
Málaga
OCÉANO ATLÁNTICO
Estrecho de Gibraltar
Gibraltar (Reino Unido)

N
O E
S

MARRUECOS

ISLAS CANARIAS (España)
OCÉANO ATLÁNTICO
LANZAROTE
LA PALMA
Santa Cruz de Tenerife
FUERTEVENTURA
GOMERA
TENERIFE
Las Palmas de Gran Canaria
HIERRO
GRAN CANARIA
ÁFRICA

© SF

0 100 kilómetros
0 100 millas

Calles principales
Otras calles
Metros
Ferrocarriles
Parques
Puntos de interés

0 1 kilómetro
0 1 milla

Centro de Madrid

N
O E
S

CIUDAD UNIVERSITARIA
Paseo de la Castellana
ESTADIO BERNABÉU
Calle de Príncipe de Vergara
Calle de Bravo Murillo
Calle de López de Hoyos
Avenida de América
PARQUE DEL OESTE
Calle de la Princesa
PLAZA DE TOROS
PLAZA DE ESPAÑA
BIBLIOTECA NACIONAL
Calle de Alcalá
Avenida de Menéndez Pelayo
ESTACIÓN DEL NORTE
PLAZA DE LA CIBELES
Gran Vía
CAMPO DEL MORO
PUERTA DEL SOL
PALACIO DE COMUNICACIONES
PALACIO REAL
Calle de Atocha
MUSEO DEL PRADO
PARQUE DEL RETIRO
PLAZA MAYOR
Calle de Toledo
ATOCHA
Avenida de la Ciudad de Barcelona
Río Manzanares

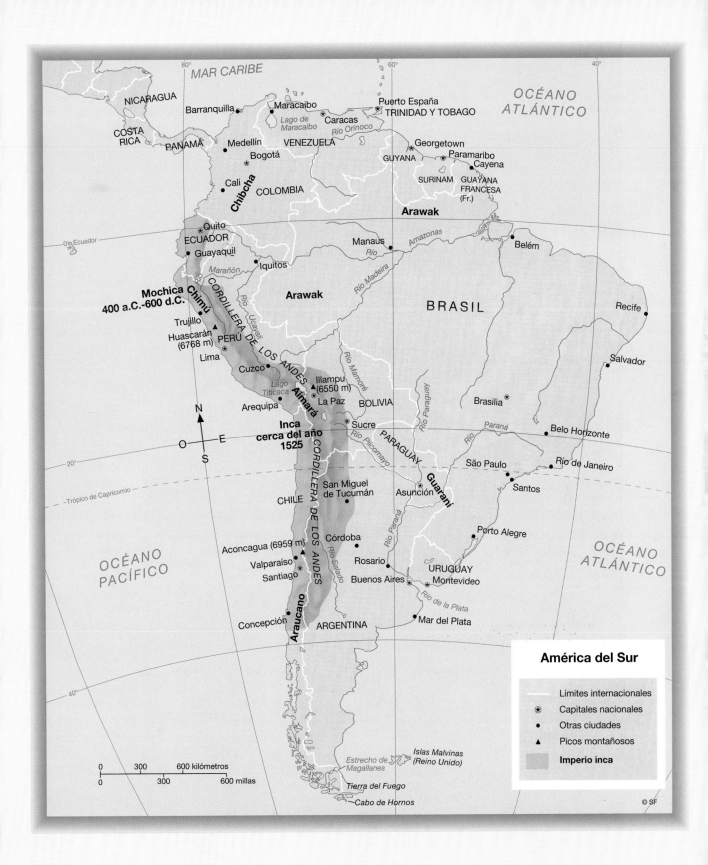

MAR CARIBE

OCÉANO
ATLÁNTICO

NICARAGUA

COSTA
RICA

PANAMÁ

Barranquilla

Maracaibo

*Lago de
Maracaibo*

Caracas

Puerto España
TRINIDAD Y TOBAGO

Río Orinoco

VENEZUELA

Medellín

Bogotá

Georgetown

GUYANA

Paramaribo
Cayena

SURINAM

GUYANA
FRANCESA
(Fr.)

Cali

Chibcha

COLOMBIA

Arawak

Quito

ECUADOR

Guayaquil

Manaus

Río

Amazonas

Belém

0° Ecuador

Marañón

Iquitos

Río Ucayali

Río Madeira

Mochica Chimú
400 a.C.-600 d.C.

Arawak

BRASIL

Recife

Trujillo

Huascarán
(6768 m)

PERÚ

CORDILLERA DE LOS ANDES

Río Mamoré

Lima

Cuzco

*Lago
Titicaca*

Illampu
(6550 m)

Salvador

Aimará

La Paz

BOLIVIA

Río Paraguay

Brasilia

Arequipa

Sucre

N

O   E

S

Inca
cerca del año
1525

Río Pilcomayo

PARAGUAY

Paraná

Belo Horizonte

20°

São Paulo

Río de Janeiro

Río

Guaraní

Trópico de Capricornio

CHILE

San Miguel
de Tucumán

Asunción

Santos

CORDILLERA DE LOS ANDES

Río Paraná

Porto Alegre

OCÉANO
PACÍFICO

Aconcagua (6959 m)

Córdoba

Valparaíso

Santiago

Rosario

Río Salado

Buenos Aires

URUGUAY

Montevideo

OCÉANO
ATLÁNTICO

40°

Concepción

Araucano

ARGENTINA

Mar del Plata

Río de la Plata

0   300   600 kilómetros

0   300   600 millas

*Estrecho de
Magallanes*

Islas Malvinas
(Reino Unido)

Tierra del Fuego

Cabo de Hornos

América del Sur

——— Límites internacionales

✳   Capitales nacionales

●   Otras ciudades

▲   Picos montañosos

     Imperio inca

© SF

Mapas   XVII

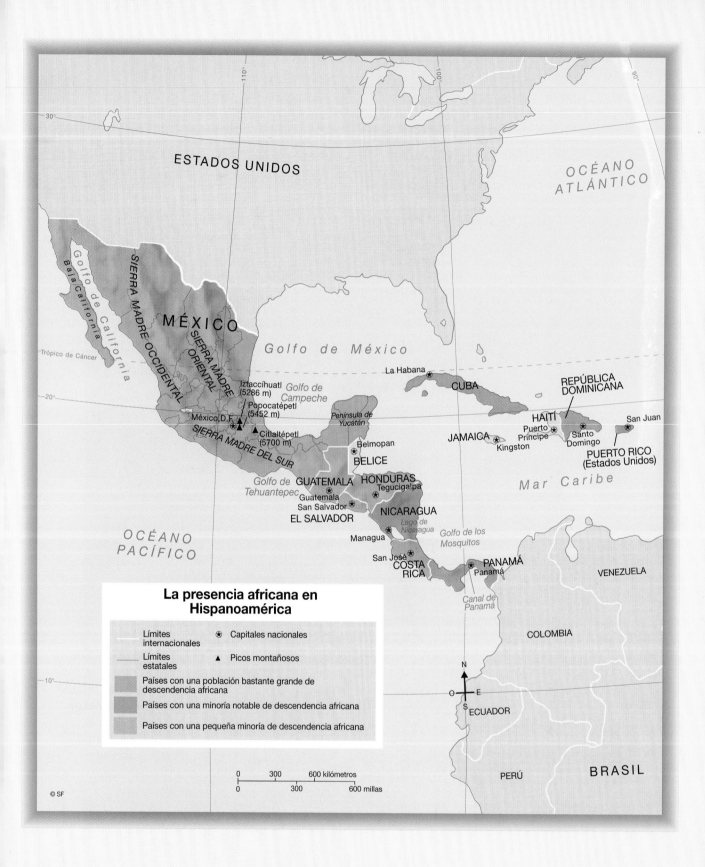

La presencia africana en
Hispanoamérica

Límites internacionales
Límites estatales
⊛ Capitales nacionales
▲ Picos montañosos
Países con una población bastante grande de descendencia africana
Países con una minoría notable de descendencia africana
Países con una pequeña minoría de descendencia africana

0   300   600 kilómetros
0   300   600 millas

© SF

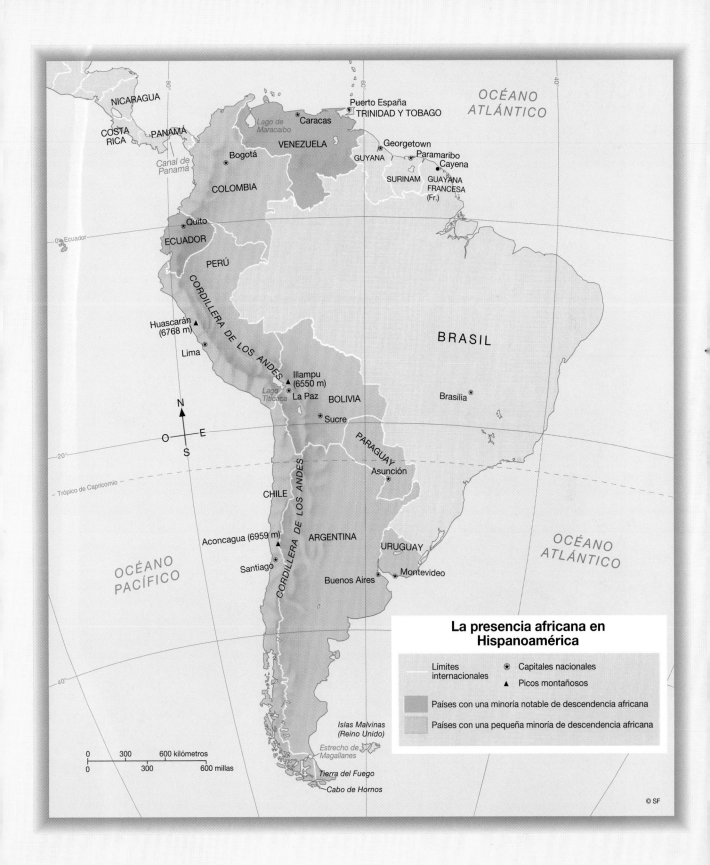

La presencia africana en Hispanoamérica

Límites internacionales	⊛ Capitales nacionales
	▲ Picos montañosos

Países con una minoría notable de descendencia africana

Países con una pequeña minoría de descendencia africana

NICARAGUA
COSTA RICA
PANAMÁ
Canal de Panamá
COLOMBIA
Bogotá
Lago de Maracaibo
Caracas
VENEZUELA
Puerto España
TRINIDAD Y TOBAGO
Georgetown
GUYANA
Paramaribo
Cayena
SURINAM
GUAYANA FRANCESA (Fr.)
OCÉANO ATLÁNTICO
Quito
ECUADOR
PERÚ
CORDILLERA DE LOS ANDES
Huascarán (6768 m)
Lima
Illampu (6550 m)
Lago Titicaca
La Paz
BOLIVIA
Sucre
BRASIL
Brasilia
PARAGUAY
Asunción
CHILE
CORDILLERA DE LOS ANDES
Aconcagua (6959 m)
Santiago
ARGENTINA
URUGUAY
Montevideo
Buenos Aires
OCÉANO PACÍFICO
OCÉANO ATLÁNTICO
Trópico de Capricornio
Ecuador
N O E S

Islas Malvinas (Reino Unido)
Estrecho de Magallanes
Tierra del Fuego
Cabo de Hornos

0   300   600 kilómetros
0   300   600 millas

© SF

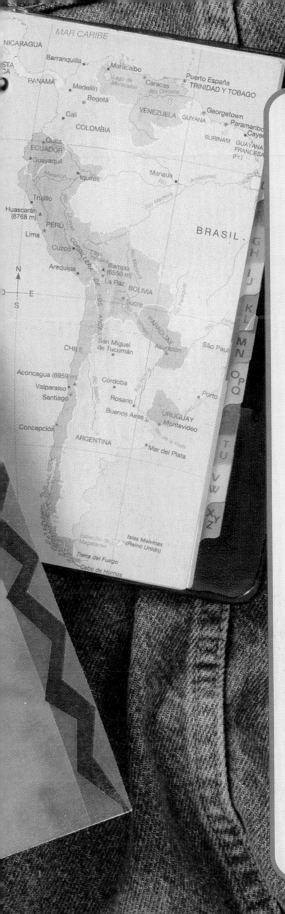

Este año celebramos cincuenta años de la revista *Pasodoble*. En esta edición vas a encontrar artículos de las cinco décadas pasadas. También vas a visitar el futuro con predicciones de varios expertos sobre lo que pasará en el próximo siglo. Esperamos que disfrutes de esta edición tan especial.

PASODOBLE

Escuela San Martín, Caracas, Venezuela	2
¿Qué están haciendo?	3
¿Qué clase de persona eres tú?	4
La moda	6
Caricaturas	8
Nuestros pasatiempos	10
El día de fiesta que más me impresionó	11
Los tiempos cambian	12
Tesoros del mundo hispano	14
La salud	16
Nuestras películas favoritas	18
Las muchachas nunca deben romper las reglas	20
Vamos de vacaciones	22
El siglo XXI—unas predicciones	24

ESCUELA SAN MARTÍN
Caracas, Venezuela

Población: 340 estudiantes

Deportes favoritos:
el fútbol, por supuesto

Materias más populares:
literatura, idiomas, biología

Materias menos populares:
historia, geografía

Actividades extracurriculares más populares: el club literario, el periódico escolar

Lo que se prohibe hacer:
usar maquillaje; que los muchachos usen aretes

Mejor comida de la cafetería:
empanadas, pero sólo las sirven los viernes

Lugar más popular después de las clases: el Café Conchita, para comer una merienda

Adónde van los fines de semana: a fiestas o al cine

Actividades más populares cuando hace buen tiempo:
hacer picnics en el campo, ir a la plaza o al parque con amigos

Actividades más populares cuando hace mal tiempo:
jugar bolos, patinar

Actividad menos popular:
hacer tarea (¡por lo menos dos horas cada noche!)

Antes de repasar el pasado, vamos a averiguar cómo son unos estudiantes de hoy.

MÁS PRÁCTICA

Más práctica y tarea, p. 541
Practice Workbook PD–1

¿Qué están haciendo?

Los estudiantes de la Escuela San Martín nos enviaron fotos de algunas de sus actividades durante este año escolar. Nos parece que todos se divirtieron mucho.

Ramiro y Elena caminando después de la escuela. ¿Quieren un helado?

¿Nunca vas a terminar este proyecto, Carlos? Como siempre, ¡vas a terminarlo mañana!

Juan y Alberto antes del partido contra los Leones. ¡Qué partido tan emocionante!

¡A Javier le encanta tocar la flauta!

También nos enviaron los resultados de su encuesta sobre quién es el / la más artístico(a), divertido(a), etc. de la clase. ¿Qué título crees que recibió cada persona que ves aquí? (Los títulos que "ganaron" se encuentran abajo.)

Carmen y Pablo planeando la fiesta del sábado. ¡Vamos a bailar toda la noche!

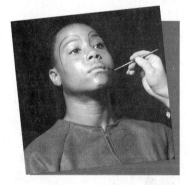

Juan Gabriel se prepara para su papel en la producción de *La barca sin pescador*—un éxito fabuloso, ¿no?

MÁS PRÁCTICA

- Más práctica y tarea, pp. 541–542
- Practice Workbook PD–2

Carlos: el estudiante más desordenado **Ramiro y Elena:** los más sociables **Juan y Alberto:** los más deportistas **Juan Gabriel:** el más artístico **Carmen y Pablo:** los más divertidos **Javier:** el mejor músico

¿Qué clase de persona eres tú?

1. Generalmente me despierto

a. temprano para hacer ejercicio antes de salir para la escuela.

b. justo a tiempo para no llegar tarde a la escuela.

c. cuando la profesora me hace una pregunta.

2. ¿Cómo te despiertas cada día?

a. Con un despertador

b. Me despierto a la misma hora todos los días sin despertador.

c. Cuando el perro y el gato tienen hambre

3. Los fines de semana me levanto

a. a la misma hora que los otros días.

b. una hora o más después de despertarme.

c. alrededor del mediodía (a tiempo para almorzar).

4. Me cepillo los dientes

a. tres veces al día después de las comidas.

b. por lo menos una vez al día.

c. cuando recuerdo hacerlo.

5. Para estar limpio(a) prefiero

a. bañarme.

b. ducharme.

c. lavarme la cara de vez en cuando.

6. ¿Cuánto tiempo necesitas para vestirte por la mañana?

a. Más de una hora

b. Depende de adónde voy a ir

c. Cinco minutos o menos

7. ¿Cuánto tiempo necesitas para peinarte cada día?

a. Media hora o más

b. Un cuarto de hora más o menos

c. Diez segundos

MÁS PRÁCTICA

Más práctica y tarea, p. 542

8. Los días de semana, ¿a qué hora te acuestas?

a. A las nueve y media o antes
b. A las diez o más tarde
c. Depende de cuándo termino mi tarea

9. Generalmente me despierto

a. de buen humor.
b. bastante perezoso(a).
c. queriendo matar a la primera persona que me habla.

10. De éstos, lo que más me gustaría hacer los fines de semana es

a. trabajar como voluntario(a) en un hospital.
b. cuidar niños para ganar dinero.
c. ir a fiestas, bailar y escuchar música.

Tu tanteo

Cada respuesta a = 0 puntos

Cada respuesta b = 1 punto

Cada respuesta c = 2 puntos

Si tu tanteo es 0–5, eres demasiado serio(a). Necesitas divertirte más.

Si tu tanteo es 6–12, estás bastante bien equilibrado(a), pero puedes divertirte un poco más también.

Si tu tanteo es 13–20, ¿no mientes? Si no, probablemente tratas de ser demasiado divertido(a). Necesitas ser un poco <u>más</u> serio(a).

Compara tus respuestas con las de un(a) compañero(a). ¿Qué clase de persona eres? ¿Qué clase de persona es él o ella? ¿En qué son Uds. similares o diferentes?

LA MODA

¿Qué ropa usaron tus padres y tus abuelos? En estas páginas encontrarás la ropa que estaba de moda durante cada década de nuestra publicación. ¿Qué década prefieres? ¿Por qué? ¿Podrías pensar en otras modas para jóvenes que te gustarían más?

LOS 50

En estos años los poetas y otros escritores eran héroes. Y el color negro era su favorito.

Claro que sí, había modas más conservadoras.

LOS 60

Durante esos años teníamos el pelo un poco más largo y la ropa era mucho más imaginativa.

MÁS PRÁCTICA

Más práctica y tarea, p. 542
Practice Workbook PD–3

LOS 80

Éstos eran años en los que todos querían ser hombres o mujeres de negocios, o por lo menos trataban de vestirse así.

LOS 70

Ésa era la época de la ropa exagerada. El pelo largo todavía estaba de moda.

En esa década las diferencias entre la ropa para caballeros y para damas empezaban a desaparecer.

LOS 90

Y en los 90 . . . Bueno, ¿cómo nos vestimos hoy?

CARICATURAS

JACQUES FAIZANT

–¡Papaíto no está contento! A papaíto no le gusta que saltes desde los muebles.

Aquí tienes algunas de las caricaturas que más nos gustaron.

–Te deseo muchas felicidades en el día de tu santo.

HOVIV

¡SOCORRO!

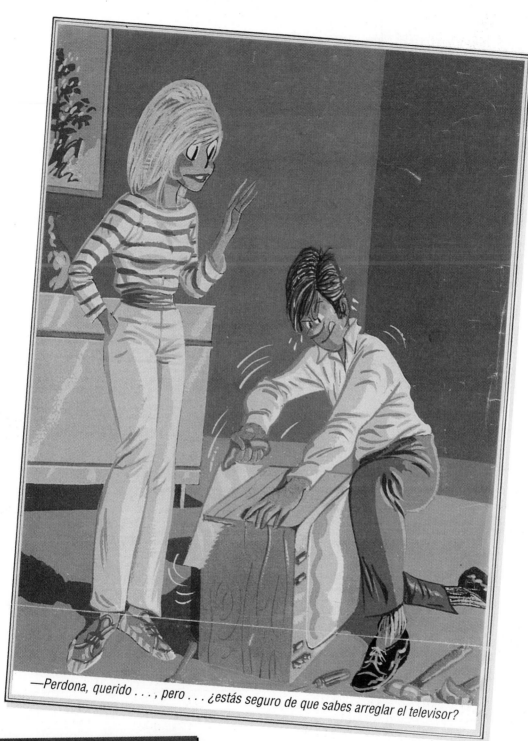

—Perdona, querido . . . , pero . . . ¿estás seguro de que sabes arreglar el televisor?

MÁS PRÁCTICA

- Más práctica y tarea, p. 543

NUESTROS
PASATIEMPOS

Hicimos una encuesta a nuestros lectores sobre sus pasatiempos favoritos y los más aburridos. Éstos fueron los resultados. ¿Estás de acuerdo con ellos o son diferentes a tus propios pasatiempos? ¿Cuándo fue la última vez que tú hiciste estas actividades? ¿Cuáles de éstas hiciste la semana pasada?

Pasatiempo	Me encanta	Lo soporto	Me aburre
bailar	55 %	23 %	22 %
leer	52 %	33 %	15 %
practicar deportes	60 %	28 %	12 %
ver deportes	67 %	18 %	15 %
ir al cine	81 %	16 %	3 %
ir de compras	19 %	30 %	51 %
hacer ejercicio	12 %	40 %	48 %
ir a fiestas	90 %	7 %	3 %
ver la televisión	83 %	8 %	9 %
tocar un instrumento musical	18 %	24 %	58 %
jugar ajedrez	9 %	5 %	86 %
hacer rompecabezas	10 %	32 %	58 %
hacer crucigramas	5 %	17 %	78 %

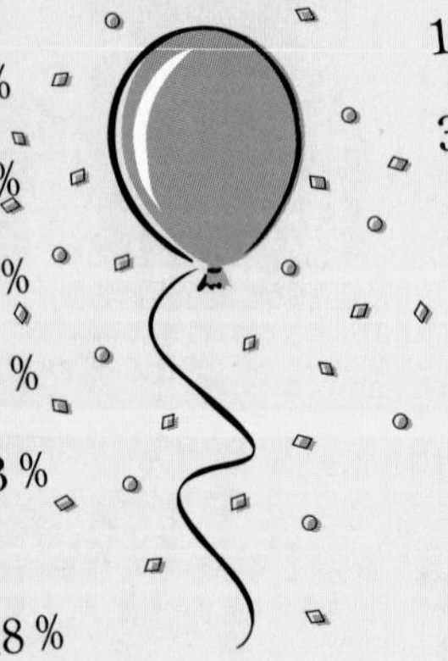

MÁS PRÁCTICA

- Más práctica y tarea, p. 543
- Practice Workbook PD–4

El día de fiesta que más me impresionó

Les hicimos una pregunta a nuestros lectores sobre los días de fiesta que mejor recuerdan. Aquí están algunas de las respuestas más interesantes.

Paco

Lo que más recuerdo es la boda de mi primo porque a mí no me gustan las ocasiones en las que tengo que ponerme traje y corbata. Toda la familia—bisabuelos, abuelos, primos, tíos, nietos, sobrinos— estaba en la iglesia, pero mi primo no llegaba. Pues, hubo un accidente en la carretera y no podía hacer nada. Cuando llegó, la novia y su mamá lloraban y su papá estaba muy enojado porque creían que no iba a llegar a tiempo. Luego, cuando las niñas encendían las velas, el pelo de una de ellas se encendió también y mi primo tuvo que apagarlo. Por fin se casaron y todos los invitados los felicitaron. Imagino que nadie podrá olvidar esa boda nunca.

Roberto

La Navidad es mi fiesta favorita. Recuerdo que una vez, cuando era pequeño, pedí un perro de peluche especial pero no había ninguno en las tiendas. Por fin, la Nochebuena, me compraron otra clase de animal de peluche. Cuando abrí el regalo yo estaba muy triste. Esa tarde, cuando llegaron mis tíos, tío Enrique llegó con regalos para todos y él me dio el perro que quería. ¡Qué contento estaba entonces!

MÁS PRÁCTICA

- Más práctica y tarea, pp. 543–544
  Practice Workbook PD–5

Carmen

Recuerdo el día de mi santo cuando yo tenía 8 años. Tengo cinco hermanos. Mi mamá bañó y vistió a los pequeños y Anita y yo, las mayores, nos bañamos y nos vestimos. Después, mientras esperábamos a los menores, Ana y yo fuimos al patio para jugar. Cuando mamá nos llamó para salir, estábamos sucias de cabeza a pie. Por supuesto, no había tiempo para bañarnos otra vez. Sólo nos lavamos la cara y las manos, y fuimos a la fiesta con los vestidos sucios. Teníamos miedo de lo que papá iba a decir, pero cuando nos vio, nos dijo que las fiestas eran para celebrar. Mi padre es un hombre muy comprensivo. Ni Anita ni yo olvidaremos nunca lo que nos dijo esa tarde.

11

Los tiempos cambian

Les preguntamos a nuestros lectores qué aparatos y otros productos creían que eran lujos y cuáles necesidades. Aquí están dos de las respuestas que recibimos. ¿Estás de acuerdo con ellas? Haz tus propias listas. Luego, haz esta pregunta a alguien que tenga cuarenta o cincuenta años más que tú. ¿Sus respuestas son diferentes de las tuyas? (¡Estas listas son muy diferentes de las nuestras!)

La lista de Antonio

LUJOS:

el televisor

el tocacintas

la lavadora

la secadora

la aspiradora

la calefacción central

el aire acondicionado

NECESIDADES:

la estufa

el refrigerador

el radio

el fregadero

los libros

el coche

el reloj pulsera

el calentador

el ventilador

La lista de María

LUJOS:

el aire acondicionado

el secador de pelo

el microondas

el lavaplatos

el televisor con control remoto

la videocasetera

las joyas

la secadora

el coche

NECESIDADES:

el tostador

la lavadora

la estufa

el refrigerador

los cuchillos, los tenedores y las cucharas

el detector de humo

el extinguidor de incendios

la computadora

la bicicleta

MÁS PRÁCTICA

Más práctica y tarea, p. 544

TESOROS DEL MUNDO HISPANO

VIAJAMOS POR TODAS PARTES PARA TRAERLES LOS TESOROS MÁS BELLOS DEL MUNDO HISPANO. AQUÍ SE MUESTRA LO QUE ENCONTRAMOS.

▶Descubrimos esta botella de oro en el Museo de América de Madrid. Es parte del Tesoro de los Quimbaya, indígenas de Colombia.

▶ Encontraron estos cuchillos de piedra en las excavaciones del Templo Mayor en la Ciudad de México. Los adornos son de turquesa, obsidiana y concha.

MÁS PRÁCTICA

- Más práctica y tarea, p. 544
- Practice Workbook PD–6

◀ Esta figura de Xiuhtecuhtli, el Señor de Turquesa, está hecha de piedra, y conserva la pintura original de las figuras aztecas. Se encuentra en el Museo Nacional de Antropología de México.

▲ Este objeto de cerámica de Cholula se encuentra en el Museo del Templo Mayor de México. Representa a Chicomecoatl, diosa azteca de la vegetación, de un lado y a Tlaloc, dios de la lluvia, del otro.

▶ Este platillo de cerámica de Cholula es parte de la colección del Museo Nacional de Antropología de México.

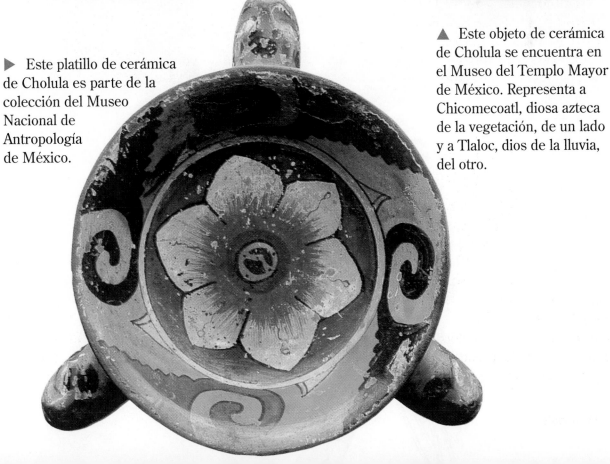

La salud

Muchas personas tienen accidentes u otros problemas durante las vacaciones. Aquí están algunos de los eventos desafortunados que ocurrieron este verano. ¿Qué estaban haciendo estas personas? ¿Qué ocurrió? ¿Qué debían hacer para protegerse?

Antes

Después

Antes

Después

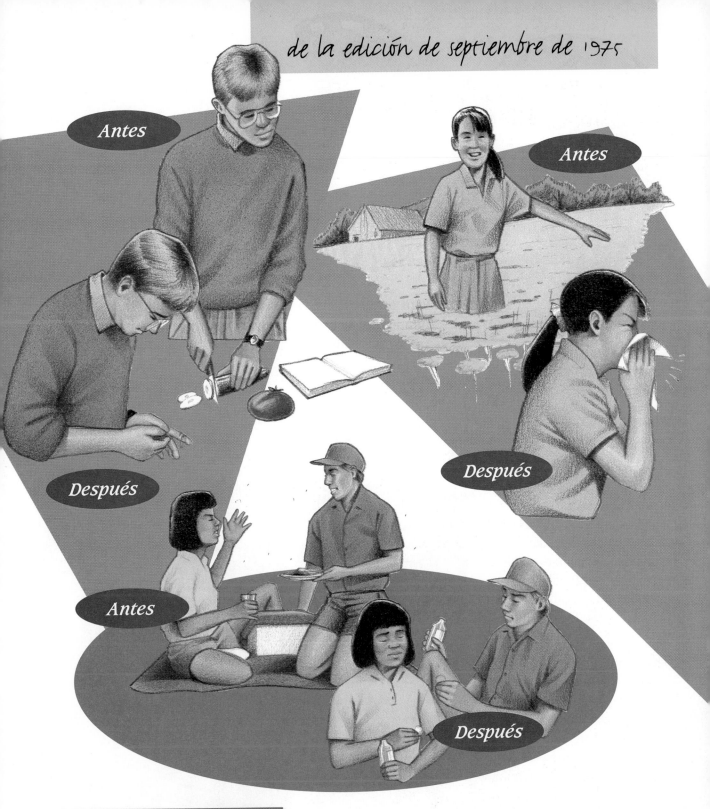

de la edición de septiembre de 1975

Antes

Antes

Después

Después

Antes

Después

MÁS PRÁCTICA

- Más práctica y tarea, p. 545
- Practice Workbook PD–7

17

NUESTRAS PELÍCULAS FAVORITAS

ANA Y JUAN

Para esta edición de aniversario nuestros editores Juan y Ana escogieron sus películas favoritas en varias categorías. Aquí nos dicen por qué les gustan.

PELÍCULA ROMÁNTICA

Titanic

Ana: Me encantó *Titanic,* especialmente por las actuaciones de los actores principales, Leonardo DiCaprio y Kate Winslet. Creo que todas mis amigas se enamoraron del personaje Jack porque tiene todas las características del galán romántico perfecto—es pobre pero guapo, artístico, gracioso, inteligente . . . ¡ah, y también maravillosamente atrevido!

Juan: A mí también me gustó, pero no por el romance exactamente. Para mí, los efectos especiales son lo mejor de *Titanic.* Realmente ayudan a la gente a entender cómo pasó este desastre. También me gustó cómo el guión presenta muchos argumentos a la vez, y con mucho suspenso—el argumento del amor entre Jack y Rose, el del desastre, y el del científico que busca el collar de joyas de Rose.

PELÍCULA DE CIENCIA FICCIÓN

E.T.

Juan: E.T. es mi película favorita de ciencia ficción. El personaje principal era este pequeño extraterrestre (por eso lo llaman E.T., claro) que llegó a la Tierra y fue a vivir con un niño. El niño y sus hermanos lo escondieron de su mamá y de la policía. Todo es bueno en esta película—la actuación, los personajes, el guión, el argumento. Es una película para toda la familia.

Ana: Sé que probablemente soy la única persona del mundo a quien no le gustó E.T. Los efectos especiales sí eran buenos, especialmente cuando E.T. montó en bicicleta, pero tiene que haber algo más que efectos especiales si voy a divertirme en el cine.

PELÍCULA DE TERROR

Parque jurásico

Ana: Generalmente no me gustan las películas de terror, pero *Parque jurásico* me encantó. Unos científicos crearon dinosaurios para un parque de diversiones y luego los dinosaurios empezaron a matar a la gente. Era una película de terror clásica, con monstruos que parecían reales. ¡Mucho mejor que los monstruos del cine del pasado! Creo que fue tan popular porque nos enseñó una lección—que no debemos molestar a la naturaleza.

Juan: Pues, a mí no me gustó porque había demasiada violencia. Además, los científicos eran los malos y, como quiero ser científico, no me gustó nada ese aspecto.

MÁS PRÁCTICA

Más práctica y tarea, p. 545
Practice Workbook PD–8

19

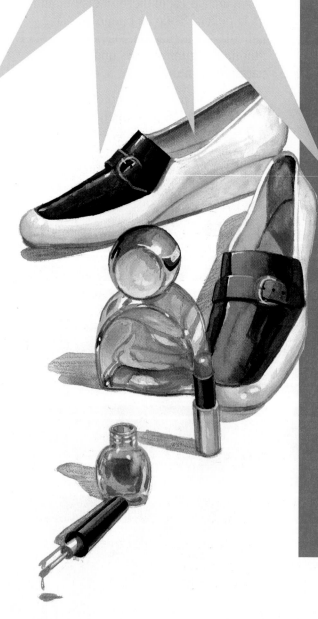

Estas reglas son del tiempo de tus abuelos. ¿Cuáles de ellas se rompen hoy? ¿Hay algunas que todavía son iguales? ¿Hay reglas nuevas hoy? ¿Cuáles son?

Las muchachas nunca deben romper las reglas

Todas nosotras conocemos estas reglas para el uso del maquillaje, la moda y la etiqueta. ¿Quién será bastante atrevida para romperlas?

1. El lápiz de labios siempre debe ser de un color que vaya con tu ropa.

2. El esmalte de uñas siempre debe ser del mismo color que el lápiz de labios.

3. Las jóvenes de menos de quince años pueden usar lápiz de labios de color claro, pero sólo después de las clases.

4. Ningún muchacho quiere tener maquillaje en la camisa. Por eso, cuando salgas con tu novio, nunca uses demasiado maquillaje.

5. Se debe usar muy poco maquillaje antes de las cinco de la tarde. Tampoco debes ponerte demasiadas joyas.

6. El perfume también se debe usar con cuidado— una gota en cada muñeca, otras dos en el cuello.

7. Nadie usa zapatos blancos antes de Pascua ni después del primero de septiembre. Tampoco se usan guantes ni sombreros blancos excepto en el verano.

8. Todas sabemos que los zapatos de tacón alto generalmente no son cómodos. Pero si quieres estar de moda, debes llevarlos.

Y no olvides que . . .

- Un joven bien educado siempre se afeita todos los días.

- Ningún muchacho debe usar calcetines blancos con un traje.

- Si un joven no lleva corbata cuando sale contigo por primera vez . . . bueno, no vale la pena. ¡Sigue buscando!

MÁS PRÁCTICA

Más práctica y tarea, pp. 545–546

21

Vamos de vacaciones

Cuando vas de vacaciones hay que estar preparado(a). Si sigues los consejos de los agentes de viajes estarás preparado(a) para todo. Aquí los tienes.

Primero decide adónde quieres ir. Habla con amigos y parientes y pregúntales qué lugares recomiendan. Consigue una buena guía, y léela para informarte sobre el tiempo, los precios, la mejor estación para viajar allí, qué necesitas llevar y las atracciones que debes visitar. Sigue los consejos de la guía. No vayas a un lugar popular cuando todo el mundo va a estar allí.

Compra tu boleto temprano para conseguir el mejor precio. Ve al aeropuerto temprano porque necesitarás tiempo para facturar tu equipaje, conseguir tu tarjeta de embarque y encontrar la puerta.

No olvides que a veces el equipaje se pierde. Haz siempre una maleta pequeña con lo que necesitas para una noche, y llévala contigo en el avión.

Plaza del País
Valencià, Valencia, España

Y lo más importante . . .
¡Diviértete!

Si viajas a otro país...

No traigas demasiado equipaje. Trae sólo lo que puedes llevar.

Recuerda el "jet lag." No trates de hacer ni ver demasiado los primeros días. Tienes que acostumbrarte al tiempo, a la altitud, a la hora y a la cultura.

Es una buena idea beber sólo agua en botellas. Y ten cuidado con las comidas. No comas demasiado, especialmente por la noche.

Escribe tarjetas postales a tus amigos y parientes. Pero no olvides que hay que comprar sellos del país de donde las envías.

Siempre sé amable con todos. No seas mal(a) embajador(a) de tu país.

No seas tímido(a). Trata de hablar siempre la lengua del país. No es importante que la hables bien. A la gente le gustará que hagas el esfuerzo. Recuerda: ¡No todo el mundo habla inglés!

La iglesia de Santa Prisca en la plaza de Borda en Taxco, México

Picos y lagos del Parque Nacional de Torres del Paine en la Patagonia chilena

En lugares donde hace mucho sol...

Prepárate. Trae bronceador, anteojos de sol y un sombrero. Ponte el sombrero si vas a pasar mucho tiempo al sol. Bebe agua para no deshidratarte. No pases mucho tiempo en la playa la primera semana, y siempre usa bronceador para no quemarte.

MÁS PRÁCTICA

- Más práctica y tarea, p. 546
- Practice Workbook PD–9

El siglo XXI–unas predicciones

Javier Gómez
—científico

Con la tecnología sabremos resolver muchos de los problemas del mundo de hoy. Todos sabrán usar la computadora, y la comunicación será más rápida y mejor que ahora. Con teléfonos con video podremos tener conferencias con gente en otras partes del mundo, y los veremos en pantallas gigantes. No habrá oficinas porque todos tendrán computadora en casa y no necesitarán perder tiempo viajando a una oficina todos los días.

Cuando empezó la última década del siglo XX, varios expertos nos ofrecieron sus predicciones sobre el futuro. ¿Qué piensas tú? ¿Estás de acuerdo o no? ¿Por qué? Haz tus propias predicciones.

David Vélez
—cocinero

¿Qué comeremos en el futuro? Primero, tendremos que cambiar nuestra dieta. No comeremos tanta carne, porque no habrá suficiente y será muy cara. Aprenderemos a comer proteína vegetal—¡y nos gustará! Nuestra comida será más sana y viviremos más años.

Alberta García–Peña
—médica

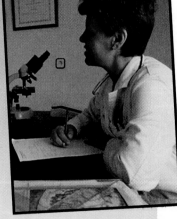

Sabremos curar muchas de las enfermedades de hoy, por ejemplo, el cáncer, pero habrá más enfermedades que todavía no conocemos. (¡No olvides que el SIDA es una enfermedad muy nueva!) Cuando veamos el papel que tiene la contaminación en las enfermedades, por fin trabajaremos para limpiar el medio ambiente. Lo que nunca sabremos hacer es curar el resfriado.

Gloria Ramos
—diseñadora

La ropa será más práctica. Usaremos sólo materiales modernos como el plástico. Los bolsos para mujeres desaparecerán porque no tendrán ni tiempo ni paciencia para llevarlos y, además, es demasiado fácil robarlos. Por eso, toda la ropa femenina tendrá bolsillos. Aquí hay uno de mis vestidos.

Lola Villas
—agente de viajes

Los viajeros podrán ver por televisión los lugares que quieran visitar. Además tendrán la opción de pagar todos los gastos del viaje electrónicamente. No tendrán que ir al banco a cambiar dinero. El ecoturismo seguirá ganando popularidad.

Alfredo Pérez
—arquitecto

Nuestras ciudades deberán cambiar mucho porque si no, nadie podrá vivir allí. Habrá lugares verdes—parques y senderos—por todas partes y menos edificios grandes. Las casas estarán situadas en grupos con un área de césped común. Y serán más pequeñas, más cómodas y más fáciles de mantener porque nadie querrá perder tiempo limpiándolas.

MÁS PRÁCTICA

- Más práctica y tarea, p. 546
- Practice Workbook PD–10

CAPÍTULO 1

OBJETIVOS

Al terminar este capítulo vas a poder responder a la pregunta clave:

¿Quién soy yo en realidad?

También vas a poder:

- describir las cualidades de una persona
- describir cómo te relacionas con los demás
- hablar sobre cuál es tu papel en la sociedad
- comparar tus relaciones con la familia, amigos y compañeros con las de los jóvenes hispanos

Unos promotores de salud de Clínica del Pueblo, *Latin American Youth Center*, Washington, D.C.

Anticipación

Mira las fotos. ¿Cómo son estos jóvenes hispanos?
¿Adónde les gusta ir y qué les gusta hacer? Y a ti,
¿adónde te gusta ir y qué te gusta hacer?

"Las estudiantes de la banda de la escuela nos sentimos muy orgullosas cuando marchamos por las calles."

Muchos estudiantes de primaria y secundaria son parte de las bandas de música. Los jóvenes de la foto marchan en las calles de Laredo, Texas para celebrar el cumpleaños de George Washington. ¿Qué instrumentos incluye la banda de música de tu escuela? ¿Perteneces o te gustaría pertenecer a la banda?

"Cada año, los que pertenecemos a la familia Limón celebramos el cumpleaños de la abuela. Aquí estamos en su casa, en Austin, Texas."

¿Cómo son las celebraciones de tu familia? Las familias hispanoamericanas se reúnen para la Navidad o para el Año Nuevo. Ellos prefieren tener sus reuniones en la casa de las personas de mayor edad, los abuelos. ¿Visitas a tus abuelos frecuentemente? ¿Eres cariñoso(a) con ellos? ¿Cómo son tus abuelos?

"Después de las clases, nos gusta ir a un restaurante al aire libre."

¿Qué te gusta hacer después de la escuela? ¿Tienes que trabajar, o tienes tiempo para divertirte un poco? A los jóvenes hispanos les gusta estar con sus amigos cuando pueden. Pero esto no quiere decir que no les guste estar con su familia. Frecuentemente, sus hermanos también son sus amigos íntimos.

Vocabulario para comunicarse

¿Cómo eres?

Aquí tienes palabras y expresiones necesarias para hablar sobre ti mismo(a) y sobre tus amigos. Léelas varias veces y practícalas con un(a) compañero(a) en las páginas siguientes.

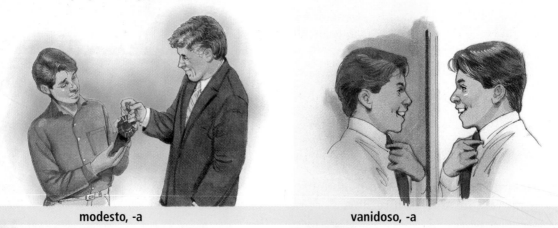

modesto, -a

vanidoso, -a

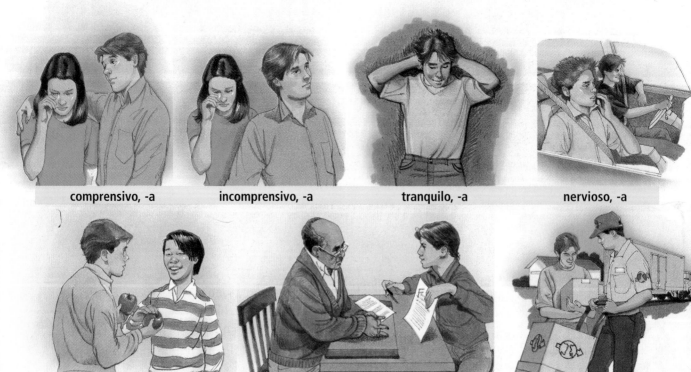

comprensivo, -a

incomprensivo, -a

tranquilo, -a

nervioso, -a

compartir

quejarse (de)

mudarse

También necesitas . . .

Si no sabes qué quieren decir estas palabras, puedes consultar un diccionario o el Vocabulario español-inglés al final del libro.

la amistad, *pl.* las amistades
apoyar(se)
los demás
discutir
enojarse
entender(se) *(e → ie)*
hacer caso a

íntimo, -a
llevarse (bien / mal)
lo más / menos (+ *adj.*)
lo mejor / lo peor
¡Qué va!
relacionar(se) con

¿Y qué quiere decir . . . ?

admirar
el conflicto
el consejo
considerado, -a
dar un consejo*
la discusión,
   pl. las discusiones
frecuentemente

mantener *(e → ie)*[†]
  (yo) mantengo
  (tú) mantienes
resolver *(o → ue)*
respetar
responsable
el sentido del humor
sincero, -a
tener en común

* *Dar un consejo* se refiere a un solo consejo en particular. Para la acción en general se usa el plural: *dar consejos.*
[†] *Mantener* se conjuga como *tener.*

Empecemos a conversar

Túrnate con un(a) compañero(a) para ser *Estudiante A* y *Estudiante B*.
Reemplacen las palabras subrayadas con palabras representadas o
escritas en los recuadros.   quiere decir que puedes escoger tu
propia respuesta.

1

    A — *Eres <u>comprensivo(a)</u>, ¿verdad?*
    B — *¡Claro que sí!, soy (muy) <u>comprensivo(a)</u>.*
         o: *¡Qué va!, no lo soy.*
         o: *Sí, a veces.*

Estudiante A　　　　　　　　　　　　　　**Estudiante B**

a.

b.

c.

d.

e.

f.

g.

h.

2 respetar A — *¿Respetas a tus amigos?*
B — *Sí, los respeto siempre.*
o: *A veces sí y a veces no.*

Estudiante A

a. apoyar

b. entender

c. ver

d. ayudar

e. admirar

f.

Estudiante B

siempre

nunca

frecuentemente

a menudo

El joven de la garibaldina roja
(autorretrato) (1919), Joan Miró

3 desordenado,-a   A — *¿Es <u>desordenado(a)</u> tu mejor amigo(a)?*
                 B — <u>*Sí, nunca encuentra nada.*</u>
                     o: *No, es ordenado(a).*

Estudiante A

a. callado,-a

b. deportista

c. responsable

d. gracioso,-a

e. perezoso,-a

f.

Estudiante B

siempre se levanta tarde

siempre hace su tarea

nunca habla mucho

todos los días nada por una hora

tiene sentido del humor

---

4   tus amigas   A — *¿Cómo te llevas con <u>tus amigas</u>?*
                   B — <u>*Generalmente me llevo muy bien.*</u>
                     o: *Depende, a veces me llevo bien, a veces nos enojamos.*

¡NO OLVIDES!

Los pronombres reflexivos *se* y *nos* se usan también para expresar la idea "uno(s) con el(los) otro(s)."
Mis amigos nunca **se** *enojan.*
Nosotros no **nos** *hablamos mucho.*

Estudiante A

a. tus compañeros

b. tus profesores

c. tus padres

d. tus vecinos

e. los demás

f.

Estudiante B

mal

regular

discutimos mucho

nos entendemos bien

a veces nos enojamos

¿Y qué piensas tú?

Aquí tienes otra oportunidad para usar el vocabulario de este capítulo.

5 ¿Con quién o en qué situaciones te enojas más? ¿Con quién tienes discusiones? ¿Qué haces para resolver un problema?

6 ¿Quiénes te dan consejos, tus amigos o alguien de tu familia? ¿Haces caso generalmente a los consejos que te dan?

Juan estudia la preparatoria en Puerto Vallarta, México.

7 ¿Cómo se puede mantener una amistad con una persona que se muda lejos de ti? ¿Qué es lo más importante para ti en una amistad? ¿Y lo menos importante?

8 ¿Cómo te relacionas con tus amigos? ¿Qué es lo mejor de una amistad? ¿Y lo peor? ¿Por qué?

9 Piensa en la persona a quien más admiras. ¿Cuáles son cuatro adjetivos para describirlo(la)? ¿Y tres sustantivos o nombres? Lee el modelo de abajo. Luego sigue los pasos siguientes para hacer un poema sobre esa persona.

- Escribe su nombre.
- Escribe dos de los adjetivos.
- Escribe los tres sustantivos.
- Escribe los otros dos adjetivos.
- Escribe su nombre otra vez.

Juan
sincero, tranquilo
estudiante, atleta, amigo
responsable, considerado
Juan

Ahora puedes hacer un poema sobre ti mismo(a) o sobre una persona famosa.

10 Brevemente, describe cómo eres tú. Piensa qué dicen tus amigos, hermanos y profesores sobre ti e inclúyelo en tu descripción.

Práctica de vocabulario · www.pasoapaso.com

MÁS PRÁCTICA

- Más práctica y tarea, p. 547
- Practice Workbook 1–1, 1–2

Tema para investigar

Aquí tienes más palabras e ideas que te ayudarán a conocerte mejor.
Mira las ilustraciones y las fotos de esta página. ¿En qué actividades
participan estos jóvenes? Y tú, ¿participas en alguna de estas
actividades o en otras?

¿Cuál es tu papel en la sociedad?

En los países hispanos, al igual que en los Estados Unidos, los estudiantes participan en varias actividades extracurriculares. Mientras **los aficionados** a la música o al teatro tocan en una banda o **se inscriben** en un club de teatro, hay otros que prefieren practicar deportes que no ofrecen en la escuela como, por ejemplo, las artes marciales o **la esgrima.** Si les gusta la literatura y escribir, pueden participar en el club literario, o en **la redacción** de la revista literaria de la escuela.

Aunque en los países hispanos esto no está muy generalizado, algunos jóvenes quieren trabajar para ganar dinero extra. Pueden trabajar después de las clases, aunque lo más común es que traten de encontrar un trabajo para los fines de semana. Generalmente, cuidan niños, trabajan en un supermercado o en una tienda, reparten periódicos, **dan clases particulares** o son **ayudantes** de biblioteca.

Diferentes cosas nos **influyen** a escoger un trabajo, pero los trabajos comunitarios están **adquiriendo** una gran popularidad entre los jóvenes hispanos. Pueden trabajar como voluntarios en **campañas** de reciclaje y de **higiene**. A otros jóvenes les gusta pasar parte de su fin de semana en guarderías infantiles, **orfanatos y asilos.**

Y tú, ¿qué haces después de las clases?

Una clase de karate en la Ciudad de México

Si no sabes qué quieren decir estas palabras, puedes consultar un diccionario o el Vocabulario español-inglés al final del libro.	el (la) aficionado(a) inscribirse la esgrima la redacción aunque dar clases particulares el / la ayudante	influir (en / sobre):* (yo) influyo (tú) influyes adquirir *(i → ie)* la campaña la higiene el orfanato el asilo

Influir se conjuga como *incluir*.

¿Comprendiste?

1 Según la lectura, ¿cuáles de las siguientes frases son ciertas? Cambia las que no sean ciertas.

  a. En los países hispanos los estudiantes no participan en actividades extracurriculares.

  b. Algunos estudiantes prefieren practicar deportes que no hay en la escuela.

  c. Es común tratar de encontrar un trabajo los fines de semana si ellos quieren ganar dinero extra.

  d. Los trabajos comunitarios casi nunca son populares entre los jóvenes hispanos.

2 ¿Cuándo es más común que trabajen los jóvenes hispanos, después de las clases o los fines de semana? ¿Por qué crees que es así?

¿Y qué piensas tú?

3 ¿En qué actividades participas? ¿Eres miembro de alguna banda o grupo de teatro? ¿Prefieres participar en los deportes de la escuela o en otros? ¿En cuáles?

4 ¿Te gusta escribir? ¿Hay una revista literaria en tu escuela? ¿Cómo se llama? ¿Participas en su redacción?

5 ¿Trabajas para ganar dinero extra? ¿En qué trabajas? ¿Trabajas después de las clases o los fines de semana? ¿Por qué?

6 ¿Qué clases de trabajos comunitarios son populares entre los estudiantes que conoces? ¿Qué oportunidades hay en tu comunidad para trabajar como voluntario? ¿Participas en algún trabajo voluntario o comunitario? ¿En cuál?

Un artista haciendo un dibujo en el Parque del Retiro en Madrid, España

Práctica de vocabulario • www.pasoapaso.com

MÁS PRÁCTICA

Más práctica y tarea, p. 548
Practice Workbook 1–3, 1–4

¡Vivan los voluntarios!

En Panamá, los jóvenes son super activos en cuanto a la ecología. Todos los meses, varias fundaciones, tanto nacionales como privadas, organizan proyectos para la reforestación, la limpieza de las playas y la protección de animales en los bosques.

Uno de los proyectos requiere que los voluntarios pasen el fin de semana en las montañas. La misión: desarmar las trampas que ponen los cazadores. Dice Ana Smith, de 17 años, «Me encanta ser parte de este proyecto. Tenemos que aprender a conservar el medio ambiente para el futuro».

¿Qué sabes ahora?

¿Puedes:

- describirte a ti mismo(a)?

  —Soy ___ y ___ . (No) me gusta ___ .

- describir a tu mejor amigo(a)?

  —Mi mejor amigo(a) es ___ y ___ . Le gusta ___ .

- decir cómo te llevas con los demás y por qué?

  —Mi hermano y yo siempre ___ . Él es muy ___ .

- hablar sobre tu papel en la sociedad?

  —Los viernes, después de las clases, ___ .

En una academia de
baile en Caracas, Venezuela

ÁLBUM CULTURAL

¿Qué les gusta hacer a los adolescentes en España e Hispanoamérica? ¿Cómo se relacionan con los amigos y con la familia? ¿Cuáles son sus preocupaciones? ¿Cómo son ellos?

En Barcelona, muchos jóvenes prefieren salir con un grupo de amigos. Un lugar de reunión es el café Parc Güell. Ahí los jóvenes hablan sobre la escuela, sobre una película o sobre el último juego de su equipo favorito de fútbol, el Barça. Dice Leticia, "Me gusta estar con las personas que me aceptan tal como soy. Eso me hace sentir bien."

Eduardo es un joven catalán que estudia en la universidad. Está tomando un curso de biología. "Me considero un muchacho estudioso," dice Eduardo. "A veces me quejo porque no tengo mucho tiempo para ir al cine o escuchar música, pero en general me gusta mucho estudiar biología." Eduardo puede estudiar en la biblioteca de la universidad, pero prefiere la tranquilidad de su cuarto.

Actividad cultural · www.pasoapaso.com

Los jóvenes del mural *Song of Unity* están tocando música y trabajando juntos para mejorar la vida de la comunidad. Un grupo de artistas pintó este mural en una de las paredes de La Peña Cultural Center en Berkeley, California para unir las diferentes culturas representadas allí.

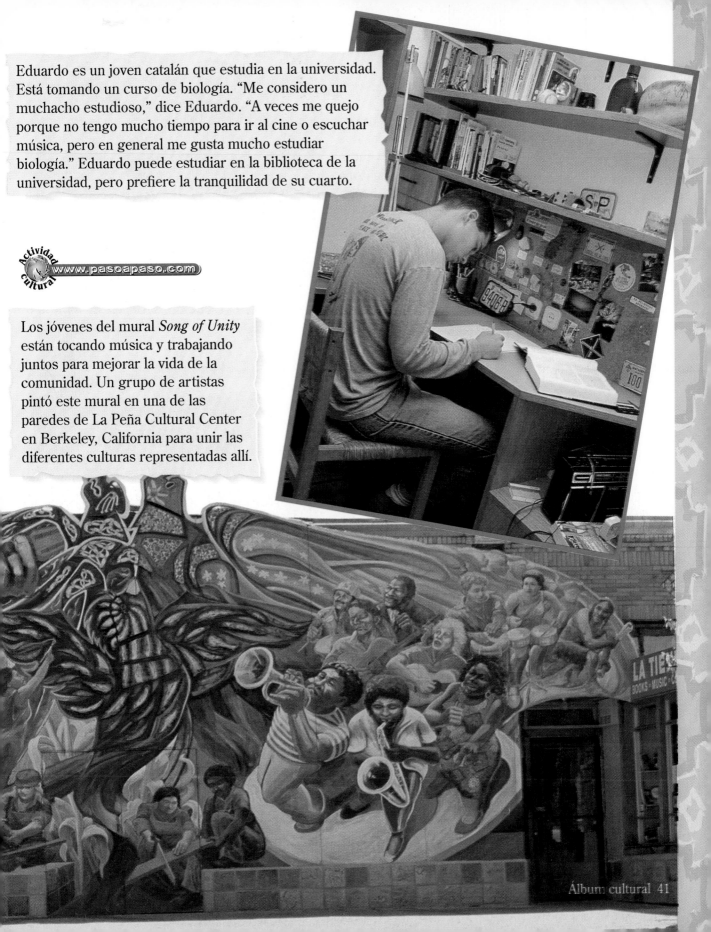

Vidal es un muchacho de la Ciudad de México que trabaja y estudia. "Me gusta hacer las dos cosas," dice Vidal, quien por las tardes vende periódicos y revistas en un quiosco de la Zona Rosa. "Así gano algo de dinero y ayudo a mis padres. Y por las mañanas estudio en la secundaria. También me gusta ver la televisión o practicar artes marciales."

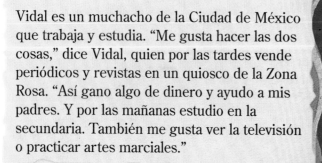

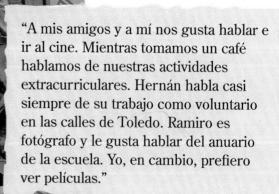

"A mis amigos y a mí nos gusta hablar e ir al cine. Mientras tomamos un café hablamos de nuestras actividades extracurriculares. Hernán habla casi siempre de su trabajo como voluntario en las calles de Toledo. Ramiro es fotógrafo y le gusta hablar del anuario de la escuela. Yo, en cambio, prefiero ver películas."

"Las personas más comprensivas se encuentran en mi misma familia," dice Magda. " Sí, nuestros parientes son nuestros mejores amigos." Cada año la familia de Magda se reúne en Río Grande, Texas. Ahí tienen una casa muy grande que pertenece a toda la familia. Magda también dice que para cada reunión su abuela prepara un plato especial. "Por las noches nos sentamos a comer y compartir experiencias de nuestra vida," dice Magda.

Reacción personal

Contesta las siguientes preguntas en una hoja de papel.

1 Mira las fotos y lee el texto de cada una de ellas para ver cuáles son las características de los jóvenes hispanos. ¿Qué tienes en común con ellos? ¿Cuáles son las diferencias entre tú y ellos?

2 ¿Cuándo te reúnes tú con tu familia? ¿Y con tus amigos? Cuando te reúnes con ellos(as), ¿adónde van?

3 ¿Cuáles son las actividades en que participan las personas en las fotos? ¿Participas en las mismas actividades? ¿En qué actividades participas o te gustaría participar?

Gramática en contexto

En este cartel se recomiendan siete pasos para resolver un problema. ¿Qué haces tú para resolver un conflicto? Lee el cartel.

A La primera palabra de cada oración te indica qué debes hacer para resolver un conflicto. En los pasos 2, 3, 5 y 6, ¿qué verbos implican mandato? Con el verbo *resolver,* completa la oración: ". . . el problema."

B En los pasos 1, 4 y 7 hay otros mandatos. ¿Cuáles son? ¿Cuál es el infinitivo de esos verbos?

C *Lo que* aparece dos veces, en el paso 2 y en el 5. En estos casos, ¿*lo que* se refiere a un objeto, una acción o una persona?

Cómo resolver un conflicto

Si tienes un conflicto con otra persona:

1 Haz un esfuerzo para resolver el problema.

2 Escucha lo que dice la otra persona sin interrumpir.

3 Respeta la opinión de la otra persona.

4 Sé sincero.

5 Explica lo que pasó y cómo te sientes.

6 Sugiere soluciones posibles.

7 Di qué harás para resolver el problema.

Repaso: Los mandatos afirmativos con *tú*

Recuerda que para dar un mandato afirmativo con *tú*, se usa la misma forma del verbo que para *Ud. / él / ella* del presente.

Juanito, **comparte** tus juguetes con los otros niños.
Resuelve rápido tus problemas con los demás.

• Hay verbos que tienen formas de mandato afirmativo irregulares.

tener	**ten**	poner	**pon**
hacer	**haz**	decir	**di**
ser	**sé**	ir	**ve**
salir	**sal**	venir*	**ven**

• Cuando un mandato con *tú* en la forma afirmativa se usa con un pronombre de complemento directo o indirecto, el pronombre se une al verbo. Si la forma de mandato tiene más de dos sílabas, se le pone un acento escrito para indicar que la acentuación del verbo no varía.

Dime la verdad siempre.
Explícale a tu padre por qué llegaste tarde.

* Estudiarás el verbo *venir* en el Capítulo 2.

Dos jóvenes se dan la mano en un parque de la Ciudad de México.

1 ¿Qué consejos puedes darle a un(a) compañero(a) que tiene los siguientes problemas?

A —*Nunca llego a tiempo.*
B —*Sal de casa más temprano.*

Estudiante A

a. Me peleo con todo el mundo.

b. Siempre doy excusas.

c. Nunca ayudo en casa.

d. No hago nada los viernes por la noche.

e. Soy bastante vanidoso.

f. Nunca sé cuáles son las tareas.

g.

Estudiante B

Preguntarle a un(a) compañero(a).

Ir al cine con tu hermano(a).

Ser más amable.

Decir la verdad.

Pensar también en los demás.

Poner la mesa esta noche.

Repaso: Los complementos directos e indirectos

Recuerda que los pronombres de complemento directo indican qué o quién recibe la acción del verbo y que los de complemento indirecto denotan a quién o para quién se realiza la acción. Aquí tienes todos los pronombres de complemento directo e indirecto.

Pronombres de complemento directo

me	nos
te	os
lo / la	los / las

Pronombres de complemento indirecto

me	nos
te	os
le	les

detalle de *Autorretrato* (1794–1795), Francisco de Goya

- Estos pronombres van antes del verbo principal o se unen al infinitivo, al gerundio o a un mandato afirmativo.

   La influencia de los amigos **nos puede** causar problemas.
   La influencia de los amigos puede **causarnos** problemas.
   Creo que nuestros amigos están **influyéndonos**.
   Dale buenos consejos a tu amigo.

- Si un pronombre de complemento directo o indirecto va unido a un gerundio o a un mandato de más de una sílaba, se agrega un acento escrito para conservar la acentuación original.

   Es un buen amigo. **Respétalo.**

- Si el complemento indirecto es un sustantivo, se suele usar también el pronombre de complemento indirecto.

   ¿Siempre **les** haces caso **a tus padres?**

¡NO OLVIDES!

Si el complemento directo es una persona o un grupo de personas, se usa la *a* personal: *Suelo ayudar a mis amigos.*

2 Pregúntale a tu compañero(a) sobre sus relaciones con los demás. Explica tus respuestas.

ver a tu mejor amigo(a) todos los días

A —*¿Ves a tu mejor amigo(a) todos los días?*
B —*Sí, lo (la) veo todos los días. Tenemos las mismas clases.*
　　o: *No, no lo (la) veo todos los días. Va a otra escuela.*

a. invitar a tus amigos(as) a tu casa
b. admirar a tu profesor(a) de ___
c. conocer bien al director (a la directora) de la escuela
d. obedecer a tus padres
e. entender siempre a tus hermanos(as)
f. respetar a los demás estudiantes de tu escuela
g. visitar frecuentemente a otras personas de tu familia
h. 💡

3 Pregúntale a tu compañero(a) qué hacen otras personas por él (ella). Usa expresiones de las tres columnas en las preguntas y en las respuestas.

ayudar con la tarea

A —*¿Tu mejor amigo(a) te ayuda con la tarea?*
B —*Sí, me ayuda frecuentemente.*
　　o: *No, nunca me ayuda.*

a. tus padres	apoyar	(casi) siempre
b. tus abuelos	llamar por teléfono	de vez en cuando
c. tus amigos(as)	hacer caso	muchas veces
d. tus compañeros(as)	escribir cartas	a menudo
e. tu mejor amigo(a)	prestar dinero	frecuentemente
f. tu profesor(a) de ___	dar consejos	(casi) nunca
g. 💡	dar clases particulares	

4 Dile a tu compañero(a) qué te gusta hacer por los demás.
Tu compañero(a) te puede decir si le gusta hacer lo mismo o no.

preparar su plato favorito a tu padre (madre)

A —*Me gusta prepararle su plato favorito a mi padre.*

B —*A mí no. No me gusta cocinar. Nunca le preparo nada.*
o: *A mí también. Generalmente le preparo un bistec con papas fritas.*

a. decir la verdad a tu profesor(a) de español
b. dar clases particulares a otros estudiantes
c. prestar tus apuntes a tu compañero(a) de clase
d. escuchar al profesor (a la profesora) de ___
e. ayudar a tu madre en casa
f. llamar a tus abuelos(as)
g. 💡

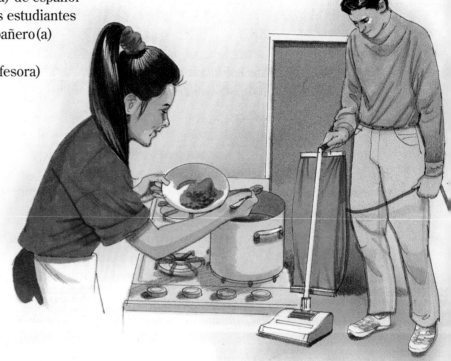

Otros usos de *lo*

Para indicar una idea o acción en su totalidad, se puede usar *lo* + el adjetivo masculino singular correspondiente a esa idea o acción, de forma que el adjetivo tiene valor de sustantivo. En inglés se suele expresar lo mismo con las palabras "thing" o "part."

Lo peor que puedes hacer es decir mentiras a tus compañeros.

Lo más importante es ser sincero.

• Se usa *lo que* para referirse a una situación, acción u objeto todavía sin identificar. Para decir lo mismo en inglés se suele usar "what."

Lo que debes hacer es no escucharlo.

No entendemos **lo que** ellos dicen.

5 Completa las frases de una manera original.
Después compáralas con las de un(a) compañero(a).

Lo bueno de este año escolar es…
Lo bueno de este año escolar es que me gustan mis clases.

Lo que mis amigos dicen…
Lo que mis amigos dicen me influye mucho.

a. Lo peor que una persona
   puede hacer es…
b. Lo mejor que un(a) amigo(a)
   puede hacer es…
c. En una amistad, lo más
   difícil es…
d. Lo que mis padres piensan…
e. Lo peor que un(a) compañero(a)
   puede hacer es…
f. Lo que mis tíos(as) hacen…

Ahora lo sabes

¿Puedes:

■ darle un consejo a un(a) amigo(a)?

—Por favor, ____ lo que dice la profesora.

■ decir a quién o para quién se hace algo?

—Mi mejor amigo ____ llama por teléfono siempre.
Yo ____ ayudo con la tarea.

■ hablar de algo todavía no identificado?

—No sé ____ ____ me va a regalar para mi cumpleaños.

MÁS PRÁCTICA

- Más práctica y tarea, pp. 548–549
  Practice Workbook 1–5, 1–9

¿Quién soy yo en realidad?

Esta sección te ofrece la oportunidad de combinar lo que aprendiste en este capítulo con lo que ya sabes para responder a la pregunta clave.

Para decir más

Aquí tienes vocabulario adicional que te puede ayudar para hacer las actividades de esta sección. Si no sabes qué quieren decir estas palabras, puedes consultar un diccionario.

orgulloso(a)

talentoso(a)

sensible

sensato(a)

idealista

perfeccionista

optimista

pesimista

**el ciudadano,
la ciudadana**

Sopa de actividades

1. Haz una descripción de ti mismo(a) en un montaje. Usa fotos tuyas o de una revista y palabras claves para indicar:

- cómo eres
- qué te gusta hacer y qué no
- cuáles son tus intereses
- cómo son tus amigos(as)
- cómo te llevas con ellos
- por qué te consideras un(a) buen(a) amigo(a), estudiante, ciudadano(a)

Luego prepara un informe oral con esos datos y preséntalo a un grupo de tus compañeros(as).

estudiosa

DIVERTIDO

¡Chévere!

2 Trabaja con un(a) compañero(a) y haz una lista de verbos. Por ejemplo: *montar, dibujar, ir al campo.*

Ahora escribe cuatro frases que te describen a ti. Tres de las frases son verdaderas y una es falsa. Por ejemplo:

> *Me encanta practicar la esgrima.*
> *Trabajo en un asilo los fines de semana.*
> *Toco el clarinete en la orquesta*
>   *de la escuela.*
> *Escribo artículos para el periódico*
>   *escolar.*

Lee las cuatro frases a un(a) compañero(a). Tu compañero(a) debe identificar la frase falsa. Por ejemplo:

A —*No tocas el clarinete en la orquesta de la escuela.*
B —*Tienes razón. No toco el clarinete.*
    o: *Sí, toco el clarinete en la orquesta.*

¡Al concierto!

¿Qué hacen los jóvenes en Barcelona un sábado por la noche? ¡Van a los conciertos de rock!

«Primero, vamos a casa de alguien y escuchamos la música del cantante o del grupo», dice Jordi Tarrida. «Después, con nuestras chupas negras, vamos en grupo al concierto. Si la música lo permite, bailamos. Después del concierto, el grupo termina la noche en un café o en una discoteca».

3 Nuestro trabajo nos ayuda a conocernos mejor. Pero los estudiantes no pueden trabajar muchas horas. En grupos de cuatro, discutan sobre si la escuela debe limitar el número de horas que pueden trabajar los estudiantes.

- Den cinco razones por qué sí o por qué no están de acuerdo.
- En una tabla, escriban un contraargumento para cada una de ellas.
- Dos estudiantes de cada grupo deben trabajar con otros dos estudiantes de otro grupo con un punto de vista diferente para debatir el tema.
- Reporten los resultados a su grupo.

Para leer

Antes de leer

ESTRATEGIA ➤ Uso de títulos, subtítulos e ilustraciones

En la Edad Media, cada uno de los elementos: el fuego, el aire, el agua y la tierra, se asociaba con colores y características personales. ¿Qué piensas tú? En una hoja de papel, escribe los colores y características de cada elemento.

Mira la lectura

ESTRATEGIA ➤ Dar un vistazo

Lee la selección una vez rápidamente sólo para ver si los colores y las características de tu lista corresponden a los de la selección.

El color de tu personalidad

Tu grupo es:
FUEGO

Eres apasionado(a), impulsivo(a) y entusiasta. Te apasionas muy fácilmente por una causa o un proyecto. Eres una persona franca, cálida, muy abierta y sin rencores. ¡Dices lo que piensas!

Si eres "fuego," prefieres:

El rojo: Entusiasta y espontáneo(a), exteriorizas fácilmente tus sentimientos, a veces con pasión.

El anaranjado: Eres una persona generosa, afectuosa y muy abierta.

El amarillo: Tu carácter es orgulloso y firme. No aceptas los compromisos.

Tu grupo es:
AIRE

Lucidez y vigor son tus características principales. Haces amistades con facilidad y te encanta discutir. No te gusta estar solo(a).

Si eres "aire," prefieres:

El violeta: Eres sentimental e idealista. Tienes tendencia a soñar mucho.

El blanco: Eres muy franco(a) y prefieres las situaciones claras.

El azul cielo: Soñador(a) y sensible, buscas el gran amor y lo imposible.

Tu grupo es:
AGUA

Tienes mucha imaginación y eres muy romántico(a). Las emociones te dominan y buscas refugio en los sueños.

Si eres "agua," prefieres:

El azul oscuro: En busca de lo absoluto, eres misterioso(a) y discreto(a).

El turquesa: Enfrentas cualquier obstáculo para obtener tu ideal.

El verde claro: Eres sentimental, tienes mucho encanto y fantasía.

Tu grupo es:
TIERRA

Eres una persona estable, práctica y sólida, que no tiene miedo a las responsabilidades. Eres perfeccionista y paciente y también reservado(a).

Si eres "tierra," prefieres:

El beige: Eres alegre, afectuoso(a) y te gusta divertirte.

El marrón: Eres muy reservado(a). Buscas la tranquilidad y la serenidad.

El negro: Eres tímido(a) y no muestras tus sentimientos. Tienes perseverancia.

Infórmate

ESTRATEGIA ➤ Búsqueda de detalles

Ahora lee todo el artículo prestando atención a los detalles.

1. ¿Una persona a quien le gusta el rojo se lleva bien con una persona a quien le gusta el marrón? ¿Por qué?

2. ¿Con qué "color" te gustaría ir a una fiesta? ¿Por qué?

3. ¿Qué "color" sería buen actor o actriz? ¿Por qué?

Aplicación

1. Escribe un párrafo explicando qué elemento eres tú o qué elemento es una persona famosa y por qué piensas así.

2. Inventa otro sistema para clasificar los colores y haz un cartel que lo explique.

Para escribir

Vas a describirte a ti mismo(a) en un autorretrato.

1 Piensa en ti mismo(a) y responde a estas preguntas.

- ¿Qué soy yo? ¿Soy hijo(a), nieto(a), amigo(a), estudiante?
- ¿Cómo soy yo cuando estoy solo(a)? ¿Y con mi familia? ¿Con amigos(as) o compañeros(as)? ¿En el trabajo?
- ¿Qué o quién influye en las decisiones que tomo?
- ¿Cómo ayudo a mi familia? ¿Qué hago por mis amigos, la escuela, la comunidad?
- ¿En qué actividades participo? ¿Cómo me relaciono con las personas en mi trabajo?
- ¿Cuáles de mis características admiro? ¿Cuáles me gustaría cambiar? ¿Por qué?

2 Ahora, usa tus notas para escribir tu autorretrato. Puedes ilustrarlo con dibujos, fotos o diseños. Sigue los pasos del proceso de escribir.

3 Para distribuir tu trabajo, puedes:

- presentar un informe a la clase
- exhibirlo en la sala de clases
- incluirlo en un libro titulado *Así somos*
- ponerlo en tu portafolio

¡NO OLVIDES!

Hay cinco pasos en el proceso de escribir.
1. Primero piensa en el tema y escribe tus ideas.
2. Luego escribe la primera versión o borrador.
3. Comparte tu borrador con un(a) compañero(a) y pídele recomendaciones o ideas. Escribe el segundo borrador.
4. Revisa tu trabajo para corregir los errores de ortografía y puntuación.
5. Ahora, distribuye tu trabajo entre las personas a quienes pueda interesar, y guarda otra copia en tu portafolio.

Autorretrato con mono (1940), Frida Kahlo

Esta sección te ayudará a prepararte para el examen de habilidades, donde tendrás que hacer tareas semejantes.

Comprensión auditiva

¿Puedes entender una descripción de las cualidades de una persona? Escucha mientras el (la) profesor(a) lee un ejemplo semejante al que vas a oír en el examen. ¿Cómo es la persona según la descripción? ¿Te gustaría ser su amigo(a)? ¿Por qué?

Lectura

¿Puedes leer una nota en una revista y prestar atención a los detalles para entender la relación que muestra entre los elementos y la personalidad?

Si eres una persona apasionada, impulsiva, franca y dices siempre lo que piensas, tu grupo es el fuego.

Escritura

¿Puedes escribir en tu diario algo semejante a lo que Manuel escribió en el suyo?

Diario de Manuel

Mi mejor amigo, Claudio, se va a mudar a otra ciudad y me siento muy triste. Me llevo bien con los demás, pero no tengo nada en común con ellos. Lo que más me gusta de Claudio es que siempre me ayuda a resolver mis problemas. A veces discutimos, pero lo más importante es que los dos tenemos sentido del humor y nos respetamos mucho. No sé si mis nuevos amigos me van a entender como Claudio.

Cultura

¿En qué actividades les gusta participar a los jóvenes hispanos? Y a ti, ¿en cuáles te gusta participar? ¿Qué tienes en común con ellos?

Cantando en una escuela de música en Zaragoza, España

Práctica oral

Con un(a) compañero(a) habla sobre cómo eres y qué te gusta hacer.

A —*A ti te gusta cuidar niños, ¿verdad?*

B —*Sí, me llevo muy bien con ellos. Nos entendemos muy bien. Además les encanta mi sentido del humor. ¿Y tú? Eres muy tranquilo, ¿verdad?*

A —*¡Qué va! Los sábados doy clases de inglés a dos niños pequeños y los domingos trabajo como voluntario en una campaña de reciclaje. También soy muy aficionado al teatro.*

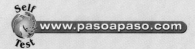

Self Test www.pasoapaso.com

Usa el vocabulario de este capítulo para:

- responder a la pregunta clave: ¿Quién soy yo en realidad?
- describir las cualidades de una persona
- describir cómo te relacionas con los demás
- hablar sobre cuál es tu papel en la sociedad

para describirte a ti mismo(a) y a otras personas

el (la) aficionado(a)
comprensivo, -a
considerado, -a
incomprensivo, -a
modesto, -a
nervioso, -a
responsable
sincero, -a
tranquilo, -a
vanidoso, -a
el sentido del humor

para hablar sobre cómo te relacionas con otras personas

admirar
la amistad, *pl.* las amistades
apoyar(se)
compartir
el conflicto
el consejo
dar un consejo
los demás

la discusión, *pl.* las discusiones
discutir
enojar(se)
entender(se) *(e → ie)*
hacer caso a
influir (en / sobre) *(i → y):*
   (yo) influyo
   (tú) influyes
íntimo, -a
llevarse (bien / mal)
mantener *(e → ie)*
   (yo) mantengo
   (tú) mantienes
quejarse (de)
relacionar(se) con
resolver *(o → ue)*
respetar
tener en común

para hablar sobre actividades en las que puedes participar

adquirir *(i → ie)*
el asilo
el / la ayudante
la campaña
dar clases particulares
la esgrima
la higiene
inscribirse
el orfanato
la redacción

otras palabras y expresiones útiles

aunque
frecuentemente
lo más / menos *(+ adj.)*
lo mejor / lo peor
mudarse
¡Qué va!

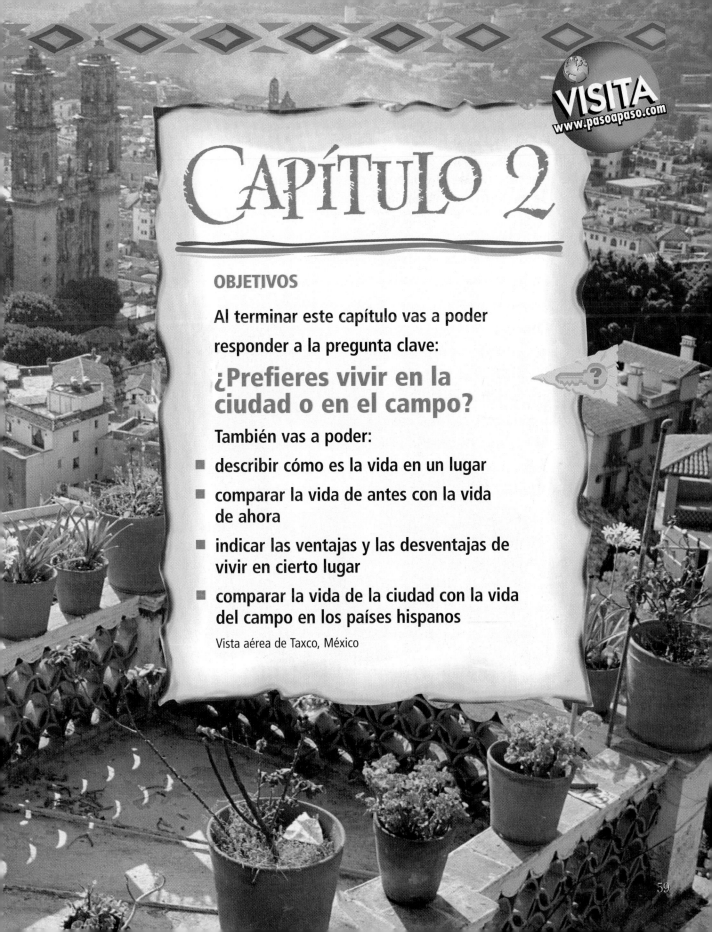

CAPÍTULO 2

OBJETIVOS

Al terminar este capítulo vas a poder responder a la pregunta clave:

¿Prefieres vivir en la ciudad o en el campo?

También vas a poder:

- describir cómo es la vida en un lugar
- comparar la vida de antes con la vida de ahora
- indicar las ventajas y las desventajas de vivir en cierto lugar
- comparar la vida de la ciudad con la vida del campo en los países hispanos

Vista aérea de Taxco, México

Anticipación

Mira las fotos y lee el texto. Piensa en las diferencias entre el campo, la ciudad y las afueras de la ciudad. ¿En cuál de estos lugares vives tú? ¿Te gustaría vivir en un lugar así durante toda tu vida? ¿Por qué?

En las ciudades grandes como Caracas, Venezuela, hay muchas oportunidades de trabajo y una abundante vida cultural y social. Pero, también hay contaminación y mucha presión. ¿Te gustaría vivir en una ciudad grande como Caracas?

En el campo se puede disfrutar de la naturaleza y de actividades al aire libre. ¿Te gustaría vivir en un lugar tranquilo como este campo de Perú?

Olivos está en las afueras de Buenos Aires, Argentina. Allí las casas tienen jardines y la vida puede ser más tranquila y segura que en la ciudad. ¿Conoces algún lugar en las afueras? ¿Se parece a Olivos?

Exploración Cultural **www.pasoapaso.com**

Visita estos países

Vocabulario para comunicarse

¿Dónde te gustaría vivir?

Aquí tienes palabras y expresiones necesarias para hablar sobre la vida en la ciudad, en las afueras y en el campo. Léelas varias veces y practícalas con un(a) compañero(a) en las páginas siguientes.

la ciudad

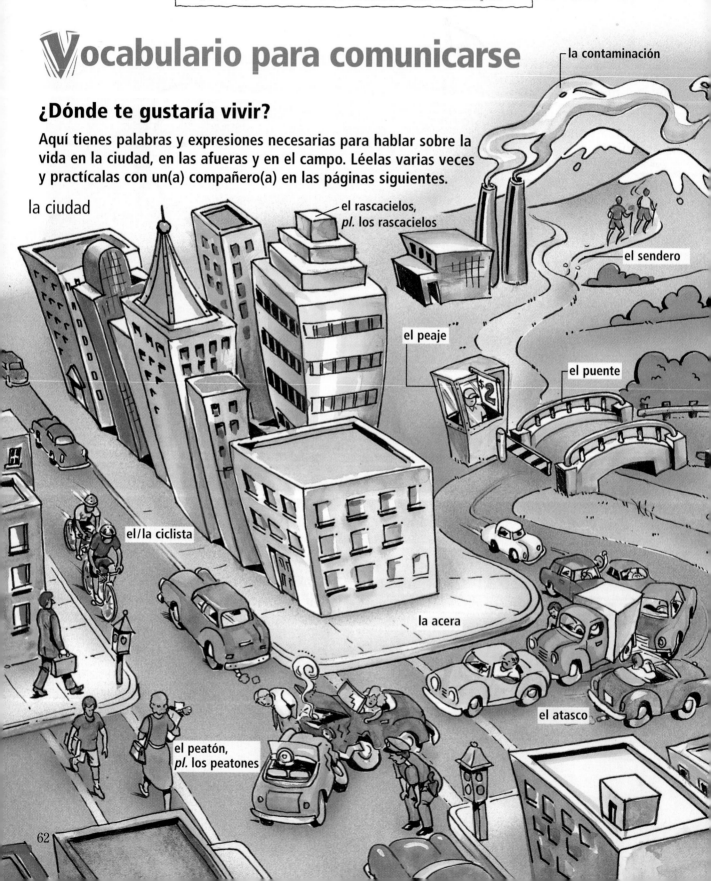

la contaminación

el rascacielos, *pl.* los rascacielos

el sendero

el peaje

el puente

el/la ciclista

la acera

el atasco

el peatón, *pl.* los peatones

También necesitas . . .

Si no sabes qué quieren decir estas palabras, puedes consultar un diccionario o el Vocabulario español-inglés al final del libro.

aislado, -a
animado, -a
bello, -a
lleno, -a de gente
oír*

el ruido
sano, -a
seguro, -a
tardar (en)
¡Una maravilla!

¿Y qué quiere decir . . . ?

conveniente
cultivar

peligroso, -a
rápido, -a

situado, -a

* Tienen una *y* todas las formas del presente de *oír* menos *yo* que termina en *-go*, y *nosotros(as)* y *vosotros(as)* que llevan un acento en la *í: oigo, oyes, oye, oímos, oís, oyen.* También tienen una *y* las formas *Ud. / él / ella* y *Uds. / ellos / ellas* del pretérito.

el campo

la granja

las afueras

la cerca

el camino

el jardín, *pl.* los jardines

la autopista

Empecemos a conversar

Túrnate con un(a) compañero(a) para ser *Estudiante A* y
Estudiante B. Reemplacen las palabras subrayadas con
palabras representadas o escritas en los recuadros.

💡 quiere decir que puedes escoger tu propia respuesta.

1

A —*¿Vives cerca de una granja?*
B —*Sí, hay una granja muy cerca de mi casa.*
   o: *No, no hay granjas donde vivo.*

Estudiante A   **Estudiante B**

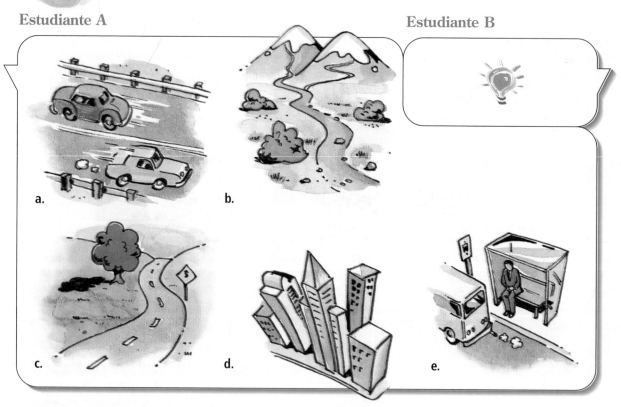

a.

b.

c.

d.

e.

2

A — *Cuando fuiste a la ciudad, ¿qué te parceió el metro?*

B — *(No) me gustó mucho. Estaba muy sucio.*
   o: *¡Muy rápido! Me encantó.*
   o: *No lo vi.*

Estudiante A

a.   b.   c.

d.   e.   f.   g. 💡

Estudiante B

excelente
contaminado, -a
bello, -a
animado, -a
peligroso, -a
lleno, -a de gente
limpio, -a
interesante
rápido, -a
💡

3 desde tu cuarto

A — *¿Qué se oye desde tu cuarto?*

B — *Se oye el ruido del tráfico.*
   o: *No se oye nada.*

Estudiante A

a. desde la escuela
b. en el campo
c. en la ciudad
d. en el bosque
e. desde tu casa
f. 💡

Estudiante B

a la gente que pasa
jugar a los niños
a los pájaros que cantan
a la policía y los bomberos
nada
💡

4

A —*Antes, ¿había <u>tantos puentes</u> como ahora?*
B —*Pues, creo que no. <u>Había menos</u>.*
　　o: *A mí me parece que había más.*

Estudiante A　　　　　　　　　　　　　　　　　**Estudiante B**

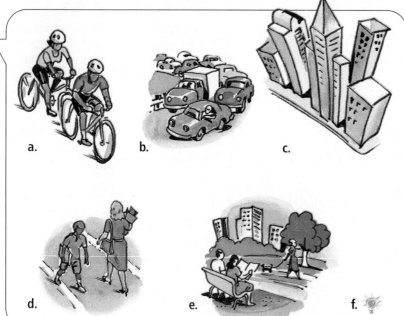

a.　　　　b.　　　　c.

d.　　　　e.　　　　f.

Había más.

Había menos.

No se necesitaban.

5　usar el coche　A — *¿Qué te parece mejor, <u>usar el coche o la bicicleta</u>?*
　　o la bicicleta　B — *<u>La bicicleta. Es mejor para el medio ambiente</u>.*

Estudiante A　　　　　　　　　　　　　　　　　**Estudiante B**

a. pagar el peaje o tomar otra carretera

b. trabajar en una granja o en una oficina

c. tardar mucho o poco tiempo en ir a trabajar

d. cultivar tus propias verduras o comprarlas

e. usar los senderos para los ciclistas o el camino

f. la vida en la ciudad o en el campo

mejor para ___

más conveniente

más rápido

más sano

más seguro

más tranquilo

¿Y qué piensas tú?

Aquí tienes otra oportunidad para usar el vocabulario de este capítulo.

6 ¿Vives en la ciudad, en el campo o en las afueras? ¿Te gusta vivir allí? ¿Por qué?

7 Imagínate que vives en un lugar diferente. ¿Por qué o por qué no te gusta vivir allí? Da tres razones para cada respuesta.

8 ¿Qué actividades culturales hay en el lugar donde vives? ¿Hay teatros, cines, museos, bibliotecas? ¿Hay centros de diversiones? ¿Cuáles? ¿Dónde están situados?

9 ¿Es aislado el lugar donde vives? ¿Tardas mucho en llegar al centro? ¿Cuánto?

10 Vas a hacer una tabla sobre las ventajas y las desventajas del lugar donde vives.

- En una hoja de papel escribe el nombre del lugar donde vives. Luego, haz dos columnas como las siguientes:

VENTAJAS	DESVENTAJAS
CENTROS COMERCIALES	MUCHO TRÁFICO

- Después, compara tu lista con la de un(a) compañero(a). ¿Qué ventajas y qué desventajas tienen en común las listas? ¿Cuáles no?

Práctica de vocabulario · www.pasoapaso.com

MÁS PRÁCTICA

Más práctica y tarea, p. 550

También se dice

el congestionamiento
el embotellamiento
el tapón

la autorruta
la autovía
la carretera

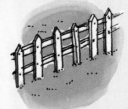

la valla
la verja

la finca
la hacienda

Tema para investigar

Aquí tienes más palabras e ideas para hablar sobre la ciudad, el campo y las afueras. Mira las fotos de esta página. ¿Cómo son estos lugares? ¿Es alguno de estos lugares similar a donde vives tú?

Paisaje hondureño de San Antonio de Oriente (1971), José Antonio Velásquez

New York City: Bird's Eye View (Nueva York a vista de pájaro) (1920), Joaquín Torres-García

Ventajas y desventajas

¿Dónde es mejor vivir: en la ciudad, en las afueras o en el campo? Si les haces esta pregunta a diez personas, vas a tener diez respuestas **diferentes**. Cada lugar tiene sus ventajas y sus desventajas.

¿Por qué crees que tanta gente **viene** a las ciudades? Sin duda, la ciudad **ofrece** una vida animada: cines, teatros, restaurantes, **oportunidades** de diversión y de trabajo que generalmente no se encuentran en el campo. Hay una **abundante** vida cultural y social. El transporte público **contribuye** a un sistema de tráfico mejor que hace que todo esté **al alcance de la mano**. **Sin embargo**, en muchas ciudades hay más contaminación, más ruido y una mayor concentración de **población**. Aunque esos problemas se están tratando de resolver, en las ciudades no es fácil **escaparse** de **las presiones** de la vida **diaria**.

La vida en las afueras puede ser más tranquila. A veces no hay tanta gente ni tampoco tanta contaminación. Muchas casas tienen sus propios jardines. Hay más **espacio** y menos ruido y

Casas en el barrio Pedregal,
en las afueras de la Ciudad de México

presión. Pero, como los lugares de trabajo están situados en la ciudad, la gente debe viajar todos los días. Eso, a veces, puede tomar más de una hora. Además, en las afueras **los impuestos** pueden ser más altos.

La vida **rural** es **idealizada** por muchos. **Por un lado,** en el campo no hay tantas personas y es un lugar más tranquilo para vivir. **El paisaje** es bonito y la naturaleza abundante. Pero, **por otro lado,** no es fácil encontrar tantas oportunidades de trabajo ni tantas actividades culturales como en la ciudad.

Entonces . . . ¿dónde es mejor vivir? Eso debes **decidirlo** tú.

Si no sabes qué quieren decir estas palabras, puedes consultar un diccionario o el Vocabulario español-inglés al final del libro.	venir *(e → ie)* (yo) vengo (tú) vienes contribuir *(i → y)** al alcance de la mano sin embargo la población	la presión, *pl.* las presiones diario, -a los impuestos por un lado el paisaje por otro lado

¿Y qué quiere decir . . . ?

diferente	abundante	rural
ofrecer *(c → zc)*	escaparse	idealizado, -a
la oportunidad†	el espacio	decidir

* *Contribuir se conjuga como influir.*

† Las palabras que terminan en *-dad* como *oportunidad, ciudad* y *seguridad* son generalmente femeninas. Lo mismo pasa con palabras como *población* y *contaminación,* que terminan en *-ción.*

¿Comprendiste?

1 Mira esta obra de Joan Miró. ¿Qué tipo de lugar describe este artista? ¿Cómo lo sabes? ¿Crees que le gustaría vivir allí? ¿Por qué?

2 Según la lectura *Ventajas y desventajas,* ¿cuáles son dos ventajas y dos desventajas de la vida en la ciudad? ¿Y de la vida en las afueras? ¿Estás de acuerdo? ¿Por qué sí o por qué no?

The Farmers' Meal
(La comida de los agricultores)
(1935), Joan Miró

¿Y qué piensas tú?

3 ¿Te parece que todo está al alcance de la mano en el lugar donde vives? ¿Por qué? Explica.

4 En el lugar donde vives, ¿qué oportunidades culturales, sociales, de trabajo y de educación hay?

5 ¿Cómo es el paisaje en el lugar donde vives? ¿Qué hay allí? ¿Montañas, ríos, árboles? Descríbelo.

6 Del lugar donde vives, ¿qué es lo que más te gusta? ¿Y lo que menos? ¿Por qué?

Práctica de vocabulario www.pasoapaso.com

MÁS PRÁCTICA

- Más práctica y tarea, p. 550
- Practice Workbook 2–1, 2–4

7 ¿De acuerdo o no?

Formen dos grupos. A los miembros de un grupo les gusta vivir donde viven ahora. El otro grupo no está de acuerdo y quiere vivir en otro lugar.

Organicen un debate entre los dos grupos. Deben discutir:

- dónde viven
- por qué les gusta vivir allí
- por qué no les gusta
- dónde les gustaría vivir
- ese lugar ideal

8 Vas a entrevistar a cinco personas de tu familia o de tu comunidad para averiguar dónde les gustaría vivir y por qué.

Prepara una tabla como la siguiente:

- Luego, en grupo, compara tus resultados con los de tus compañeros(as). Pueden determinar entre todos cuáles son los dos o tres lugares que más personas escogieron y por qué. Compartan el lugar más popular con el resto de la clase.

¿Qué sabes ahora?

¿Puedes:

■ describir el lugar donde vives?

—Vivo en ___ . Está situado(a) en ___ .

■ indicar algunas ventajas y desventajas de vivir en cierto lugar?

—Pienso que es mejor vivir en ___ porque ___ .

■ describir un lugar que visitaste?

—En ___ había ___ y el aire ___ .

■ explicar por qué prefieres vivir donde vives ahora o mudarte a otro lugar?

—Me gustaría ___ porque ___ .

ÁLBUM CULTURAL

Aquí tenemos las descripciones de cuatro lugares donde podrías vivir. ¿Cuál prefieres? ¿Por qué? ¿Es alguno de estos lugares semejante a donde vives tú? ¿En qué?

El Altiplano de Bolivia es un lugar fantástico si te gusta vivir en armonía con la tierra. Nunca hace calor por la altitud. Si te gustan los deportes, hay muchas opciones como escalar montañas o jugar fútbol. Aquí puedes trabajar cultivando papa o haciendo ropa y artesanía. La música de los Andes también es muy popular. Hay festivales locales donde puedes aprender sobre la cultura indígena de esta región.

San José de Costa Rica es un lugar ideal para vivir. Es famosa por su hospitalidad y por su excelente clima. Se dice que San José tiene una primavera eterna. Aunque San José es la capital y la ciudad más grande de Costa Rica, es, a la vez, una ciudad muy grande y un pueblo. Sin tener una gran concentración de gente como en otras ciudades, hay muchas oportunidades de trabajo y, también, atracciones.

Los que viven en Naucalpan, en las afueras de la Ciudad de México, necesitan viajar hasta la ciudad todos los días para tener a su alcance muchas oportunidades de trabajo y diversión. Pero su vida en las afueras es más tranquila, sin los atascos de tráfico ni el ruido que se encuentra en las grandes ciudades.

Buenos Aires, Argentina, es una ciudad internacional con muchos inmigrantes. La Plaza de Mayo es una plaza muy importante, situada en el centro de la ciudad. Si prefieres actividades culturales, puedes visitar las librerías en la Avenida Corrientes o ver una ópera en el Teatro Colón. Hay oportunidades de trabajo, escuelas especiales para estudiar y muchos restaurantes y parques. Además, puedes ir de compras a la fabulosa Calle Florida.

Metro de Barcelona

Reacción personal

Contesta las siguientes preguntas en una hoja de papel.

1 Piensa en un lugar ideal para vivir. Haz una lista de las características que debe tener.

2 Lee otra vez los párrafos de las páginas 72-74. ¿Cuáles son las características que más te gustan? Compara estas características con la lista que acabas de hacer.

3 ¿Hay un lugar ideal que guste a todos? ¿Por qué sí o por qué no?

Gramática en contexto

Mira esta guía turística de Sevilla, donde se describen algunas de las principales obras de arquitectura de la ciudad. ¿Qué piensas que vas a encontrar en una guía como ésta?

La torre de la catedral, construida durante la ocupación árabe de Sevilla, era una maravilla. La torre original, que tenía 250 pies de altura, estaba rematada por cuatro globos. Después,

Una Guía turística de Sevilla, España

le añadieron a la torre una estatua llamada el Triunfo de la Fe. Esta estatua gira movida por el viento y por eso los sevillanos la llaman La Giralda.

La Torre del Oro, situada al lado del río Guadalquivir, se usaba en el siglo XIII para controlar el paso de los barcos que iban por el río. Originalmente estaba unida a otra torre similar que había en la orilla opuesta del río. Antiguamente la torre estaba decorada con azulejos dorados y de ahí viene su nombre.

A Los verbos *tener* y *estar* aparecen en la primera descripción; *usar* y *haber,* en la segunda. ¿Qué terminaciones tienen? Fíjate en la forma del verbo *ser* en la primera descripción y de *ir* en la segunda. ¿Se emplean estos verbos para describir las torres en el presente o en el pasado?

B La palabra *construida* está en la primera descripción. Es el adjetivo correspondiente al infinitivo *construir.* También aparecen en la guía las palabras *llamada* y *movida.* ¿A qué infinitivos crees que corresponden estos adjetivos? ¿Cuál será la forma adjetiva correspondiente a *dormir?*

C En la segunda descripción aparecen las palabras *decorada, situada* y *dorados.* ¿A qué infinitivos crees que corresponden estos adjetivos? ¿Cuál será la forma adjetiva correspondiente a *cerrar?*

76   Capítulo 2

Repaso: El imperfecto

Como ya sabes, el imperfecto se usa para hablar de acciones repetidas habitualmente en el pasado. En inglés "used to" o "would always" expresan la misma idea.

Antes, mis parientes **vivían** y **trabajaban** en una granja.

Recuerda que en español hay verbos en -*ar, -er* e -*ir*. El imperfecto se forma agregándole a la raíz unas terminaciones si el verbo es del grupo -*ar,* y otras si es del grupo -*er* o -*ir*. Aquí tienes todas las formas de *estar, tener* y *vivir* en el imperfecto.

estar *(-ar)*

estaba	estábamos
estabas	estabais
estaba	estaban

tener *(-er)*

tenía	teníamos
tenías	teníais
tenía	tenían

vivir *(-ir)*

vivía	vivíamos
vivías	vivíais
vivía	vivían

Hay tres verbos irregulares en el imperfecto. Éstas son sus formas.

ir

iba	íbamos
ibas	ibais
iba	iban

ser

era	éramos
eras	erais
era	eran

ver

veía	veíamos
veías	veíais
veía	veían

- Recuerda que la única forma de *haber* que se usa en el imperfecto es *había*. El equivalente inglés es "there was / were, there used to be."

    En el pasado, no **había** tanto tráfico en las calles.
    Hace veinte años **había** menos autopistas.

¡NO OLVIDES!

En una narración o descripción en el pasado, *generalmente, a menudo, muchas veces, todos los días, siempre* y *nunca* son expresiones que indican el uso del imperfecto.

1 Haz una encuesta entre los estudiantes de tu clase para ver cómo
era su vida cuando eran pequeños. Escribe las respuestas de tus
compañeros para hacer un informe después.

A — *¿Jugabas con muñecos cuando eras pequeño(a)?*
B — *Sí, jugaba con muñecos.*
   o: *No, cuando era pequeño(a) jugaba béisbol.*

jugar

a. ser

b. tener

c. gustar

d. ir

e. ver

f. comer

Usando las respuestas que
escribiste, prepara un informe
sobre tus compañeros.

*Tres estudiantes de esta clase iban
al parque de diversiones cuando
eran pequeños. Nueve estudiantes
y yo teníamos animales de
peluche. Dos estudiantes comían
frutas y verduras y un
estudiante era tranquilo.*

Padre e hijo jugando básquetbol

2 Describe la vida en un lugar que recuerdes de tu infancia o niñez. Comienza tu descripción: *De mi infancia, recuerdo bien . . .* (Nueva York, la granja de mis abuelos, etc.) Luego, tu compañero(a) va a hacerte preguntas usando los verbos de la lista.

ser

A —*De mi infancia, recuerdo bien la granja de mis tíos en Nebraska.*
B —*¿Era muy grande la granja?*
A —*No, era bastante pequeña.*

a. vivir
b. ir
c. trabajar
d. haber

e. tener
f. ver
g. estar
h. 💡

Repaso: Otros usos del imperfecto

El imperfecto también se usa:

- para describir personas, lugares y situaciones en el pasado.

  Los rascacielos de la ciudad **eran** muy altos.

- para hablar de una acción pasada continua o repetida.

  A las cinco de la mañana, la gente ya **trabajaba** en el campo.

3 Imagina que tu compañero(a) y tú visitaron esta ciudad. Ahora, están tratando de recordar lo que vieron. Usen el dibujo para preguntar y contestar.

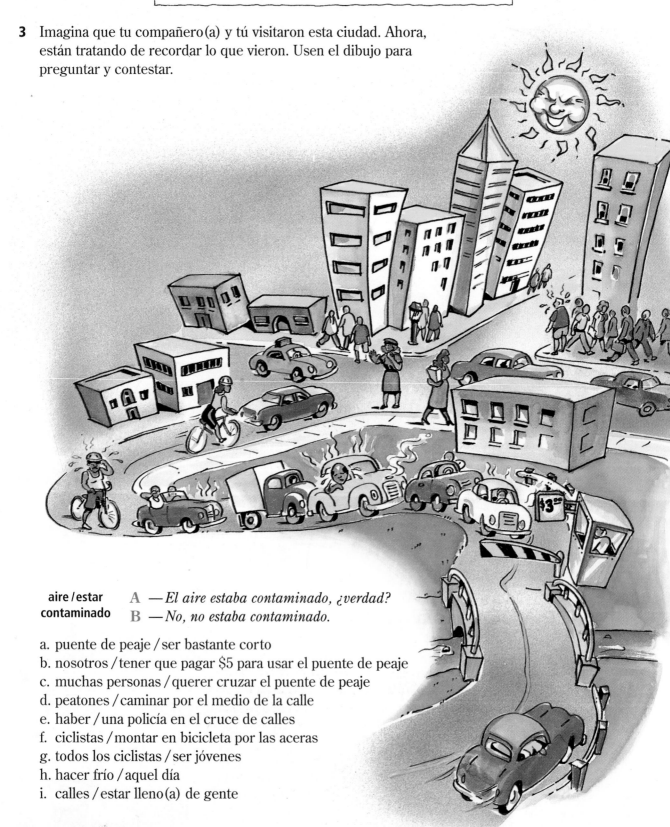

aire /estar contaminado

A —*El aire estaba contaminado, ¿verdad?*
B —*No, no estaba contaminado.*

a. puente de peaje / ser bastante corto
b. nosotros / tener que pagar $5 para usar el puente de peaje
c. muchas personas / querer cruzar el puente de peaje
d. peatones / caminar por el medio de la calle
e. haber / una policía en el cruce de calles
f. ciclistas / montar en bicicleta por las aceras
g. todos los ciclistas / ser jóvenes
h. hacer frío / aquel día
i. calles / estar lleno(a) de gente

4   Describe una excursión (verdadera o
    imaginaria) a una ciudad, una granja o las
    afueras. Túrnate con tu compañero(a) para
    hacer preguntas. Puedes usar estos verbos
    u otros.

    ser   haber
    tener   estar
    hacer

    A — *Yo fui a (nombre del lugar).*
    B — *¿Cómo ___ ?*
    A — *Muy bello.*
    B — *¿Qué había?*
    A — *Un parque, ___ y ___ .*
    B — *¿Qué tiempo ___ ?*

El jardín de Kahlo (1990),
Alfredo Arreguín

El participio pasado como adjetivo

Muchos adjetivos que empleamos en español son en realidad la
forma verbal llamada participio pasado. El participio pasado
regular se forma agregando *-ado* a la raíz si el verbo es de la clase
-ar, e *-ido* si es de la clase *-er* o *-ir.* Por ejemplo:

contaminar	**contaminado**
dormir	**dormido**
situar	**situado**
esconder	**escondido**

Hay verbos que tienen participios pasados irregulares. Ya
conoces algunos de estos adjetivos. Por ejemplo:

hacer	**hecho**
romper	**roto**

Cuando los participios pasados se usan como adjetivos, éstos deben
concordar en género y número con el sustantivo o pronombre al
que se refieren. El verbo *estar* suele usarse con el participio pasado
cuando se describe una condición del presente o del pasado.

El aire del campo no **está** muy **contaminado.**
La torre **estaba situada** en la orilla del río.
Las luces de la ciudad **estaban apagadas** a esa hora.

5 Imagina que eres el (la) detective encargado(a) de investigar un robo. Describe la escena que está en esta página.

el bolso / esconder

El bolso estaba escondido.

a. el espejo   cerrar
b. la cena   decorar
c. las luces   dormir
d. la mesa   encender
e. el televisor   romper
f. los gatos   apagar
g. las ventanas   servir

6 Túrnate con tu compañero(a) para formar frases sobre estos lugares. Usen elementos de las dos columnas.

el correo / cerrar   *El correo está cerrado por la tarde.*

las escuelas	contaminar
el correo cerca del centro	decorar
la cama	animar
los centros comerciales	situar
los lagos y ríos	hacer
las calles durante las fiestas	aislar

Ahora lo sabes

¿Puedes:

■ hablar de acciones que ocurrían repetidamente en el pasado?

—Mis abuelos ___ en una granja en Kansas.

■ describir a personas, lugares y situaciones en el pasado?

—Las carreteras de la ciudad ___ muy peligrosas.

■ describir condiciones de personas y cosas en el presente y el pasado?

—Antes el agua ___ menos contaminada.

MÁS PRÁCTICA

Más práctica y tarea, pp. 551–552
Practice Workbook 2–5, 2–9

¡NO OLVIDES!

Ya conoces varios adjetivos que en realidad son participios pasados, como: *ocupado, callado, cansado, divorciado, ordenado, aburrido, divertido* y muchos más.

De compras en
Caracas, Venezuela

Carrera de bicicletas en Texcoco
(1938), Antonio M. Ruiz

Gramática en contexto   83

Puntos de Vista

¿Prefieres vivir en la ciudad o en el campo?

Esta sección te ofrece la oportunidad de combinar lo que aprendiste en este capítulo con lo que ya sabes para responder a la pregunta clave.

Sopa de actividades

Para decir más

Aquí tienes vocabulario adicional que te puede ayudar para hacer las actividades de esta sección. Si no sabes qué quieren decir estas palabras, puedes consultar un diccionario.

la tranquilidad

la calma

la vida urbana

la vida rural

el barrio

el habitante

estar en contacto

la distancia

1 En un montaje, muestra el lugar donde vives o donde te gustaría vivir. Usa fotos, tarjetas postales, o fotos de revistas y periódicos para ilustrarlo. Indica:

- cómo es
- dónde está situado
- cuántos habitantes tiene
- cuáles son los principales puntos de interés y dónde están situados
- cómo es el paisaje
- qué se ve y qué se oye allí
- cuáles son las ventajas y las desventajas de vivir allí
- cómo era antes y cómo es ahora

Luego prepara un informe oral y preséntalo a un grupo de compañeros(as).

Buenos Aires, Argentina

Caracas, Venezuela

2 Entre toda la clase van a escoger cinco lugares diferentes donde les gustaría vivir. Pueden ser: el campo, las montañas, las afueras y una o dos ciudades grandes. Cada uno de los lugares escogidos va a estar representado por un lugar de la clase.

Ve al lugar donde más te gustaría vivir. En tu nuevo grupo, prepara con tus compañeros(as) cinco frases para explicar por qué prefieren vivir en ese lugar. Por ejemplo:

El aire del campo es fresco y no está contaminado.
o:
Por la noche la ciudad está muy animada y puedes hacer muchas cosas.

Cada grupo lee sus frases a la clase y escribe las ideas de los demás grupos. Después deben decir lo que piensan de las ideas de los otros grupos. Por ejemplo:

Por un lado es divertido vivir en la ciudad porque está muy animada por la noche. Por otro lado, la ciudad puede ser muy violenta y peligrosa.

3 Prepara con los demás estudiantes de la clase una comparación entre la vida de tu ciudad o región en el pasado y en el presente. Primero, decidan qué categorías quieren comparar. Pueden incluir información sobre:

- la naturaleza de la región y el clima
- la población y el tamaño del área
- la economía (fábricas, trabajos, etc.)
- los lugares de interés y la vida social
- las fiestas celebradas por la comunidad

Después, pueden asignar cada categoría a un grupo diferente. Pueden buscar información en libros, periódicos y revistas; también pueden preguntar a personas mayores o buscar información en una sociedad histórica local. Preparen una presentación oral con fotos y dibujos. Por ejemplo:

Hace 50 años el agua del río no estaba contaminada, pero ahora no podemos nadar allí.

En el pasado había sólo una autopista. Ahora hay cinco.

Para leer

Antes de leer

ESTRATEGIA ➤ Uso de títulos e ilustraciones para predecir

Esta selección trata de las visitas que hace una joven a un pueblo español. ¿De qué temas se va a tratar? Usa las fotos como ayuda para añadir, por lo menos, dos más a esta lista.

A. el tiempo B. la gente

Mira la lectura

ESTRATEGIA ➤ Echar una ojeada

Lee la selección rápidamente sólo para ver cuáles de los temas de tu lista están en la selección. Compara los resultados con los de un(a) compañero(a).

Benvinguts a Cálig

Cuando Patricia y su familia llegaron a su casa de Cálig en la provincia de Castellón el verano pasado, había un letrero en la puerta que decía: *Benvinguts* a Cálig*. Ella estaba tan contenta de estar otra vez en este pequeño pueblo agrícola de España que quería correr por el pueblo saludando a todos. Después de cinco veranos ella se sentía muy aceptada.

Cálig es un lugar ideal para las vacaciones. Han pasado ya cinco veranos allí. Es un pueblo tranquilo y sin contaminación, situado cerca del mar y la montaña. No hay miedo de robos ni de atracos como en las grandes ciudades. La gente los trata muy bien en la calle y en las pequeñas tiendas donde hacen sus compras. Y por supuesto, toda la familia participa en las fiestas tradicionales del pueblo.

Al principio Patricia no estaba contenta. Tenía once años y echaba de menos a sus amigas de los Estados Unidos. No podía ir con ellas a los grandes centros comerciales a comprar como solía hacer los sábados. Además no hablaba mucho español y en este pueblo hablaban también valenciano, una lengua que ella no comprendía. Quería volver a su casa en St. Louis, Missouri, y lo más pronto posible.

Con los años fue teniendo cada vez más amigos caligenses. Salía con ellos todas las tardes, primero a la piscina, después a tomar refrescos y charlar. Por la noche volvían a salir después de cenar. A veces iban a una discoteca para bailar. Algunas noches simplemente paseaban por las calles estrechas de este pueblo medieval.

Algunos días Patricia hacía excursiones con su familia a los pueblos cercanos de la montaña, pueblos mejor conservados, con casas hechas de piedra, una iglesia vieja y una ermita en las afueras. Les gustaban mucho las colinas rocosas de la montaña y los campos de olivos y algarrobos. Otros días pasaban la tarde en la playa. Aunque le agradaban a Patricia esas excursiones con sus padres, ella prefería estar con los amigos, sobre todo con un tal David, un chico muy guapo y muy divertido.

Cuando llegó el momento de salir para los Estados Unidos, ella se sentía muy triste porque no quería dejar a sus amigos. Ya se había acostumbrado tanto a la vida del pueblo que la vida de la ciudad le parecía muy sofocante. No podría ir a pie a las tiendas ni saludar a todos en la calle como lo hacía en Cálig. No podría quedarse en la calle con los amigos hasta la medianoche. Además iba a echar mucho de menos la comida: el pan con tomate, la paella, el brazo gitano.† Ahora ella pasa el invierno en St. Louis soñando con el verano en Cálig.

* *Benvinguts* Palabra valenciana que quiere decir ¡Bienvenidos!

† *brazo gitano* Pastel hecho de bizcocho con relleno de crema o nata.

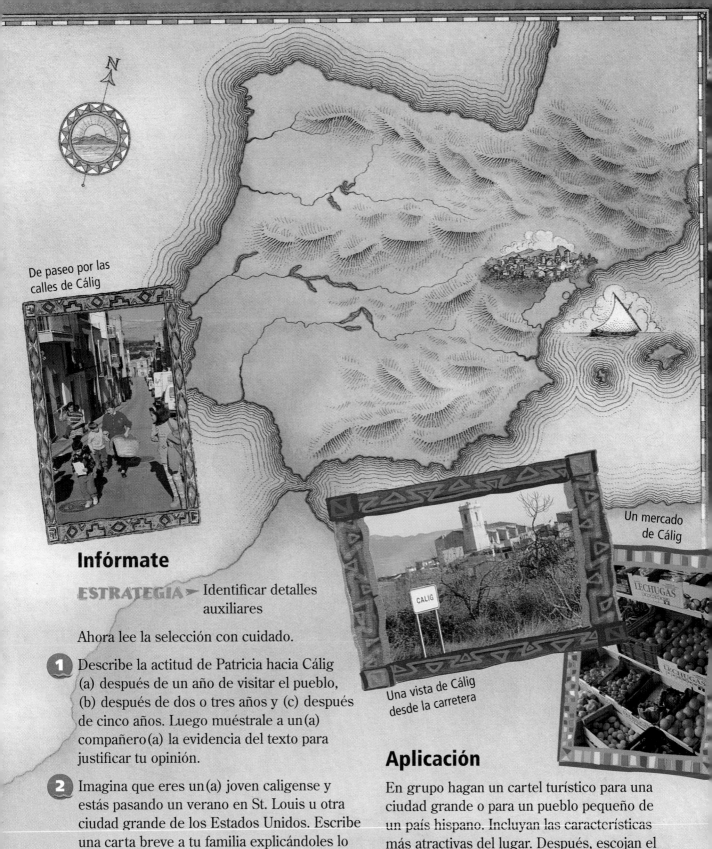

De paseo por las
calles de Cálig

Infórmate

ESTRATEGIA ➤ Identificar detalles
auxiliares

Ahora lee la selección con cuidado.

1 Describe la actitud de Patricia hacia Cálig
(a) después de un año de visitar el pueblo,
(b) después de dos o tres años y (c) después
de cinco años. Luego muéstrale a un(a)
compañero(a) la evidencia del texto para
justificar tu opinión.

2 Imagina que eres un(a) joven caligense y
estás pasando un verano en St. Louis u otra
ciudad grande de los Estados Unidos. Escribe
una carta breve a tu familia explicándoles lo
que sientes.

Una vista de Cálig
desde la carretera

Un mercado
de Cálig

Aplicación

En grupo hagan un cartel turístico para una
ciudad grande o para un pueblo pequeño de
un país hispano. Incluyan las características
más atractivas del lugar. Después, escojan el
lugar que la clase prefiere visitar.

Para escribir

¿Dónde te gustaría vivir? Ya viste fotos de diferentes lugares y leíste sobre ellos. También contestaste preguntas sobre el lugar donde vives y hablaste de dónde te gustaría vivir. Ahora vas a describir tu comunidad ideal.

1 Primero, responde a estas preguntas. Recuerda que puedes utilizar también lo que escribiste en *Reacción personal*.

¿Cuáles son las características de tu comunidad ideal?

- ¿Dónde está situada? ¿En el campo, en las afueras o en la ciudad? ¿Cerca de alguno de estos lugares?
- ¿Qué hay allí? (parques, escuelas, tiendas, centros comerciales) ¿Cuántos?
- ¿Qué actividades pueden hacer los habitantes?
- ¿Qué tipos de trabajos tienen? ¿Dónde trabajan?
- ¿Hay transporte público? ¿De qué tipo?

Puedes organizar tus ideas en una red de palabras como ésta o puedes usar otro modelo.

Estas palabras y expresiones te pueden ser útiles para escribir tu descripción.

me parece que	quedar en	entre
prefiero	lo mismo que	al alcance de la mano
en cambio	en medio de	tener algo en común
más (menos)... que		

2 Ahora, usa tus notas para describir tu comunidad ideal. Puede ser un folleto para personas que buscan una comunidad nueva, un artículo para un periódico o una composición. Puedes ilustrar tu descripción con fotos o mapas. Sigue los pasos del proceso de escribir.

3 Para compartir tu trabajo, puedes:

- hacer una presentación oral en clase
- exhibirlo en la sala de clases
- incluirlo en un libro titulado *Lugares ideales*
- ponerlo en tu portafolio

Repaso ¿Lo sabes bien?

Esta sección te ayudará a prepararte para el examen de habilidades, donde tendrás que hacer tareas semejantes.

Comprensión auditiva

¿Puedes entender una descripción de cómo es la vida en un lugar? Escucha mientras el (la) profesor(a) lee un ejemplo semejante al que vas a oír en el examen. ¿Dónde vive esta persona? ¿Cómo lo sabes? ¿Dónde prefiere vivir? ¿Por qué no vive allí?

Lectura

¿Puedes leer un anuncio sobre un lugar de vacaciones y fijarte bien en los detalles para saber de qué lugar se trata?

¡NO PIERDA LA OPORTUNIDAD DE ENCONTRAR EL PARAÍSO EN LA TIERRA! En Valle Azul, rodeado de montañas, puede encontrar el aire puro y la tranquilidad que busca. Sin coches, ni ruido, ni contaminación. Y por la noche ¡disfrute de sus calles estrechas y silenciosas!

Escritura

¿Puedes escribir un párrafo para tu clase de español sobre el lugar donde vivías de niño(a)? Aquí tienes un ejemplo:

Recuerdo mucho la casa en donde vivía cuando era niño. Tenía una cerca blanca y un jardín con flores muy bonitas. Estaba situada cerca de un sendero de árboles que terminaba en el bosque. El aire era puro y no estaba contaminado. Aunque vivía aislada y lejos de la ciudad, era feliz con mis amigos, los animalitos del campo y los pájaros.

Cultura

¿Puedes comparar tu vida con la de otros jóvenes que viven en el Altiplano de Perú?

Un grupo de personas en el Altiplano peruano

Práctica oral

Con un(a) compañero(a), ¿puedes comparar la vida de la ciudad con la vida del campo? Aquí tienes un ejemplo:

A —*¿Qué prefieres, vivir en la ciudad o en el campo?*

B —*Me gusta más la ciudad porque todo está al alcance de la mano y tiene más centros de diversiones. ¿Y a ti?*

A —*Creo que me gusta más vivir en el campo. Hay menos contaminación, menos tráfico y menos ruido.*

B —*Sí, pero en el campo hay menos oportunidades de trabajo, ¿no?*

Resumen del vocabulario

Usa el vocabulario de este capítulo para:

- responder a la pregunta clave: ¿Prefieres vivir en la ciudad o en el campo?
- describir cómo es la vida en un lugar
- comparar la vida de antes con la vida de ahora
- indicar las ventajas y las desventajas de vivir en cierto lugar

para describir cómo es la vida en la ciudad
el atasco
el / la ciclista
la contaminación
el peatón, *pl.* los peatones
la población
la presión, *pl.* las presiones
el rascacielos, *pl.* los rascacielos
el ruido

para describir cómo es la vida en el campo
cultivar
la granja
idealizado, -a
el paisaje
rural

para describir cómo es la vida en las afueras
las afueras, *pl.*
la cerca
el jardín, *pl.* los jardines

para hablar de las ventajas y desventajas de los tres
abundante
aislado, -a
animado, -a
bello, -a
contribuir *(i → y)*
conveniente
decidir
diario, -a
escaparse
el espacio
los impuestos, *pl.*
lleno, -a de gente
ofrecer *(c → zc)*
la oportunidad
peligroso, -a
rápido, -a
sano, -a
seguro, -a
situado, -a
tardar (en)

para hablar sobre cómo viajamos a diario
la acera
la autopista
el camino
el peaje
el puente
el sendero

otras palabras y expresiones útiles
al alcance de la mano
diferente
oír
por un lado
por otro lado
sin embargo
¡Una maravilla!
venir *(e → ie)*
  (yo) vengo
  (tú) vienes

CAPÍTULO 3

OBJETIVOS

Al terminar este capítulo vas a poder responder a la pregunta clave:

¿Qué nos dicen las obras de arte?

También vas a poder:

- describir una obra de arte
- interpretar el mensaje de una obra de arte
- dar una opinión sobre una obra de arte
- identificar algunos de los principales pintores del mundo hispano

Murales del Instituto Cultural Cabañas, Guadalajara, México, obra de José Clemente Orozco

Anticipación

Mira las fotos de estas páginas y lee el texto. ¿Cuándo fue la última vez que fuiste a un museo? ¿Has participado alguna vez en un proyecto de arte? Si no lo has hecho, ¿en cuál te gustaría participar?

"Cuando viajamos a Madrid, nos gusta visitar los museos."

En el Museo del Prado de Madrid hay exposiciones permanentes y otras que duran sólo unos meses. Aquí presentan obras de arte de artistas españoles y de todo el mundo. Algunos artistas españoles como Velázquez, El Greco y Goya tienen la mayor parte de sus obras en este museo.

"El mural que estamos pintando trata de la historia de nuestra comunidad."

Los grandes muralistas mexicanos tienen mucha influencia sobre algunos artistas hispanos de California y del suroeste de los Estados Unidos. Hoy la gente puede entender más de su historia con la ayuda del arte.

"Me llamo León López. Me gusta seguir la tradición de mis padres y abuelos. Por eso traigo mis pinturas al Mercado español tradicional."

Cada año, los jóvenes y niños hispanos del norte de Nuevo México participan en una exposición de arte. Aquí ellos pueden mostrar sus pinturas y otros objetos artísticos. En 1992, León López ganó el primer premio.

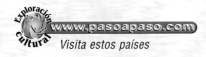

Exploración cultural www.pasoapaso.com
Visita estos países

95

Vocabulario para comunicarse

¿Qué tipo de arte prefieres?

Aquí tienes palabras y expresiones para hablar sobre obras de arte. Léelas varias veces y practícalas con un(a) compañero(a) en las páginas siguientes.

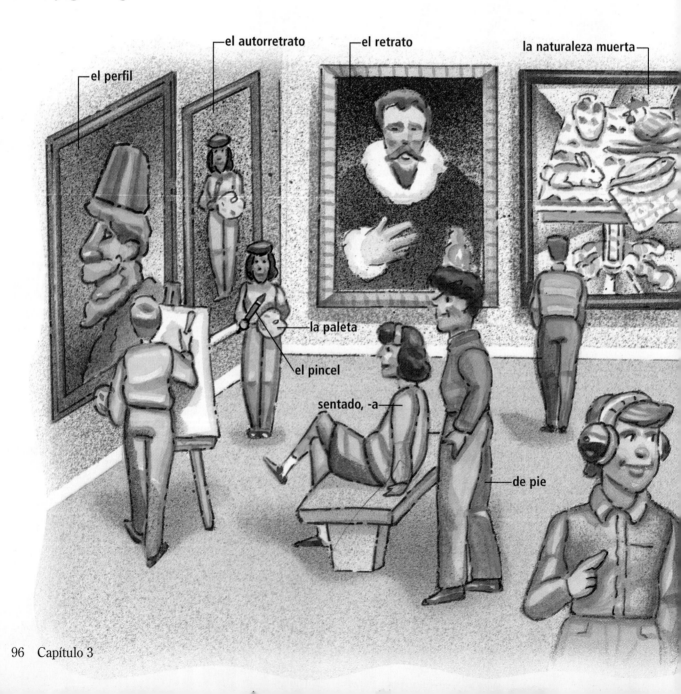

el perfil

el autorretrato

el retrato

la naturaleza muerta

la paleta

el pincel

sentado, -a

de pie

También necesitas . . .

Si no sabes qué quieren decir estas palabras, puedes consultar un diccionario o el Vocabulario español-inglés al final del libro.

la obra (de arte)
el tema
el primer plano
el fondo
la figura
arriba
abajo

junto a
reflejado, -a
vivo, -a
apagado, -a
atraer*
fijarse (en)

¿Y qué quiere decir . . . ?

el / la artista
el centro
el estilo
la forma

la galería
interpretar
pastel
el tono

Atraer se conjuga como *traer*.

la pintura

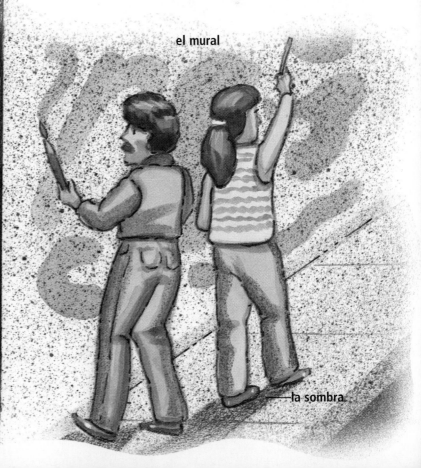
el mural

la sombra

Empecemos a conversar

Túrnate con un(a) compañero(a) para ser *Estudiante A* y
Estudiante B. Reemplacen las palabras subrayadas con
palabras representadas o escritas en los recuadros.
💡 quiere decir que puedes escoger tu propia respuesta.

1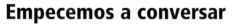

A —*No veo los pinceles. ¿Dónde están?*
B —*Están en el centro. ¿No los ves?*

Estudiante A

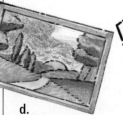 
a.   b.   c.

d.   e.   f.   g.

Estudiante B

allí arriba
allí abajo
al fondo
a la derecha
a la izquierda
junto a ___
💡

Para este ejercicio, mira la pintura de abajo.

2 abajo, a   A — *¿Qué se ve <u>abajo, a la derecha</u>?*
la derecha   B — *Se ve <u>la figura de un perro</u>.*

Estudiante A

a. en primer plano

b. en el centro, a la izquierda

c. al fondo

d. en el espejo

e. a la izquierda de la niña

f. en la pared del fondo, arriba

g.

Estudiante B

dos personas reflejadas

una muchacha, de perfil, ofreciéndole agua

un hombre en la puerta

una niña rubia de pelo largo

dos cuadros

el pintor, de pie, con los pinceles y la paleta

Las Meninas (1656),
Diego Velázquez de Silva

99

La familia presidencial (1967), Fernando Botero

3 la madre del presidente

A — *Fíjate en <u>la madre del presidente</u>. ¿<u>La</u> ves?*
B — *Sí, claro, <u>es la figura sentada, a la izquierda</u>.*
     o: No, no <u>la</u> veo. ¿Dónde <u>está</u>?

Estudiante A   **Estudiante B**

a. el artista

b. las montañas

c. los animales

d. la esposa del presidente

e. el general

f. el avión

g.

4 Conversa con tu compañero(a). Sigue el modelo y da tu propia opinión.

A — *¿Te gusta la obra de Botero?*
B — *Pues, me atrae mucho porque . . .*
   o: *Pues, no me atrae nada porque . . .*

¿Y qué piensas tú?

Aquí tienes otra oportunidad para usar el vocabulario de este capítulo.

5 ¿Cuándo fue la última vez que fuiste a una exposición de arte? ¿Qué tipo de arte era? ¿Fue en una galería o en un museo?

6 ¿Cuál de las obras de arte que vimos te atrae más? Después, comenta tu respuesta con un(a) compañero(a).

Puedes usar estas palabras y expresiones u otras:

¡Qué va!	sin embargo
¡Una maravilla!	por un lado
por supuesto	por otro lado
además	¿verdad?
también	tampoco

7 ¿Te parece más fácil interpretar la pintura clásica o la moderna? ¿Por qué?

8 ¿Qué tipo de pinturas te gusta más, retratos, paisajes o naturalezas muertas? ¿Qué es lo que más te gusta ver en una pintura? (temas, estilos, formas, colores).

9 Imagínate que estás haciendo un mural para la clase de arte. ¿Cuál es el tema de tu mural? ¿Por qué? ¿Qué tonos vas a usar?

LA UNIDAD DE PROMOCIÓN CULTURAL
Y ACERVO PATRIMONIAL DE LA SECRETARIA DE
HACIENDA Y CRÉDITO PÚBLICO

invita a los

TALLERES CULTURALES

CENTRO CULTURAL
Guatemala 8. Centro Histórico
Tel. 521 55 66 y 510 00 12

Práctica de vocabulario · www.pasoapaso.com

MÁS PRÁCTICA

Más práctica y tarea, p. 553
Practice Workbook 3–1, 3–2

Tema para investigar

Aquí tienes más palabras e ideas que te ayudarán a hablar sobre arte. Mira las fotos de esta página. ¿Son estilos de arte diferentes? ¿Cuál te gusta más? ¿Por qué?

Composición surrealista (1927),
Salvador Dalí

Paisaje Juan les Pins (1920),
Pablo Picasso

La pintura en el siglo XX

A principios del **siglo** XX, Pablo Picasso, un pintor español que estaba entonces viviendo en París, contribuyó* a crear un nuevo estilo que rompió[†] con las tradiciones artísticas de esa **época**. El artista encontró **inspiración** en el arte de África y de las islas del Pacífico. En sus obras, los objetos y las personas **se transformaban** en formas casi **abstractas**. Picasso **trataba de** presentar sus **imágenes** desde más de un **punto de vista**. Este estilo recibió el nombre de **cubismo**. Un buen ejemplo es la pintura de Picasso *Juan les Pins* que ven a la izquierda.

Una de **las etapas** más importantes en el desarrollo del arte ocurrió cuando los artistas abandonaron **el realismo**, es decir, no pintaron más las cosas como las veían. Los pintores del **movimiento impresionista** trataron de reproducir las sensaciones creadas por el color y la luz. Luego, los pintores del **surrealismo** empezaron a explorar temas de su propia **imaginación**. Capturaron ideas e imágenes del **subconsciente**, como las que vemos en **sueños**. **Quisieron**[††] hacer, como dijo el pintor español del surrealismo Salvador Dalí (1904-1989), "fotos de sueños, pintadas a mano." La obra de Dalí *Composición surrealista* es un ejemplo de este estilo.

¿Cómo se puede saber qué obras tienen **valor** y cuáles no? ¿Y cuál es **el mensaje** de una obra de arte? No es nada fácil **criticar** el arte, porque cada persona que mira una obra de arte tiene su propio punto de vista y le da a cada obra un valor diferente.

Si no sabes qué quieren decir estas palabras, puedes consultar un diccionario o el Vocabulario español-inglés al final del libro.

el siglo	el movimiento
la época	el subconsciente
tratar de	el sueño
la imagen,	quisieron[††]
pl. las imágenes	el valor
el punto de vista	el mensaje
la etapa	

¿Y qué quiere decir . . . ?

la inspiración	impresionista
transformar(se)	el surrealismo
abstracto, -a	la imaginación
el cubismo	criticar *(c → qu)*
el realismo	

MUSEO THYSSEN-BORNEMISZA
PASEO DEL PRADO, 8. 28014 MADRID. TEL.(91) 420 39 44

---

* El pretérito de *contribuir* es similar al de *oír*.

† Ya conoces el verbo reflexivo *romperse*. Aquí se usa la forma no reflexiva, *romper*.

†† *Quisieron* es el pretérito de las formas *Uds. / ellos / ellas* de *querer*.

¿Comprendiste?

1 Según la lectura, completa estas frases de una forma correcta.

a. Picasso era
1. un pintor francés que vivía en España.
2. un pintor español que vivía en España.
3. un pintor español que vivía en Francia.

b. Picasso se inspiró en
1. el arte de África y de las islas del Pacífico.
2. el arte español de su época.
3. el arte francés.

c. En el cubismo
1. las imágenes se ven como son en realidad.
2. las imágenes se transforman en formas casi abstractas.
3. las imágenes están llenas de color y de luz.

d. Los pintores del surrealismo
1. usan métodos e ideas realistas.
2. no exploran temas de su imaginación.
3. pintan imágenes del subconsciente.

e. Los pintores realistas
1. quisieron pintar lo que veían en su imaginación.
2. pintaban las cosas como las veían.
3. presentaban sus imágenes desde más de un punto de vista.

2 Mira la escultura de arriba. Descríbela. Según lo que leíste en *La pintura en el siglo XX,* ¿a qué movimiento artístico pertenece?

Violín (1915), Pablo Picasso

¿Y qué piensas tú?

3 De los movimientos artísticos mencionados, cubismo, realismo, impresionismo y surrealismo, ¿cuál es el que más te interesa? ¿Por qué?

4 ¿Cuál es la obra de arte que más te gusta? ¿Quién es el (la) artista? ¿Cuándo y dónde la viste? ¿En un museo, en una galería de arte, en un libro?

5 ¿Qué valor tiene para ti la obra de arte que mencionaste? Explica por qué te gusta. Puedes hablar del tema, del estilo, del mensaje, de los colores.

Práctica de vocabulario www.pasoapaso.com

MÁS PRÁCTICA

Más práctica y tarea, p. 554
Practice Workbook 3–3, 3–4

6 *La persistencia de la memoria* es una pintura de la etapa surrealista de Salvador Dalí. Escribe lo que ves y lo que sientes. Comparte tus respuestas con tu compañero(a). ¿Están ustedes de acuerdo o no?

a. ¿Qué ves en la pintura? ¿En primer plano? ¿Al fondo?
b. ¿Qué se ve a la izquierda?
c. ¿Cómo son las formas? ¿Y los colores? ¿Qué tipo de arte es?
d. ¿Cómo te hace sentir? ¿Te gusta? ¿Por qué?

La persistencia de la memoria (1931), Salvador Dalí

¿Qué sabes ahora?

¿Puedes:

■ **describir una obra de arte?**

—En ___ se ve la figura de ___, y al fondo hay ___.

■ **dar tu opinión sobre una obra de arte?**

—Lo que me atrae de una pintura es ___.

■ **hablar sobre diferentes movimientos artísticos?**

—Los artistas ___ pintaban las cosas como las ___.

ÁLBUM CULTURAL

El pintor comunica con imágenes lo que el escritor comunica con palabras. Aquí tenemos cinco obras de arte de artistas hispanoamericanos del siglo XX. ¿Qué mensaje piensas que quiere comunicar cada artista?

Día de flores (1925), Diego Rivera

Uno de los objetivos del artista mexicano Diego Rivera es revitalizar el interés y el respeto por la gente indígena y por las clases económicas más bajas de México. En esta obra, la expresión de los personajes muestra su dedicación al trabajo.

Mujer en violeta (1938), Wifredo Lam

Wifredo Lam es un artista cubano. Su padre era chino y su madre afrocubana. Por esta razón, una característica de sus pinturas es mostrar la diversidad de razas. En *Mujer en violeta* podemos ver la influencia del arte africano por la forma de la cara y de los ojos del personaje.

Fernando Botero, pintor y escultor colombiano, es conocido por las grandes dimensiones de sus obras. En *Reclining Woman,* algunos rasgos como la cabeza y los ojos son exagerados, mientras que otros son más delicados y finos.

Reclining Woman
(Mujer recostada)
(1984), Fernando Botero

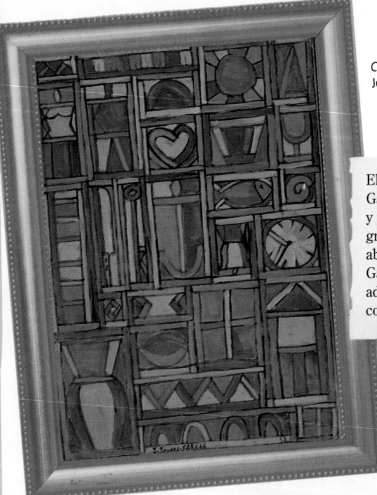

Composición constructiva núm. 548 (1932),
Joaquín Torres-García

El artista uruguayo Joaquín Torres-García usó elementos del arte africano y precolombino con los principios griegos para hacer un nuevo arte abstracto. En esta composición, Torres-García usa símbolos universales además de una gran variedad de colores que expresan otros mensajes.

El alhajero (1942), María Izquierdo

No todo el arte tiene mensajes políticos. María Izquierdo, una artista mexicana, pintó esta naturaleza muerta que incluye artículos personales. Los artículos que están encima de una silla y una mesa forman la base de esta obra, y también se ven en otras de sus pinturas y en fotografías de la artista.

Mediada la década de los veinte y en años posteriores, la política se convirtió en tema predominante para los artistas a lo largo y ancho de las Américas y particularmente en México. Las revoluciones mexicana y rusa, la subida del fascismo y la depresión económica mundial, así como las condiciones sociales de los años treinta, afectaron profundamente la obra de Rivera, David Alfaro Siqueiros y José Clemente Orozco. Para ellos el arte era un arma contundente para educar a la gente en la política. Eligieron trabajar con un poderoso realismo; sus enormes murales, a menudo subvencionados por el gobierno, sostienen explícitas afirmaciones políticas en una escala épica.

Pinceladas de dramáticos colores terrosos, violentas y entrecortadas, se mezclan con poderosas diagonales en el cuadro de Orozco, *Barricada*, 1931, donde nos transmite la experiencia de la batalla: tensión, temor, extenuación, la futilidad de la guerra. En este caso poco hay que identifique las tensas figuras como mexicanas. Sus rostros, o no son visibles, o están vagamente indicados; sus ropas están mínimamente descritas. Lo que más se destaca son quizá las armas: un cuchillo en el primer plano y un rifle apuntando a la barricada.

Hacia los años treinta, el realismo social de los muralistas mexicanos, como así fueron llamados, se extendió por América del Sur y del Norte. Véase *Café*, 1935, un enorme cuadro realizado por el artista brasileño Cándido Portinari, o incluso *Desocupados* de Antonio Berni, argentino, una ponderada reflexión de 1934 sobre la Depresión. La escala de las obras de Orozco y de Rivera, al igual que el más agresivo, vigoroso estilo de Siqueiros, influenciaron a muchos pintores norteamericanos, incluido Jackson Pollock. Sin embargo, con el giro de la política, el tratamiento de los muralistas mexicanos empezó a sentirse como opresivo ya que servía entonces al status-quo post-revolucionario.

José Clemente Orozco. *Barricada*, 1931. Óleo sobre lienzo, 55 x 45". The Museum of Modern Art, New York. Donación anónima, 1937. Foto: S. Sunami. The Museum of Modern Art, New York

Reacción personal

Contesta las siguientes preguntas en una hoja de papel.

1 ¿Cuál de las obras de Álbum cultural te atrae más? ¿Qué es lo que te atrae: el color, las formas, el estilo?

2 Los escritores comunican sus historias con palabras. Los artistas usan elementos como el color, la forma y el tema. Describe el color, la forma y el tema de cada obra e interpreta lo que quieren decir.

3 Las características del cubismo son las formas geométricas y las formas abstractas. ¿Crees que estas obras son cubistas? ¿Por qué? ¿Qué quieren decirnos los artistas de estas obras?

Gramática en contexto

Lee este reportaje sobre un robo en una galería de arte. Hay tres versiones distintas. ¿Cuál piensas que es la verdadera?

Robo en una galería de arte

Anoche, en una exposición, robaron un pequeño cuadro pintado por Emilia Rodríguez. Tres personas vieron el robo, pero sus versiones son muy diferentes.

Vi a un joven que estaba mirando el cuadro. De repente, quitó el cuadro de la pared y lo puso bajo su chaqueta. Luego, salió entre un grupo de turistas.

Al lado del cuadro una mujer estaba leyendo un folleto. Sin levantar los ojos del folleto, tomó el cuadro y lo puso en su bolso. Después, no sé adónde fue.

Un hombre de barba negra estaba dibujando en un cuaderno. Rápidamente quitó el cuadro, lo puso debajo del cuaderno y caminó hacia la salida.

A La persona que da la primera versión de los hechos usa los verbos *estaba mirando, quitó, puso* y *salió*. ¿Cuál nos indica la acción del ladrón antes de llevarse el cuadro? ¿Cuáles dicen lo que hizo después? Fíjate en los verbos que usan los demás testigos. En las tres versiones, ¿se usa el imperfecto progresivo o el pretérito para describir lo que estaba haciendo el ladrón cuando ocurrió el robo? ¿Con qué tiempo indican lo que hizo el ladrón en un momento específico?

B Según los testigos, cada uno de los sospechosos escondió el cuadro en un lugar diferente. ¿Qué verbo usan para hablar de eso? ¿Cuál es el infinitivo de ese verbo?

C ¿Cómo se diferencia la forma en que se deletrea *leyendo* del gerundio de otros verbos en *-er* e *-ir*? ¿Cuál te parece que será el gerundio de *incluir*?

Repaso: El pretérito del verbo *poner*

Repasa las formas de *poner* en el pretérito.

puse	pusimos
pusiste	pusisteis
puso	pusieron

- Como pasa con el pretérito de *hacer*, las formas del pretérito de *poner* no llevan acento.

- Las formas reflexivas de *poner* se usan con la ropa y el maquillaje. Pueden también significar "volverse o convertirse."

  Paula **se puso** el abrigo antes de salir.

  Los turistas **se pusieron** serios cuando vieron la obra de Picasso.

¡NO OLVIDES!

Acuérdate de las formas del pretérito de *hacer: hice, hiciste, hizo, hicimos, hicisteis, hicieron.*

1 El pintor Federico González tiene mala memoria. No recuerda dónde puso sus cosas. Con un(a) compañero(a), hagan los papeles de Federico y de la persona que lo ayuda, y traten de encontrar dónde dejó sus cosas.

A — *¿Dónde puse mis llaves?*
B — *Las pusiste debajo del sofá.*

2 Describe la reacción de diferentes personas cuando vieron ciertas cosas. Forma frases usando el pretérito de *ponerse* y estos adjetivos u otros: *alegre, animado(a), furioso(a), impaciente, romántico(a)* y *triste*.

Cuando vieron el campo, mis padres se pusieron alegres.

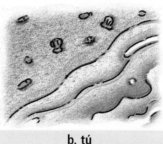

a. yo   b. tú   c. los turistas

d. mis amigos y yo   e. (nombre)   f.

El pretérito de los verbos *influir* y *contribuir*

Aquí tienes las formas del pretérito de *influir*. *

influí	**influimos**
influiste	**influisteis**
influyó	**influyeron**

- Observa que la *i* se convierte en *y* en las formas *Ud. / él / ella* y *Uds. / ellos / ellas*.

- *Contribuir* se conjuga de la misma forma. Otros verbos como *leer,*† *creer, oír* y *caerse* se conjugan de forma similar. En estos cuatro verbos la *i* lleva un acento en todas las formas.

  —¿**Leíste** la biografía de Pablo Picasso?
  —Sí, mi amigo y yo la **leímos**.

---

* Los verbos que terminan en *-uir* como *influir* y *contribuir* llevan acento en la *i* sólo en la forma *yo* del pretérito.

† Las formas del pretérito de *leer* son: *leí, leíste, leyó, leímos, leísteis, leyeron*.

3 Con un(a) compañero(a) formen frases con los elementos de las dos columnas usando el pretérito de *influir*.

Los sueños influyeron en la obra de los artistas surrealistas.

a. Su cultura   en nuestra amistad
b. El mal tiempo   en la decisión de nuestros padres
c. Los turistas   en el juego de Luis
d. Mis hermanos y yo   en la economía del país
e. Tú, con tus consejos   en los artistas hispanoamericanos
f.

¡NO OLVIDES!

¿Recuerdas las formas del presente de *influir*?

influyo	influimos
influyes	influís
influye	influyen

Repaso: El imperfecto progresivo

El imperfecto progresivo se usa para describir algo que estaba ocurriendo en un momento del pasado. Se forma con las formas del imperfecto de *estar* y el gerundio.

En esa época, Velázquez **estaba pintando** retratos para la familia de Felipe IV.

- Hay verbos que tienen gerundios irregulares. Cuando la raíz de un verbo en *-er* o *-ir* termina en vocal, la *i* de *-iendo* se transforma en *y*.

  leer   →   le**y**endo
  incluir   →   inclu**y**endo

- Recuerda que los verbos en *-ir* con cambios en la raíz tienen también un cambio de vocal en el gerundio.

  dormir   →   d**u**rmiendo
  pedir   →   p**i**diendo
  mentir   →   m**i**ntiendo
  seguir   →   s**i**guiendo
  venir   →   v**i**niendo

¡NO OLVIDES!

Recuerda que los pronombres de complemento directo e indirecto pueden ir antes del verbo principal o unidos al gerundio: *Yo no **le** estaba hablando a él; estaba escuchándo**lo**.*

Plato de cerámica española del siglo XVI

113

4 Imagina que estabas ayer en una galería de arte con un(a) compañero(a). Pregúntale qué estaban haciendo las demás personas.

la señora de
pelo canoso

A —¿*Qué estaba haciendo la señora de pelo canoso?*
B —*Estaba hablando con su esposo.*

a. los artistas
b. el joven
c. la familia

d. la mujer con el bebé
e. los dos hombres
f. las dos niñas

Repaso: El uso del pretérito y del imperfecto progresivo

El pretérito y el imperfecto progresivo se suelen usar juntos. El pretérito se usa para indicar una acción específica con un principio y un fin definidos. El imperfecto progresivo nos dice lo que estaba pasando cuando ocurrió la acción, sin indicar ni el principio ni el fin.

El pintor **estaba terminando** su obra cuando su hija **llegó**.

5 Habla con un(a) compañero(a) sobre lo que estabas haciendo cuando ocurrieron estas cosas.

llamar amiga

A — ¿*Qué estabas haciendo cuando te llamó tu amiga?*
B — *Estaba viendo la televisión.*

a. (alguien) invitarte a salir

b. (alguien) entrar en el cuarto

c. oír un ruido extraño

d. caerse

e. (alguien) volver del trabajo

6 Imagina que estabas en el taller o estudio de Velázquez diez minutos antes de que el pintor comenzara a pintar *Las Meninas*. (Ve la página 99.) Describe con tu compañero(a) lo que estaba haciendo cada una de las personas.

La niña rubia de pelo largo estaba jugando cuando Velázquez comenzó a pintar.

Ahora lo sabes

¿Puedes:

■ decir dónde alguien puso algo o cómo se sintió?

—(Yo) me ___ muy triste cuando vi ese cuadro.

■ decir quién influyó a alguien o en algo?

—Norman Rockwell ___ mucho en la pintura de los Estados Unidos.

■ hablar de lo que estaba pasando cuando algo ocurrió?

—Cuando (nosotros) ___ unos cuadros, el pintor ___ a la galería.

MÁS PRÁCTICA

Más práctica y tarea, pp. 554–555
Practice Workbook 3–5, 3–9

¿Qué nos dicen las obras de arte?

Esta sección te ofrece la oportunidad de combinar lo que aprendiste en este capítulo con lo que ya sabes para responder a la pregunta clave.

Sopa de actividades

1. Prepara una presentación oral sobre una obra de arte. La obra puede ser tuya, de un amigo o de otro artista. Puedes incluir esta información:

   - el nombre del artista (o tu nombre si la obra es tuya)
   - lo que usó el artista (o usaste tú) para crear la obra (lápiz, pintura, etc.)
   - lo que se ve en el cuadro (en primer plano, al fondo, en el centro, etc.)
   - el estilo y los colores
   - en qué deben fijarse especialmente los que ven la obra
   - qué es lo que quiere decir el artista (o lo que quieres decir tú) en esta obra
   - si te gusta la obra o no
   - Si la obra es tuya, ¿qué te pareció más difícil de pintar? ¿Cómo te gustaría poder pintar?

   Si es posible, trae la obra de arte o una foto de ella a la clase. Haz una presentación para la clase o para un grupo de estudiantes.

2 Busca en un periódico o libro una tira cómica o historieta que muestre algo que estaba pasando cuando ocurrió otra cosa. Luego:

- Quita de la tira cómica todas las palabras y tráela a la clase.
- Muéstrasela a un(a) compañero(a) y explícale lo que estaba pasando y lo que ocurrió.
- Tu compañero(a) va a hacerte preguntas sobre lo que dices o va a añadir algo más.
- Cambia tiras cómicas con tu compañero(a) y explícale a otro(a) estudiante qué pasa en tu nueva tira cómica.

   A —*Luisita estaba patinando. Al mismo tiempo estaba escuchando su tocacintas y no estaba mirando la acera. Un perro cruzó enfrente de ella y ella se cayó.*

   B —*Y fue al hospital con un brazo roto.*
   o: ¿Se rompió algún hueso cuando se cayó?

3 Trae a la clase una obra de arte tuya o de algún artista que te guste. Descríbesela a un(a) compañero(a), pero no le digas el movimiento artístico al que pertenece. Tu compañero(a) debe adivinarlo.

Pablo Picasso decorando una pieza de cerámica en su estudio

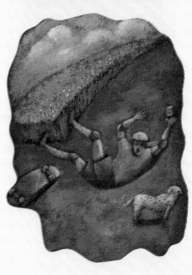

El pintor Rufino Tamayo en su estudio

Para leer

Antes de leer

ESTRATEGIA ➤ Usar conocimientos previos

Antes de leer esta entrevista, prepárate relacionando cada cuadro de abajo con el movimiento artístico que representa.

Explícale tus decisiones a un(a) compañero(a). Luego mira las respuestas en la página 103.

Mandolins and Pineapples (Mandolinas y piñas), (1930),
Rufino Tamayo

Mira la lectura

ESTRATEGIA ➤ Hacer predicciones

Mira bien la obra de Tamayo de la izquierda. ¿Cómo crees que Tamayo responderá a estas preguntas? Escribe tus respuestas.

¿Dónde encuentra su inspiración?
¿En qué sentido le ayuda la naturaleza?
¿Cómo se definiría como pintor?

Ciurana, le sentier (Ciurana, el sendero),
(1917), Joan Miró

Entrevista con Rufino Tamayo

A.S.   Maestro, ¿cómo comenzó a pintar?

R.T.   Después de la muerte de mi madre en 1907, me mudé con mi familia de Oaxaca a la Ciudad de México cuando tenía once años. En la gran ciudad comencé a dibujar copiando tarjetas postales. Fue entonces cuando, en 1917, entré en la Escuela Nacional de Bellas Artes.

A.S.   ¿Le gustaba asistir a la Escuela de Bellas Artes?

R.T.   No, en absoluto. Era terriblemente académica. Nos enseñaban a copiar con exactitud

los modelos, y eso va en contra de toda creación. Después de tres años abandoné la Escuela y me puse a pintar por mi cuenta. En ese tiempo descubrí que en las artes populares mexicanas y en ese gran arte precolombino estaban mis raíces.

A.S.   ¿Cómo fue su vida en Nueva York?

R.T.   Realicé mi primera exposición fuera de México en la Weybe Gallery en Nueva York, en 1926. Al principio fue muy difícil. No tenía qué comer, no hablaba el idioma, no tenía amigos; pero seguí trabajando. Mi éxito, en realidad, comenzó en la década de 1930. Nueva York (donde viví veinte años)

Lion and Horse (León y caballo), (1942),
Rufino Tamayo

me dio dos cosas importantes: en Nueva
York pude ver arte de todo el mundo, y
además, fue en Nueva York donde fui
inicialmente reconocido internacionalmente.
Más aún, fue allí donde por primera vez se
notó y se habló de mi "sello mexicano": los
colores, las proporciones, mi manera de
representar la figura humana, todo el drama,
si se puede decir así, que contiene mi obra.

A.S.   **¿Dónde encuentra su inspiración?**

R.T.   Considero que la naturaleza me da los
elementos a partir de los cuales realizo mi obra,
particularmente el hombre. El hombre es la esencia
de mi trabajo.

A.S.   **¿En qué sentido le ayuda la naturaleza?**

R.T.   La naturaleza proporciona a los pintores
todos los elementos: formas, espacios, colores . . .
pero somos nosotros, los pintores, los que los
transformamos, en mi caso, para hacer poesía.
Considero que el color, por ejemplo, es importante en
mi obra. Esos colores—el blanco de la cal, el ocre de
la tierra, el siena—son los que usaban los pueblos
precolombinos . . . y esos son mis colores mexicanos.

Ahora bien, para pintar las frutas necesito colores
muy jugosos, tales como los anaranjados, los amarillos,
los rojos, pero los rojos simples. Durante mi infancia
vivía entre frutas. Ésta es la diferencia entre mis dos
paletas: una es muy calma, la otra es muy luminosa.

A.S.   **¿Cómo se definiría como pintor?**

R.T.   Soy un realista, pero en una manera poética.
Soy un realista porque en mi pintura se reconocen
las formas, los objetos, pero con ellos hago poemas . . .
No copio el árbol que veo en la naturaleza. Creo
mi árbol. Lo mismo ocurre con la figura humana.
Simplifico las cosas pero sigo comunicándome con
el público. Me afectan profundamente los problemas de
los seres humanos y trato de expresarlos a mi manera.

Infórmate

ESTRATEGIA ➤ Identificar detalles
auxiliares

1 Ahora lee la selección con cuidado.
¿Aparecen las frases que escribiste en las
respuestas de Tamayo?

¿Cuáles de estas frases reflejan el punto de
vista de Rufino Tamayo?

- El/la artista debe copiar la naturaleza.
- México influye mucho en mi arte.
- Mis obras reflejan a mi manera los
  problemas de los seres humanos.
- Soy un artista surrealista.
- La cosa más importante de mi trabajo
  es la fruta.
- Algunos de los colores que uso están
  inspirados en los del pueblo mexicano
  precolombino.

2 Mira el cuadro de arriba. ¿Qué características
del estilo de Tamayo se encuentran en él?

Aplicación

Trabajen en grupos para ver cuáles de estas
características se encuentran en las obras de
Tamayo. Usen el texto como referencia.

- colores muy jugosos
- el realismo
- colores apagados
- la figura humana
- la naturaleza muerta
- el cubismo
- la paleta calma

Para escribir

Imagina que eres un(a) reportero(a) de tu periódico escolar o de la página de los jóvenes del periódico de tu comunidad. Debes asistir a una exposición de arte y escribir sobre una de las obras que ves.

1 Primero, escoge una pintura que te gusta. Puede ser una de las pinturas incluidas en este capítulo o una de tu artista favorito(a). Luego, contesta estas preguntas. Lo que escribiste en *Reacción personal* puede servirte de ayuda.

■ El (la) artista

¿Quién es?
¿Es contemporáneo o vivió en otro siglo?
¿Tuvo o tiene influencia de otros pintores? ¿De quiénes?
¿En qué estilo(s) pintó?

■ La pintura

¿Qué título le puso el (la) artista?
¿Cómo es? Descríbela. Menciona detalles específicos.
¿Qué ves en primer plano? ¿En el centro? ¿Al fondo?
¿Qué colores usó el (la) artista? ¿Son vivos, oscuros, etc.?

■ La interpretación de la pintura

¿Cómo te afecta esta pintura? ¿Crees que el (la) artista tenía un motivo social o político cuando la hizo?
¿Cuál es el tema de la obra?
¿Crees que el título es apropiado? Si no, ¿qué título crees que debe tener?

Puedes usar estas palabras u otras:

a la derecha	cariño	luz
a la izquierda	claro	sombra
agitado	confuso	tranquilo
alegre	emocional	
apagado	indiferencia	

2 Ahora, usa tus notas y apuntes para escribir tu artículo. Ilústralo con una foto, una tarjeta postal o una fotocopia de la pintura. Sigue los pasos del proceso de escribir.

3 Para compartir tu trabajo, puedes:

- enviarlo al periódico escolar o a un periódico publicado en español
- incluirlo en un periódico publicado en clase
- exhibirlo en la sala de clases
- incluirlo en un libro titulado *Pinturas favoritas*
- ponerlo en tu portafolio

Esta sección te ayudará a prepararte para el examen de habilidades, donde tendrás que hacer tareas semejantes.

Comprensión auditiva

¿Puedes entender la descripción de una obra de arte? Escucha mientras el (la) profesor(a) lee un ejemplo semejante al que vas a oír en el examen. ¿Dónde ocurre esta conversación? ¿De qué tipo de pintura están hablando? ¿De qué movimiento artístico es?

Lectura

Lee el siguiente folleto sobre Francisco de Goya para ayudarte a identificar algunos detalles de su obra. ¿Cuáles fueron los temas de sus primeros cuadros? ¿Qué aspectos influyeron después para cambiar la obra del artista?

Cultura

¿Cuáles son algunos temas de las obras de Diego Rivera?

Práctica oral

¿Puedes hablar con un(a) compañero(a) sobre una obra de arte? Aquí tienes un ejemplo:

A —*¿Cuál de los cuadros que vimos en la galería te atrae más?*

B —*El de la naturaleza muerta. Prefiero el realismo. Y a ti, ¿cuál te gustó?*

A —*Pues, el retrato abstracto de las figuras en colores vivos. ¡Me encanta el surrealismo! Sus temas me fascinan.*

B —*Pero con el realismo siempre sabemos lo que el artista quiere decir. Sin embargo, el arte abstracto . . .*

Los primeros cuadros de Francisco de Goya son de personajes conocidos y de paisajes tranquilos. Le atraían las costumbres y la vida del campo. Pero las circunstancias sociales y políticas en las que se encontraba España, la vanidad de la aristocracia, la pobreza de su país y la hipocresía de la humanidad influyeron en su vida y en sus obras. En los cuadros que pintó después, Goya comenzó a usar tonos apagados y figuras que se ven entre sombras. Goya contribuyó al arte universal e influyó en los pintores de los siglos XIX y XX.

Los fusilamientos del 3 de mayo de 1808 (1814)

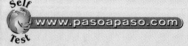

Self Test — www.pasoapaso.com

El pintor español Salvador Dalí vivió de 1904 a 1989. Sus primeros cuadros eran impresionistas, realistas y cubistas. En algunos de estos cuadros podemos ver la influencia de Pablo Picasso. Pero él quería encontrar su propio estilo. Cuando Dalí vivía en Francia encontró inspiración en el surrealismo. Empezó a explorar temas del subconsciente. Pintó imágenes de sus propios sueños, a veces usando colores apagados y a veces colores vivos.

Usa el vocabulario de este capítulo para:

- responder a la pregunta clave: ¿Qué nos dicen las obras de arte?
- describir una obra de arte
- interpretar el mensaje de una obra de arte
- dar una opinión sobre una obra de arte

para hablar sobre un artista y su obra

el / la artista
atraer
criticar *(c → qu)*
la galería
la inspiración
el mensaje
la obra (de arte)
la paleta
el pincel
la pintura
el valor

para describir una obra de arte

el centro
la figura
el fondo
la forma
la imagen,
  pl. las imágenes
el primer plano
reflejado, -a
la sombra

para hablar de diferentes tipos de pinturas

el autorretrato
el mural
la naturaleza muerta
el perfil
la pintura
el retrato

para describir los colores de una pintura

apagado, -a
pastel
el tono
vivo, -a

para discutir la escena de una pintura

abajo
arriba
de pie
junto a
sentado, -a

para referirse a estilos de pintura

abstracto, -a
el cubismo
la época
el estilo
la etapa
impresionista
el movimiento
el punto de vista
el realismo
el siglo
el surrealismo
el tema

otras palabras y expresiones útiles

fijarse (en)
la imaginación
interpretar
querer:
  (ellos) quisieron
el subconsciente
el sueño
transformar(se)
tratar de

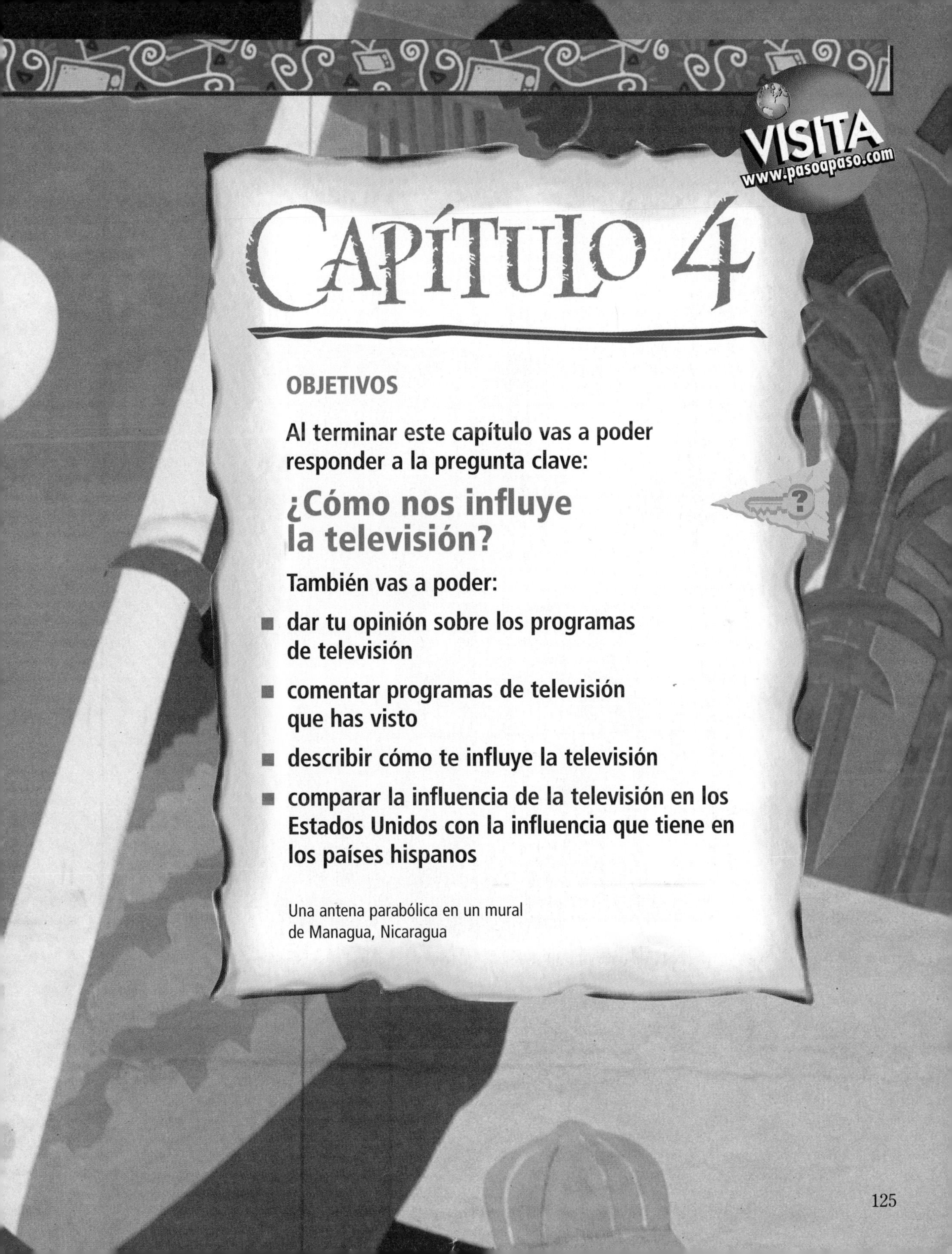

CAPÍTULO 4

OBJETIVOS

Al terminar este capítulo vas a poder responder a la pregunta clave:

¿Cómo nos influye la televisión?

También vas a poder:

- dar tu opinión sobre los programas de televisión

- comentar programas de televisión que has visto

- describir cómo te influye la televisión

- comparar la influencia de la televisión en los Estados Unidos con la influencia que tiene en los países hispanos

Una antena parabólica en un mural de Managua, Nicaragua

Anticipación

Mira las fotos. Además de ver los programas regulares, ¿cómo se puede usar la televisión?

Hoy en día muchos jóvenes pasan su tiempo libre viendo la televisión. Muchas personas creen que es mejor para los jóvenes usar ese tiempo en otras actividades, como estar con amigos o leer. ¿Cuántas horas ves tú la televisión? ¿Piensas que son demasiadas o no? ¿Por qué?

"Esta película me parece interesante."

Alquilar videos, como está haciendo este joven en una tienda de Caracas, Venezuela, también ha ganado popularidad en los países hispanos. Es posible alquilar videos de películas producidas en los Estados Unidos, pero dobladas, es decir, con los diálogos traducidos, o con subtítulos en español, además de películas producidas en países hispanos. ¿Has visto alguna película doblada o con subtítulos? ¿Cuál? ¿Por qué crees que a la gente le interesa alquilar películas con subtítulos?

Tradicionalmente, las plazas en los países hispanos son lugares públicos con bonitos jardines, fuentes y senderos. La gente va allí para caminar y conversar tranquilos y al aire libre. Pero en esta plaza en Nazca, Perú, hay cosas que no son tradicionales. ¿Qué cambios ves aquí? ¿Qué piensas de estos cambios?

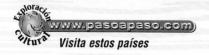

Vocabulario para comunicarse

¿Qué programas grabas?

Aquí tienes palabras y expresiones necesarias para hablar sobre la televisión. Después de leerlas varias veces, practícalas con un(a) compañero(a).

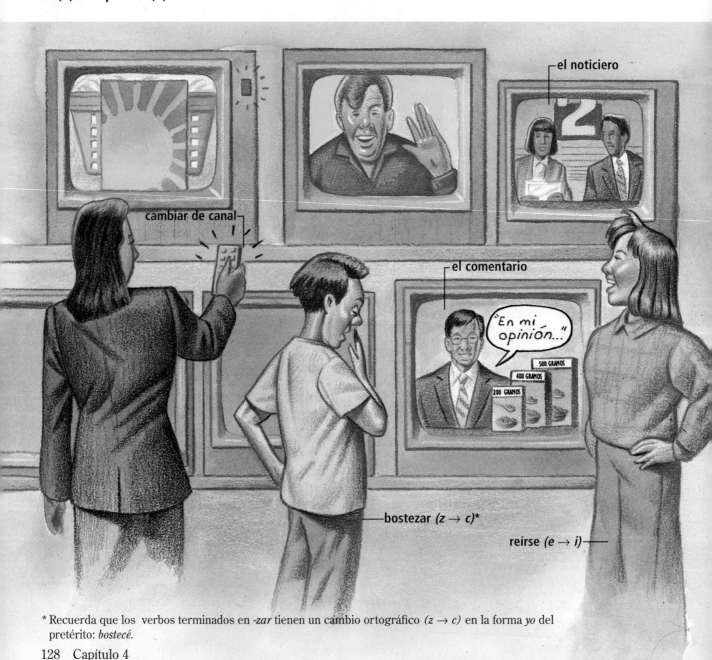

* Recuerda que los verbos terminados en *-zar* tienen un cambio ortográfico *(z → c)* en la forma *yo* del pretérito: *bostecé*.

128   Capítulo 4

También necesitas . . .

Si no sabes qué quieren decir estas palabras, puedes consultar un diccionario o el Vocabulario español-inglés al final del libro.

demasiado, -a
dieron *(del verbo* dar)
emocionarse
he visto
has visto } *(del verbo* ver)

la multa
recientemente
el reportaje

¿Y qué quiere decir . . . ?
informativo, -a
negativo, -a
positivo, -a
objetivo, -a

subjetivo, -a
la televisión por cable
la televisión por satélite

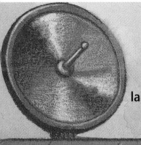

la antena parabólica

Empecemos a conversar

Túrnate con un(a) compañero(a) para ser *Estudiante A* y
Estudiante B. Reemplacen las palabras subrayadas con
palabras representadas o escritas en los recuadros.

💡 quiere decir que puedes escoger tu propia respuesta.

El monstruo de la montaña

1 A —*Para ti, ¿qué programas son los más <u>violentos</u>?*
B —*Las películas de terror y, algunas veces, los noticieros.*

Estudiante A   **Estudiante B**

Estudiante A:
- divertido, -a
- informativo, -a
- objetivo, -a
- subjetivo, -a
- positivo, -a
- negativo, -a
- violento, -a

Estudiante B:
- El GATITO TITO
- El tío Pepito
- Hablando con Olivia
- Los mejores días
- AVENTURA en las RUINAS

2 la comedia /   A —*¿Vemos <u>la comedia</u> o <u>el noticiero</u>?*
el noticiero   B —*<u>La comedia</u>. Me gustan los programas <u>divertidos</u>.*
             A —*<u>Podemos grabar el noticiero, si quieres</u>.*

Estudiante A   **Estudiante B**

a. la entrevista con el presidente / el reportaje sobre África

b. el documental sobre gatos / la telenovela

c. el pronóstico del tiempo / el fútbol

d. el comentario / el programa educativo

e. el noticiero / el programa musical

f.

3

A — *Voy a alquilar <u>El hombre de dos cabezas</u>.*
B — *<u>No puedes, es prohibida para menores</u>.*

Estudiante A   **Estudiante B**

a.   b.

c.   d.   e.

4

A — *¿Qué te pareció <u>la comedia</u> que dieron anoche?*
B — *Muy aburrida. <u>Bostecé todo el tiempo</u>.*
o: *Excelente. <u>Me reí mucho</u>.*
o: *No la vi. Vi <u>el comentario</u>.*

¡NO OLVIDES!

Recuerda que el pretérito de *reírse* es similar al de *pedir*. Los dos verbos tienen cambios de raíz en las formas *Ud. / él / ella* y *Uds. / ellos / ellas: Los muchachos **se rieron** durante la película.*

Estudiante A   **Estudiante B**

a.   b.   c.

d.   e.   f.   g.

bostezar

cambiar de canal

divertirse

emocionarse

llorar

reírse

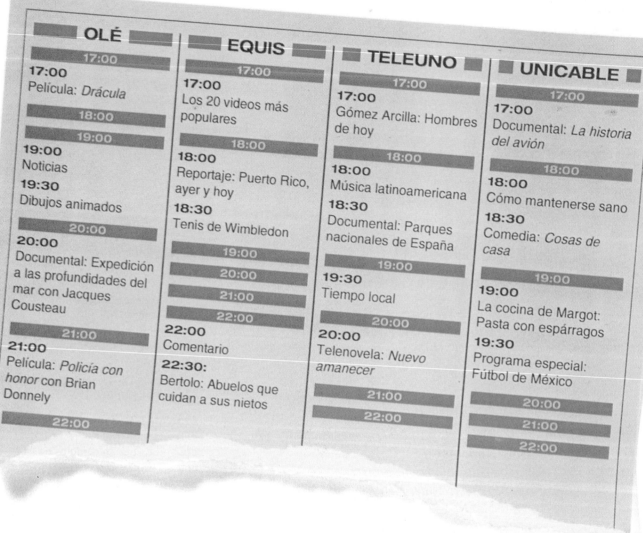

OLÉ

17:00
Película: *Drácula*

18:00

19:00
Noticias

19:30
Dibujos animados

20:00
Documental: Expedición a las profundidades del mar con Jacques Cousteau

21:00
Película: *Policía con honor* con Brian Donnely

22:00

EQUIS

17:00
Los 20 videos más populares

18:00
Reportaje: Puerto Rico, ayer y hoy

18:30
Tenis de Wimbledon

19:00

20:00

21:00

22:00
Comentario

22:30:
Bertolo: Abuelos que cuidan a sus nietos

TELEUNO

17:00
Gómez Arcilla: Hombres de hoy

18:00
Música latinoamericana

18:30
Documental: Parques nacionales de España

19:00

19:30
Tiempo local

20:00
Telenovela: *Nuevo amanecer*

21:00

22:00

UNICABLE

17:00
Documental: *La historia del avión*

18:00
Cómo mantenerse sano

18:30
Comedia: *Cosas de casa*

19:00
La cocina de Margot: Pasta con espárragos

19:30
Programa especial: Fútbol de México

20:00

21:00

22:00

Para este ejercicio, mira la guía de televisión de arriba.

5 A — *Quisiera ver <u>un programa deportivo</u>.*
B — *¿Por qué no ves <u>el fútbol de México a las 19:30 en UNICABLE</u>?*
   o: *No dan lo que quieres ver en ningún canal esta noche.*

Estudiante A   Estudiante B

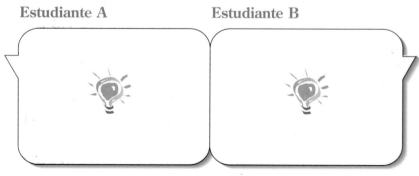

¿Y qué piensas tú?

Aquí tienes otra oportunidad para usar el vocabulario de este capítulo.

6 ¿Cuál es el mejor programa de televisión que has visto recientemente? ¿Lo grabaste? ¿Y el peor? ¿Qué clase de programas eran?

7 ¿Cuál es tu canal favorito? ¿Qué clase de programas ofrece? ¿Por qué te gusta tanto? ¿Les gusta también a tus padres o prefieren otro? ¿Por qué?

8 ¿Qué clase de películas te gusta alquilar? ¿Las alquilas frecuentemente? ¿Tienes que pagar una multa si no devuelves un video a tiempo? ¿Cuánto?

9 ¿Cuál es el peor anuncio que has visto recientemente? ¿Cómo es? ¿Por qué no te gusta?

10 ¿Cuántas horas ves la televisión cada día? ¿Cuántas horas crees que son demasiadas? ¿Por qué?

11 En grupos de tres hablen sobre los programas de televisión que vieron anoche o durante el fin de semana. Pueden hablar de qué canales vieron, qué clase de programas eran y qué les parecieron. ¿Hay alguien en tu grupo que pueda ver la televisión por satélite? Si la respuesta es sí, ¿le gusta? ¿Qué tipo de programas dan?

También se dice

las noticias
el noticiario

Para todo público
Para todos los públicos
Tolerada

Sólo para adultos

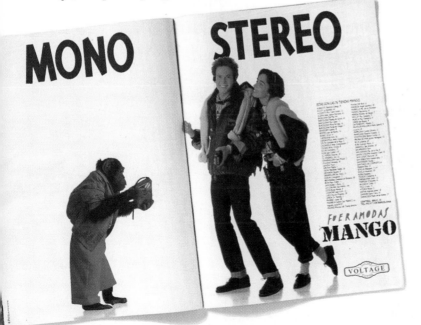

www.pasoapaso.com

MÁS PRÁCTICA

Más práctica y tarea, p. 556
Practice Workbook 4–1, 4–2

133

Tema para investigar

Aquí tienes más palabras e ideas que te ayudarán a hablar sobre la televisión. Mira las ilustraciones. ¿Qué clase de programas se muestran? ¿Cuáles ves tú con más frecuencia?

GUIA TVre

Una selección de los mejores programas de esta semana

Lunes, 4

11,00 Serie. TELE 5 ☐ Hotel.	☐ Colorín, colorado. TVE 1
12,00 Magazine. ☐ ¿De qué parte estás?, con José María Iñigo. TELE 5	**20,00 Sucesos.** A 3 ☐ Cita con la vida.
13,00 Serie. TELE 5 ☐ Hunter.	**20,00 Serie.** TVE 2 ☐ Martín.
14,00 Concurso. ☐ La ruleta de la fortuna, con Andoni Ferreño. TELE 5	**20,30 Magazine.** ☐ Las historias de amor de Isabel Gemio. A 3
14,30 Justicia. TELE 5 ☐ Veredicto.	**21,30 Serie.** A 3 ☐ Lleno, por favor. (Repetición).
15,00 Concurso. TVE 2 ☐ Cifras y letras.	**21,30 Humor.** TVE 1 ☐ El retonno. Con Martes y Trece.
15,30 Telenovela. TELE 5 ☐ Déjate querer.	**22,30 Serie.** ☐ Expediente
15,30 Telenovela. TVE 1 ☐ Alejandra.	**22,30 Ma** ☐ Encar Con
	2?

134 Capítulo 4

La televisión y tú

Con el tiempo, la televisión se ha convertido en el medio principal de recibir información. Como resultado, su influencia en la forma de reportar las noticias, en los productos que compramos y en los candidatos políticos que escogemos es cada vez mayor. ¿De qué otras maneras nos influye la televisión?

Muchas personas piensan que la televisión es una mala influencia, especialmente los programas violentos. **Se ha dicho** que estos programas **hacen daño**, y que los jóvenes que los ven son más violentos. También se ha dicho que la televisión ofrece programas que simplemente **entretienen**, pero que no reflejan la vida **tal como** es. Muchos aceptan lo que les muestra la televisión sin pensar en más. Por ejemplo, algunos programas de entrevistas y algunos anuncios tratan de **manipular** al **público** y contribuyen a formar una **opinión** negativa.

Hay personas que consideran que la televisión es uno de los medios más efectivos para la educación en la sociedad de hoy, y por lo tanto les gustaría incluir clases sobre el uso de la televisión como parte del currículum. Estas clases enseñarán a los estudiantes a ver la televisión de una manera más **crítica**, **analizando** los programas, anuncios y noticieros, y los mensajes que éstos presentan. Clases como éstas ofrecen una forma de **evaluar** cómo lo que los jóvenes ven en la televisión influye en su **percepción** del mundo y les enseña a formar su propia opinión.

Otras personas creen que nadie **ha comprobado** la relación entre la violencia y la televisión. Además, ¿quién va a decidir qué programas son violentos y cómo van a **clasificarlos**? A este grupo **la censura** le da tanto miedo como los programas violentos. Piensan que el público debe tener **derecho** a escoger los programas que quiere ver. Dicen que hay que darles a los padres la información que necesitan para decidir qué van a ver ellos y sus hijos.

Posiblemente lo que se debe **controlar** es cuánto tiempo se ve la televisión y el tipo de programas que debemos ver. ¿Qué crees tú? ¿Piensas que la televisión tiene aspectos positivos y negativos? ¿Cómo te influye a ti?

Si no sabes qué quieren decir estas palabras, puedes consultar un diccionario o el Vocabulario español-inglés al final del libro.

se ha dicho *(del verbo* decir)
hacer daño
entretener(se) *(e → ie)**
tal como
el público

crítico, -a
comprobar *(o → ue)*
la censura
el derecho

¿Y qué quiere decir . . . ?
manipular
la opinión, *pl.* las opiniones
analizar *(z → c)*
evaluar *(u → ú)†*

la percepción
clasificar *(c → qu)*
controlar

---

*Entretener se conjuga como tener.
†*Evaluar se conjuga como* actuar.

¿Comprendiste?

1 Según la lectura, ¿de qué formas nos influye la televisión? ¿Estás de acuerdo? ¿Por qué?

2 ¿Cuáles son otros aspectos de la televisión? Para ti, ¿cuál es el más importante? ¿Por qué?

¿Y qué piensas tú?

Aquí tienes otra oportunidad para usar el vocabulario de este capítulo.

3 ¿Con qué clase de programas nos divierte la televisión? ¿Con qué clase de programas nos informa? ¿Cómo nos enseña la televisión?

4 ¿Cuáles son los programas de televisión más violentos que puedes ver donde vives? ¿Cómo te influyen? ¿Crees que existe una relación entre la televisión y la violencia? ¿Por qué?

5 ¿Se debe tener derecho a controlar los programas que ven los jóvenes? ¿Crees que los niños deben tener derecho a decidir qué programas van a ver o son los padres los que deben escoger?

6 Describe un noticiero o un reportaje que has visto recientemente y di por qué crees que fue o no fue objetivo.

MÁS PRÁCTICA

- Más práctica y tarea, p. 557
- Practice Workbook 4–3, 4–4

UNIDOS POR LA ONDA MUSICAL

SON LAS TRES DE LA mañana en Santo Domingo, en Asunción o en cualquier ciudad de América Latina. La abuelita está desvelada y enciende el televisor. Aparece Madonna cantando *Justify my love* en medio de unas escenitas que le quitan el sueño a cualquiera. La abuelita se espanta y cambia el canal, pero a esa hora no hay más nada, así que regresa al que la había asustado. Y como de alguna forma hay que pasar la noche, despierta al abuelito para verla juntos.

¿Increíble? Pues no... A partir de octubre, MTV inaugurará una cadena en español que transmitirá 24 horas diarias a Latinoamérica y EE UU. Estará ubicada en Miami y su objetivo no será la abuelita, sino el grupo de televidentes entre 12 y 34 años.

"La situación de la televisión por cable en América Latina es similar a la de EE UU hace 10 años", dice Barbara Corcoran, productora ejecutiva de MTV Internacional y una persona clave del nuevo proyecto. "Queremos entrar temprano a ese mercado", señala. Los planes inmediatos son alcanzar 3 millones de casas en Latinoamérica—en especial en Argentina y México—que ya tienen cable.

"Nuestro mercado principal será América Latina", dice Corcoran. También quieren llegar a los hispanos en EE UU, y contratarán a 35 personas en Miami ("todos hispanos") y reporteros en América Latina.

Tendrán una mezcla de música en español y en inglés, conciertos y especiales desde Latinoamérica. Esto dará, dice Corcoran, oportunidades a artistas latinoamericanos—de los de la nueva ola, no de los que le devolverían el sueño a la abuelita.

—*Albor Ruiz*

7 Un canal de televisión quiere saber qué clase de programas les gusta más a los jóvenes.

- Haz una encuesta entre tus compañeros de clase sobre sus programas favoritos. Luego, escribe los resultados en la pizarra. Puedes hacer una tabla como la siguiente con los resultados.

Programa	De qué se trata	Por qué nos gusta

- Haz lo mismo con los peores programas.

- Con las respuestas a estas preguntas, escribe un informe sobre los resultados de la encuesta y envíalo al canal.

a. ¿Cuál es el programa más popular?

b. ¿Qué clase de programas son más populares? ¿Por qué?

c. ¿Qué programas informan al público? ¿Son tan populares como los que no informan al público?

d. En tu opinión, ¿cuáles son los programas que manipulan al público?

e. ¿Qué clase de programas son menos populares? ¿Por qué?

f. ¿Son todos de la misma clase o hay varias clases de programas?

¡NO OLVIDES!
Recuerda que se dice *dar un programa / una película.*

Giselle Fernandez, presentadora del programa de entrevistas *Café Olé*

¿Qué sabes ahora?

¿Puedes:

■ decir lo que hace la televisión?

　—La televisión nos ___ con programas ___ .

■ decir lo que debe hacer la televisión?

　—Pienso que la televisión debe ___ y no debe ___ .

■ describir cómo te influye la televisión?

　—La televisión tiene una influencia ___ en mí porque ___ .

■ describir un programa de televisión que has visto?

　—He visto ___ . Trataba de ___ . (No) Me gustó porque ___ .

ÁLBUM CULTURAL

Gracias a la televisión por cable y vía satélite podemos saber en poco tiempo lo que ocurre en cualquier parte del mundo. ¿De qué manera influye en nuestra manera de pensar el poder ver tantos programas diferentes?

EN LOS PRÓXIMOS CINCO AÑOS:

'Una de Cada Tres Familias Chilenas Tendrá TV Cable'

• Carlos Catalán, director de Estudios del Consejo de TV, asegura que Chile quedará segundo en Latinoamérica en materia de expansión del sistema. Además, cree que aquí se desarrollará primero la inter-actividad.

En América Latina hay siete millones de hogares suscritos a la TV por cable. De ese total, cuatro se los lleva Argentina. Le sigue México con un millón y medio, y el resto se divide entre otras naciones, donde Chile tiene un desarrollo destacado y explosivo en sólo los dos últimos años.

Para Carlos Catalán, director de la División de Estudios del Consejo de TV —quien tuvo a su cargo la realización del primer estudio global del fenómeno en nuestro país—, en los próximos años, Chile quedará segundo detrás de Argentina, aunque ahora sólo tiene 250 mil suscriptores, que a razón de un 10 % de penetra...

rrollo de la televisión por Cable", explica Carlos Catalán.

Aún así, la reciente investigación del Consejo demuestra que el cable es el protagonista de estos dos últimos años. "La explosión parte en 1991. A esas alturas ya existía la tecnología adecuada y las señales satelitales estaban disponibles. Entonces, la pregunta clave era: ¿por qué no se implementó la era...

Para Catalán la respuesta está en el surgimiento de la TV privada (Megavisión), que aumentó la programática e hizo menos variable el ingreso del cable...

...considerar otra variable: el mismo público que home, que está muy expedido al cable, tenía ofertas de entretención y disputación y los visitos... Ja... en cierto grado...

EL NUEVO INVITADO DE PEOPLE METER

Promedio de audiencia minuto a minuto
(Enero a noviembre 1994)

Bloque horario de 12:00 PM / 01:00 AM

LaRED	Canal 4	2,3
UCV	Canal 5	1,3
TV	Canal 7	9,8
III	Canal 9	8,3
CHV	Canal 11	3,5
tcv	Canal 13	12
Total rating canales		
Televisores encendidos		
Diferencia		

► Según el People Meter, de rating (un 10% de televisores encendidos los canales abiertos, videojuegos, video... mayoritariamente... Es decir, la suma... los canales 4 y... estaría prefiri...

TV CABLE INTERCOM

CANAL 2 — 14.00: EL SONIDO DEL SILENCIO. Historia. 16.00: CONTRATA: QUÉ, RUTAS. 18.00: LAS DEL SUR. Drama. 20.00: PEQUEÑOS MONSTRUOS: Terror. 22.00: BÚSQUEDA Y RESCATE. Aventuras. 24.00: VIVA EL NO-VIO. Comedia.

CANAL 3 — ...

CANAL 5 — 09.00: CARTOON NETWORK. Dibujos animados las 24 horas del día.

CANAL 6 — CNN. 11.00: SHOWBIZ THIS WEEK. 18.30: MANAGING. LARRY KING WEEKEND. 21.00: THE CAPITAL GANG.

CANAL 7 — 19.00: VALORES JU-VENILES. 20.00: SÁBADO GI-GANTE. 23.00: CÁMARA IN-FRAGANTI.

CANAL 10 — ESPN. 12.00: DEPORTES ESCOLARES.

CANAL 12 — 18.00: FUTBOL. 20.00: BEISBOL.

CANAL tve — 14.30: DÍAS DE CINE, JARA Y SE-DAL. 19.00: EN PRIMERA.

CANAL 14 — RAI. 18.00: TELEVISIÓN ITALIANA. Programación hasta las 28.00.

CANAL 15 — 08.30: WORLDNET. Política internacional. Conferencias satelitales, Economía.

CANAL 16 — 14.15: TELEVISIÓN FRANCESA. Programación continuada hasta las 03:25 horas.

CANAL 23 — MTV. 07.00: CONEXIÓN. Alfredo Lewin. Programación durante las 24 horas.

CANAL 24 — HBO. 17.45: PERFOMAN-CE. Drama.

CANAL 26 — 19.45: EL REGRESO DE UN EX-TRAÑO. Suspenso. 22.00: CIUDAD DE LA ALEGRÍA. Drama. 00.15: THE CRITIC. Dibujos animados.

CANAL 27 — 07.30: TELEVISIÓN ARGENTINA. Programación durante las 24 horas.

CANAL 28 — 20.00: TEATRO CLÁSICO. 22.00: MARAVILLAS DE LA NATURALEZA.

CANAL 29 — TNT. 14.00: TELEVISIÓN ALEMANA. Programación hasta las 14:30. 18.55: EL AÑO QUE VIVIMOS EN PELIGRO. Aventuras. 21.00: DOS HERMANAS PARA MULAS. Western. 23.00: RAW DEAL. Acción.

CANAL 32 — LLER. EL MILAGRO. Drama. 22.00: EL PROCESO CONTI-NUA. FINAL.

CANAL 34 — 22.00: PLAZA MA-YOR. Repetición de lo mejor de la semana. 18.00: PERFILES DE LA BELLEZA. NATURAL. 19.00: KORORO. 20.30: ARQUEOLO-GÍA.

CANAL 35 — 18.30: EL NOVATO DEL AÑO. 20.15: LOCA DEMIA II. LOTOS II. 22.00: EL MEJOR GALO. Drama. 22.45: RECUERDOS FATALES. Drama.

CANAL UNO — 17.00: LOS...

CANAL 31 — FOX. 20.00: HELEN KE...

A INTERAC... Catalán se en media... según...

Los programas de televisión de Venezuela son muy populares en otros países hispanos. En los estudios de televisión de Caracas se producen comedias, telenovelas y otros programas para públicos de todo el continente.

La televisión por cable es cada día más popular en todo el mundo. En Chile, el sistema TV Cable Intercom permite que el público vea programas de otros países como España, Italia, Francia y Alemania, además de los producidos en Chile. También pueden recibir programas de estaciones de los Estados Unidos, como *HBO Olé, MTV Internacional* y *Discovery.*

Hispasat, primer satélite español.

APUESTA POR EL SATELITE

ALGUNOS «LOCOS» FAN-tásticos se han empe-ñado en demostrar que el futuro de las comunica-ciones no está en el cable de fibra óptica ni en la tele-fonía celular, sino en los satélites. El banco de inver-siones británico Baring Se-curities estima que en el año 2005 las comunicacio-nes por satélite generarán un negocio superior a los seis billones de pesetas. Los dos proyectos de co-municaciones por satélite más ambiciosos (pretenden transmitir, además de voz, imagen y datos), son éstos:

Teledesic: Tiene como pa-drino financiero a Bill Ga-tes, primera fortuna perso-nal de Estados Unidos, creador y presidente de Mi-crosoft, líder mundial en *software*. Le acompaña en la aventura Craig McCaw, fundador de MacCaw Ce-llular Communications, pri-mera operadora en telefo-nía móvil. Con 840 satéli-tes que cubran todo el glo-bo terráqueo a partir del año 2001, Teledesic preten-de dar servicio de telefonía, datos, imagen, telemedicina y teleeducación. La odisea costará más de un billón de pesetas.

Iridium: Es un proyecto más modesto que Teledesic en cuanto a inversión: cerca de 500.000 millones, pero más realista. Sus servicios de telefonía global (voz, datos, fax y radiobúsqueda) se comercializarán a partir de 1998. Liderado por Mo-torola, primer fabricante de teléfonos móviles, con la participación de otras 14 multinacionales, Iridium emplea ya a 600 personas.

Hispasat, el primer satélite español para comunicaciones, fue lanzado en septiembre de 1992 y ha llevado programas de televisión y otros servicios a distintos países. Algunas personas piensan que los satélites tendrán más influencia en las telecomunicaciones del futuro que la televisión por cable. Proyectos como *Teledesic* e *Iridium* exploran las distintas posibilidades para el uso del satélite.

La televisión en Colombia fue muy importante para los candidatos en las elecciones presidenciales de 1998, en las cuales hubo mucha rivalidad entre los oponentes. Aquí ves a Andrés Pastrana, el candidato del partido político conservador, que fue elegido presidente con el 50.6 por ciento de los votos en una segunda vuelta electoral entre él y Horacio Serpa, el candidato del partido político liberal.

La televisión no sólo nos muestra campañas políticas, sino cualquier tipo de elección donde se decida sobre un asunto importante para el país. Por ejemplo, estas mujeres en Santiago, Chile, esperan para votar en el plebiscito del 5 de octubre de 1988. Un plebiscito es una elección especial para decidir cosas de importancia.

Reacción personal

Contesta las siguientes preguntas en una hoja de papel.

1 ¿Qué ventajas tiene poder recibir programas de televisión de otros países? ¿Te gustaría poder recibir estos programas? ¿Por qué?

2 ¿Por qué o por qué no crees que los satélites tendrán más influencia que la televisión por cable? ¿Qué otros usos podrán tener los satélites?

3 ¿Cómo se usa la televisión en una campaña política? ¿Crees que la televisión influye en el resultado de esas campañas? ¿Cómo? ¿Recuerdas alguna elección en particular? ¿Qué se decidía en esa elección? ¿Cómo se usó la televisión en esa elección?

Gramática en contexto

En este momento van a dar un premio al mejor documental. ¿Has visto recientemente algún programa al que le dieron un premio? ¿Qué tipo de programa era? ¿Qué información piensas que vas a encontrar aquí?

Premios a los mejores documentales

Voluntarios y víctimas, documental sobre las personas que dieron su tiempo y dinero para ayudar a las víctimas del terremoto, muestra un magnífico ejemplo de generosidad que nos ha emocionado a todos.

En *Regreso a la buena tierra*, un documental sobre la ayuda médica en San Cristóbal, Chiapas, sus autores nos han mostrado un aspecto poco conocido de nuestra sociedad.

Éstos son los programas que más han sobresalido este año. Para el premio hemos escogido a *Voluntarios y víctimas* de Rafael González y Teresa Anaya.

"Gracias a todos los que nos han apoyado, y también a las personas que nos han escrito y nos han dicho cuánto les ha gustado nuestro trabajo."

A En la primera descripción, el presentador emplea la expresión *nos ha emocionado a todos.* ¿Cuál es el sujeto del verbo en este caso? En la tercera descripción, dice . . . *nos han mostrado un aspecto* . . . ¿Cuál es el sujeto del verbo aquí? Cuando el presentador dice . . . *hemos escogido* . . . , ¿a qué sujeto se refiere? Uno de estos verbos tiene un sujeto singular; los demás tienen sujetos plurales. ¿Cambia el participio pasado si el sujeto es plural? En un papel aparte haz una tabla que incluya las formas de los verbos *mirar* y *asistir* en este tiempo verbal, con estos sujetos: *el público,*

los admiradores y *nosotros.* ¿Cuáles serán las formas *yo* y *tú* de estos verbos? Inclúyelas en tu tabla.

B Al recibir el premio, los ganadores dicen *nos han apoyado, nos han escrito, nos han dicho* y *les ha gustado.* ¿Dónde se ponen los pronombres *nos* y *les* con respecto a las dos palabras de la forma verbal? Dile a un(a) compañero(a) dónde pondrías el pronombre *me* en la oración: *Mis padres han comprado un nuevo video.* ¿Dónde pondrías *no* en esa misma oración?

El presente perfecto

Ya sabes que para formar el participio pasado de un verbo se agrega *-ado* a la raíz de los verbos en *-ar* e *-ido* a la raíz de la mayoría de los verbos en *-er* e *-ir.* Para formar el presente perfecto se combina el participio pasado con las formas del presente del verbo *haber.*

En inglés el presente perfecto se forma de modo similar, combinando **have** o **has** con el participio pasado de un verbo. Su uso es también similar al de su equivalente español. Aquí están todas las formas del presente perfecto de *alquilar, escoger* y *decidir.*

he	**alquilado** **escogido** **decidido**		**hemos**	**alquilado** **escogido** **decidido**
has	**alquilado** **escogido** **decidido**		**habéis**	**alquilado** **escogido** **decidido**
ha	**alquilado** **escogido** **decidido**		**han**	**alquilado** **escogido** **decidido**

No **he alquilado** un video hoy.

¿Qué programa **han escogido**?

- Observa que cuando el participio pasado se usa con cualquier forma de *haber,* la *-o* final no cambia.

  Ricardo **ha grabado** su película favorita.
  Sus hermanos **han grabado** una telenovela.

- Los verbos que tienen dos vocales juntas en el infinitivo (excepto cuando las dos vocales son *ui)* llevan un acento escrito en la *í* del participio pasado. Por ejemplo:

  caer → **caído**   oír → **oído**
  leer → **leído**   creer → **creído**

• Observa que *no* y otras palabras negativas así como los pronombres de complemento y reflexivos van inmediatamente antes de la forma del verbo *haber.*

— ¿Has alquilado esa película alguna vez?

— No, **no la** he alquilado nunca.

1 Haz una encuesta entre los estudiantes de tu clase para ver qué cosas interesantes han hecho durante las vacaciones. Apunta sus respuestas para presentar un informe después.

visitar un zoológico grande

A — *¿Has visitado un zoológico grande alguna vez?*

B — *Sí, he visitado un zoológico grande dos veces. He visitado el zoológico de San Diego y el de St. Louis.*

a. bucear en el mar
b. esquiar en las montañas
c. ir de pesca al mar
d. viajar a otro país
e. explorar una selva
f. subir pirámides
g. alquilar una casa en la playa

Usando las respuestas de tus compañeros, di lo que ustedes han hecho.

Tres estudiantes han visitado zoológicos grandes. Tomás y yo hemos visitado los zoológicos de San Diego y de St. Louis. Sara nunca ha visitado un zoológico grande.

Haciendo un programa en un estudio de televisión en Caracas, Venezuela

2 Discute con un(a) compañero(a) tus opiniones sobre cómo la televisión y las películas han influido en nuestras vidas.

La antena parabólica ha traído mejores programas a nuestras casas.

a.

b.

c.

d.

e.

f.

g.

- traer mejores programas a nuestras casas
- divertir mucho
- manipular la presentación de las noticias
- ayudar a los niños en sus tareas
- influir a los niños
- presentar los hechos objetivamente
- contribuir a controlar la violencia

Los participios pasados irregulares

Muchos verbos tienen participios pasados irregulares. Ya conoces algunos de ellos:

decir	→	**dicho**	romper(se)	→	**roto**
hacer	→	**hecho**	ver	→	**visto**
morir(se)	→	**muerto**			

¿Qué ha **dicho** ella sobre el noticiero?

No hemos **hecho** la tarea todavía.

Sus peces se han **muerto**.

Nunca me he **roto** un hueso.

¿Has **visto** la película nueva?

Otros verbos con participios irregulares son:

abrir	→	**abierto**	poner	→	**puesto**
devolver	→	**devuelto**	resolver	→	**resuelto**
escribir	→	**escrito**			

3 Habla con un(a) compañero(a) sobre las diferentes cosas que (no) han hecho recientemente en la escuela.

leer ...   A — *Ya he leído tres capítulos de* Moby Dick. *¿Y tú?*
   B — *No, no los he leído todavía.*
      o: *Sí, yo también los he leído.*

a. ayudar a ...
b. hacer la tarea de ...
c. ver un video ...
d. terminar ...
e. devolver ...
f. escribir ...
g. resolver un problema con ...
h. poner ...

¡NO OLVIDES!

Recuerda que para consentir con una negación se usa *no . . . tampoco.* En el caso contrario (para disentir), se usa *Yo sí.*: A—*No he leído nada de* Moby Dick *todavía.* B—*No he leído nada tampoco,* o: *Yo sí, he leído cien páginas ya.*

4 La televisión y las películas son parte de la vida diaria de muchas personas. Conversa con un(a) compañero(a) sobre cosas que has hecho recientemente relacionadas con la televisión o las películas.

pagar una multa por un video   A — *¿Han pagado Uds. una multa por un video recientemente?*
   B — *Sí, hemos pagado tres dólares por un video que no devolvimos a tiempo.*
      o: *No, no hemos pagado ninguna multa recientemente.*

a. grabar un programa
b. ver un programa educativo
c. alquilar una película
d. participar en un programa de concursos
e. pelearse por el canal que querían ver
f. emocionarse con algún programa
g. reírse viendo la televisión
h. 💡

¡NO OLVIDES!

Los pronombres reflexivos son: *me, te, se, nos, os, se.*

Repaso: El pretérito de *poder, tener* y *estar*

Aquí están todas las formas del pretérito de *poder, tener* y *estar.*

poder		tener		estar	
pude	pudimos	tuve	tuvimos	estuve	estuvimos
pudiste	pudisteis	tuviste	tuvisteis	estuviste	estuvisteis
pudo	pudieron	tuvo	tuvieron	estuvo	estuvieron

- Observa que, como pasa con *hacer* y *poner,* ninguna de estas formas verbales lleva acento.

- Como ya sabes, el imperfecto de estos verbos se usa para describir personas, lugares y situaciones en el pasado y para indicar cómo algo *solía ser.* El pretérito, al contrario, se usa para hablar de situaciones en un momento determinado del pasado.

  Anoche **tuve** que salir y no **pude** ver mi programa favorito.
  Ayer **estuvo** lloviendo y no **vimos** el sol en todo el día.

5 Habla con un(a) compañero(a) y explícale por qué ciertas personas no pudieron ver un programa de televisión.

A —*¿Vio tu hermano la película de aventuras anoche?*
B —*No, no pudo. Tuvo que . . . / Estuvo en . . .*
  o: *Sí, le gustó mucho. Estuvo en . . .*

tu hermano

Estudiante A

a. tu papá (tu mamá)   b. tus amigos(as)

c. (nombre) y tú   d. (nombre)   e. tú   f. (dos nombres)

Estudiante B

Repaso: El pretérito de *decir* y *dar*

Aquí están las formas del pretérito de *decir*.

dije	dijimos
dijiste	dijisteis
dijo	dijeron

- Observa que la forma *Uds. / ellos / ellas* de *decir* no tiene una *i* en la terminación.

Aquí están las formas del pretérito de *dar*.

di	dimos
diste	disteis
dio	dieron

- Observa que las terminaciones del pretérito de *dar* son las mismas que las de los verbos en *-er* e *-ir*.

6 Con otros(as) compañeros(as), habla de las noticias, opiniones, comentarios y otras cosas que han oído en la televisión recientemente. Apunta lo que dicen tus compañeros.

A —*Anoche dieron (un programa de entrevistas) en la televisión.*
B —*¿Qué dijo (el locutor)?*
A —*Dijo que los niños no deben ver películas violentas.*
B —*¿Qué más dijo?*
A — *...*

Después hablen de lo que dijeron los locutores. ¿Era informativo, negativo, subjetivo ...?

En los programas que dieron en la televisión recientemente, muchos locutores dijeron que .... Creo que sus ideas eran informativas pero bastante subjetivas.

Un fotógrafo y una reportera
en Caracas, Venezuela

Ahora lo sabes

¿Puedes:

■ decir lo que alguien ha hecho o no ha hecho?

—Mi hermano y yo no ___ esa película todavía pero queremos verla pronto.

■ hablar de situaciones que ocurren en un momento del pasado?

—Mi mamá no ___ ver las noticias anoche porque ___ que llevar a mi hermano a una clase de tenis.

■ hablar de lo que alguien dijo?

—Los locutores ___ que el aeropuerto no iba a abrir hasta la primavera.

MÁS PRÁCTICA

Más práctica y tarea, pp. 557–558
Practice Workbook 4–5, 4–9

¿Cómo nos influye la televisión?

Esta sección te ofrece la oportunidad de combinar lo que aprendiste en este capítulo con lo que ya sabes para responder a la pregunta clave.

Sopa de actividades

1 Preparen una lista de categorías de programas de televisión. Den ejemplos de programas que conocen en cada categoría. En parejas, escojan un programa que les interese y preparen una crítica. La crítica debe incluir:

a. Descripción del programa

- clase de programa
- argumento, elementos, situación, etc.
- actores, actrices, personajes, locutores, etc.
- hora, día, canal de televisión

b. Evaluación del programa

- qué es interesante en el programa
- si el programa está bien escrito, filmado, dirigido, etc.
- qué piensan sobre los actores, locutores, etc.
- si el programa es diferente a otros

c. Recomendación sobre el programa

- quiénes deben o no deben verlo y por qué

2 En grupos de dos o tres, hagan un nuevo programa de televisión. Anuncien el programa. Pueden incluir un cartel con distintos elementos del programa e información sobre:

- qué clase de programa es
- quiénes participan
- por qué hay que dar un programa como éste
- dónde y cuándo van a filmarlo
- a quiénes va a interesar
- cuándo y a qué hora deben darlo
- por qué va a tener éxito

Cada grupo va a presentar su anuncio a la clase. Al final, cada persona (o grupo) de la clase puede escoger los tres programas mejores. Den premios a los programas más populares.

3 Prepárate para participar en una discusión sobre la televisión.

- En grupos de cuatro escriban cinco frases sobre la televisión. Por ejemplo:

Sólo deben dar programas violentos tarde por la noche.

Se debe controlar más los programas de televisión.

Debe haber más programas educativos los fines de semana.

- Traten de anticipar si habrá opiniones contrarias a las del grupo y cuáles serán. Piensen también cómo se puede responder a alguien que piensa de una forma diferente, como, por ejemplo:

Debe haber más programas de hechos de la vida real.

- Lean sus ideas a otro grupo. Luego voten a favor o en contra de cada idea. Escriban los resultados.
- Para discutir cada punto de vista, formen dos grupos (a favor y en contra) según los resultados de la discusión.
- Cada grupo va a tratar de convencer a sus oponentes de lo que piensa.
- Para finalizar pueden escoger los puntos de vista más interesantes de toda la clase.

LA ESTRELLA

La televisión contribuye a la violencia entre los jóvenes

Para leer

Jugando
videojuegos

Antes de leer

ESTRATEGIA ➤ Uso de conocimientos
previos

Vas a leer una entrevista con Alejandra Vallejo-
Nágera, hija de un psiquiatra y escritor
español famoso. Ella ha escrito un libro sobre
el efecto de la televisión en los niños.

Existen muchas opiniones diferentes sobre
el efecto de la televisión en los niños. Aquí
hay tres. Cópialas y escribe tres más.

- Algunos programas ayudan a los niños a
  aprender a leer.
- Los niños que ven mucha televisión necesitan
  más imágenes para aprender a leer.
- Si se ve demasiada televisión, se pierde
  la imaginación.

Mira la lectura

ESTRATEGIA ➤ Dar un vistazo

Lee la selección rápidamente sólo para ver si
están mencionados los efectos que escribiste
en tu lista. Pon una cruz delante de los
que encuentras.

Cómo usar la televisión

Revista Tiempo. Dice en su libro que no existe
ninguna otra generación en la que un factor
como la televisión haya podido influir tan
directa, rápida y pasivamente en los niños.

Alejandra Vallejo-Nágera. Un niño cuando ve
la televisión no deja de recibir estímulos para los
que necesita respuestas que no se las ofrece este
medio. El niño tiene que aprender a hablar con
la familia, tiene que aprender a leer, a jugar, y
todas estas actividades las necesita para su
desarrollo y su sistema psicológico. ¿Qué está
pasando ahora? Los niños no saben leer y, si lo
hacen, necesitan constantemente de la ayuda de
imágenes. Recuerdo que mis libros de infancia
eran de autores como Salgari o Emily Bronte y
sus páginas no contenían dibujo alguno.

T. ¿La televisión siempre es dañina?

A.V.-N. Depende de cómo se utilice. Si se
abusa, es mala; pero si se usa de forma
inteligente, resulta buena. La televisión ha hecho,
por ejemplo, mucho bien al deporte. Nunca se
había conocido a tantos deportistas como hasta
ahora y todo es gracias a la pequeña pantalla.

T. ¿Cómo se usa inteligentemente?

A.V.-N. Hoy en día uno de los grandes
problemas de los padres con sus hijos es la
incomunicación total que existe entre ellos, y la
culpa, en parte, es de la televisión y del abuso
que se hace de ella.

T. ¿Quién tiene más culpa, los padres por
permitir que sus hijos vean la televisión o los
responsables de las cadenas por no emitir
programas adecuados a la infancia?

A.V.-N. Los padres. Si hay una demanda por
parte de la audiencia, es normal que exista una

respuesta por parte de los jefes de los canales. El problema no está en el uso de la televisión sino en el abuso que se hace de ella.

T. ¿Estas teorías las lleva a la práctica?

A.V.-N. Lo llevo a rajatabla, pero no me cuesta mucho esfuerzo porque como lo he hecho desde que eran pequeñas, mis hijas no la echan de menos.

T. La actriz americana Debra Winger declaraba recientemente en una entrevista que a su hijo sólo le deja ver películas en vídeo. ¿Esa medida le parece correcta?

A.V.-N. Como me gusta mucho el cine, procuro ver vídeos con ellas, hablar de la iluminación, del maquillaje, de la música, los decorados, el vestuario, e intento que esa actividad sedentaria, como es ver la televisión, se convierta en un momento compartido.

T. ¿Hasta dónde puede llegar el poder de seducción de la televisión?

A.V.-N. Es ilimitado. Es muy tentador para un adulto llegar a casa y no tener que pensar ni tomar decisiones. El problema es que el niño necesita aprender a defenderse y a desarrollarse en el mundo que le ha tocado vivir.

T. En su libro asegura que según aumentan las cifras de espectadores entre los niños que empiezan su aprendizaje, menos es la atención que aquéllos prestan en el colegio y más baja es su preparación a la hora de enfrentarse a las asignaturas.

A.V.-N. ¿No es evidente que a los niños les cuesta muchísimo aprender a leer? Si echamos marcha atrás, nosotros sabíamos leer con 4 años, y hoy en día, con 6 años no sólo no saben sino que además les cuesta trabajo fijarse en las letras y unir las palabras.

Infórmate

ESTRATEGIA ➤ Búsqueda de detalles

Ahora lee todo el artículo con cuidado.

1. ¿Cómo pueden los padres abusar de la televisión?

2. ¿Qué edad piensas que tienen las hijas de la autora? ¿Por qué piensas así?

3. ¿Qué actividades piensas que hacen las hijas de la autora en vez de ver la televisión?

4. ¿Qué hace la autora cuando ve una película con sus hijas? ¿Por qué lo hace?

5. ¿Piensas que la autora cambiará de actitud cuando sus hijas tengan tu edad? ¿Por qué piensas que sí o que no?

Aplicación

1. Con tu familia, pasa un fin de semana sin ver la televisión. Escribe en tu diario qué pasó y cuál fue tu reacción y la de tu familia.

2. Clasifica los programas de televisión utilizando estas categorías:

- apta para toda la familia
- se recomienda discreción
- prohibida para menores
- sólo para mayores

Luego da tres ejemplos de programas de cada categoría.

Para escribir

Casi todos pasamos varias horas a la semana viendo la televisión. Hace años que hacemos esto y, por eso, hemos visto muchos tipos de programas diferentes. Hay personas que creen que la televisión tiene una influencia enorme en nuestras vidas. ¿Qué crees tú?

1 La pregunta clave, "¿Cómo nos influye la televisión?," te presenta la oportunidad de aprender lo que piensan algunas personas sobre este tema. Vas a entrevistar a adultos, a jóvenes y a niños, y luego vas a hacer un informe con los resultados.

■ Primero, decide qué preguntas vas a hacer. Por ejemplo:

¿Tiene la televisión una influencia positiva o negativa? ¿Por qué?
¿Qué aspectos positivos tiene?
¿Cuáles son los efectos negativos?

Puedes usar estas preguntas o escribir otras.

■ Luego, escoge a las personas que vas a entrevistar. Trata de entrevistar a algunas personas que hablan español. Debes incluir a tres o a cuatro en cada categoría:

adultos (profesores, policías, padres, consejeros, etc.)
jóvenes (amigos, compañeros de clase, compañeros de trabajo, etc.)
niños (hermanos, primos, vecinos, etc.)

Hazles las preguntas y anota sus respuestas. Si quieres, puedes usar una grabadora para las entrevistas y escribir las respuestas más tarde.

■ Revisa lo que dijeron las personas y trata de organizar los resultados lógicamente.

¿Quiénes dijeron que la influencia de la televisión es positiva? ¿Qué ejemplos te dieron de los aspectos positivos? ¿Por qué piensan que es así?
¿Quiénes dijeron que la influencia de la televisión es negativa? ¿Qué ejemplos te dieron? ¿Por qué piensan que es así?
¿Con qué grupo estás de acuerdo? ¿Por qué?

2 Escribe el primer borrador de tu artículo usando tus notas y lo que escribiste para las otras actividades. Consulta con un(a) compañero(a) y sigue los pasos del proceso de escribir. Luego, haz tu versión final.

Aquí tienes algunas palabras y expresiones que te pueden ser útiles.

(no) estar de acuerdo	por un lado
al contrario	por otro lado
(no) tener razón	

3 Para compartir tu trabajo, puedes:

- enviarlo a un periódico
- mandarlo a un canal de televisión local
- exhibirlo en la sala de clases o en la biblioteca escolar
- incluirlo en el boletín que se envía a los padres
- incluirlo en tu portafolio

155

Repaso ¿Lo sabes bien?

Esta sección te ayudará a prepararte para el examen de habilidades, donde tendrás que hacer tareas semejantes.

Comprensión auditiva

¿Puedes entender un comentario sobre la televisión? Escucha mientras el (la) profesor(a) lee un ejemplo semejante al que vas a oír en el examen. ¿Tiene esta persona una opinión positiva o negativa de los programas en la televisión? ¿A quién(es) en la familia de esta persona le(s) influye la televisión?

Lectura

Lee estas descripciones con cuidado para saber qué describe la teleguía. ¿Para cuál de los tres programas se recomienda discreción probablemente? ¿Cuál deben ver los más pequeños?

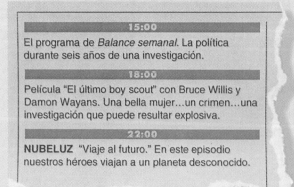

15:00
El programa de *Balance semanal*. La política durante seis años de una investigación.

18:00
Película "El último boy scout" con Bruce Willis y Damon Wayans. Una bella mujer…un crimen…una investigación que puede resultar explosiva.

22:00
NUBELUZ "Viaje al futuro." En este episodio nuestros héroes viajan a un planeta desconocido.

Escritura

¿Puedes escribir un breve resumen de las opiniones que tienen algunas personas sobre cómo nos influye la televisión? Aquí tienes un ejemplo.

Diario de Manuel
He entrevistado a adultos y a jóvenes sobre cómo nos influye la televisión. Todos han expresado diferentes opiniones. Algunos adultos piensan que sólo deben dar programas de violencia tarde por la noche. Piensan que estos programas han tenido una influencia negativa sobre los jóvenes. Algunos jóvenes dijeron que no les influye y que deben tener derecho a escoger los programas que quieren ver. Ellos dicen que son bastante inteligentes para no ser manipulados por la televisión. Los dos grupos expresaron diferentes opiniones pero casi todos estaban de acuerdo en su opinión sobre la televisión y los niños. Piensan que los padres deben controlar más los programas que sus hijos menores ven, porque sí les influye mucho.

Cultura

¿Qué tipo de programas pueden ver los hispanoamericanos a través de la televisión por cable?

Práctica oral

Habla con otra persona sobre la clase de programas que prefieres ver en la televisión.

A — *¿Qué clase de programas prefieres ver?*
B — *Prefiero los programas informativos. ¿Y tú?*
A — *Para mí los programas informativos son muy aburridos. Me gustan más las películas de terror.*
B — *¿Las películas de terror? Pero hay mucha violencia en esas películas. ¿No te parece que hay demasiada violencia en la televisión?*
A — *Pues, en mi opinión . . .*

Self Test
www.pasoapaso.com

Resumen del vocabulario

Usa el vocabulario de este capítulo para:

■ responder a la pregunta clave: ¿Cómo nos influye la televisión?

■ dar tu opinión sobre los programas de televisión

■ comentar programas de televisión que has visto

■ describir cómo te influye la televisión

para hablar de la televisión
alquilar
la antena parabólica
cambiar de canal
dieron *(del verbo* dar)
grabar
el comentario
el noticiero
el público
el reportaje
la televisión por cable
la televisión por satélite

para describir un programa de televisión
bostezar *(z → c)*
crítico, -a
emocionarse
entretener(se) *(e → ie)*
he visto; has visto *(del verbo* ver)
informativo, -a
negativo, -a
objetivo, -a
positivo, -a
reírse *(e → i)*
subjetivo, -a

para explicar quién puede ver los programas
la censura
clasificar *(c → qu)*
Apta para toda la familia
Prohibida para menores
Se recomienda discreción
Sólo para mayores

para discutir la influencia de la televisión
analizar *(z → c)*
comprobar *(o → ue)*
controlar
el derecho
evaluar *(u → ú)*
hacer daño
manipular
la opinión,
    pl. las opiniones
la percepción

otras palabras y expresiones útiles
demasiado, -a
la multa
recientemente
se ha dicho *(del verbo* decir)
tal como

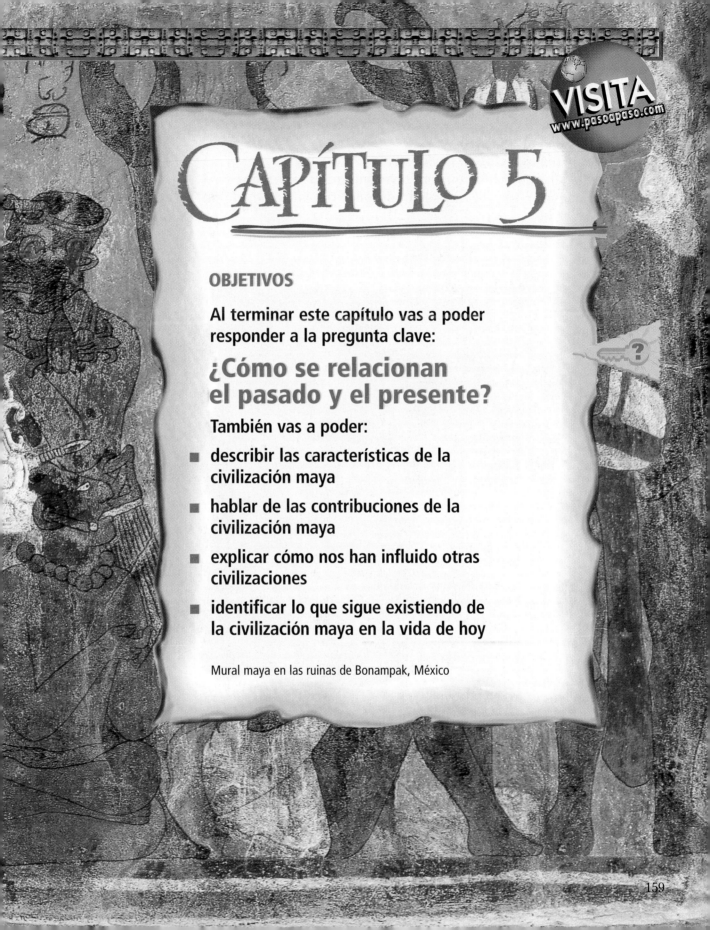

CAPÍTULO 5

OBJETIVOS

Al terminar este capítulo vas a poder responder a la pregunta clave:

¿Cómo se relacionan el pasado y el presente?

También vas a poder:

- describir las características de la civilización maya

- hablar de las contribuciones de la civilización maya

- explicar cómo nos han influido otras civilizaciones

- identificar lo que sigue existiendo de la civilización maya en la vida de hoy

Mural maya en las ruinas de Bonampak, México

Anticipación

Mira las fotos. ¿Qué aspectos de la vida maya representan?
¿Cómo muestra su arquitectura que era una civilización avanzada?
¿Cómo combinan los mayas de hoy sus tradiciones con la vida moderna?

"Me gusta trabajar en estas ruinas mayas de Copán, Honduras."

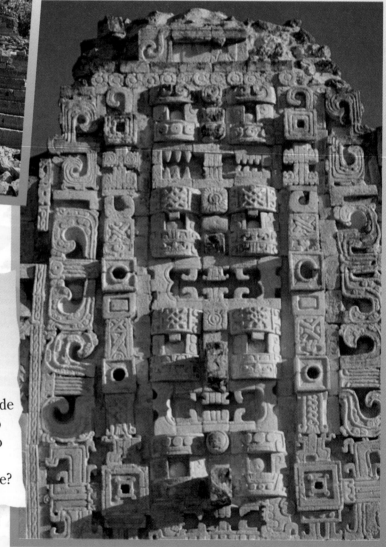

Los mayas dejaron muestras de una civilización muy avanzada en el sur de México y en Centroamérica. Las ruinas de Copán, Honduras, y las de Uxmal, Yucatán, México, como la Casa de las monjas que se ve a la derecha, son dos de los lugares donde los arqueólogos siguen encontrando restos de esta civilización. ¿Has oído hablar de algún lugar donde hay excavaciones arqueológicas? ¿Dónde?

Hoy en día los mayas se dedican a la agricultura y la artesanía, haciendo ropas y tejidos. Algunos son miembros de cooperativas, como esta tejedora de Zunil, Guatemala, y con su trabajo benefician a la comunidad. ¿Sabes de algún tipo de artesanía que todavía use métodos antiguos?

Aunque muchos continúan usando los mismos métodos que sus antepasados, algunos mayas de hoy usan máquinas modernas, como esta mujer que se dedica a coser cerca de Chichén Itzá, Yucatán. ¿Por qué crees que esta mujer ha decidido usar máquinas modernas en su trabajo?

Exploración cultural **www.pasoapaso.com**
Visita estos países

161

Vocabulario para comunicarse

El pasado y el presente

Aquí tienes palabras y expresiones necesarias para hablar sobre la relación entre el pasado y el presente. Léelas varias veces y practícalas con un(a) compañero(a) en las páginas siguientes.

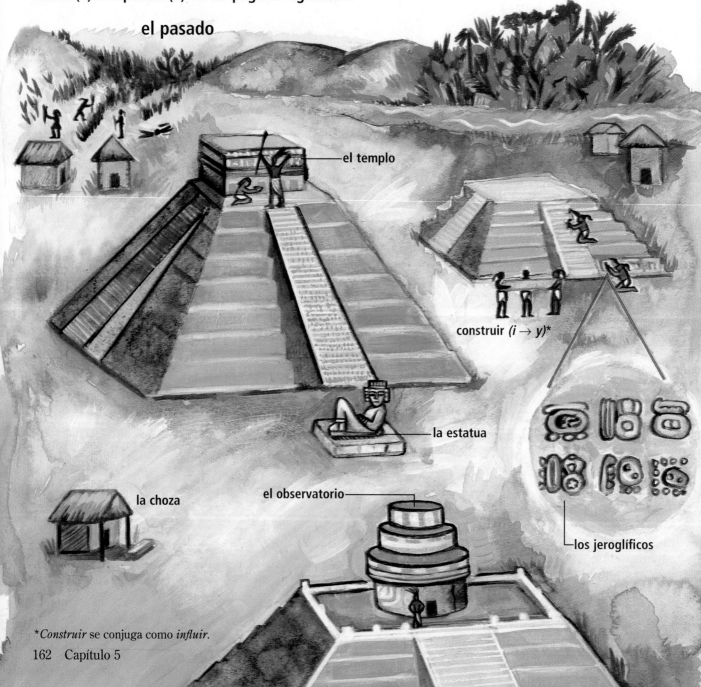

el pasado

el templo

construir (i → y)*

la estatua

la choza

el observatorio

los jeroglíficos

*Construir se conjuga como influir.

162 Capítulo 5

También necesitas . . .

Si no sabes qué quieren decir estas palabras, puedes consultar un diccionario o el Vocabulario español-inglés al final del libro.

la costumbre
el descubrimiento
el dios, *pl.* los dioses
la escritura

heredar
sagrado, -a
el significado

¿Y qué quiere decir . . . ?

aceptar
el antropólogo, la antropóloga
el arquitecto, la arquitecta
el astrónomo, la astrónoma
la ceremonia
la civilización,
   pl. las civilizaciones
la cultura

los mayas
el objeto
el origen, *pl.* los orígenes
la religión,
   pl. las religiones
la tradición,
   pl. las tradiciones

el presente

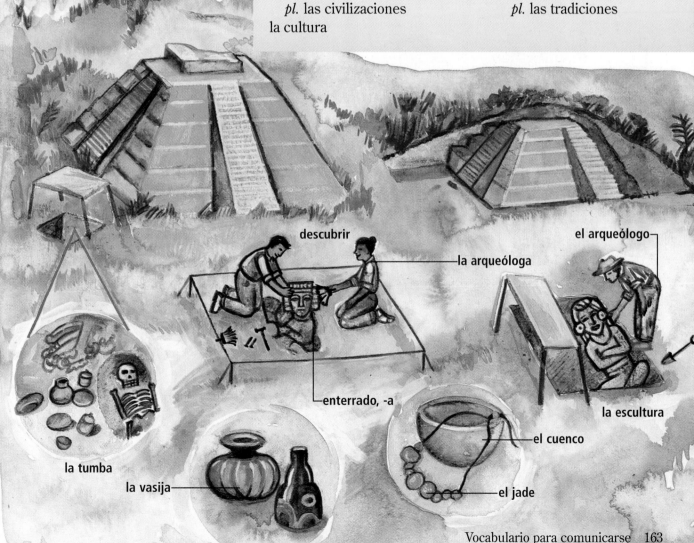

descubrir

la arqueóloga

el arqueólogo

enterrado, -a

la escultura

el cuenco

la tumba

la vasija

el jade

Empecemos a conversar

Túrnate con un(a) compañero(a) para ser *Estudiante A* y
Estudiante B. Reemplacen las palabras subrayadas con palabras
representadas o escritas en los recuadros. 💡 quiere decir que
puedes escoger tu propia respuesta.

Para el ejercicio 1, mira el mapa de arriba.

1

A — ¿Dónde descubrió el arqueólogo *la estatua*?
B — *La* descubrió en *el centro de la plaza*.

Estudiante A   **Estudiante B**

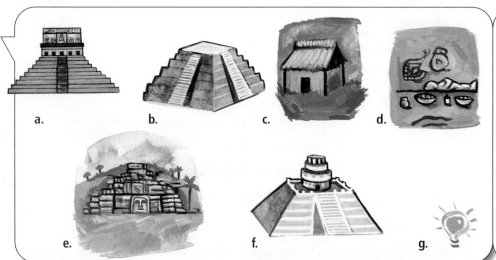

a.   b.   c.   d.

al fondo

a la derecha

junto a

al lado de

enfrente de

detrás de

delante de

entre

e.   f.   g.

2

A — ¿Qué había en <u>las chozas</u>?
B — Había <u>unos cuencos</u>.

Estudiante A

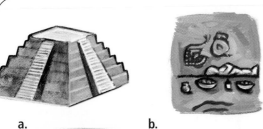

a.

b.

c.

d.

e.

f.

Estudiante B

3 la arqueóloga

A — ¿Qué hizo <u>la arqueóloga</u>?
B — <u>Investigó las ruinas enterradas</u>.

Estudiante A

a. la profesora
b. el obrero
c. el astrónomo
d. la antropóloga
e. el guía
f.

Estudiante B

estudiar los planetas
explicar el significado de los jeroglíficos
construir el templo
mostrar los objetos sagrados
investigar el origen de la civilización

4 las religiones antiguas

A —¿Qué es lo que más te interesa de _las religiones antiguas_?
B —_Sus dioses._

Estudiante A

a. la cultura de los mayas

b. las tradiciones de otros pueblos

c. las ceremonias de los mayas

d. el descubrimiento de las ruinas

e. los jeroglíficos

f.

Estudiante B

Mujeres mayas participan en la procesión de Semana Santa en Antigua, Guatemala

Ensayando un baile tradicional en Chiapas, México

¿Y qué piensas tú?

Aquí tienes otra oportunidad para usar el vocabulario de este capítulo.

MÁS PRÁCTICA

- Más práctica y tarea, p. 559
- Practice Workbook 5–1, 5–2

5 ¿La ciudad o el pueblo donde vives es antigua(o) o moderna(o)? Describe algo viejo y algo nuevo que hay en el lugar donde vives.

6 ¿Cuáles son algunas de las ceremonias que celebramos hoy?
¿En qué se parecen y en qué se diferencian de las ceremonias que celebraban tus abuelos? ¿Cuáles crees que van a heredar tus nietos?

7 Imagina que vas a guardar una caja con cosas importantes que usas en tu vida diaria. Si alguien descubre esa caja en el futuro, ¿qué encontrará?

8 Entrevista a un pariente mayor o a personas mayores de tu comunidad. ¿Cuáles eran algunos de sus valores cuando eran jóvenes? ¿Cuáles son algunos de los valores de los jóvenes de ahora? ¿Han cambiado? Comparte las respuestas con el resto de la clase.

No la abras hasta marzo del 2050

Tema para investigar

Aquí tienes más palabras e ideas para hablar sobre el pasado y el presente. Mira el mapa de esta página. ¿Dónde puedes visitar otras ruinas? ¿Las has visitado?

Los mayas de antes y de hoy

En México se pueden visitar las ruinas de las famosas ciudades de Chichén Itzá, Uxmal, Cobá y Palenque. En Guatemala se encuentra la magnífica ciudad de Tikal, y en Honduras están todavía **excavando** las ruinas de Copán, **descubiertas** en 1839. Todas ellas son obras de los mayas, una civilización que ya **existía** unos mil años antes de Cristo y que todavía no ha **desaparecido**.

Gracias al descubrimiento del significado de **los símbolos**, sabemos ahora que los mayas **desarrollaron** el sistema de escritura más **avanzado** de la América **precolombina**. Era un sistema que tenía cerca de 800 símbolos. Algunos símbolos representaban palabras; otros, sólo **sílabas**. La mayor parte de los jeroglíficos describían la vida de los grandes **líderes**, las guerras, las ceremonias religiosas y otros hechos históricos. Aunque ya no se usa este sistema de escritura, su idioma, **el quiché**, todavía se **sigue hablando**, especialmente en ciertos lugares de México, como en la Península de Yucatán, y en ciertos lugares de Guatemala y Honduras.

Las matemáticas eran muy importantes para los mayas. Ellos fueron los primeros que entendieron y usaron el cero como número. Se dice que ésta es su **contribución** más importante en este **campo**. Además, desarrollaron un sistema avanzado de astronomía. Siguiendo el movimiento de **las estrellas** que veían desde sus observatorios astronómicos, crearon dos **calendarios** distintos: uno, sagrado, que indicaba las fiestas religiosas; otro, solar, de 365 días que era casi tan exacto como el que usamos hoy. Sus ceremonias religiosas se relacionaban principalmente con **la siembra** y **la cosecha**.

Aunque la cultura maya **actual** no tiene **el esplendor** que tenía hace más de 1500 años, los mayas de hoy todavía conservan muchas de las tradiciones y ceremonias de sus **antepasados**. Muchos mayas todavía viven en pueblos pequeños donde se dedican a **la agricultura**, y mantienen el **rico legado** que heredaron de sus antepasados.

Si no sabes qué quieren decir estas palabras, puedes consultar un diccionario o el Vocabulario español-inglés al final del libro.

desaparecido, -a	la estrella
desarrollar	la siembra
el quiché	la cosecha
seguir *(e → i)* + *gerundio*	actual
	los antepasados
el campo	el legado

¿Y qué quiere decir . . . ?

excavar	la sílaba
descubierto, -a	el / la líder
existir	la contribución, *pl.* las contribuciones
gracias a	el calendario
el símbolo	el esplendor
avanzado, -a	la agricultura
precolombino, -a	rico, -a

¿Comprendiste?

1 Según la lectura *Los mayas de antes y de hoy,* ¿cómo son hoy? ¿A qué se dedican?

2 Inventa dos jeroglíficos para representar dos de las contribuciones más importantes de los mayas. Compara tus jeroglíficos con los de tus compañeros(as) de clase.

¿Y qué piensas tú?

Aquí tienes otra oportunidad para usar el vocabulario de este capítulo.

3 En tu opinión, ¿cuál de las contribuciones de los mayas es la más interesante? ¿Por qué?

4 ¿Qué existe hoy de la antigua civilización maya? ¿Qué ha desaparecido? ¿Qué aspectos de nuestra civilización moderna crees que permanecerán en mil años?

5 En un diagrama de Venn, escribe palabras que describan las contribuciones de los mayas. Luego, escribe palabras que describan las contribuciones de nuestra cultura actual. ¿Qué contribuciones tienen en común? Compara tu diagrama con el de un(a) compañero(a).

Mujer maya llevando verduras en el mercado de Almolonga, Guatemala

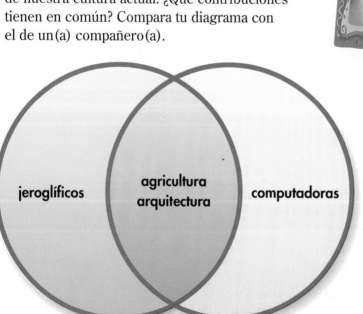

jeroglíficos

agricultura arquitectura

computadoras

Práctica de vocabulario
www.pasoapaso.com

MÁS PRÁCTICA

Más práctica y tarea, p. 560
Practice Workbook 5-3, 5-4

6 Lee las palabras siguientes. Cada una de ellas representa un concepto que era importante en la sociedad maya.

contribuciones   valores   religión   costumbres   tradiciones

- Piensa en el significado que tiene cada uno de estos conceptos en tu vida.
- Decide qué conceptos son los más importantes para ti y cuáles tienen menos importancia.
- Haz una gráfica como la de la derecha.
- Escribe cada una de las palabras bajo el número apropiado.
- Luego, compara tu gráfica con las de tus compañeros de clase.

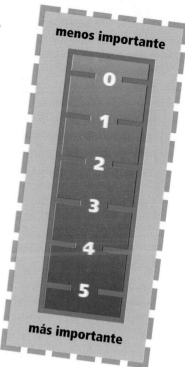

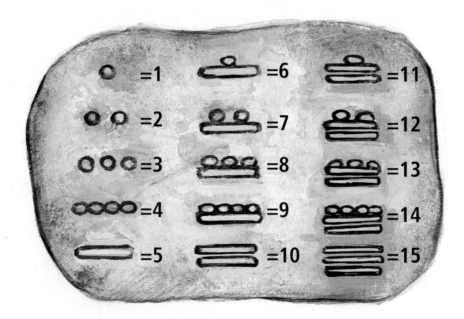

¿Qué sabes ahora?

¿Puedes:

■ describir las contribuciones de la civilización maya?

—Los mayas estudiaron el _____ de las estrellas. También fueron los primeros que usaron el _____ como número.

■ hablar de lo que nos ha quedado de la civilización maya?

—Los mayas de hoy ___ y ___.

■ hablar de algunas de las contribuciones mayas a nuestra civilización?

—Los mayas hicieron importantes contribuciones en el campo de ___ y de ____.

ÁLBUM CULTURAL

En estas páginas vas a ver diferentes aspectos del legado de la civilización maya. También vas a ver aspectos de la vida de los mayas de hoy y cómo siguen conservando sus tradiciones. Según estas ilustraciones y fotos, ¿cuáles eran sus intereses principales?

Los mayas se establecieron en Yucatán, Guatemala y Honduras cerca del año 2000 a.C. y empezaron a cultivar maíz y frijoles. Para el año 250 a.C., su civilización había recibido la influencia de los olmecas y habían fundado ciudades como Tikal y El Mirador, en Guatemala. En el período clásico (300 d.C. a 900 d.C.) los mayas construyeron las ciudades de Palenque y Bonampak, en México, y Copán, en Honduras. Después del 900 d.C., los mayas recibieron la influencia de los toltecas. En este período, llamado posclásico, construyeron las ciudades de Chichén Itzá y Uxmal, en Yucatán. Las ruinas de estas ciudades nos muestran el sorprendente legado de los mayas.

LOS MAYAS

Período formativo
2000 a.C.-300 d.C.

Período clásico
300 d.C.-900 d.C.

Sabemos de las tradiciones de los mayas gracias a algunas personas que se han dedicado a estudiar su literatura. El *Popol Vuh* nos cuenta las historias de los mayas del pasado, mientras que *Hombres de maíz* habla de los mayas de hoy.

Período posclásico
900 d.C.-1500 d.C.

Entre los productos agrícolas, el maíz es el más importante para los mayas. Desde jóvenes aprenden a sembrar y cosechar maíz, frijoles y otros productos, teniendo siempre respeto por la tierra.

La tradición de hacer y pintar artículos de artesanía ha pasado de padres a hijos por varias generaciones. Estas vasijas de Amatenango, México, son decoradas con escenas de la vida diaria. Algunas reflejan la admiración de los mayas por la naturaleza.

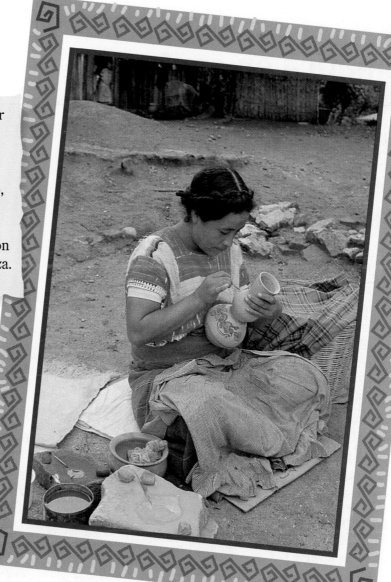

Reacción personal

Contesta las siguientes preguntas en una hoja de papel.

1   ¿Cómo nos ayuda la literatura a saber de las tradiciones de otras civilizaciones? ¿Te parece interesante aprender de otras civilizaciones del pasado? ¿Por qué?

2   Los olmecas y los toltecas influyeron en la civilización maya. ¿En qué podemos observar su influencia?

3   ¿Por qué es importante para los mayas de hoy conservar las tradiciones de sus antepasados? ¿Cuáles son algunas maneras de pasar una tradición de una generación a otra?

Gramática en contexto

Mira las fotos y lee el texto. La descripción de abajo te ayudará a adivinar el nombre de un bonito pájaro.

¿Cómo se llama?

Lee la descripción de este pájaro. ¿Cómo se llama?

A En los dos primeros párrafos encuentras los verbos *habían adorado* y *habían creído*. En ellos hay una forma de *haber* con el participio pasado. ¿En qué otro tiempo verbal puedes usar esta combinación? ¿En qué tiempo está aquí *había(n)*? ¿Cómo se diferenciará del significado de *haber* más el participio pasado que tú ya conoces? Explica a un(a) compañero(a) por qué *habían,* y no *han,* es la forma correcta de *haber* en estos párrafos.

B En el tercer párrafo está la expresión *sigue disminuyendo.* Ya conoces otras formas verbales del mismo tipo que *disminuyendo.* ¿Con qué verbo las usas? Observa esta oración: *Antiguamente comían tortillas de maíz, y en muchas partes todavía comen tortillas de maíz.* ¿Con cuál de estas dos opciones podrías reemplazar *todavía comen* sin cambiar el significado de la oración: *están comiendo* o *siguen comiendo?* Explica a un(a) compañero(a) por qué has escogido esa opción.

¿Cómo se llama?

Antiguamente, los habitantes de Guatemala habían creído que este pájaro no podía vivir en cautiverio; era un símbolo de libertad. Por eso los guatemaltecos decidieron ponerlo en su bandera y dar su nombre al dinero del país.

Los mayas y aztecas habían adorado a un dios que llevaba una prenda en la cabeza adornada con plumas de este pájaro.

Mucha gente en Guatemala quema y destruye las selvas para producir tierras de cultivo. Por eso, el número de estos pájaros que vive allí sigue disminuyendo.

BANCO DE GUATEMALA
UN QUETZAL

Hace . . . que / Hacía . . . que

Recuerda que esta construcción se usa para indicar durante cuánto tiempo ha estado sucediendo algo.

> **hace** + período de tiempo + **que** + presente

> **Hace** tres años **que** los astrónomos **estudian** el calendario maya.

- Para indicar durante cuánto tiempo algo había estado sucediendo en el pasado, se usa la misma construcción con el imperfecto.

> **hacía** + período de tiempo + **que** + imperfecto

> **Hacía** dos siglos **que** los mayas **vivían** en aquella región.

- Para saber durante cuánto tiempo algo ha o había estado sucediendo, se pregunta:

> **¿Cuánto tiempo hace que** + presente?
>
> **¿Cuánto tiempo hacía que** + imperfecto?

> **¿Cuánto tiempo hace que cultivan** maíz en ese campo?
>
> **¿Cuánto tiempo hacía que tenían** esas tradiciones?

1 Pregúntale a un(a) compañero(a) cuánto tiempo hace que hace algo.

tocar   A —*¿Cuánto tiempo hace que tocas el violín?*
            B —*Hace ocho años que toco el violín.*

a. conocer   e. saber
b. estudiar   f. vivir
c. jugar   g. 💡
d. participar

2 Habla con otra persona sobre la historia de los mayas en Yucatán.

vivir en Yucatán   A —*Los mayas ya vivían en Yucatán cuando llegaron los españoles ¿no?*

B —*Sí, hacía muchos siglos que vivían allí.*

Estudiante A

a. vivir en la selva

b. resolver problemas de matemáticas

c. escribir con jeroglíficos

d. tener un calendario exacto

e. ser buenos astrónomos

f. cultivar las tierras

g.

Estudiante B

muchos siglos

cientos de años

más de 500 años

mucho tiempo

unos siglos

El pluscuamperfecto

El pluscuamperfecto se usa para hablar de una acción en el pasado ocurrida *antes* de otra acción también en el pasado. Para formar el pluscuamperfecto se usa el imperfecto de *haber* con un participio pasado. El equivalente en inglés es *had* + el participio pasado. Aquí están todas las formas del pluscuamperfecto de *construir*.

había construido	habíamos construido
habías construido	habíais construido
había construido	habían construido

Cuando llegaron los españoles, los mayas ya **habían construido** muchas ciudades.

• El participio pasado de *descubrir* es irregular: *descubierto*.

Los arqueólogos ya **habían descubierto** algunos objetos antes de encontrar las ruinas.

¡NO OLVIDES!

Para formar el participio pasado de un verbo se agrega *-ado* a la raíz de los verbos en *-ar* (*mirar* → *mirado*) e *-ido* a la raíz de la mayoría de los verbos en *-er* e *-ir* (*escoger* → *escogido*). Algunos participios pasados irregulares son: *abierto, devuelto, escrito, hecho, muerto, puesto, resuelto, roto, visto.*

3 ¿Qué había pasado en la civilización maya antes del año 1000 a.C.?*
Trabaja con un(a) compañero(a) para expresar estas ideas.

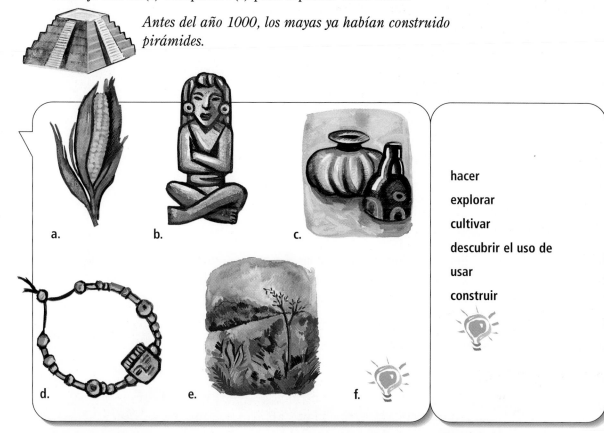

Antes del año 1000, los mayas ya habían construido pirámides.

a.

b.

c.

d.

e.

f.

hacer

explorar

cultivar

descubrir el uso de

usar

construir

4 Dile a un(a) compañero(a) algo que hiciste durante el año
pasado. Luego, dile si habías hecho lo mismo antes.

visitar   **A** —*El año pasado visité una ciudad maya.*
       B —*¿Habías visitado antes una ciudad maya?*
       A —*No, nunca. Pero, había leído sobre ellas.*
          o: Sí, ya la había visitado antes.

a. escribir   d. leer   g. ver
b. hacer   e. participar   h.
c. ir   f. estudiar

¡NO OLVIDES!

No y otras palabras negativas,
así como los pronombres de
complemento y reflexivos, van
inmediatamente antes de la forma
del verbo *haber: ¿Has visitado ya
esas ruinas? No, no las he visitado
todavía.*

*a.C. y d.C. son abreviaturas de *antes de Cristo* y *después de Cristo*.

El verbo *seguir* y el presente progresivo

Seguir es un verbo con el cambio $e \rightarrow i$ en la raíz. Ya sabes las formas del presente:

(yo)	sigo	(nosotros) (nosotras)	seguimos
(tú)	sigues	(vosotros) (vosotras)	seguís
Ud. (él) (ella)	sigue	Uds. (ellos) (ellas)	siguen

• Cuando *seguir* se usa con el gerundio, indica que una acción que comenzó en el pasado todavía continúa sucediendo o sucede regularmente. Significa que la acción no ha terminado aún o que su validez se mantiene.

> Mis abuelos siempre celebraban el Día de los Enamorados con una fiesta. Mi familia lo **sigue celebrando** así.

Fiesta de los Reyes Magos, el 6 de enero, en la Ciudad de México

5 Haz una lista de tradiciones, costumbres, celebraciones, etc., que tenían tus antepasados o que había en tu pueblo o ciudad. Puedes incluir ideas sobre:

- la comida
- los días festivos
- la religión

- los valores de la familia
- el trabajo
- la ropa

Después, lee la lista a un(a) compañero(a). Pregúntale si todavía se mantienen esas costumbres.

A —*Mis abuelos siempre preparaban paella para celebrar los cumpleaños.*

B —*¿Siguen Uds. preparándola?*

A —*Sí, todavía seguimos preparándola.*
o: *No, ya no la preparamos. Generalmente,...*

Celebrando un cumpleaños en California

Ahora lo sabes

¿Puedes:

■ decir cuánto tiempo hace que algo ocurre o cuánto tiempo hacía que algo ocurría?

—___ dos años que la arqueóloga ___ la estatua maya.

■ describir una acción que ocurrió antes que otra acción en el pasado?

—Cuando los españoles llegaron a la ciudad, los mayas ya ___ una gran ciudad.

■ describir algo que empezó en el pasado y que todavía ocurre hoy?

—En Guatemala los mayas hablaban quiché y todavía ___ hablándolo.

MÁS PRÁCTICA

Más práctica y tarea, pp. 560–561
Practice Workbook 5–5, 5–9

¿Cómo se relacionan el pasado y el presente?

Esta sección te ofrece la oportunidad de combinar lo que aprendiste en este capítulo con lo que ya sabes para responder a la pregunta clave.

Para decir más

Aquí tienes vocabulario adicional que te puede ayudar para hacer las actividades de esta sección. Si no sabes qué quieren decir estas palabras, puedes consultar un diccionario.

crecer *(c → zc)*

por completo

asombroso, -a

impresionante

escondido, -a

el conocimiento

el sacerdote

los egipcios

los griegos

los romanos

Sopa de actividades

1. Busca una foto tuya del año pasado y otras fotos tuyas sacadas a edades diferentes. Prepara un cartel y una presentación oral para demostrar y explicar lo que habías hecho a cada edad. Explica cuánto tiempo hacía que hacías estas cosas.

   Aquí estoy yo junto a mi bicicleta. Hacía sólo un mes que la tenía.
   Ésta es mi escuela primaria. Hacía 4 años que estudiaba allí.

2 ¿Cuáles son algunas de las contribuciones de la civilización actual? ¿En qué se parecen y en qué se diferencian de las contribuciones de los mayas? En grupos de cuatro pueden hablar de las contribuciones en:

- el trabajo
- la arquitectura
- el idioma
- la escritura

- la salud
- la religión
- la ropa
- la comida

Luego preparen una presentación oral para explicar sus resultados a la clase.

El Coliseo romano

Las pirámides de Giza, Egipto

3 Comparen la civilización maya con otras civilizaciones que conozcan. Por ejemplo, la de los egipcios, la de los griegos o la de los romanos. ¿En qué se parecen? ¿En qué se diferencian? ¿Cuáles son algunas de sus contribuciones?

Altar de Chac Mool en el Templo de los Guerreros, Chichén Itzá, Yucatán

Para leer

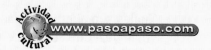
Antes de leer

ESTRATEGIA ➤ Uso de conocimientos previos

Rigoberta Menchú es una activista guatemalteca del grupo indígena quiché, actuales descendientes de los mayas. La señora Menchú ganó el Premio Nóbel de la Paz en 1992. En este fragmento de su libro *Me llamo Rigoberta Menchú*, la autora nos habla de la importancia que tiene la naturaleza para los descendientes de los mayas. ¿Cuáles de estas palabras piensas que vas a encontrar en la selección?

1. el agua	6. la radio
2. jugar	7. la naturaleza
3. respetar	8. vender
4. la tierra	9. el teléfono
5. el campo	10. desperdiciar

Escribe los números de las que escogiste y compara tu lista con la de un(a) compañero(a).

Rigoberta Menchú recibiendo el Premio Nóbel de la Paz

Mira la lectura

ESTRATEGIA ➤ Echar una ojeada

Lee la selección rápidamente sólo para ver cuáles de las palabras de tu lista aparecen en la selección.

Fragmento de **Me llamo Rigoberta Menchú**

Desde niños recibimos una educación diferente de la que tienen los blancos, los ladinos. Nosotros, los indígenas, tenemos más contacto con la naturaleza. Por eso nos dicen politeístas. Pero, sin embargo, no somos politeístas... o, si lo somos, sería bueno, porque es nuestra cultura, nuestras costumbres. De que nosotros adoramos, no es que adoremos, sino que respetamos una serie de cosas de la naturaleza, las cosas más importantes para nosotros. Por ejemplo, el agua es algo sagrado. La explicación que nos dan nuestros padres desde niños es que no hay que desperdiciar el agua... El agua es algo puro, es algo limpio y es algo que da vida al hombre. Sin el agua no se puede vivir, tampoco hubieran podido vivir nuestros antepasados. Entonces, el agua la tenemos como algo sagrado y eso está en la mente desde niños y nunca se le quita a uno de pensar que el agua es algo puro. Tenemos la tierra. Nuestros padres nos dicen "Hijos, la tierra es la madre del hombre porque es la que da de comer al hombre." Y más nosotros, que nos basamos en el cultivo. Nosotros los indígenas comemos maíz, frijol y yerba del campo y no sabemos comer, por ejemplo, jamón o queso, cosas compuestas con aparatos, con máquinas. Entonces se considera que la tierra es la madre del hombre. Y de hecho nuestros padres nos enseñan a respetar esa tierra.

Infórmate

ESTRATEGIAS➤ Identificar la idea
principal
Identificar los
detalles auxiliares

Ahora lee la selección con cuidado.

1 De estas ideas, ¿cuáles son las dos ideas
principales de la selección?

- El agua es algo sagrado.
- El campo es mejor que la ciudad.
- Los indígenas prefieren vivir en el campo.
- La tierra es la madre de todos los seres
  humanos.

2 ¿Cuáles de estos detalles no se encuentran
en la selección?

- A los indígenas no les gusta comer
  comida hecha con aparatos.
- Los dioses viven en las montañas.
- La agricultura es muy importante para
  los indígenas.
- El agua hace posible la vida.
- La gente de la ciudad no respeta la
  naturaleza.
- El respeto a la naturaleza de los
  indígenas se debe a los padres.

Indícale a un(a) compañero(a)
dónde encontraste los detalles
que sí aparecen en la selección.

Aplicación

1 Imagina un diálogo entre un(a) joven
norteamericano(a) y un(a) joven quiché
sobre uno de estos temas.

- el ecoturismo
- el reciclaje
- la energía solar

2 Compara sus ideas. ¿Cuáles dice el (la)
joven norteamericano(a)? ¿Cuáles dice el
(la) joven quiché? ¿Cuáles dicen los dos? En
una hoja de papel, haz un diagrama de Venn
y escribe las ideas en el espacio apropiado.

Haz un cartel con dibujos que muestren la
relación entre la gente quiché y la
naturaleza.

Elizabeth Burgos

ME LLAMO
RIGOBERTA MENCHÚ
Y ASÍ ME NACIÓ
LA CONCIENCIA

Para escribir

¿Te hablan tus padres de cómo era la vida cuando eran jóvenes?
¿Por qué lo hacen? Puede que sea para enseñarte sobre el pasado
y las experiencias que tuvieron. Para responder a la pregunta
clave y para aprender algo del pasado, vas a investigar una
civilización o un evento del pasado. Luego vas a preparar una
presentación para la clase.

1 Primero, debes decidir si quieres referirte a un evento en particular
o a una civilización en general.

- Si es un evento, piensa cuándo, dónde y por qué ocurrió, y cómo
  afectó a la gente de esa época. También indica cómo sigue
  afectándonos ahora. ¿Crees que nos afectará en el futuro?

- Si es una civilización antigua, tendrás que decir cuándo y dónde
  existió, cuál era su estructura social y política y cuáles fueron
  sus contribuciones importantes. ¿Nos sigue influyendo todavía
  esta civilización?

2 Puedes pedir ayuda a tu profesor(a) o a un(a) bibliotecario(a).
Debes organizar los datos y decidir cómo vas a presentarle la
información a la clase. Puedes preparar una de estas cosas:

- un cartel con mapas, ilustraciones (fotos, dibujos) y texto
- una ilustración con una narración
- un video con mapas, fotos, dibujos y una narración
- una serie de diapositivas con la narración grabada

3 Escribe el primer borrador del texto o de la narración.
Consulta con un(a) compañero(a) para revisar tu trabajo.
Sigue los pasos del proceso de escribir.
Luego, haz tu versión final y
prepara tu presentación para la
clase. No te olvides de ponerlo
en tu portafolio.

El acueducto romano de
Tarragona, España

Repaso ¿Lo sabes bien?

Esta sección te ayudará a preparate para el examen de habilidades, donde tendrás que hacer tareas semejantes.

Comprensión auditiva

¿Puedes entender una descripción de otra cultura? Escucha mientras el (la) profesor(a) lee un ejemplo semejante al que vas a oír en el examen. ¿A qué civilización se refiere la descripción? ¿Qué sabemos de sus estudios de las estrellas? ¿Cómo era su sistema de escritura?

Lectura

Lee con cuidado este folleto de un museo. De estas ideas, ¿cuál es la principal?

a. el esplendor de una civilización
b. el descubrimiento de una civilización

Escritura

¿Puedes escribir un breve informe sobre la civilización maya? Aquí tienes un ejemplo.

La civilización maya no ha desaparecido. Se pueden encontrar restos de ella en México, Honduras y Guatemala. Aunque tenían un sistema de escritura muy avanzado, sus mayores contribuciones fueron en el campo de las matemáticas y de la astronomía.

Cultura

¿Qué estudian los antropólogos y arqueólogos para saber más sobre las culturas precolombinas? ¿Qué nos queda hoy de esas culturas?

Un grupo de arqueólogos en una excavación en Chiapas, México

Cuando los arqueólogos descubrieron esta civilización, ya hacía más de veinte siglos que no existía. En sus excavaciones encontraron unas ruinas y unas estatuas que parecían tener un significado sagrado. No se sabe por qué esta civilización desapareció.

Práctica oral

¿Puedes hablar con otra persona sobre un descubrimiento arqueológico reciente?

A —*¡Qué fascinante! Un arqueólogo descubrió una tumba antigua en Guatemala.*

B —*¿De verdad? ¿Y qué había en la tumba?*

A —*Unas vasijas, unos cuencos y la escultura de un jaguar.*

B —*Pues, a mí no me interesan mucho los objetos antiguos. Prefiero estudiar el presente.*

A —*Pero, debemos estudiar el pasado porque . . .*

Self Test

www.pasoapaso.com

Usa el vocabulario de este capítulo para:

■ responder a la pregunta clave: ¿Cómo se relacionan el pasado y el presente?

■ describir las características de la civilización maya

■ hablar de las contribuciones de la civilización maya

■ explicar cómo nos han influido otras civilizaciones

para describir la civilización maya

el astrónomo, la astrónoma
el calendario
la estrella
el jade
los jeroglíficos
los mayas
el observatorio
la sílaba
el símbolo

para describir otras culturas del pasado

el arquitecto, la arquitecta
avanzado, -a
la ceremonia
la civilización, *pl.* las civilizaciones
el cuenco
descubierto, -a
el descubrimiento
descubrir
el dios, *pl.* los dioses
enterrado, -a
la escritura
el esplendor
existir
el / la líder
la religión, *pl.* las religiones
sagrado, -a
el significado
la tumba
la vasija

para hablar del presente y del pasado

actual
los antepasados
el antropólogo, la antropóloga
el arqueólogo, la arqueóloga
la costumbre
desaparecido, -a
heredar
el legado
el origen, *pl.* los orígenes
el pasado
precolombino, -a
el presente
rico, -a
la tradición, *pl.* las tradiciones

para identificar lo que sigue existiendo de la civilización maya

la agricultura
la choza
la cosecha
la cultura
la escultura
la estatua
el objeto
el quiché
la siembra
el templo

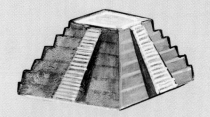

otras palabras y expresiones útiles

aceptar
el campo
construir *(i → y)*
la contribución, *pl.* las contribuciones
desarrollar
excavar
gracias a
seguir *(e → i) + gerundio*

CAPÍTULO 6

OBJETIVOS

Al terminar este capítulo vas a poder responder a la pregunta clave:

¿Cómo nos podemos comunicar mejor?

También vas a poder:

- escribir y enviar una carta
- hablar de diferentes medios de comunicación
- dar tu opinión sobre las comunicaciones en el futuro
- explicar el impacto de la tecnología en la vida diaria de los países hispanos

Radiotelescopios cerca de Socorro, Nuevo México

Anticipación

Mira las fotos. Los medios de comunicación han cambiado con el tiempo, pero su fin sigue siendo el mismo: ayudar a comunicarnos mejor. ¿Cuántos de estos medios de comunicación conoces? ¿Cuáles son?

En la Plaza de la Cibeles en Madrid, España, se encuentra el Palacio de Comunicaciones, que es la oficina central de correos de la ciudad. Aquí, igual que en la oficina de Correos y Telégrafos de Caracas, Venezuela, se pueden mandar y recibir telegramas, comprar sellos y preparar y mandar paquetes a todo el mundo. ¿Cómo es el correo en tu país? ¿Qué servicios ofrece?

"Por favor, ¿podría comunicarme con el 555-4517?"

Para hacer llamadas locales y de larga distancia desde un teléfono público en Venezuela puedes usar monedas. Sin embargo, en otros países hispanos los teléfonos públicos sólo aceptan fichas. Si quieres hacer una llamada desde un teléfono público en tu país, ¿qué tienes que usar, monedas o fichas? ¿Cómo puedes hacer una llamada de larga distancia desde un teléfono público?

"El Sr. Navarro tendrá esta información inmediatamente."

El desarrollo de nuevas tecnologías hace más fácil comunicarnos. Gracias al teléfono celular, este hombre de negocios en Caracas, Venezuela, no necesita estar en su oficina para comunicarse con sus clientes. ¿Qué ventajas tiene un teléfono celular?

www.pasoapaso.com

Visita estos países

193

Vocabulario para comunicarse

¿Cómo nos comunicamos?

Aquí tienes palabras y expresiones necesarias para hablar sobre las distintas formas de comunicarnos. Léelas varias veces y practícalas con un(a) compañero(a) en las páginas siguientes.

el teléfono inalámbrico

la operadora

el operador

el apartado postal

el contestador automático

el paquete

el sobre

el/la remitente

envolver (o → ue)

Hugo Zamora
Urb. San P. Clover
Bloque ADG 11
Quito, Ecuador

el destinatario
la destinataria

Sra. Susana Cruz
Carrera 18 #20-39
Barrio El Prado
Armenia, Quindío, Colombia S.A

llenar un formulario

Nombre: Nidia Castro
Dirección: 23 Lake St.
Glenview, IL 60025 U.S.A.
Fecha: 4 Nov. 19

Querida Ana:

Cariños,
Marta
P.D.

el formulario

la posdata, P.D.

También necesitas . . .

Si no sabes qué quieren decir estas palabras, puedes consultar un diccionario o el Vocabulario español-inglés al final del libro.

hacer una llamada
___ a cobro revertido
___ de larga distancia
la ficha[††]
el tono
sonar *(o → ue)*
¡Aló!
¿De parte de quién?
en voz alta / baja
equivocarse *(c → qu)*[†]

equivocado, -a
dejar
el recado
volver *(o → ue)* a + *inf.*
mandar
por correo urgente
querido, -a
Cariños
lento, -a
entonces

¿Y qué quiere decir . . . ?

el fax
la línea

por vía aérea
el telegrama

---

* En el pretérito, la *g* de la forma *yo* de *colgar* y *descolgar* se transforma en *gu*: colgué, descolgué.

[†] En el pretérito, la *c* de la forma *yo* de *marcar* y *equivocarse* se transforma en *qu*: marqué, me equivoqué.

[††] En muchos países de habla hispana se usan fichas, no monedas, en los teléfonos públicos.

—marcar *(c → qu)*[†]

—colgar
*(o → ue) (g → gu)**

descolgar
*(o → ue) (g → gu)**

—la cartera,
—el cartero

el teléfono celular

Empecemos a conversar

Túrnate con un(a) compañero(a) para ser *Estudiante A* y
Estudiante B. Reemplacen las palabras subrayadas con palabras
representadas o escritas en los recuadros. 💡 quiere decir que
puedes escoger tu propia respuesta.

1

escribir una carta

A — *Quiero escribir una carta.*
B — *Entonces necesitas papel y un bolígrafo.*
      Están sobre tu escritorio.

Estudiante A

a. hacer una llamada desde el jardín

b. buscar un número de teléfono

c. grabar mis recados

d. hacer una llamada desde mi coche

e. mandar esta carta

f. recibir cartas en el correo

g. usar el teléfono público

h.  💡

Estudiante B

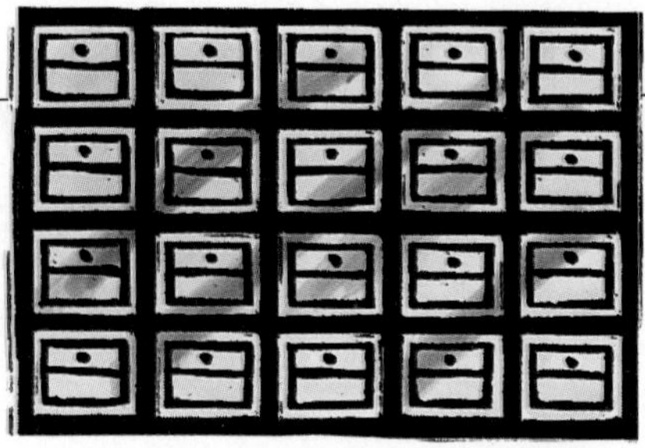

2 mandar una carta / hacer una llamada

A — *¿Qué es más caro, <u>mandar una carta o hacer una llamada</u>?*

B — *Claro que <u>una llamada es más cara, pero es más rápida</u>.*

Estudiante A   Estudiante B

a. mandar una carta por correo urgente / por vía aérea

b. llamar por teléfono inalámbrico / mandar un telegrama

c. enviar un fax / mandar una carta por correo urgente

d. marcar el número / llamar al (a la) operador(a)

3 el teléfono suena y nadie contesta

A — *¿Qué haces si <u>el teléfono suena y nadie contesta</u>?*

B — *<u>Vuelvo a llamar más tarde</u>.*

Estudiante A   Estudiante B

a. tienes un número equivocado

b. quieres hacer una llamada pero no tienes dinero

c. la persona con quien hablas no puede oírte

d. la línea está ocupada

e. quieres hacer una llamada de larga distancia

f. no sabes el número de teléfono

g. la persona con quien quieres hablar no está en casa

h. no oyes el tono

También se dice

la planilla

la postdata
el post scriptum

discar

el teléfono portátil

el apartado de correos
la casilla postal

el / la telefonista

la máquina contestadora

¿Y qué piensas tú?

Aquí tienes otra oportunidad para usar el vocabulario de este capítulo.

4 Imagina que una persona acaba de llegar a los Estados Unidos y no sabe hacer una llamada en el teléfono público. Explícale cómo hacerlo. Usen las frases de abajo en el orden correcto.

— *Primero, busca el número de teléfono en la guía telefónica. Después* . . . .

a. Decir "Adiós."
b. Decir "¡Aló!"
c. Descolgar.
d. Colgar.
e. Hablar o dejar un recado.
f. Escuchar para ver si hay tono.
g. Buscar el número de teléfono en la guía telefónica.
h. Conseguir una moneda.
i. Marcar el número.

www.pasoapaso.com

5 ¿Cuánto tiempo hablas por teléfono cada día? ¿Hasta qué hora puedes recibir llamadas? ¿Haces llamadas de larga distancia? ¿Adónde llamas? ¿A quién?

MÁS PRÁCTICA

Más práctica y tarea, p. 562
Practice Workbook 6–1, 6–2

6 ¿Tienes tu propia línea de teléfono? ¿Crees que todos los jóvenes deben tener su propia línea? ¿Por qué?

7 ¿Por qué se alquilan apartados postales?

8 ¿Qué te parecen los contestadores automáticos? ¿Tienes uno? ¿Cuáles son sus ventajas y sus desventajas?

"Voy a ver quién me ha llamado hoy."

9 Con un(a) compañero(a), completa y continúa estos diálogos telefónicos hasta terminar la conversación. Puedes usar estas expresiones u otras.

llamada de larga distancia **número equivocado**
¿De parte de quién? **llamada a cobro revertido**
grabar un recado **equivocarse**
estar ocupado **sonar, pero no contesta nadie**
hablar en voz alta / baja **volver a llamar**

A — *¿Aló?*
B — *Por favor, quisiera hablar con ___.*
A — *. . . .*

A — *Con ___, por favor.*
B — *¿Cómo? No puedo oírle. ¿Puede ___?*
A — *. . . .*

A — *Operador(a).*
B — *Quiero hacer una ___.*
A — *El número, por favor.*
B — *. . . .*

10 Después de mirar el sobre y leer la carta, contesta estas preguntas con un(a) compañero(a).

a. ¿Quién es la destinataria de la carta? ¿Cuál es su dirección?
b. ¿Quién es el remitente? ¿Cuál es su dirección?
c. ¿Por qué clase de correo va la carta?
   ¿Cómo empieza y cómo termina?
d. ¿Por qué escribió Esteban una posdata?

Madrid, 3 de julio

Querida mamá,

Llegué a Madrid hace tres días. Me estoy divirtiendo muchísimo, aunque dejé mi tarjeta de crédito en Barcelona. Al día siguiente fui al Banco Hispano y llené un formulario para pedir una nueva. Creo que va a llegar en el correo de hoy.

Te llamaré para tu cumpleaños. Ya te he comprado el regalo, sólo tengo que envolver el paquete. ¡El cartero está aquí! No puedo seguir escribiendo.

Cariños,

Esteban

P.D. ¿Puedes mandarme dinero? Hay lugares que no aceptan tarjetas de crédito.

Tema para investigar

Aquí tienes más palabras e ideas que te ayudarán a hablar sobre las diferentes formas de comunicarnos. Mira las ilustraciones. ¿Qué medios de comunicación usas tú? ¿Cómo ha cambiado la comunicación en los últimos años? ¿Y cómo va a cambiar en el futuro?

Comunicación y tecnología

¿Cuál es el mejor **medio de comunicación hoy en día?** Hace unos años no había tantas opciones. Existían el teléfono, el telégrafo y el correo. Luego **inventaron** el radio, la televisión y la computadora. Estos **inventos** hicieron muy fácil la comunicación. Antes teníamos que **esperar aproximadamente** una semana para recibir una carta. Pero ahora con el fax y **el correo electrónico** ya no tenemos que esperar. ¡**Comunicarse** es **cada vez más** fácil!

Y en el futuro la comunicación será todavía más rápida. Aunque ya usamos computadoras **interactivas**, para el siglo XXI no habrá computadoras que no lo sean. Podremos usarlas para conseguir información de bibliotecas y tiendas, para ver el menú de un restaurante, para leer periódicos y revistas, y también para pagar los impuestos. En el próximo siglo, **las conferencias por video,** que nos permitirán ver a la persona con quien hablamos por teléfono, serán algo de todos los días.

Por suerte, no es necesario ser científicos para usar toda esta tecnología. Pero, ¿podremos usarla para comunicarnos realmente mejor?

Cada vez se **fabrican** más productos nuevos, y esos nuevos inventos traen nuevos problemas. Al mismo tiempo que **cualquiera** puede obtener información sobre nuestra vida **privada,** el contacto personal sigue perdiendo importancia. Con esta nueva tecnología, recibiremos información con **rapidez,** pero también **querremos** respuestas cada vez más rápidas. Esto, según algunas personas, **creará** más presión en nuestras vidas. ¿Qué piensas tú? ¿Cómo cambiarán nuestras vidas estos nuevos productos?

Si no sabes qué quieren decir estas palabras, puedes consultar un diccionario o el Vocabulario español-inglés al final del libro.

hoy en día
esperar
cada vez más
fabricar *(c → qu)*
cualquiera

querremos
(del verbo querer)
(e → ie)
creará *(del verbo* crear)

¿Y qué quiere decir . . . ?
el medio de comunicación
inventar
el invento
aproximadamente
el correo electrónico

comunicar(se) *(c → qu)*
interactivo, -a
la conferencia por video
privado, -a
la rapidez

¿Comprendiste?

1 ¿Cuáles de estas ideas están incluidas en el tema y cuáles no?

a. En el pasado había sólo tres medios de comunicación.

b. Recientemente han inventado cosas que hacen la comunicación más fácil y más rápida.

c. Hoy en día una carta tarda aproximadamente dos días en llegar al destinatario.

d. En el próximo siglo, será posible tener conferencias por video.

e. Tendremos que pagar más impuestos para tener mejores medios de comunicación.

f. Otras personas podrán obtener información sobre nuestra vida privada.

2 Nombra tres inventos. ¿Qué problemas resolvieron? ¿Qué problemas causaron?

¿Y qué piensas tú?

Aquí tienes otra oportunidad para usar el vocabulario de este capítulo.

3 ¿Cuál crees que será la función más importante de las computadoras interactivas? ¿Crees que te gustarán? ¿Por qué?

4 ¿Cuáles son las ventajas y desventajas de poder ver a las personas con quienes hablas por teléfono? ¿Te gustaría tener conferencias por video? ¿Por qué?

5 Cada año se fabrican muchas cosas que no necesitamos. ¿Cuáles son algunas de las cosas que crees que no necesitamos?

MÁS PRÁCTICA

- Más práctica y tarea, p. 563
- Practice Workbook 6–3, 6–4

6 En grupos de tres o cuatro, decidan cuáles son los tres o cuatro inventos más importantes del siglo XX. Luego digan:

- ¿Para qué sirven?
- ¿Por qué son tan importantes?
- ¿Qué influencia han tenido en nuestras vidas? ¿Ha sido negativa o positiva?

7 En grupos de tres o cuatro, piensen en cuatro medios de comunicación que no se usarán en el futuro. ¿Qué se usará en su lugar? Hagan una tabla como la siguiente y luego comparen sus resultados con los de los otros grupos.

MEDIO DE COMUNICACIÓN	LO QUE SE USARÁ
El correo	El correo electrónico

¿Qué sabes ahora?

¿Puedes:

- escribir y enviar una carta a alguien?

    —En el sobre siempre escribo mi ___, el nombre del (de la) ___ y su ___.

- hacer una llamada telefónica?

    —Busco el número en ___, ___ el número y digo ___.

- hablar de diferentes medios de comunicación?

    —Creo que el mejor medio de comunicación es ___ porque ___.

- dar tu opinión sobre las comunicaciones en el futuro?

    —En el futuro, la comunicación será ___ porque ___.

Usando un videoteléfono

ÁLBUM CULTURAL

La nueva tecnología hace más fácil las comunicaciones. ¿Qué nuevos inventos conoces que nos ayudan a comunicarnos mejor?

Entre los nuevos inventos que nos ayudan a comunicarnos mejor están los *beepers* o "buscapersonas". Aunque al principio los usaban sólo los médicos, hoy en día muchos los tienen para uso personal. Los nuevos modelos son del tamaño de una tarjeta de crédito y permiten recibir varios mensajes cada vez.

El teléfono celular también es popular en muchos países hispanos. Una de sus ventajas es que permite ponerse en contacto con otros desde cualquier lugar. Los que usan el teléfono celular dicen que así pueden usar mejor su tiempo.

Además, te ofrecemos la posibilidad de remitir envíos certificados, asegurados, contrareembolso o con acuse de recibo.

Tú eliges la rapidez, nosotros te ponemos los medios.

Correos y Telégrafos es ante todo un servicio público, que está y estamos al ALCANCE DE TODOS. Mejorar día a día nuestro servicio, es sin duda alguna, nuestro principal objetivo; por eso queremos dar respuesta a tus posibles preguntas.

Puedes pedir más información en cualquiera de nuestras oficinas.

Mandar una carta es el medio de comunicación más tradicional y a veces el más económico. El servicio de correos de España tiene una tarifa o precio para los países del Mercado Común Europeo, además de otros según el lugar adonde se manda la carta. Se pueden comprar sellos en la oficina de correos o en otros lugares llamados estancos.

CORREOS Y TELÉGRAFOS

Correos y Telégrafos

Hoy es la palabra de moda. Mañana será moneda de consumo corriente. Todo el mundo habla de lo interactivo: televisión interactiva, disco compacto interactivo, videojuegos interactivos, museos interactivos y realidad virtual como la expresión máxima de lo interactivo. Gracias a esta técnica, cada vez más bienes y servicios están al alcance del ciudadano. Interactivo es todo diálogo entre una máquina y el hombre. Comunicación bidireccional. Muchos de los servicios que ofrece la televisión por cable de fibra óptica son interactivos. Por ejemplo, a través del ordenador se puede comunicar con el supermercado, ver en la pantalla los géneros y las ofertas del día, con todo tipo de información adicional, y encargar la compra. Es la telecompra, con servicio, naturalmente, a domicilio.

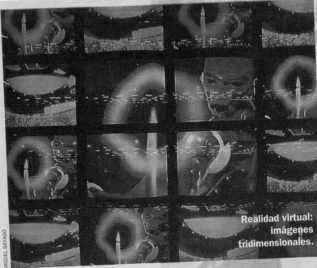

MIGUEL SAYAGO

Realidad virtual: imágenes tridimensionales.

INTERACTIVO

hasta los cuadros de El Prado y las actuaciones Joan Manuel Serrat.

Realidad virtual: Es aquí donde la interactividad presenta los desarrollos tecnológicos más avanzados. Consiste en la representación de escenarios virtuales, con imágenes en tres dimensiones y de apariencia real. Es la exaltación del vínculo humano con el ordenador. Con un casco o gafas especiales, uno se sumerge en múltiples experiencias y mundos imaginarios, con sonido estereofónico y objetos palpables. Sólo la imaginación y la ética son los límites de esta tecnología.

Televisión a la carta: La pequeña pantalla no podría sustraerse a la interactividad. Diseñar un telediario a capricho del espectador, es-

Disco compacto digital: Uno de los soportes más populares y con más futuro de la interactividad. Se presenta en dos versiones: CD-I, con mando a distancia, y CD-ROM, de uso informático. Destinados fundamentalmente a aplicaciones educativas y de ocio, estos aparatos hacen las funciones del vídeo doméstico, el proyector de diapositivas, el disco compacto de audio y la consola de videojuegos. Permiten almacenar 300.000 páginas de texto, más de 7.000 imágenes, 19 horas de audio y vídeo y 16 millones de variaciones de color, además de diversos programas de ordenador. En un CD-ROM se puede meter casi todo: desde la Biblia y los 890 pergaminos del Mar Muerto,

coger el ángulo de visión o ver sólo el final de una película, es decir, elegir en cada momento lo que se quiera ver, ya es posible en España. Por ahora, queda reservado a unos pocos privilegiados. En el próximo milenio esto será el pan nuestro de cada día. Para entonces ya se comercializará la televisión de alta definición, que prácticamente duplica las 625 líneas de los aparatos actuales. Será como tener el cine en casa, con una calidad de imagen y sonido superior a una película de 35 milímetros. Se calcula que este negocio representará en el mercado europeo unas ventas de 15 billones de pesetas al año a partir del 2000. ∎

Nº 1.208 · 16 ENERO 1995 · CAMBIO16

Los aparatos electrónicos interactivos son cosa de todos los días y están en todas partes. Hoy en día se pueden hacer compras a través de la computadora, sin salir de casa y es posible obtener toda clase de información por medio de la red electrónica o usando el CD-ROM. No está lejos el día en el que podamos diseñar nuestros propios programas de televisión.

Entre los inventos que encontraremos en el futuro estarán los aparatos electrónicos inteligentes, que harán toda clase de trabajos en la casa, desde regular la temperatura del aire acondicionado en el lugar donde están las personas hasta calcular la potencia eléctrica que necesita usar la aspiradora. Habrá también robots que harán otros trabajos.

EL HOGAR INTELIGENTE

En Japón ya se comercializan los electrodomésticos inteligentes: sistemas de aire acondicionado que calientan o enfrían adecuadamente la parte de la habitación donde se hallan las personas; lavadoras que analizan la ropa para establecer ciclos de lavado y secado; microondas que determinan si los alimentos necesitan ser descongelados antes o simplemente calentarlos; aspiradoras que miden la cantidad de polvo de succionan con el fin de ajustar su potencia... Ello gracias a unos sensores y microprocesadores capaces de medir y procesar cualquier elemento físico o ambiental.

Sensores y microprocesadores que, debidamente programados y conectados a un ordenador personal, permiten a distancia llenar la bañera de agua, encender el horno o activar el riego automático del jardín. Basta con telefonear a la casa y decir la clave correspondiente. El ordenador dará las órdenes oportunas a los sensores para que cumplan lo mandado.

Junto a estos artilugios, en el hogar convivirán otros más reconocibles: los robots domésticos. Para éstos quedarán reservadas funciones como el barrer, poner la mesa o servir las copas, además de jugar con los niños. El robot será uno más de la familia, como un empleado que no se cansa, que no reivindica nada y que obedece a la voz de su amo.

El hogar se convertirá, además, en un centro de trabajo y comunicaciones telemáticas. Bastará tener el teléfono y el televisor conectados con el ordenador personal para que se abran, sin salir de casa, casi todas las puertas imaginables: desde la telecompra al telediagnóstico, pasando por la realidad virtual y el acceso a las autopistas de la información.

El robot será uno más de la familia.

Reacción personal

Contesta las siguientes preguntas en una hoja de papel.

1 ¿Crees que es necesario tener un *beeper* para uso personal? ¿Por qué o por qué no?

2 ¿Tiene tu familia un teléfono inalámbrico o celular? ¿En qué clase de trabajo es práctico tener un teléfono celular?

3 ¿Qué servicios ofrecen las oficinas de Correos y Telégrafos de España? ¿Son como los que ofrece el servicio de correos de tu país? Explica.

4 ¿Qué otros aparatos interactivos conoces además de las computadoras? ¿Qué es lo que te parece más interesante de los aparatos interactivos?

5 ¿Qué es lo que más te atrae de los aparatos electrónicos inteligentes? ¿Qué ventajas crees que tendrán estos aparatos? ¿Qué trabajos piensas que podría hacer un robot?

Gramática en contexto

Mira la foto y lee lo que este estudiante les envía a sus padres.
¿Qué información esperas encontrar sobre este teléfono?

El teléfono del futuro

Queridos padres:

Como en el teléfono habrá memoria para 90 números, grabaré los números de la familia y de todos mis amigos. Podré programarlo para casos de emergencia.

Si alguien me llama cuando no esté en casa, el teléfono me pondrá en contacto inmediatamente con la persona que llame; no tendré que esperar.

Esto les ayudará mucho a Uds. porque así sabrán dónde estoy en cualquier momento. Podremos comunicarnos mejor. El teléfono les permitirá llamarme cuando quieran y podrán hablar conmigo con frecuencia.

Se lo prestaré a María si lo necesita.

El teléfono del futuro

El teléfono habrá memori...

A En su nota, el estudiante dice *Esto les ayudará* y *El teléfono les permitirá*. ¿Qué terminación se ha agregado a estos verbos? ¿Se ha agregado la terminación a la raíz o al infinitivo? En un papel aparte, indica en una tabla las terminaciones correspondientes a los sujetos *yo* y *el teléfono*. Deja espacio en tu tabla para agregar otros sujetos y terminaciones.

B Mira el tercer párrafo de la nota y completa tu tabla con las terminaciones correspondientes a *nosotros* y *Uds.* Haz otra tabla con la raíz y las terminaciones de *tener* en el futuro. ¿Cómo crees que será la tabla del verbo *poner*? ¿Y la de *saber*?

C En la nota amarilla dice *Se lo prestaré.* ¿A qué o a quién se refiere el pronombre *se*? ¿Y el pronombre *lo*?

Repaso: El futuro

Ya sabes que el futuro se puede expresar de tres maneras: con *ir + a + el infinitivo*, con el tiempo presente y con el futuro.

Recuerda que todos los verbos tienen las mismas terminaciones en el futuro. En la mayoría de los verbos esas terminaciones se le agregan al infinitivo. Aquí están todas las formas del futuro de *enviar, ver* e *ir.*

enviar		ver		ir	
enviar**é**	enviar**emos**	ver**é**	ver**emos**	ir**é**	ir**emos**
enviar**ás**	enviar**éis**	ver**ás**	ver**éis**	ir**ás**	ir**éis**
enviar**á**	enviar**án**	ver**á**	ver**án**	ir**á**	ir**án**

Les **enviaré** una carta a mis abuelos mañana.
En diciembre **iremos** a Santiago y **veremos** los últimos
modelos de teléfonos.

¡NO OLVIDES!

Recuerda que todas las formas del futuro llevan acento escrito excepto *nosotros.*
Ya has visto que el futuro se usa a menudo con *si* y un verbo en el presente o en el presente progresivo:
Si no **tengo** dinero, **llamaré** a cobro revertido.

1 Con un(a) compañero(a), habla de lo que harán diferentes personas que Uds. conocen.

(nombre)

A —*¿Crees que Alejandra será astrónoma algún día?*
B —*Sí, y estudiará los planetas.*

Estudiante A

a. tú

b. (dos nombres)

c. (nombre)

d. Uds.

e. tu primo(a)

f.

Estudiante B

cuidar a los enfermos

investigar en un laboratorio

estudiar civilizaciones antiguas

hablar con personas famosas

llevar el correo a todas las casas

2 Dile a un(a) compañero(a) qué piensas que seguirán haciendo estas personas en el futuro. Tu compañero(a) te dirá si está de acuerdo o no.

tu actor o actriz favorito(a)

A —*Mi actriz favorita, (nombre), seguirá apareciendo en la misma telenovela.*

B —*No estoy de acuerdo. Creo que esa telenovela terminará después de este año.*

a. yo
b. mi mejor amigo(a)
c. los carteros
d. los profesores
e. el presidente de los Estados Unidos
f. mis amigos y yo
g. mi familia
h. los atletas profesionales
i.

3 Con un(a) compañero(a) digan qué medios de comunicación usarán en las situaciones siguientes. Usen el futuro.

En el pueblo no hay teléfonos públicos y necesitas dinero.

Les mandaré un telegrama a mis padres para pedir dinero.

a. Tu hermana va a asistir a una boda pero no ha traído sus zapatos nuevos. Tienes que mandárselos.
b. Estás en casa y quieres hablar con tu primo(a) en otro estado.
c. Tienes una computadora y quieres mandarle un recado a un(a) compañero(a) que también tiene una.
d. Quieres comunicarte con un(a) amigo(a) en Uruguay, pero no tienes dinero para hacer una llamada.
e. Llamas a tu amigo(a) y su contestador automático contesta el teléfono.
f. Estás de vacaciones y quieres decirles a tus amigos dónde estás.

El futuro: Continuación

Ya has aprendido que algunos verbos tienen raíces irregulares en el futuro. Sin embargo, sus terminaciones de futuro *(-é, -ás, -á, -emos, -éis, -án)* son las mismas que las de los verbos regulares.

saber	→	**sabr-**
tener	→	**tendr-**
poder	→	**podr-**
hacer	→	**har-**
haber	→	**habr-**

Si vas a España, ya **sabrás** usar el teléfono público.

Pronto **tendrán** un teléfono celular y **podrán** llamar desde el jardín.

¿Qué **haremos** si no nos llaman?

Algún día **habrá** teléfonos inalámbricos en todas las casas.

• Otros verbos cuyas raíces en el futuro son irregulares son:

venir	→	**vendr-**
decir	→	**dir-**
poner	→	**pondr-**
salir	→	**saldr-**
querer	→	**querr-**

Vendrás a casa y me **dirás** lo que pasó durante la película.

Primero **pondremos** el cuarto en orden y luego **saldremos**.

Mis padres nunca **querrán** comprar un contestador automático.

4 Túrnate con un(a) compañero(a) para describir cómo es la vida de ustedes ahora y cómo será en el futuro.

> vivir   *Ahora vivo con mis padres. En el futuro, viviré con unos amigos en un apartamento cerca de la universidad.*

a. salir con mis amigos
b. (no) poder (+ infinitivo)
c. (no) tener que (+ infinitivo)
d. decirles a mis padres
e. querer tener

f. (no) saber (+ infinitivo)
g. (no) hacer
h. (no) haber
i. (no) venir
j. 💡

5 Imagina que vives diez años en el futuro. Con un(a) compañero(a), digan qué medios de comunicación usarán en situaciones como las siguientes.

a. Es muy tarde y estás listo para salir del trabajo.
b. Tu familia vive muy lejos de ti y quieres saber cómo están.
c. Es el cumpleaños de un(a) amigo(a) que está en otro país.
d. Estás de vacaciones y necesitas dinero inmediatamente.
e. Quieres saber qué tiempo hará la semana próxima.
f. Quieres jugar ajedrez con un(a) amigo(a) en otro estado.
g. Necesitas una copia de un documento muy importante inmediatamente.

Puedes usar estos verbos u otros en tu respuesta:

llamar	no haber...	poder (mandar,	tener que
mandar	no hacer	llamar...)	usar

Uso de los complementos directos e indirectos

Ya sabes cuáles son los pronombres de complemento directo e indirecto:

Pronombres de complemento directo: **me, te, lo, la, nos, os, los, las**
Pronombres de complemento indirecto: **me, te, le, nos, os, les**

• Cuando los pronombres de complemento directo e indirecto se usan juntos, el pronombre de complemento indirecto va antes del de complemento directo.

—¿Quién **te** enviará el artículo?
—Mi tía **me lo** enviará.

• Si el pronombre de complemento indirecto *le* o *les* está antes del pronombre de complemento directo *lo, la, los* o *las,* se reemplaza *le* o *les* por *se.* En estos casos se suele agregar una frase preposicional como *a Ud., a él, a ella,* etc. o *a* y un sustantivo o un nombre de persona para evitar confusión.

— ¿A quién **le** enviarás el paquete?
— **Se lo** enviaré **a mi prima**.

• Si se le agregan dos pronombres de complemento a un infinitivo, un mandato o un gerundio, se debe poner un acento escrito para conservar la acentuación original.

Necesito llenar ese formulario. **Dámelo**, por favor.
Lo siento, no puedo **dártelo** porque es el último formulario que tengo.
¿Me enviaste el fax?
Estoy **enviándotelo** ahora.

6 Habla con un(a) compañero(a) sobre lo que te enviaron otras personas.

A —*¿Quién te envió esas fotos?*
B —*Mis abuelos me las enviaron.*
    o: *No me las envió nadie. Yo las saqué.*

Estudiante A   Estudiante B

a.   b.   c.

d.   e.

7 Imagina que ganaste la lotería y puedes reemplazar todas
tus posesiones con otras nuevas y mejores. Haz una lista
de las cosas que ya no quieres. Tu compañero(a) va a
preguntarte a quién se las darás.

una cadena   A —*¿A quién le darás la cadena de oro?*
de oro   B —*Se la daré a mi hermana.*

Ahora lo sabes

¿Puedes:

■ **describir una acción que ocurrirá en el futuro?**

—El verano próximo, mis padres ___ a Argentina para
visitar a mis tíos.

■ **decir cómo nos comunicaremos en el futuro?**

—Ahora podemos comunicarnos bien, pero en el futuro
___ comunicarnos todavía más rápidamente.

■ **responder sin repetir palabras?**

—Por favor, mamá, ¿me envuelves este paquete?

—Claro, hijo, espera y yo ___ envuelvo.

> ## MÁS PRÁCTICA
>
> Más práctica y tarea, pp. 563–564
> Practice Workbook 6–5, 6–9

¿Cómo nos podemos comunicar mejor?

Esta sección te ofrece la oportunidad de combinar lo que aprendiste en este capítulo con lo que ya sabes para responder a la pregunta clave.

Sopa de actividades

1 Formen grupos de tres o cuatro estudiantes. Cada grupo va a escoger un aspecto de la vida diaria para describirlo en el pasado, en el presente y en el futuro. Por ejemplo, pueden hablar de:

- la comida
- las diversiones
- los medios de comunicación
- los viajes
- la ropa
- la salud

Preparen una presentación oral para la clase y usen fotos de revistas, dibujos, ilustraciones, etc. para mostrar las diferencias o semejanzas que hay entre el pasado, el presente y el futuro.

Después de ver cada presentación, pueden discutir en grupo las ventajas y desventajas de cada época. Por ejemplo:

- ¿Será el futuro más cómodo y eficiente?
- ¿Es mejor nuestra vida ahora o era mejor en el pasado?

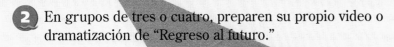

2 En grupos de tres o cuatro, preparen su propio video o dramatización de "Regreso al futuro."

- Consideren los aspectos de la vida del futuro que quieren presentar.
- En la primera escena un científico les habla a un grupo de jóvenes sobre lo que encontrarán al llegar al futuro.
- Los jóvenes están ahora en el futuro. Ustedes pueden mostrar aquí lo que pasará en el futuro.
- Después de cada presentación, los demás estudiantes pueden decir si están de acuerdo o no con las predicciones que cada grupo ha hecho y explicar por qué.

3 A veces podemos escoger el medio para comunicarnos con otros. Trabaja con un(a) compañero(a). Para cada una de las situaciones siguientes, escribe una ventaja y una desventaja de los medios de comunicación indicados. Comparen sus respuestas con las de otra pareja y luego decidan, en grupo, qué medio de comunicación van a recomendar.

- Es el cumpleaños de tu abuela y no le mandaste una tarjeta. Ella no está en su casa ahora.
- Tu amiga está enojada contigo.
- Necesitas conseguir un trabajo para el verano, pero los documentos deben llegar hoy.
- No trajiste tu tarea a la clase.

Dejar un recado en el contestador automático
Enviar un mensaje por correo electrónico
Explicar la situación en persona
Escribir una nota / una carta
Mandar los documentos / la carta / la tarjeta por fax

Para leer

Antes de leer

 Uso de conocimientos previos

Estas palabras y expresiones aparecen en la selección "El mejor amigo del hombre." Con un(a) compañero(a), decide en qué grupo están los términos técnicos, los términos de negocios y las expresiones de tiempo.

a. semiconductores
receptor de mensajes electrónicos
ondas radiofónicas
de señal y proceso

b. mercados financieros
compañía
empresas

c. por primera vez
hoy en día
muy pronto

Mira la lectura

ESTRATEGIA ➤ Dar un vistazo

La selección trata de tres nuevos aparatos electrónicos. Lee la selección sólo para encontrar los nombres de los aparatos.

El mejor amigo del hombre

El mejor amigo del hombre siempre ha sido el perro... sin duda. Pero en estos tiempos de revolución tecnológica la tradicional fidelidad de un animal de 4 patas ha sido superada por un "aparato": el teléfono. Y es que el ser humano puede vivir sin la compañía de un perro, ¡pero ya es imposible vivir sin un teléfono alrededor! "Este es el modo como la gente quiere comunicarse", opinó Robert Kavner, ejecutivo de la AT&T, mostrando el videoteléfono, el aparato que ha marcado una etapa en la historia de las telecomunicaciones, y que trabaja como un teléfono común y corriente, con la excepción de que se puede ver en su pequeña pantalla la imagen a todo color del interlocutor. Su precio hoy en día en Estados Unidos es de menos de 1.000 dólares (y sigue bajando). Claro, se necesitan 2 para que ambos usuarios se vean en la pantalla.

AT&T, la compañía de teléfonos más grande del mundo, fabrica estos aparatos siguiendo el mismo principio básico que Graham Bell inventó hace 117 años, y combinándolo con la más moderna tecnología en servicios de telecomunicaciones.
El videoteléfono es la forma más avanzada de las ultramodernas técnicas llamadas de señal y proceso, que salen al aire usando la misma

Infórmate

ESTRATEGIA ➤ Uso de gráficas organizadoras

Ahora lee la selección con cuidado.

_____ _____ _____

_____ _____ _____

_____ _____ _____

1 Copia la gráfica organizadora de arriba y úsala como ayuda para entender el artículo. Primero escribe los nombres de los nuevos aparatos electrónicos. Luego escribe por lo menos dos funciones para dos de los aparatos. Sólo encontrarás una función para el tercero.

pantalla con una combinación de funciones, la que permitirá transacciones bancarias. Su costo: 500 dólares. Pero el "comunicador personal inteligente" será, sin duda, el teléfono del año 2000, que marcará un hito en los servicios mundiales de telecomunicaciones.

Para comenzar, Apple Computer Inc., AT&T, Matsushita Electric Industrial Co., Motorola Inc., Philips NV y Sony Corp., se han unido por primera vez en una empresa mixta llamada General Magic Inc. Su objetivo…fabricar una "cajita" que sirva de teléfono, computadora, fax y receptor de mensajes electrónicos que funcionará a través de ondas radiofónicas y vía satélite y será parte de una red de telecomunicaciones que proporcionará todo tipo de información, desde los mercados financieros a las tarifas de hoteles de todas las capitales del mundo.

Apple está encargada del sistema con un *software* llamado *telescript,* con el cual las computadoras podrán comunicarse en el mismo lenguaje. AT&T construirá la red de comunicaciones en que se incorporará el *telescript.* Motorola proporcionará los semiconductores y junto con Sony y Philips desarrollarán los comunicadores personales inteligentes. Su precio: 2.000 dólares. Pero los analistas creen que con el "comunicador" pasará lo mismo que con el fax, que en 7 años bajó su precio de 7.000 a 300 dólares.

2 ¿Cuáles de estas ideas *no* aparecen en el texto?

- El teléfono es el mejor amigo del hombre.
- Uno va a poder enviar un fax con el teléfono inteligente.
- El videoteléfono usa la misma tecnología que la televisión.
- Uno podrá recibir información sobre los mercados financieros a través del comunicador personal inteligente.
- Se pueden ver películas en video con el videoteléfono.
- Es probable que el precio del comunicador personal inteligente baje.

Aplicación

1 Mira la gráfica organizadora otra vez. Para cada aparato, escribe una frase que explique por qué te gustaría tener uno o por qué no.

2 Lee el primer párrafo de nuevo. ¿Qué opinión expresa el escritor? ¿Estás de acuerdo? ¿Por qué?

Para escribir ◄═?

Todos usamos en la vida diaria diferentes medios de comunicación. Pero, ¿cómo podemos comunicarnos mejor? Antes de responder, lee las preguntas que siguen y luego escribe un corto trabajo para explicar tu opinión.

1 Primero, piensa en estas preguntas y escribe tus ideas.

- ¿Con quién(es) tienes que comunicarte?
- ¿Qué medios de comunicación usas?
- ¿Cuál(es) de estos medios hace(n) mejor la interacción entre las personas? ¿Cuál(es) la hace(n) peor? ¿Por qué?
- ¿Qué es para ti la "buena comunicación"?
- ¿Cómo crees que te comunicarás en el futuro? ¿Habrá más comunicación personal o menos?

2 Ahora, usa tus ideas y tus notas sobre esas preguntas para escribir tu trabajo.

Aquí tienes algunas palabras y expresiones que te pueden ayudar.

al mismo tiempo	generalmente	por un lado
a veces	mientras	por otro lado
entonces	parece que	sin embargo
	por eso	

Cuando termines el primer borrador, consulta con un(a) compañero(a) y sigue los pasos del proceso de escribir. Luego, escribe tu versión final.

3 Para compartir tu trabajo, puedes:

- exhibirlo en la sala de clases
- hacer un debate entre los estudiantes que tienen opiniones diferentes
- incluirlo en un libro llamado *Cómo nos comunicamos*
- ponerlo en tu portafolio

Repaso ¿Lo sabes bien?

Esta sección te ayudará a preparrate para el examen de habilidades, donde tendrás que hacer tareas semejantes.

Comprensión auditiva

¿Puedes entender una conversación sobre cómo hacer una llamada telefónica en otro país? Escucha mientras el (la) profesor(a) lee un ejemplo semejante al que vas a oír en el examen. ¿Qué tiene que hacer la persona que quiere hacer la llamada? ¿Por cuánto tiempo puede hablar cada vez?

Lectura

Lee el anuncio y haz una gráfica organizadora con esta información: ¿Qué vende el anuncio? ¿A quiénes les interesará?

¿Da su despacho la impresión de estar todavía en la época prehistórica?

Comunicarse es cada vez más fácil con todos los medios que podría tener al alcance de la mano. Con una visita a TALLER ELECTRÓNICO tendrá más éxito en sus negocios gracias a las más recientes invenciones que se hayan fabricado. ¡Piense en las posibilidades! Podrá recibir un recado por correo electrónico o por fax en segundos, comunicarse con otra persona en cualquier país usando computadoras interactivas, mejorar su negocio usando un teléfono inalámbrico, un teléfono celular o un contestador automático. Todo lo encontrará en TALLER ELECTRÓNICO a los mejores precios. ¡Comuníquese con nosotros hoy!

Escritura

¿Puedes escribir una carta semejante a la que escribió Juliana?

Queridos padres:

¡No lo van a creer! Esta mañana descubrí que dejé mis cheques de viajero en casa. Les hice muchas llamadas pero no contestaron. No pude dejarles un recado porque no tenemos contestador automático, así que les estoy escribiendo por correo urgente. Por suerte tengo suficiente dinero para unos días más, pero tendrán que mandarme los cheques de viajero pronto. Como nuestro grupo visitará diferentes ciudades esta semana, tendré que ir al correo esta tarde para conseguir un apartado postal. Podrán mandarme cualquier carta o paquete al apartado, pero todavía no tengo la dirección. Les volveré a llamar y también les escribiré otra carta con el número del apartado.

Cariños,

Juliana

P.D. También dejé mi llavero sobre la mesa de noche. ¿Me lo podrán incluir en el paquete con los cheques?

Cultura

¿Prefieres un teléfono celular o uno inalámbrico? ¿Por qué?

Práctica oral

Habla con otra persona por teléfono.

A —*Aló, ¿operadora? Quisiera hacer una llamada a cobro revertido.*

B —*Bueno. ¿Con quién quiere usted comunicarse y de parte de quién?*

A —*Con los señores Gutiérrez, al teléfono 645-9900, de parte de su hijo Francisco.*

B —*Muchas gracias . . . Lo siento, pero no contestan.*

A —*¡No contestan! ¿Qué haré? Ya no tengo más fichas. ¿Podría usted volver a marcar? Necesito ponerme en contacto con ellos.*

B —*¡Cómo no! Pero si no contestan usted tendrá que . . .*

Una joven con un teléfono inalámbrico

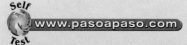

www.pasoapaso.com

Resumen del vocabulario

Usa el vocabulario de este capítulo para:

- responder a la pregunta clave: ¿Cómo nos podemos comunicar mejor?
- escribir y enviar una carta
- hablar de diferentes medios de comunicación
- dar tu opinión sobre las comunicaciones en el futuro

para hablar de los diferentes medios de comunicación

comunicar(se) *(c → qu)*
la conferencia por video
el contestador automático
el correo electrónico
el fax
interactivo, -a
el medio de
    comunicación
por correo urgente
por vía aérea
el teléfono celular
el teléfono inalámbrico
el telegrama

para hacer una llamada telefónica

hacer una llamada
    a cobro revertido
    de larga distancia
la ficha
la línea
el operador,
    la operadora
el tono
marcar *(c → qu)*
sonar *(o → ue)*
colgar *(o → ue) (g → gu)*
descolgar *(o → ue) (g → gu)*

para hablar por teléfono

¡Aló!
¿De parte de quién?
dejar
en voz baja / alta
equivocarse *(c → qu)*
equivocado, -a
el recado
volver *(o → ue)* a + *inf.*

para escribir y enviar algo por correo

el apartado postal
Cariños
el cartero, la cartera
el destinatario, la destinataria
envolver *(o → ue)*
el formulario
llenar un formulario
mandar
el paquete
la posdata
querido, -a
el / la remitente
el sobre

para hablar de la tecnología del futuro

cada vez más
creará *(del verbo* crear)
fabricar *(c → qu)*
inventar
el invento
la rapidez

otras palabras y expresiones útiles

aproximadamente
cualquiera
entonces
esperar
hoy en día
lento, -a
privado, -a
querremos *(del verbo* querer)
    (e → ie)

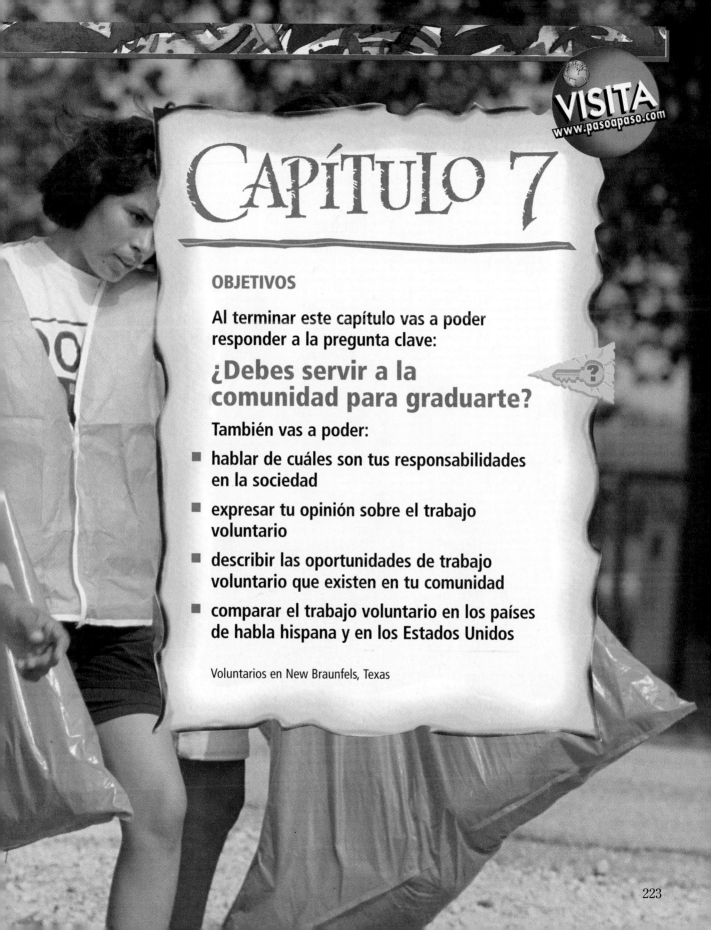

CAPÍTULO 7

OBJETIVOS

Al terminar este capítulo vas a poder responder a la pregunta clave:

¿Debes servir a la comunidad para graduarte?

También vas a poder:

- hablar de cuáles son tus responsabilidades en la sociedad
- expresar tu opinión sobre el trabajo voluntario
- describir las oportunidades de trabajo voluntario que existen en tu comunidad
- comparar el trabajo voluntario en los países de habla hispana y en los Estados Unidos

Voluntarios en New Braunfels, Texas

Anticipación

Mira las fotos. ¿A quiénes están ayudando las personas de las fotografías? ¿Qué crees que están haciendo? ¿Cuáles de estas actividades se pueden hacer en tu comunidad?

"Este trabajo voluntario nos ayuda a aprender sobre otras culturas."

Estas jóvenes voluntarias en Magdalena Teitipac, México, participan en un programa de intercambio cultural con los indígenas zapotecas de la región. Además de la experiencia que obtengan en sus trabajos, este tipo de intercambio las ayudará a conocer personas de otras culturas. ¿Conoces alguna organización que participe en programas de intercambio? ¿Cuál? ¿Es una organización local o internacional?

"Ayudamos a mantener limpia nuestra comunidad."

La organización voluntaria *Clean and Green,* en Los Angeles, California, ayuda a mantener limpia la comunidad recogiendo la basura después de algún evento como este festival hispano en 1992. ¿A qué otras actividades puede dedicarse un grupo como éste? ¿Hay en tu comunidad una organización parecida? ¿Cómo se llama?

"Es importante vacunarse para evitar enfermedades."

La Cruz Roja en El Salvador dirige programas de inmunización contra varias enfermedades. También mantiene clínicas para ayudar a los pobres con sus problemas de salud. ¿Conoces otras actividades de la Cruz Roja? ¿Cuáles? ¿Qué organización hay en tu comunidad que dirija programas de inmunización como éstos?

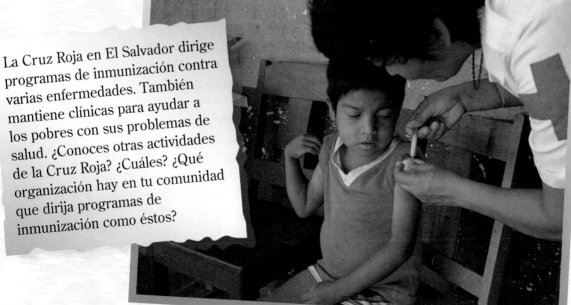

Exploración Cultural
www.pasoapaso.com
Visita estos países

Vocabulario para comunicarse

El servicio a la comunidad

Aquí tienes palabras y expresiones necesarias para hablar sobre lo que puedes hacer por tu comunidad. Léelas varias veces y practícalas con un(a) compañero(a) en las páginas siguientes.

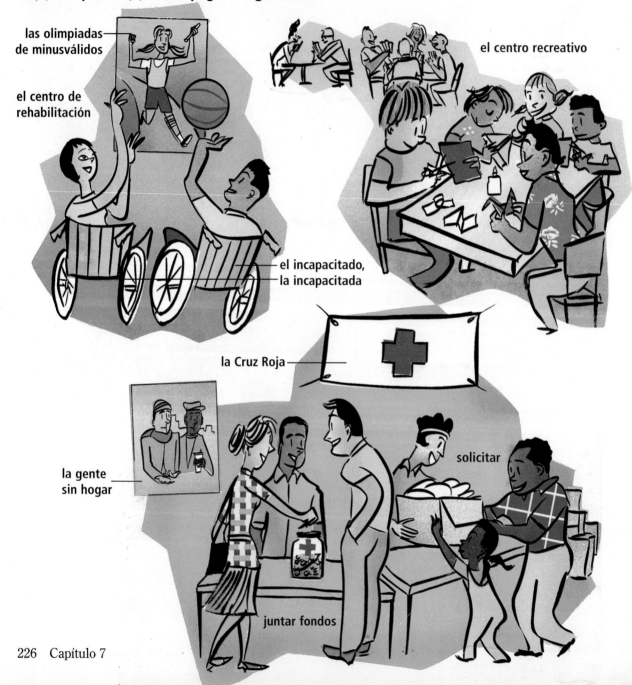

las olimpiadas de minusválidos

el centro de rehabilitación

el centro recreativo

el incapacitado, la incapacitada

la Cruz Roja

la gente sin hogar

solicitar

juntar fondos

También necesitas . . .

Si no sabes qué quieren decir estas palabras, puedes consultar un diccionario o el Vocabulario español-inglés al final del libro.

el anciano, la anciana
beneficiar(se)
el centro de la comunidad
el ciudadano, la ciudadana
exigir *(g → j)*: (yo) exijo
                (tú) exiges
el gobierno

el partido político
los pobres *(pl.)*
por
prometer
el refugio
sin fines de lucro

¿Y qué quiere decir . . . ?
la campaña electoral
colaborar (con)
donar

la organización
la responsabilidad
el servicio social
el trabajo

votar

el candidato, la candidata

¡NO! ¡por qué? ¡INJUSTO!

protestar

el comedor de beneficencia

Empecemos a conversar

Túrnate con un(a) compañero(a) para ser *Estudiante A* y *Estudiante B*.
Reemplacen las palabras subrayadas con palabras representadas o escritas
en los recuadros. 💡 quiere decir que puedes escoger tu propia respuesta.

1
A — *¿Te gustaría trabajar para <u>la Cruz Roja</u>?*
B — *¡Claro que sí! Quiero <u>trabajar como voluntario(a)</u>.*
  o: *¡De ninguna manera! Ya tengo muchas responsabilidades.*

Estudiante A   Estudiante B

a.

b.

c.

d.

e.

f.

juntar fondos

solicitar dinero

dar algo de tu tiempo

ayudar a los
  incapacitados

servir comida a los
  pobres

trabajar como
  voluntario(a)

2 la gente   A — *¿Qué <u>necesita la gente sin hogar</u>?*
  sin hogar   B — *<u>Necesita más refugios</u>.*

Estudiante A   Estudiante B

a. el centro de la comunidad   e. los pobres

b. la campaña electoral   f. el gobierno

c. los partidos políticos   g. los asilos de ancianos

d. las organizaciones sin fines de lucro

h.

3

A — *¿Qué podría hacer yo por* <u>*el centro recreativo*</u>*?*
B — <u>*Podrías dar algo de tu tiempo.*</u>

Estudiante A   Estudiante B

a.   b.   c.

d.   e.   f.   g.

¿Y qué piensas tú?

Aquí tienes otra oportunidad para usar el vocabulario de este capítulo.

4 ¿Qué servicios sociales hay en la comunidad donde vives? En tu
opinión, ¿cuál es el más importante? ¿Por qué?

5 ¿En cuál(es) de esos servicios sociales participas o has participado?
Si no has participado en ninguno, ¿en cuál(es) te gustaría participar?

6 Explícale a tu compañero(a) por qué o por qué no estás de acuerdo
con las frases siguientes.

a. La Cruz Roja es algo necesario para nuestra sociedad.
b. Los centros recreativos no benefician a la comunidad.
c. Los candidatos prometen muchas cosas durante sus
campañas pero no las hacen.
d. Si uno no está de acuerdo con el gobierno tiene que
protestar.
e. El gobierno debe exigir que todos los ciudadanos
hagan algún trabajo voluntario.

MÁS PRÁCTICA

- Más práctica y tarea, p. 565
- Practice Workbook 7–1, 7–2

Tema para investigar

Aquí tienes más palabras e ideas para hablar sobre el trabajo voluntario. Mira la ilustración y las fotos de esta página. ¿Cuáles de los trabajos que ves aquí son voluntarios? ¿Cuáles no?

¿Debe ser obligatorio o no?

Gracias al trabajo que los voluntarios han hecho, tenemos hoy en día **leyes justas** que nos **garantizan** a todos los mismos derechos. Garantizan también **elecciones** en las que decidimos quiénes nos van a **gobernar**. Durante la guerra de independencia, los hombres no **se presentaban** al **ejército** por obligación, **sino** porque creían en una **causa** común. Esa misma causa fue la que **unió** a la comunidad para protestar contra leyes **injustas** y para formar un nuevo gobierno democrático.

Actualmente el trabajo voluntario sigue teniendo gran importancia. Muchos grupos organizan **marchas** para juntar fondos para una causa. Otros grupos ofrecen ayuda a los inmigrantes para **obtener** su **ciudadanía**, otros hacen **manifestaciones a favor** o **en contra** de diferentes causas. Todos estos grupos siguen una tradición que hace más rica y fuerte **la sociedad** en que vivimos.

Todos nos beneficiamos del trabajo voluntario. Pero, ¿cuáles son las razones para exigir que los estudiantes **completen** un número de horas de servicio voluntario a la comunidad antes de graduarse?

Es importante que los estudiantes **hagan** trabajos voluntarios para aprender cuáles son las responsabilidades de un buen ciudadano.

Además, los servicios a la comunidad son una buena ocasión para explorar diferentes profesiones como la medicina, las leyes o los servicios sociales. Se **espera** que los estudiantes que participan en trabajos voluntarios sean aceptados en una universidad y puedan conseguir ayuda **financiera** más fácilmente.

Pero también hay opiniones contrarias: por ejemplo, que la principal responsabilidad de los estudiantes es estudiar; los servicios voluntarios que uno tiene que hacer no son nada voluntarios; los estudiantes son demasiado jóvenes para entender los problemas de la sociedad. ¿Qué piensas tú?

Si no sabes qué quieren decir estas palabras, puedes consultar un diccionario o el Vocabulario español-inglés al final del libro.

la ley, *pl.* las leyes
garantizar *(z → c)* *
presentar(se)
el ejército
sino
unir
actualmente
la marcha

obtener *(e → ie)* †
la ciudadanía
la manifestación,
     pl. las manifestaciones
a favor (de)
en contra (de)
hagan *(del verbo* hacer)
esperar

¿Y qué quiere decir . . . ?

obligatorio, -a
justo, -a
la elección,
     pl. las elecciones

gobernar *(e → ie)*
la causa
injusto, -a

la sociedad
completar
financiero, -a

* *Garantizar* se conjuga como *analizar*.
† *Obtener* se conjuga como *tener*.

¿Comprendiste?

1 Imagina que eres miembro del consejo estudiantil. Da dos razones por las que el trabajo voluntario debe ser obligatorio para graduarse y dos por las que no debe ser obligatorio.

2 ¿Qué otro título se puede dar a la lectura de la página 231? Haz una lista de tres posibles títulos y discútelos con tu compañero(a).

¿Y qué piensas tú?

3 ¿Qué personas de tu comunidad han necesitado alguna vez la ayuda de un grupo de voluntarios? ¿Por qué? ¿Quiénes ayudaron? ¿Cómo y cuándo ayudaron?

4 ¿Qué tipo de trabajo voluntario te interesa más? ¿Por qué? ¿Tienes que hacer algún trabajo voluntario para graduarte de la escuela secundaria?

5 Vas a entrevistar a cinco personas de tu comunidad o profesores de tu escuela para averiguar si piensan que el servicio a la comunidad debe ser obligatorio y por qué.

¡NO OLVIDES!

Recuerda estas palabras:
el huracán
la erupción
el terremoto
la tormenta
el derrumbe
la inundación

• Prepara una tabla como la siguiente:

NOMBRE	SÍ O NO	POR QUÉ
Rosario	Sí	para ser mejores ciudadanos
José Luis	No	los estudiantes sólo deben estudiar
Abuela	Sí	

• Luego, compara tu tabla con la de otros(as) compañeros(as). ¿Cuántas personas han dicho que sí? ¿Y que no? ¿Qué razones han dado?

www.pasoapaso.com

MÁS PRÁCTICA

• Más práctica y tarea, p. 566
• Practice Workbook 7–3, 7–4

Votando en la elección en Guazapa,
El Salvador, 1994

¿Qué sabes ahora?

¿Puedes:

- hablar de algunas de las organizaciones de voluntarios en tu comunidad?

  —En mi comunidad hay varios grupos de voluntarios como ___ y ___ .

- hablar de la importancia de esos grupos de voluntarios?

  —Pienso que ___ es la organización más importante porque ___ .

- decir qué clase de trabajo voluntario te gustaría hacer y por qué?

  —Me gustaría trabajar para ___ porque ___ .

- explicar cómo la tradición del trabajo voluntario en los Estados Unidos nos beneficia a todos hoy en día?

  —En los Estados Unidos, los ___ han contribuido mucho a la sociedad de hoy porque ___ .

ÁLBUM CULTURAL

Existen muchas organizaciones que tienen proyectos para voluntarios que quieren mejorar la comunidad. ¿Qué piensas tú de estas organizaciones? ¿De qué otra manera se puede ayudar a la comunidad?

En los países hispanos, por lo general la familia y los amigos se encargan de ayudar a los incapacitados. Este joven estudiante universitario en Caracas, Venezuela, ayuda a un compañero empujando su silla de ruedas.

La comunidad necesita de todos sus miembros, especialmente en momentos de crisis. Después de un terremoto en Pereira, Colombia, los vecinos, la policía y miembros de la Cruz Roja y la Defensa Civil ayudaron a sacar a los heridos. Los voluntarios que forman estas organizaciones están siempre preparados para estas emergencias, y gracias a su ayuda se salvaron muchas vidas.

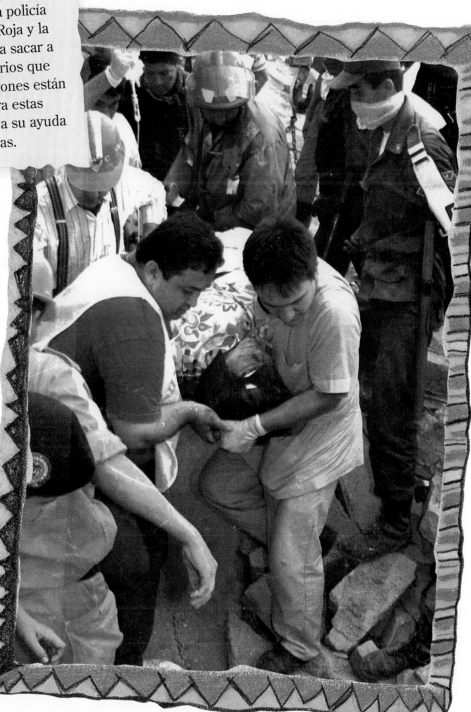

El trabajo voluntario ofrece la oportunidad de adquirir experiencia mientras se estudia en la escuela secundaria. Estos jóvenes muralistas de Austin, Texas, tendrán más oportunidad de ser admitidos a una universidad o escuela de arte gracias a su experiencia. Además, el trabajo voluntario enseña a trabajar en equipo y a formar buenos hábitos que les ayudarán en cualquier trabajo o profesión.

En muchas partes del mundo la gente necesita lugares para vivir. Los voluntarios de *Habitat for Humanity*, como este joven en San Juan Ostuncalco, Guatemala, construyen casas para personas que no tienen mucho dinero. Trabajar como voluntario en esta organización es una oportunidad ideal para los que quieren dedicarse a una profesión relacionada con la construcción.

Reacción personal

Contesta las siguientes preguntas en una hoja de papel.

1 ¿Cómo pueden ayudar los miembros de la comunidad en caso de desastres como terremotos y huracanes? ¿Qué organizaciones conoces que ayudan en estas situaciones? ¿Qué clase de ayuda ofrecen?

2 Muchas organizaciones internacionales tienen voluntarios que trabajan en diferentes proyectos en todo el mundo. ¿Qué oportunidades pueden tener los jóvenes que participan en uno de estos proyectos? ¿Te gustaría participar en alguno? ¿Por qué?

Actividad cultural · www.pasoapaso.com

Gramática en contexto

¿Qué condiciones exige el gobierno que tenga una persona para poder votar?

¡NO SE OLVIDE DE VOTAR EN LAS ELECCIONES!

PARA VOTAR, EN LA MAYORÍA DE LOS ESTADOS, ES NECESARIO:

- Que Ud. tenga 18 años de edad el día de las elecciones
- Que sea ciudadano(a) de los Estados Unidos
- Que viva en el condado o distrito político donde va a votar
- Que se inscriba en el registro de votantes antes del día de las elecciones

Si está inscrito para votar, recibirá una tarjeta por correo con el número de su distrito electoral. Una lista de dónde votar será publicada por las organizaciones comunitarias y los periódicos locales.

A Las formas del presente del subjuntivo se usan después de las expresiones *exige que* y *es necesario que*. ¿Cómo describirías este uso del subjuntivo? ¿Cuál será la forma correcta de los verbos *querer* y *votar* en esta oración? *El gobierno (querer) que todos los ciudadanos (votar) en esta elección.*

B En el cartel aparece también la palabra *tenga*. Es una forma del presente del subjuntivo de *tener*. ¿A qué forma del presente del indicativo de *tener* se parece más? Explica a un(a) compañero(a) cómo formarías la forma *él / ella / Ud.* del verbo *poner* en el presente del subjuntivo.

C En el cartel también se usan las palabras *viva* y *se inscriba*. Son las formas *él / ella / Ud.* del presente del subjuntivo de *vivir* e *inscribirse*. Dile a un(a) compañero(a) cómo piensas que se formará la forma *él / ella / Ud.* del presente del subjuntivo de cualquier verbo regular en *-ir*.

D Al final de la explicación para los votantes inscritos dice *Una lista . . . será publicada por las organizaciones . . .* ¿Cuál es el verbo en esta oración? ¿Cuál es el sujeto del verbo? En una oración el sujeto del verbo suele ser el que "hace" la acción. ¿Pasa esto aquí? Explícale a un(a) compañero(a) qué o quién "hace" la acción en este caso.

Repaso: El subjuntivo

Ya sabes que el indicativo se usa para hablar de hechos o acontecimientos reales. El subjuntivo, en cambio, se usa para expresar lo que una persona pide, espera, ordena, insiste o requiere que otra persona haga.

Indicativo	Subjuntivo
Los pobres **necesitan** comida y ropa.	La Cruz Roja **nos pide que donemos** comida y ropa a los pobres.
Al centro recreativo **van** varios incapacitados.	El jefe del centro recreativo siempre les **dice** a los voluntarios **que ayuden** a los incapacitados.
Los ciudadanos **deben respetar** las leyes y **pagar** los impuestos.	El gobierno **insiste en que respetemos** las leyes. También **exige que paguemos** los impuestos.

¡NO OLVIDES!

Recuerda que con los verbos *querer, sugerir* y *recomendar* se usa el modo subjuntivo: *Queremos* que el candidato prometa que va a reducir los impuestos. El profesor *sugiere* que los estudiantes estudien más. El gobierno *recomienda* que todos voten en las elecciones.

- Para formar el presente del subjuntivo de la mayoría de los verbos, se saca la *-o* final de la forma *yo* del presente del indicativo y se le agregan las terminaciones del subjuntivo. Aquí están las formas del presente del subjuntivo de los verbos regulares en *-ar, -er* e *-ir*.

votar

que vot**e**	que vot**emos**
que vot**es**	que vot**éis**
que vot**e**	que vot**en**

prometer

que promet**a**	que promet**amos**
que promet**as**	que promet**áis**
que promet**a**	que promet**an**

recibir

que recib**a**	que recib**amos**
que recib**as**	que recib**áis**
que recib**a**	que recib**an**

- Recuerda que una oración que incluye un verbo en el subjuntivo generalmente tiene dos partes conectadas por la palabra *que*.

> **Espero que votes** en las elecciones.
> El presidente del consejo estudiantil **nos pide que participemos** en la manifestación.

- En los verbos en *-ar* y *-er* con cambio de raíz, la raíz cambia en todas las formas excepto *nosotros* y *vosotros*.

que enc**ue**ntre	que enc**o**ntremos
que enc**ue**ntres	que enc**o**ntréis
que enc**ue**ntre	que enc**ue**ntren

> Queremos **que encuentren** una solución para el problema de la contaminación del aire.
>
> La organización nos pide **que encontremos** más voluntarios.

- Los verbos cuyos infinitivos terminan en *-car, -gar* y *-zar* tienen un cambio ortográfico en todas las formas del presente del subjuntivo para conservar el mismo sonido. Aquí tienes algunos ejemplos con los verbos *explicar, pagar* y *empezar*.

> Mis amigos me piden **que les explique** mis opiniones políticas.
>
> Exigen **que paguemos** impuestos.
>
> Esperamos **que** la campaña **empiece** pronto.

1 Con un(a) compañero(a), di lo que quieren los voluntarios.

A —*¿Qué recomiendan los voluntarios?*
B —*Recomiendan que juntemos fondos.*

nosotros

Estudiante A

a. decir   d. querer

b. esperar e. recomendar

c. pedir   f. sugerir

Estudiante B

Uds.   todos los ciudadanos

nosotros   los pobres   tú y yo

2 ¿Exigen mucho tus profesores? Usa elementos de cada columna para formar frases.

Algunos de mis profesores exigen que escribamos siempre con bolígrafo.

Mi profesor(a) de___	exigir	los estudiantes	aprender
	decir	yo	(no) dormir
Algunos(as) de mis profesores(as)	insistir en	tú	empezar
	pedir	nosotros	entregar
	querer	ustedes	escribir
Todos(as) mis profesores(as)			leer
			pensar
			(no) perder
			practicar
			recoger
			recordar

El subjuntivo: Continuación

El subjuntivo se usa también tras expresiones impersonales que especifican *quién* debe hacer algo. Entre estas expresiones están: *es mejor, es necesario* y *es importante.*

Creen que es mejor **que su tía viva** en un asilo para ancianos.
Es necesario **que obedezcamos** todas las leyes.
Es importante **que los políticos nos digan** la verdad.

- Como el presente del subjuntivo se forma a partir de la forma *yo* del presente del indicativo, los verbos irregulares cuya forma *yo* termina en *-o* mantienen ese cambio en todas las formas del presente del subjuntivo. Aquí tienes unos ejemplos con los verbos *hacer, conocer* y *contribuir.*

Mi padre piensa que es importante **que todos hagan** el servicio militar.
Es necesario **que conozcan** bien a los candidatos antes de las elecciones.
Espero **que contribuyas** a la campaña.

- Los verbos irregulares cuya forma *yo* no termina en *-o* se conjugan de forma diferente.

Infinitivo	Presente del indicativo (yo)	Presente del subjuntivo
dar	doy	dé
estar	estoy	esté
ir	voy	vaya
saber	sé	sepa
ser	soy	sea

3 Se ha mudado a tu barrio un(a) joven de tu edad. Con tu compañero(a) di qué le dices para que tenga éxito en la comunidad.

A — *Quisiera salir con otros jóvenes.*

B — *Pues, es importante que conozcas a todos los jóvenes en este edificio de apartamentos.*

Estudiante A

Me gustaría	**colaborar**
Quisiera	**conocer**
Espero	**contribuir**
Necesito	**decir**
Quiero	**hacer**
	ir
	saber
	ser
	tener
	venir

Estudiante B

Es importante
Es mejor
Es necesario
Esperar
Recomendar
Sugerir

4 En tu opinión, ¿qué es necesario para ser un miembro responsable de una comunidad? Escribe tres de las cosas más importantes.

Es necesario que donemos nuestro tiempo y dinero a las organizaciones sin fines de lucro.

• Luego, haz una encuesta en tu clase para conocer la opinión de los demás estudiantes. Comparte los resultados con el resto de la clase.

Seis estudiantes piensan que es necesario que contribuyamos nuestro tiempo o dinero a diferentes organizaciones.

La voz pasiva: *Ser* + participio pasado

El sujeto del verbo es generalmente alguien o algo que realiza la acción. Esto se llama *voz activa.*

Los partidos políticos	organizaron	las campañas electorales.
(el que "hace" la acción)	**(la acción)**	**(el que "recibe" la acción)**

Hay veces en que el sujeto del verbo no "hace" la acción, sino que la acción "se le hace," es decir, que el sujeto recibe la acción. A esto se le llama *voz pasiva.* Compara la oración que sigue con la de arriba.

Las campañas electorales	fueron organizadas	por los partidos políticos.
(el que "recibe" la acción)	**(la acción)**	**(el que "hace" la acción)**

- Igual que en inglés, la voz pasiva en español se forma con el verbo *ser* y el participio pasado. Como el participio pasado es un adjetivo, concuerda con el sujeto en número y género.

  Mucha ropa **fue donada** por los miembros de la comunidad.

  Varios programas **fueron creados** por el nuevo gobierno.

Observa que se usa *por* siempre que se indica quién o qué realiza la acción. En inglés se usa "by" para expresar lo mismo.

- Recuerda que es muy común expresar la voz pasiva con el *se* impersonal.

  Se necesitan más voluntarios en el refugio.

Un asilo de ancianos en la Ciudad de México

5 Con un(a) compañero(a) describe por quién o quiénes fueron hechos los siguientes trabajos en tu comunidad.

ropa / donar

Esta ropa fue donada a la Cruz Roja por varias familias.

a. campaña electoral / organizar
b. dinero / donar
c. organización para servir a ___ / crear
d. comedor de beneficencia ___ / reparar
e. botellas y latas / reciclar
f. refugios para ___ / construir
g. (nombre) / elegir
h.

CRUZ ROJA VENEZOLANA

La vida es un regalo.
¡Dona sangre!

6 Imagina que un(a) guía lleva a unos turistas a visitar unas ruinas. Trabaja con un(a) compañero(a) para hacer los papeles del (de la) guía y del (de la) turista.

construir

A —*¿Quién(es) construyó(eron) este templo?*
B —*Fue construido por los mayas.*

Estudiante A

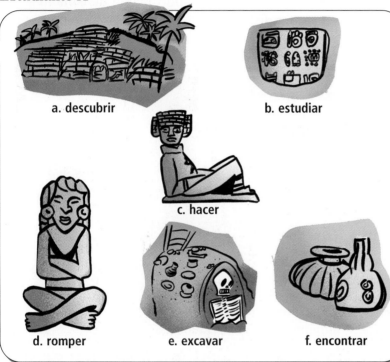

a. descubrir

b. estudiar

c. hacer

d. romper

e. excavar

f. encontrar

Estudiante B

un arqueólogo francés

unos niños del pueblo

unos antropólogos

un profesor de la
   universidad

un grupo de turistas

los mayas

un artista del pasado

Ahora lo sabes

¿Puedes:

■ explicar lo que alguien espera, sugiere o exige que se haga?
  —En esta comunidad exigen que (nosotros) ___ a los pobres.

■ describir por quién fue hecho algo?
  —Las manifestaciones ___ por grupos de estudiantes.

■ decir a favor de quién o de qué se hace algo?
  —Vamos a juntar fondos ___ el centro recreativo.

MÁS PRÁCTICA

Más práctica y tarea, pp. 566–567
Practice Workbook 7–5, 7–9

Puntos de Vista

¿Debes servir a la comunidad para graduarte?

Esta sección te ofrece la oportunidad de combinar lo que aprendiste en este capítulo con lo que ya sabes para responder a la pregunta clave.

Para decir más

Aquí tienes vocabulario adicional que te puede ayudar para hacer las actividades de esta sección. Si no sabes qué quieren decir estas palabras, puedes consultar un diccionario.

la pobreza

el huérfano, la huérfana

el analfabeto, la analfabeta

el analfabetismo

los necesitados, *pl.*

Sopa de actividades

1 En grupos de tres o cuatro van a escoger uno de estos temas. Luego hagan recomendaciones para ayudar a estas personas.

- los pobres
- la gente sin hogar
- los analfabetos
- los ancianos que viven en asilos
- las víctimas del SIDA (Síndrome de Inmuno-Deficiencia Adquirida)

Después, van a compartir sus ideas con los otros grupos de la clase y decir si están o no están de acuerdo con sus ideas. Por ejemplo:

A —*Ustedes escogieron a los ancianos que viven en asilos. ¿Qué se puede hacer por ellos?*

B —*Recomendamos que se organicen visitas de las escuelas primarias.*

A —*Estamos de acuerdo. Este programa no costará mucho y los ancianos estarán muy contentos.*

¿Qué se puede hacer por...?

2 Dividan la clase en dos grupos. Uno cree que el trabajo voluntario debe ser obligatorio para graduarse; el otro piensa que no. Cada grupo debe tratar de convencer al otro. Pueden hablar sobre:

- tipos de trabajo
- el tiempo que se debe dedicar al trabajo
- cuándo debe hacerse (después de las clases, los fines de semana, etc.)
- si debe ser parte del currículum o no
- las ventajas que pueden tener para el futuro
- si los estudiantes deben dedicar su tiempo sólo a estudiar

3 Formen grupos y preparen una dramatización de una manifestación o de una marcha. Deben escoger una causa y decidir:

- a favor o en contra de qué o de quiénes protestan o marchan
- qué exigen o qué resultado esperan
- cuál es la opinión contraria
- qué pasará si no consiguen lo que quieren

Uno o dos estudiantes pueden representar a los periodistas de un canal de televisión que hacen entrevistas a los que protestan. Presenten su dramatización a la clase.

Para leer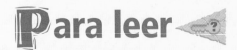

Antes de leer

ESTRATEGIA ➤ Uso de conocimientos previos

El programa Amigos de las Américas manda voluntarios a trabajar en América Latina por un período de seis a ocho semanas. Trabajan en varios campos, como en el de la salud, la educación y la agricultura.

Jessica Ramos es una estudiante de 17 años de Albuquerque, Nuevo México. Participó en el programa Amigos de las Américas en el verano de 1994. Su trabajo era ayudar con la higiene pública. Aquí nos habla de su experiencia en una entrevista con Martha Heard.

¿Cómo reaccionas tú a la falta de comodidades? Escribe una respuesta de una a tres frases.

Mira la lectura

ESTRATEGIA ➤ Dar un vistazo

Lee la entrevista rápidamente sólo para averiguar cómo reaccionó Jessica a la falta de comodidades. Con un(a) compañero(a), compara su reacción a San Fernando con la tuya.

Jessica Ramos, Ecuador, 1994

Entrevista con una Amiga

Martha Heard   ¿Por qué te interesó el programa Amigos de las Américas?

Jessica Ramos   Un día unos Amigos hablaron en mi clase. Yo nunca había viajado fuera del país y me pareció una oportunidad extraordinaria para conocer otro país y otra manera de vivir. En Albuquerque yo había trabajado con la gente sin hogar, pero eso era diferente porque después de darles de cenar, yo volvía a casa.

M.H.   ¿Cuándo supiste adónde irías?

J.R.   En la primavera supe que iría a Ecuador, pero no supe a qué pueblo hasta el día anterior a la salida. Cuando llegamos a Ambato tuvimos cuatro días de orientación y allí nos dijeron que cuatro de nosotros iríamos a San Fernando.

M.H.   ¿Cuáles fueron tus primeras impresiones?

J.R.   San Fernando es un pueblo de la montaña donde viven 35 familias en casas de ladrillo o de barro. El padre de mi familia era carpintero. Además de los padres y sus tres hijas vivían allí cuatro primos, los tíos y los abuelos. Había niños y animales por todas partes. Los suelos eran de barro y las paredes de madera. Al principio me extrañó no tener alfombras en el suelo; pero después de unos días me acostumbré, y cuando regresé a mi casa en Albuquerque quería quitarlas.

Nuestro proyecto en San Fernando tuvo que ver con la higiene pública. En parte, nuestro trabajo era motivar a la gente y convencerlos de la importancia de la sanidad. Dimos charlas sobre este tema y enseñamos a los niños a cepillar sus dientes. Además teníamos una lista de la gente que necesitaba letrinas, una casita al aire libre con retrete. Nosotros participamos tomando las medidas para las letrinas, pero ellos mismos las construyeron. Nuestra organización donó los

Infórmate

ESTRATEGIA ➤ Búsqueda de detalles

¿Cuáles de estas frases piensas que podría decir Jessica Ramos? ¿Cuáles podría decir al principio, cuando llegó allí? ¿Y al final? Escribe las frases en dos listas.
Luego, compara tu lista con la de un(a) compañero(a). Usa el texto para verificar tus decisiones.

- Puedo vivir sin las comodidades que tenía en los Estados Unidos.
- No sé si puedo vivir sin agua corriente.
- ¿Por qué no cubren el suelo?
- La gente del pueblo nos quiere mucho.
- La gente sabe mucho sobre la nutrición.
- Necesito enseñarle a la gente la importancia de la sanidad.
- No puedo comunicarme bien.

Aplicación

1 Jessica Ramos quiere usar su experiencia como voluntaria del programa Amigos de las Américas para conseguir un trabajo. Escribe tres frases que expliquen cómo esa experiencia le ayudará a ser una buena empleada.

2 Prepara un anuncio comercial para el programa Amigos de las Américas. Puede ser un cartel o el guión de un anuncio para la radio.

Jessica Ramos con dos jóvenes en Ecuador, 1994

materiales: el retrete, el cemento y las puertas. Plantamos árboles y hablamos de la importancia de tener árboles en el pueblo. También dimos clases informales de inglés.

M.H. ¿Cómo te aceptaron?

J.R. Al principio fue difícil. Me parecía que querían más a los voluntarios del año anterior. No siempre entendía y, a veces, no podía expresarme como quería. Pero después de las dos primeras semanas lo pasé mejor. Jugábamos con los niños y participábamos en las actividades de la comunidad. Comíamos en las casas donde trabajábamos y así conocimos a más familias. Al final del proyecto todo el pueblo nos dio una fiesta de despedida.

M.H. ¿Cambiaron tus ideas después de pasar un tiempo allí?

J.R. Yo fui con la idea de que tenía que enseñarles todo sobre la salud, pero una vez allí

vi que tenían muy buena salud y no tuvimos que hablar de la nutrición. Ellos comían muy bien: papas, arroz, maíz, pan dulce, huevos y pollo. Al principio todo me pareció muy primitivo. Después se acostumbra uno. Al final era totalmente normal.

M.H. ¿Qué aprendiste?

J.R. Aprendí a tener confianza en mí misma. Ahora sé que puedo vivir de otra manera, sin algunas comodidades como agua corriente y alfombras en el suelo. La vida es mucho más que estas cosas.

M.H. ¿Te gustaría regresar?

J.R. Quiero volver dentro de 5 años.

Para escribir

¿Qué necesitas para graduarte? ¿Piensas que el trabajo voluntario debe ser parte del currículum? Vas a escribir un artículo sobre los trabajos voluntarios que te gustaría hacer, y si deben ser obligatorios o no para graduarse.

1 Primero, investiga qué trabajos voluntarios les gustaría hacer a tus compañeros(as) de clase:

- ¿Con qué grupos y organizaciones se puede trabajar?
- ¿A quiénes benefician esas organizaciones? ¿A los ancianos? ¿A los niños? ¿A los pobres? ¿A otras personas?
- ¿Qué programas tienen? ¿Para qué son esos programas? ¿Para enseñar inglés como segundo idioma? ¿Para proteger el medio ambiente? ¿Para ofrecer servicios médicos a los enfermos? ¿Qué otros programas se necesitan?

2 Ahora, discutan si los trabajos voluntarios deberían ser obligatorios o no para graduarse. Hablen sobre:

- si deben formar parte del currículum o no
- quiénes se benefician con ese tipo de trabajos
- si les ayuda a los estudiantes a conseguir ayuda financiera
- si les ayuda a explorar diferentes tipos de trabajo
- si les hace más responsables
- si los estudiantes son demasiado jóvenes para tratar con los problemas de la comunidad o no
- si deben usar todo su tiempo para sus estudios

3 Usa esta información para escribir tu primer borrador. Revisa tu trabajo con un(a) compañero(a) y sigue los pasos del proceso de escribir. Para compartir tu trabajo puedes:

- enviar el artículo a un periódico hispano
- exhibirlo y distribuirlo en tu escuela
- ofrecer esta información a las organizaciones que necesitan voluntarios
- enviarlo al consejo estudiantil de tu escuela
- incluirlo en tu portafolio

Repaso ¿Lo sabes bien?

Esta sección te ayudará a prepararte para el examen de habilidades, donde tendrás que hacer tareas semejantes.

Comprensión auditiva

¿Puedes entender la descripción de los servicios que ofrece este centro? Escucha mientras el (la) profesor(a) lee un ejemplo semejante al que vas a oír en el examen. ¿Con quién está hablando esta persona? ¿Qué servicios sociales ofrece este centro de la comunidad? ¿Qué clase de organización es?

Lectura

Lee este artículo con cuidado para saber de qué se trata. Según el artículo, ¿por qué es importante participar en las elecciones? ¿Qué pueden hacer los jóvenes? ¿Cuál es una de las responsabilidades de todos los ciudadanos?

VOTA EN LA PRÓXIMA CAMPAÑA

Votar es una responsabilidad de todo ciudadano para garantizar que tengamos un gobierno que nos represente. Aunque siempre habrá opiniones contrarias sobre si una ley es justa o injusta, es importante participar en las elecciones para decidir a favor o en contra de los que nos gobiernan. Se espera que los jóvenes, al cumplir dieciocho años, voten, participen en la campaña electoral y colaboren con el partido político que prefieren.

Self Test
www.pasoapaso.com

Escritura

¿Puedes escribir un artículo breve como el que escribió Claudio para el periódico de su escuela?

Este año escolar los estudiantes podrán obtener crédito por su trabajo de servicio a la comunidad. Conocerán mejor cuáles son los problemas de la sociedad y no les quitará tiempo para sus estudios. Podrán conseguir un trabajo que les guste, por ejemplo juntar fondos para la Cruz Roja o ayudar en el comedor de beneficencia. Si quieren más información, pónganse en contacto con su consejero. Una lista de los trabajos que ofrece la comunidad será publicada cada dos semanas.

Cultura

¿Qué hacen los jóvenes en los países hispanos para ayudar a la comunidad?

Práctica oral

Habla con otra persona sobre la posibilidad de ayudar en la comunidad.

A — *¡Hay tantas personas con problemas hoy! Quisiera participar en algún servicio social en mi tiempo libre, pero no sé qué hacer.*

B — *Pues, hay muchas organizaciones sin fines de lucro que ayudan a la comunidad. ¿Qué trabajo te interesa más?*

A — *Me gustaría enseñar algún deporte a los incapacitados o trabajar en el centro recreativo. Y a ti, ¿qué te gustaría hacer? Ya no tienes que practicar fútbol y podrías ayudar a alguna organización.*

B — *¿Yo? ¡De ninguna manera! Es necesario que ...*

Resumen del vocabulario

Usa el vocabulario de este capítulo para:

- responder a la pregunta clave: ¿Debes servir a la comunidad para graduarte?
- hablar de cuáles son tus responsabilidades en la sociedad
- expresar tu opinión sobre el trabajo voluntario
- describir las oportunidades de trabajo voluntario que existen en tu comunidad

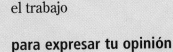

para describir las oportunidades de trabajo voluntario que hay en tu comunidad

el anciano, la anciana
la campaña electoral
el centro de la comunidad
el centro de rehabilitación
el centro recreativo
el comedor de beneficencia
la Cruz Roja
financiero, -a
la gente sin hogar
el incapacitado, la incapacitada
las olimpiadas de minusválidos
la organización
el partido político
el refugio
el servicio social
sin fines de lucro

para hablar de tus responsabilidades

el candidato, la candidata
la ciudadanía
el ciudadano, la ciudadana
completar
el ejército
la elección, *pl.* las elecciones
garantizar *(z → c)*
gobernar *(e → ie)*
el gobierno
la ley, *pl.* las leyes
obligatorio, -a
la responsabilidad
el trabajo

para expresar tu opinión

a favor (de)
beneficiar(se)
en contra (de)
exigir *(g → j)*
injusto, -a
justo, -a
protestar
votar

para decir qué puedes hacer por la sociedad

la causa
colaborar (con)
donar
juntar fondos
la manifestación, *pl.* las manifestaciones
la marcha
obtener *(e → ie)*
los pobres
por
la sociedad
solicitar

otras palabras y expresiones útiles

actualmente
esperar
hagan *(del verbo* hacer*)*
presentar(se)
prometer
sino
unir

CAPÍTULO 8

VISITA
www.pasoapaso.com

OBJETIVOS

Al terminar este capítulo vas a poder responder a la pregunta clave:

¿Cómo se explica…?

También vas a poder:

- identificar y describir algunos fenómenos extraordinarios
- dar tu opinión sobre esos fenómenos
- indicar si estás seguro(a) o si dudas de algo
- comparar algunos mitos y leyendas de los países hispanos con los que existen en los Estados Unidos

Gigantescas estatuas de Ahu Nau Nau, en la Isla de Pascua, Chile

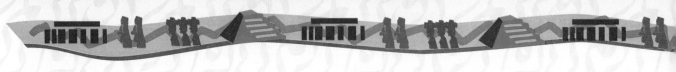

Anticipación

Mira las fotos. ¿Cuáles de estas imágenes conoces?
¿Qué representan? ¿En dónde están?

El enorme círculo de piedra de Stonehenge está cerca de Salisbury, Inglaterra. Su construcción empezó alrededor del año 2100 a.C. y nadie sabe para qué fue construido. Es probable que haya sido un observatorio solar, aunque algunos creen que era un centro religioso. ¿Qué crees tú? ¿Por qué?

Chichén Itzá fue un importante centro político y religioso de la civilización maya entre los siglos IV y XV, cuando sus habitantes la abandonaron. Es posible que las guerras con otros pueblos o civilizaciones hayan obligado a los mayas a dejar Chichén Itzá, pero esto sigue siendo un misterio para los arqueólogos. ¿Por qué crees tú que los mayas abandonaron Chichén Itzá?

En el fondo del mar cerca de la isla de Bimini se han encontrado los restos de un antiguo camino de piedra. Nadie sabe cuándo ni por quién fue construido, pero algunas personas creen que son restos de la Atlántida, el continente perdido. ¿Crees que ese continente existió? ¿Por qué o por qué no?

Exploración cultural www.pasoapaso.com
Visita estos países

Vocabulario para comunicarse

¿Cómo se explica . . . ?

Aquí tienes palabras y expresiones necesarias para hablar de lo inexplicable. Léelas varias veces y practícalas con un(a) compañero(a) en las páginas siguientes.

el desierto

la nave espacial

la piedra

mover *(o → ue)*

ovalado, -a

el largo

trazar *(z → c)**

el diámetro

la rueda

* En la forma *yo* del pretérito y en todas las formas del presente del subjuntivo, la
z de *trazar* se convierte en *c*: *tracé; trace, traces, trace, tracemos, tracéis, tracen.*

También necesitas . . .

Si no sabes qué quieren decir estas palabras, puedes consultar un diccionario o el Vocabulario español-inglés al final del libro.

aparecer *(c → zc)*
cierto, -a
dudar
el diseño
el fantasma
encantado, -a
estar seguro, -a
extraño, -a
increíble

la prueba
medir . . . de alto
    de ancho
    de diámetro
    de largo
servir *(e → i)* para
    ¿Para qué sirve?
el Yeti

¿Y qué quiere decir . . . ?

enorme
falso, -a
geométrico, -a
gigantesco, -a
misterioso, -a

el peso
posible
imposible
probable
improbable

medir *(e → i)*

el ancho

el alto

el centímetro

la geóloga

la huella

el geólogo

calcular

$$\frac{X+Y}{2} = 2R^2$$

pesar

Empecemos a conversar

Túrnate con un(a) compañero(a) para ser *Estudiante A* y
Estudiante B. Reemplacen las palabras subrayadas en el
modelo con palabras representadas o escritas en los recuadros.
💡 quiere decir que puedes escoger tu propia respuesta.

1
  A —*La nave espacial* es *redonda*, ¿no?
  B —*¡Qué va! Es *ovalada*.

redondo, -a

Estudiante A

Estudiante B

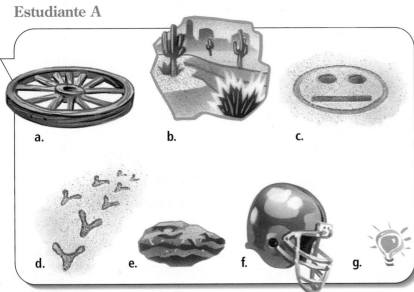

a.   b.   c.

d.   e.   f.   g.

redondo, -a

ovalado, -a

pequeño, -a

enorme

geométrico, -a

gigantesco, -a

cuadrado, -a

💡

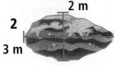

2 m

2
  A —*¿Cuánto mide *la piedra*?
  B —*Mide *tres metros de ancho y dos metros de alto*.

3 m

Estudiante A   **Estudiante B**

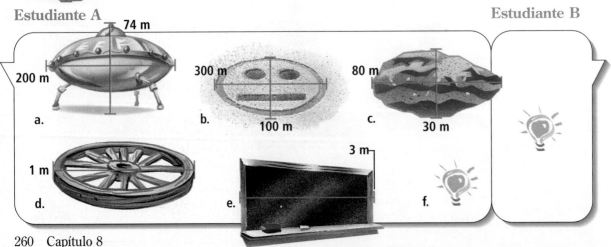

74 m

200 m   300 m   80 m

a.   b.   c.
          100 m   30 m

          3 m
1 m

d.   e.   f.

3

se comunican
con nosotros

A — *Oí que <u>los extraterrestres se comunican
con nosotros</u>. ¿Qué piensas?*

B — *Puede ser, pero lo dudo*.
o: *¡Es imposible!*

Estudiante A

a. apareció cerca de mi casa

b. calculó el diámetro de
la piedra

c. de Sahara ha desaparecido

d. descubrió huellas del Yeti

e. trazaron diseños en
el jardín de la escuela

f.

Estudiante B

¿Qué dices? Me parece
increíble.

¡No, es imposible!

Bueno, es probable.

No sé, pero me parece
improbable.

¡Por supuesto! Estoy
seguro(a).

Ésa es una noticia falsa.

Puede ser, pero lo dudo.

Me parece que es cierto.

Gillian Anderson y David Duchovny
en la película *Expediente X*

4

A —¿Para qué sirve _un lápiz_?
B —Sirve para _escribir y dibujar_.

Estudiante A   Estudiante B

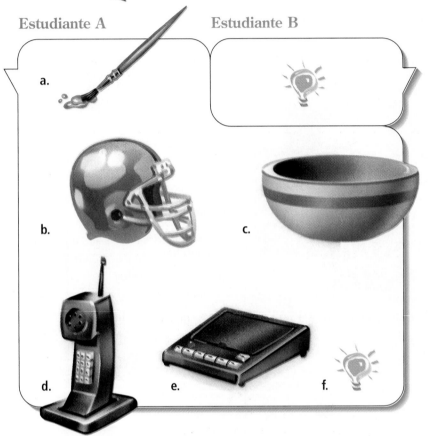

a.

b.

c.

d.   e.   f.

¿Y qué piensas tú?

Aquí tienes otra oportunidad para usar el vocabulario de este capítulo.

5 ¿Has visto alguna vez una nave espacial? ¿Dónde? ¿En una película? ¿En la televisión? ¿En algún museo? ¿Cuándo? ¿Cómo era?

6 ¿Crees que en la Tierra han aterrizado naves espaciales de otros planetas? ¿Por qué? ¿Qué pruebas tienes? Describe cómo te imaginas un extraterrestre. ¿Crees que existen? ¿Por qué sí o no?

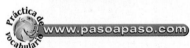

www.pasoapaso.com

MÁS PRÁCTICA

Más práctica y tarea, p. 568
Practice Workbook 8–1, 8–2

7 ¿Qué casas encantadas conoces? ¿Se encuentran en un parque de diversiones o son reales? ¿Cuál es su historia? ¿Tienen fantasmas?

8 Mide tres objetos de la sala de clases y dile a un(a) compañero(a) cuánto miden y cuánto piensas que pesan.

9 Debes escoger un objeto de la sala de clases sin decir qué es. Tu compañero(a) debe decir en qué objeto estás pensando. Puede preguntarte: ¿De qué color es? ¿Cuánto mide? ¿Cuánto pesa? ¿Para qué sirve?

10 Túrnate con un(a) compañero(a) para decir diez frases verdaderas o falsas, por ejemplo: "Costa Rica está en Suramérica," o "Hay personas en la Luna." Tu compañero(a) va a decidir si las frases son verdaderas o falsas. Puedes usar las siguientes expresiones u otras:

> ¡Qué va! Eso no es cierto.
> ¡No me digas! Yo no creo que . . .
> Sí, por supuesto, . . .

Si tu compañero(a) tiene razón, recibe un punto. Si no, tú recibes un punto. La persona que recibe más puntos gana.

La casa misteriosa de la familia Addams

Tema para investigar

Aquí tienes más palabras e ideas que te ayudarán a hablar de lo inexplicable. Mira las fotos de esta página. ¿Por qué crees que se consideran extraordinarios estos fenómenos? Aquí tienes algunas teorías que tratan de explicarlos.

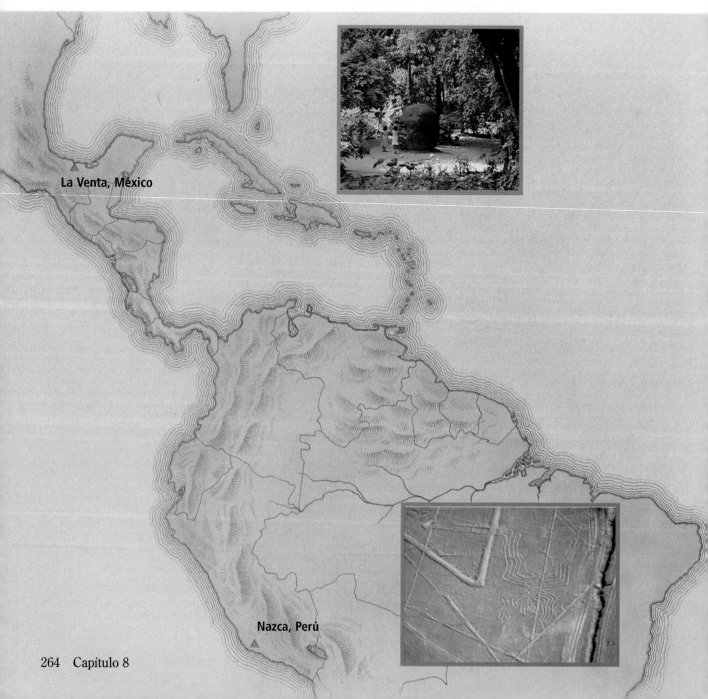

La Venta, México

Nazca, Perú

¿Cómo lo podemos saber?

En La Venta, cerca de la costa del Golfo de México, se han encontrado ruinas de una antigua civilización. Entre ellas se han descubierto cabezas gigantescas de piedra. Estas enormes cabezas miden entre dos o tres metros de alto y pesan entre 11 y 24 **toneladas.** Lo **extraordinario** es que no existen piedras tan grandes en esa región de México; entonces **se supone** que los olmecas, **los habitantes** de esta región, tuvieron que moverlas . . . ¡más de 80 millas! **A pesar de que** conocían la rueda, parece que no la usaban para el transporte. ¡Nadie puede explicar cómo movieron piedras tan pesadas!

En el desierto de Perú encontramos otro **fenómeno inexplicable.** En un lugar que se llama Nazca, se ven diseños misteriosos en la tierra. Hay cientos de figuras geométricas y treinta dibujos enormes—las figuras de un **mono** y una araña entre otros. Pero los dibujos son tan grandes que los diseños completos sólo pueden verse desde el aire. Se supone que sus creadores pertenecían a una antigua civilización **desconocida.** Pero si ellos no podían **volar,** ¿cómo podían ver lo que creaban? ¿Para qué servían las líneas y por qué las trazaron?

Existen varias **teorías** que tratan de explicar estos misteriosos dibujos. Según una de ellas, los diseños eran un gran calendario que indicaba las estaciones, los eclipses y los movimientos de las estrellas.

Hay otra teoría que **afirma** que los dioses que aparecen en **los mitos** y **leyendas** hispanoamericanos eran en realidad extraterrestres. Esta **afirmación** está basada en **la "evidencia"** de que los dioses de la mitología indígena llegaban a la Tierra acompañados frecuentemente de fuego. A pesar de que algunos creen en esta teoría, los arqueólogos tienen muchas **dudas** sobre la misma. No existen **datos** suficientes; por eso no creen que **el misterio** se **haya resuelto** todavía. ¿Qué piensas tú?

Si no sabes qué quieren decir estas palabras, puedes consultar un diccionario o el Vocabulario español-inglés al final del libro.

la tonelada
suponer: (yo) supongo*
       (tú) supones
a pesar de (que)
el mono

pertenecer *(c → zc)*
volar *(o → ue)*
el mito
los datos
haya resuelto
  (del verbo resolver)

¿Y qué quiere decir . . . ?

extraordinario, -a
el /la habitante
el fenómeno
inexplicable
el creador, la creadora
desconocido, -a
la teoría

afirmar
la leyenda
la afirmación
la evidencia
la duda
el misterio

* Suponer se conjuga como poner.

¿Comprendiste?

1 Con un(a) compañero(a) decide cuáles de las siguientes frases son hechos y cuáles son teorías según la lectura.

   a. Los olmecas eran los habitantes de una región de México.

   b. Las cabezas de piedra de los olmecas pesan unas 20 toneladas.

   c. Las líneas de Nazca son un gran calendario.

   d. Los creadores de los diseños del mono y de la araña pertenecían a una civilización desconocida.

   e. Las leyendas y los mitos hispanoamericanos hablan de dioses que llegaban acompañados de fuego.

   f. Los dioses de los mitos hispanoamericanos eran extraterrestres.

   g. No hay datos suficientes para explicar el origen de los dibujos.

Detalle del Templo de los Danzantes, Monte Albán, México

2 ¿De qué fenómenos inexplicables se habla aquí? ¿Estás de acuerdo con las teorías para explicarlos? ¿Por qué?

¿Y qué piensas tú?

3 Se piensa que puede haber habitantes en otros planetas. ¿Qué crees tú? ¿Qué evidencia hay? ¿Cómo crees que podemos comunicarnos con ellos?

4 ¿Crees que hay pruebas de visitas de extraterrestres a la Tierra? ¿Por qué? ¿Cuáles son las pruebas?

5 ¿Qué fenómenos extraordinarios conoces de la región o del país donde vives? ¿De otras partes del mundo? Descríbelos.

6 ¿Por qué son misteriosas las líneas de Nazca? ¿Cuál crees que es la mejor teoría para explicarlas? Crea tu propia teoría y explícasela a tus compañeros(as).

7 Busca una leyenda o un mito hispanoamericano en la biblioteca y cuéntaselo a la clase. ¿De qué se trata? ¿Quiénes son los personajes?

Práctica de vocabulario www.pasoapaso.com

MÁS PRÁCTICA

Más práctica y tarea, p. 569
Practice Workbook 8–3, 8–4

Leyendas latinoamericanas

ARGENTINA
BOLIVIA
COLOMBIA
GUATEMALA
HONDURAS
MEXICO
PARAGUAY
PERU
PUERTO RICO
VENEZUELA

Genevieve Barlow

También se dice

Para *mono* también se dice:
mico

Para *leyenda* también se dice:
tradición

¿Qué sabes ahora?

¿Puedes:

- hablar sobre fenómenos inexplicables que se encuentran en los países hispanos?

  —Parece que los ___, que no sabían usar la ___, pudieron mover piedras gigantescas.

- describir un fenómeno inexplicable?

  —Las líneas de Nazca son ___. Se cree que fueron hechas por ___.

- expresar tu opinión sobre la existencia de fenómenos inexplicables?

  —Creo que las ___ sobre las líneas de Nazca son ___.

ÁLBUM CULTURAL

En muchas partes del mundo se encuentran fenómenos inexplicables, como las ruinas de Machu Picchu o el monstruo de Loch Ness. Diferentes civilizaciones han tratado de explicar algunos fenómenos usando mitos y leyendas. Y tú, ¿qué fenómenos inexplicables conoces?

Tula, en la zona central de México, fue la capital de la civilización tolteca durante el período posclásico, entre los años 950 a 1150 d.C. Estas columnas, que representan guerreros, son conocidas como los Atlantes, y se encuentran en la pirámide principal. A la luz del atardecer las columnas parecen vivas, lo que ha dado origen a la leyenda de que los guerreros caminan por las noches.

Estas esferas de piedra perfectamente redondas deben pesar varias toneladas. No se sabe nada de su origen. Se cree que fueron hechas por los indígenas de Costa Rica.

En las ruinas de Monte Albán, centro de la civilización zapoteca, en Oaxaca, México, se encuentran estas figuras de piedra en el Templo de los Danzantes. Las más antiguas son del año 300 a.C. Nadie sabe qué significan estas figuras deformes. Tampoco se sabe por qué los habitantes de Monte Albán abandonaron la ciudad alrededor del año 800 d.C.

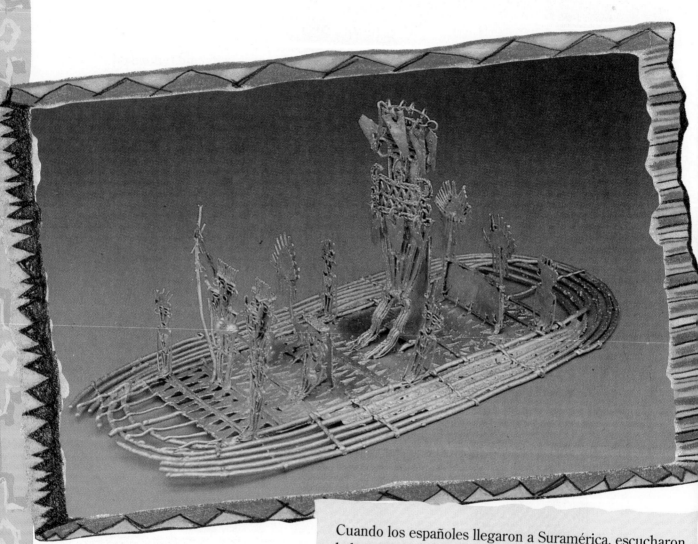

Cuando los españoles llegaron a Suramérica, escucharon la leyenda del jefe de una tribu indígena muy rica. Según esta leyenda, el jefe se cubría el cuerpo con polvo de oro y subía a una balsa o bote lleno de objetos de oro en el lago Guatavita. Al llegar al centro del lago, el jefe echaba los objetos al fondo para ofrecerlos a los dioses. Después se lavaba el polvo de oro antes de volver a su tribu. Los españoles lo llamaron El Dorado. Esta figura que representa la leyenda se encuentra en el Museo del Oro en Bogotá, Colombia.

Reacción personal

Contesta las siguientes preguntas en una hoja de papel.

1 Describe algo que hayas oído o leído sobre un fenómeno inexplicable. ¿Dónde lo oíste o leíste?

2 De los fenómenos inexplicables que se describen en las páginas 268–271, ¿cuál te parece más interesante? Crea tu propia teoría para explicar ese fenómeno.

3 ¿Qué leyenda conoces? ¿De dónde es? Explícasela a un(a) compañero(a).

La leyenda es un tipo de literatura que habla de las tradiciones y la mitología de diferentes pueblos o civilizaciones. Muchas de ellas cuentan fenómenos inexplicables. Los libros de esta página incluyen leyendas de España, cuentos indígenas e historias del período colonial, y nos enseñan el rico legado de los países hispanos.

Gramática en contexto

Mira este anuncio sobre la Isla de Pascua. ¿Qué tipo de
fenómeno inexplicable se encuentra allí?

A los que visitan nuestra isla por primera vez siempre les parece difícil creer lo
que ven sus ojos. No dudan que algunas de estas cabezas enormes pesan hasta 90
toneladas. Pero lo misterioso es que nadie sabe su origen.¿Es posible que las
esculturas representen alguna construcción religiosa o que estén en estas colinas
por razones astronómicas? Los científicos dudan que las hayan hecho los
extraterrestres. Se duda también que los escultores hayan tenido poderes
sobrenaturales; pero sí sabemos que conocían bien la ingeniería y la astronomía.

**La misteriosa
Isla de Pascua**

¡Más de 500 esculturas gigantescas! Pero,
¿de dónde son?—y ¿cómo han llegado allí?
¡Visítenos! Estamos seguros de que
Ud. se llevará un recuerdo inolvidable
del misterio de
la Isla de Pascua

**¡Visítenos!
Quizás Ud. encontrará
la respuesta.**

Póngase en contacto con el Servicio
de Turismo de Chile, donde se ofrece
toda la información necesaria
sobre el viaje.

A A la izquierda del anuncio, el párrafo inferior
dice *Estamos seguros de que.* ¿Expresa esta
frase certeza o duda? El verbo que sigue a *que,*
¿está en el indicativo o en el subjuntivo? ¿Qué
forma del verbo *ser* usarías en este caso: *No
estoy segura de que la estatua . . . de piedra?*

B En el anuncio se usan las siguientes
expresiones: *no dudan que, es posible que,* y
se duda también que. ¿Cuál de ellas expresa
certeza? ¿Cuáles expresan duda? ¿Le puedes

explicar a un(a) compañero(a) cuándo se usa
el subjuntivo y cuándo el indicativo con estas
expresiones?

C El anuncio dice *los científicos dudan que las
hayan hecho los extraterrestres* y *sabemos que
conocían.* ¿Se refieren estas frases a
situaciones presentes o pasadas? ¿En cuál de
ellas hay un subjuntivo después de *que?* ¿Es
esto compatible con la explicación que diste
en B?

El subjuntivo con expresiones de duda

Hasta ahora hemos visto el subjuntivo en casos en que una persona le pide a otra que haga algo. El subjuntivo también se usa después de verbos y expresiones que indican duda o incertidumbre.

> Mi mamá **duda que** los extraterrestres **existan**.
> **Es posible que** los científicos **tengan** otra teoría.
> **Es improbable que** los extraterrestres **se comuniquen** con nosotros.

- Otras expresiones que indican duda o incertidumbre son:

no creer que	es probable que
no estar seguro(a) de que	no es cierto que
es imposible que	es increíble que

- Si una expresión indica certeza, se usa el indicativo, no el subjuntivo.

> **Estamos seguros de que** eso **puede** explicarse.
> **Creo que** la estatua **mide** diez metros de alto.
> **Es cierto que** los dibujos **son** geométricos.

Piedra funeral indígena en el Museo de Arqueología, San José, Costa Rica

1 Lee las frases siguientes. Primero decide si vas a usar el indicativo o el subjuntivo y explica por qué. Luego, completa las frases con la forma correcta del verbo en paréntesis.

a. Creo que los arqueólogos (conocer) el origen de estas esculturas.

b. Los científicos dudan que (existir) extraterrestres.

c. Estoy seguro(a) de que los geólogos (estudiar) la composición de estas piedras.

d. Es cierto que (haber) fenómenos inexplicables.

e. Es posible que los arqueólogos (descubrir) otras ciudades escondidas.

f. Dudo que (construirse) más pirámides.

2 Trabaja con un(a) compañero(a) para formar frases completas con elementos de las tres columnas.

Creo que las líneas de Nazca representan un calendario.

o: No creo que las líneas de Nazca representen un calendario.

(no) Dudar que	los científicos	descubrir más
Es (im)posible que	la piedra	cabezas enormes
Es (im)probable que	el dibujo	medir dos metros
(no) Creer que	las líneas de	de diámetro
(no) Estar seguro (a)	Nazca	pesar dos toneladas
de que	los arqueólogos	representar un
(no) Es cierto que		calendario
		trazar las líneas

Estudiando una cabeza olmeca en el Museo Nacional de Antropología de México

El subjuntivo: Verbos irregulares

Recuerda que en los verbos en *-ar* y *-er* con cambio de raíz, el cambio afecta a todas las formas del presente del subjuntivo excepto *nosotros* y *vosotros*. Por ejemplo:

mover

que m**ue**va	que movamos
que m**ue**vas	que mováis
que m**ue**va	que m**ue**van

- En los verbos en *-ir* con cambio de raíz, el cambio afecta a *todas* las formas del presente del subjuntivo.

mentir

que m**ie**nta	que mintamos
que m**ie**ntas	que mintáis
que m**ie**nta	que m**ie**ntan

dormir

que d**ue**rma	que d**u**rmamos
que d**ue**rmas	que d**u**rmáis
que d**ue**rma	que d**ue**rman

medir

que m**i**da	que m**i**damos
que m**i**das	que m**i**dáis
que m**i**da	que m**i**dan

- Otros verbos que se conjugan de la misma forma son:

  e → i: despedirse, pedir, reírse, seguir, servir, vestirse
  e → ie: divertirse, hervir, preferir, sentirse

- Los siguientes verbos son irregulares en todas sus formas del presente del subjuntivo:

dar

que **dé**	que **demos**
que **des**	que **deis**
que **dé**	que **den**

estar

que **esté**	que **estemos**
que **estés**	que **estéis**
que **esté**	que **estén**

haber

que **haya**	que **hayamos**
que **hayas**	que **hayáis**
que **haya**	que **hayan**

ir

que **vaya**	que **vayamos**
que **vayas**	que **vayáis**
que **vaya**	que **vayan**

saber

que **sepa**	que **sepamos**
que **sepas**	que **sepáis**
que **sepa**	que **sepan**

ser

que **sea**	que **seamos**
que **seas**	que **seáis**
que **sea**	que **sean**

3 Imagina que tú y tu compañero(a) reciben instrucciones. Trabajen para formar frases lógicas.

mover esta piedra

Quieren que movamos esta piedra fuera del campamento.

a. hacer un dibujo de los animales de la región   **b. medir el alto de los árboles**

c. calcular la distancia al río   **d. pesar las piedras**   **e.**

4 Un(a) amigo(a) tiene problemas en su clase de español. Trabaja con un(a) compañero(a) para sugerirle qué puede hacer. Usen las expresiones que siguen.

Le sugiero que   Es importante que
Le recomiendo que   Es necesario que
Espero que   Es mejor que

no entender cómo hacer las actividades

A — *(nombre) no entiende cómo hacer las actividades.*
B — *Le recomiendo que siga las instrucciones.*

Estudiante A

a. decir que se siente mal
b. nunca saber cuáles son las tareas
c. no hacer el trabajo que el (la) profesor(a) le da
d. no recordar nada sobre el arte de los olmecas
e. tener mucho sueño en la clase
f. tener un examen mañana
g. deber hablar con el profesor
h. llegar tarde a clase

Estudiante B

(dormir) más por la noche
(ir) a la enfermería
(estar) tranquilo(a)
(pedir) información en la biblioteca
(dar) una excusa al (a la) profesor(a)
(ser) más responsable
(saber) dónde está su oficina
(hacerle) caso al (a la) profesor(a)

El presente perfecto del subjuntivo

Para expresar deseo, duda, incredulidad o incertidumbre respecto a acciones **del pasado** se usa el presente perfecto del subjuntivo. El presente perfecto del subjuntivo se forma con el presente del subjuntivo de *haber* y el participio pasado. Aquí están todas las formas del presente perfecto del subjuntivo de *trazar.*

trazar

que **haya** traz**ado**	que **hayamos** traz**ado**
que **hayas** traz**ado**	que **hayáis** traz**ado**
que **haya** traz**ado**	que **hayan** traz**ado**

> **Dudo que** los extraterrestres **hayan trazado** las líneas de Nazca.
> **Esperamos que hayan movido** la piedra.

• Recuerda que las palabras negativas, así como los pronombres de complemento y los reflexivos deben estar antes de la forma correspondiente de *haber.*

> Mariana iba a escribir una carta pero no creo que **lo haya hecho**.
> Dudo que **nunca hayan visto** una película de terror.
> Mario no habló con nosotros. Es posible que **se haya enojado**.

La noche del cometa (1992),
Roberto Márquez

5 Imagina que tu padre o madre regresa a casa después de hacer un viaje. Forma frases para decir lo que él o ella está pensando. Usa las expresiones de la lista.

Dudo que Espero que

No creo que Es posible que

Espero que mi hija haya lavado los platos todos los días.

mi hija

a. mis hijos

b. mi hijo mayor

c. mi hija

d. mi hijo menor

e. todos

f. mi hija y mi hijo mayor

g.

6 Algunos(as) de tus amigos(as) no recuerdan muy bien las cosas que tienen que hacer. Forma frases según el modelo.

Roberto iba a alquilar un video pero no creo que lo haya alquilado todavía.

Roberto / alquilar

| a. Andrea y tú / escribir | b. Manuel y Raúl / depositar | c. Ud. / comprar |

| d. Susana y Eva / vender | e. tú / devolver | f. |

Ahora lo sabes

¿Puedes:

■ hablar sobre algo de lo que estás seguro(a)?

—Estoy seguro(a) de que ____ muchas cosas misteriosas en el mundo.

■ hablar sobre algo de lo que dudas o no estás seguro(a)?

—Dudamos que la teoría ____ verdadera.

■ decir lo que esperas o dudas que haya ocurrido?

—Es posible que los habitantes ____ las pirámides para estar más cerca de sus dioses.

MÁS PRÁCTICA

Más práctica y tarea, pp. 569–570
Practice Workbook 8–5, 8–9

Puntos de Vista

¿Cómo se explica...?

Esta sección te ofrece la oportunidad de combinar lo que aprendiste en este capítulo con lo que ya sabes para responder a la pregunta clave.

Para decir más

Aquí tienes vocabulario adicional que te puede ayudar para hacer las actividades de esta sección. Si no sabes qué quieren decir estas palabras, puedes consultar un diccionario.

el universo

el marciano, la marciana

el platillo volador

el O.V.N.I. (Objeto volador no identificado)

el rastro

la aparición

el rayo

centellear

emitir

la señal

Sopa de actividades

1. En grupos de cuatro o cinco van a investigar uno de los misterios que estudiaron en este capítulo u otros fenómenos inexplicables, como el monstruo de Loch Ness o el triángulo de las Bermudas. Deben:

- investigar los datos específicos (fecha, lugar, características) en periódicos, revistas o libros
- describir las teorías populares sobre ese misterio
- incluir las explicaciones científicas para él
- dar la opinión que ustedes tienen sobre ese misterio
- presentar sus conclusiones a la clase

Para la presentación pueden usar fotos de periódicos, libros o revistas sobre el misterio.

El monstruo de
Loch Ness

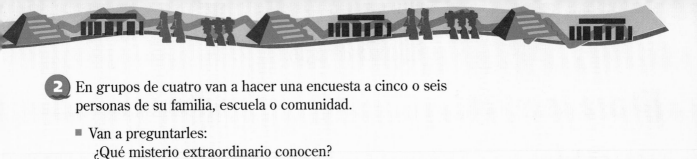

2 En grupos de cuatro van a hacer una encuesta a cinco o seis personas de su familia, escuela o comunidad.

- Van a preguntarles:
  ¿Qué misterio extraordinario conocen?
  ¿Qué datos tienen de ese misterio?
  ¿Cómo puede explicarse el misterio?

- Luego, hagan una tabla como la siguiente:

Misterio	Datos	Explicaciones

- Compartan sus resultados con los de la clase.

3 En grupos de cuatro o cinco van a hacer un debate sobre los "Misterios inexplicables del mundo." Cada grupo debe escoger un misterio. Puede ser uno de los misterios de este capítulo u otro que ustedes conozcan.

- Den tres razones por las que piensen que este misterio es inexplicable y tres que lo expliquen.
- En una tabla escriban un contraargumento o una explicación posible para cada una de ellas.
- Dos estudiantes de cada grupo deben emparejarse con dos estudiantes de otro grupo con un punto de vista diferente para discutir el tema.
- Compartan los resultados con su grupo y luego con la clase.

Para leer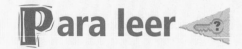

Antes de leer

ESTRATEGIAS ➤ Uso de conocimientos previos
Hacer predicciones

¿Conoces algunos cuentos que expliquen un aspecto de la naturaleza? Por ejemplo, algunos cuentos explican cómo el mono llegó a tener una cola. Mira la foto de los volcanes Iztaccíhuatl y Popocatépetl. ¿Qué piensas que va a explicar este cuento?

Mira la lectura

ESTRATEGIA ➤ Echar una ojeada

Lee el cuento rápidamente sólo para familiarizarte con él. Ahora, imagínate que es una película. ¿Qué tipo de película es?

a. película de terror
b. película de amor
c. película de ciencia ficción

El Iztaccíhuatl y el Popocatépetl

Hace mucho tiempo, en la gran ciudad de Teotihuacán, había un rey tolteca que tenía una hija muy hermosa. El pelo de la princesa era tan negro y suave como una noche de verano, sus ojos eran grandes y oscuros como las aguas de un lago secreto y su sonrisa era tan bonita que decían que el sol miraba por las montañas todas las mañanas para ser el primero en verla.

Muchos príncipes ricos y famosos venían de todas partes de la región tolteca para ganar el amor de la princesa, pero ella no se enamoraba de ninguno. El rey, que quería para su hija un esposo rico de buena posición en la sociedad tolteca, ya estaba impaciente. A veces le preguntaba a la princesa qué esperaba.

—No sé—contestaba la muchacha—. Sólo sé que mi esposo será alguien que amaré desde el principio y para siempre.

Un día llegó a la ciudad un príncipe chichimeca. Los chichimecas no tenían una civilización tan espléndida como la de los toltecas. Vivían de la caza y la pesca en las montañas. Los toltecas pensaban que los chichimecas vivían como perros, y se reían de ellos.

El príncipe chichimeca venía para visitar el gran mercado de Teotihuacán, donde vendían hermosísimos objetos de oro, ropa de brillantes colores, animales exóticos y muchas otras cosas.

Ese mismo día, la princesa tolteca estaba en el mercado, comprando canastas, telas y alfombras para su palacio. Pasó que, de repente, entre toda la gente y el ruido del mercado, el príncipe y la princesa se fijaron uno en el otro. Sin una palabra, desde el principio y para siempre, el príncipe y la princesa se enamoraron.

Los dos sabían muy bien que su amor era prohibido. Cada uno debía casarse con alguien de su pueblo y su clase—la princesa tolteca con un príncipe tolteca y el príncipe chichimeca con una princesa chichimeca.

Las señoras que acompañaban a la princesa se dieron cuenta de lo que pasaba, y rápidamente llevaron a la princesa a su palacio. El príncipe también regresó al suyo en las montañas. Trató de olvidar a la bella princesa, pero no pudo.

Después de un tiempo, el príncipe decidió volver a Teotihuacán, a pedir la mano de la princesa. Un día se vistió de su ropa más fina y fue al palacio del rey tolteca. Allí mandó a

sus mensajeros a hablar con el rey para pedirle a su hija como esposa.

Cuando oyó las palabras de los mensajeros del príncipe, el rey tembló de furia y gritó: —¡Mi hija sólo se casará con un príncipe tolteca, nunca con un chichimeca que vive en las montañas como un animal!

El cráter del volcán Popocatépetl visto desde un avión

Los volcanes Popocatépetl e Iztaccíhuatl

Cuando la princesa oyó todo esto, se sintió muy triste. Le tenía mucho respeto a su papá, pero sabía que no podía vivir sin el amor del príncipe chichimeca. Salió de su palacio y se reunió con el príncipe para decirle que sí quería casarse con él. Se fueron a las montañas, y esa noche se casaron.

Al día siguiente, la princesa regresó a Teotihuacán y le dijo a su padre que ya era la esposa del príncipe chichimeca. Le pidió perdón y esperó la comprensión de su padre.

Pero el rey estaba furioso. —¿Cómo pudiste hacerme esto?—le preguntó a su hija—. ¡Vete de aquí y no vuelvas nunca! ¡Y no le pidas ni comida ni casa a ningún tolteca, que no te dará nada! ¡Lo prohíbo!

Lo mismo le pasó al príncipe cuando volvió a su palacio. Su padre le gritó—: ¿Te casaste con una tolteca? ¡Ya no eres mi hijo, ni eres chichimeca! ¡No esperes nunca la ayuda de ningún chichimeca!

Con el corazón muy triste, el príncipe y la princesa se reunieron y empezaron a buscar dónde vivir en las montañas. Nadie los quería ayudar o darles un lugar para descansar y refugiarse de los vientos fríos. Comían sólo hierbas y frutas, porque el príncipe no tenía nada con qué cazar o pescar. Poco a poco, los esposos se estaban muriendo.

Una noche muy fría y larga, el príncipe se dio cuenta de que pronto se iban a morir los dos. Estaban en un valle pequeño desde donde podían ver la gran ciudad de Teotihuacán. La princesa pensaba en su casa, y el príncipe la miraba con tristeza y amor, sabiendo lo que pensaba.

—Mi bella princesa—le dijo—, ya nos vamos a morir. Nos vamos a separar ahora en este mundo para estar juntos para siempre en el otro. Duerme por última vez en mis brazos esta noche. En la mañana, tú te irás a la montaña más baja que mira sobre tu ciudad, y yo me iré a la montaña más alta que también mira sobre tu ciudad. Allí descansaremos, allí te cuidaré para siempre y nuestros espíritus serán un solo espíritu.

Al día siguiente los dos se separaron, y cada uno empezó a subir su montaña. La princesa subió la montaña Iztaccíhuatl y el príncipe subió la montaña Popocatépetl. Cuando la princesa llegó a la cumbre de su montaña, se durmió y la nieve la cubrió. El príncipe se puso de rodillas, mirando hacia la princesa y la nieve también lo cubrió.

De esta manera podemos ver hoy al príncipe y a la princesa, en la cumbre del Iztaccíhuatl y el Popocatépetl. A veces hay grandes ruidos desde muy dentro del Popocatépetl. Es el príncipe llorando por su princesa.

Infórmate

ESTRATEGIA ➤ Uso de gráficas organizadoras

Lee el cuento con cuidado. Copia la gráfica organizadora de la derecha para ayudarte a entender el argumento. Lee el cuento y llena los espacios de la gráfica. Por ejemplo, en el primer espacio, escribe *los nombres* de los protagonistas. En el segundo, escribe lo que *querían* hacer. En el tercero, escribe *el resultado* de lo que querían hacer. De la misma manera, llena todos los espacios.

Cuando termines, escribe un resumen del cuento basado en la gráfica organizadora.

Aplicación

Imagina que vas a adaptar el cuento para una obra de teatro. Divide el argumento en tres actos y escribe un resumen de cada uno. Sugiere algunos actores para los papeles principales. ¿Qué música vas a incluir?

Para escribir

Desde que éramos pequeños, todos nosotros hemos conocido eventos o cosas que no se pueden explicar. En este capítulo has visto algunos fenómenos inexplicables. Ahora tendrás la oportunidad de usar tu imaginación para hablar sobre algo misterioso o fantástico.

1 Primero, decide si vas a contar una historia real o si vas a inventar un misterio. Piensa en:

- la situación
- los personajes (reales o fantásticos)
- el lugar
- la época

2 Escribe una versión corta de tu historia.

Puedes usar algunas de estas palabras u otras.

a pesar de que	aunque	hasta ahora
además	en seguida	por eso
antes	entonces	sin embargo

Si escribes sobre algo que has oído, no te olvides de decir quién te lo dijo. Trata de mantener el suspense de la historia. No expliques el misterio hasta el final.

Luego, da tu propia explicación de cómo crees que ocurre u ocurrió el fenómeno. Si quieres, puedes ilustrar tu versión final.

3 Consulta con un(a) compañero(a) para revisar tu trabajo. Sigue los pasos del proceso de escribir.

Para compartir tu trabajo, puedes:

- incluirlo en un libro llamado *Misterios*
- exhibirlo en la sala de clases
- ponerlo en tu portafolio

Esta sección te ayudará a prepararte para el examen de habilidades, donde tendrás que hacer tareas semejantes.

Comprensión auditiva

¿Puedes entender una conversación sobre fenómenos inexplicables? Escucha mientras el(la) profesor(a) lee un ejemplo semejante al que vas a oír en el examen. ¿Puedes describir los fenómenos de los que hablan estos estudiantes? ¿Por qué parecen increíbles?

Escritura

Escribe un artículo breve como el que escribió Carmela.

Aunque parece improbable que los O.V.N.I. u objetos voladores no identificados existan, a veces aparecen en los periódicos noticias de fenómenos increíbles. En Perú, unos campesinos vieron unos objetos voladores pequeños y luminosos. En los Estados Unidos alguien sacó fotos de unas naves espaciales ovaladas de seis metros de diámetro. En las Islas Canarias, una persona creyó ver una luz que se movía sobre su casa. ¿Cómo se explican estos fenómenos? Una organización que investiga la existencia de los O.V.N.I. informa que menos del ocho por ciento de los objetos que la gente ve son reales.

Lectura

Lee este artículo de una revista científica. Haz una gráfica organizadora con esta información: Según el artículo, ¿qué es el *Ulama*? ¿Dónde se han encontrado campos de este juego? ¿Con qué creen que se relacionaba el *Ulama*?

Cultura

¿Puedes describir algunos fenómenos inexplicables de la época precolombina?

Práctica oral

Habla con otra persona sobre la posibilidad de fenómenos misteriosos.

A —*Oí que una nave espacial apareció en el desierto de Arizona.*

B —*¿Qué dices? ¡Me parece imposible!*

A —*A mí también me parece increíble, pero dicen que descubrieron las huellas de los extraterrestres que llegaron en la nave.*

B —*¡Qué va! Tiene que ser una noticia falsa, porque...*

Aunque no se haya resuelto completamente el misterio del *Ulama*, los arqueólogos siguen descubriendo evidencia sobre este extraño juego de pelota que se practicaba en México y Centroamérica desde hace más de dos mil años. Los jugadores usaban una pelota de látex del tamaño de una pelota de fútbol. Estudios de esculturas, cerámica y murales indican que el juego tenía un significado religioso y que probablemente se relacionaba con la siembra y la cosecha. Hasta ahora los arqueólogos han encontrado 1,200 campos de juego de *Ulama* en México, las Antillas, Centroamérica y el sur de los Estados Unidos.

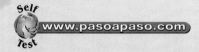

Self Test www.pasoapaso.com

Resumen del vocabulario

Usa el vocabulario de este capítulo para:

- responder a la pregunta clave: ¿Cómo se explica . . . ?
- identificar y describir algunos fenómenos extraordinarios
- dar tu opinión sobre esos fenómenos
- indicar si estás seguro(a) o si dudas de algo

para identificar fenómenos extraordinarios

aparecer *(c → zc)*
desconocido, -a
encantado, -a
enorme
extraño, -a
extraordinario, -a
el fantasma
el fenómeno
gigantesco, -a
la huella
inexplicable
la leyenda
el misterio
misterioso, -a
el mito
la nave espacial
la teoría
el Yeti

para describir objetos

el alto
el ancho
calcular
el centímetro
el diámetro

el diseño
geométrico, -a
el largo
medir *(e → i)*
    de alto
    de ancho
    de diámetro
    de largo
mover *(o → ue)*
ovalado, -a
pertenecer *(c → zc)*
pesar
el peso
servir *(e → i)* para
    ¿Para qué sirve?
la tonelada

para dar tu opinión

la afirmación
afirmar
cierto, -a
los datos
estar seguro, -a
la evidencia
haya resuelto
    (del verbo resolver)
la prueba
suponer: (yo) supongo
        (tú) supones

para indicar si dudas de algo

la duda
dudar
falso, -a
imposible
improbable
increíble
posible
probable

otras palabras y expresiones útiles

a pesar de (que)
el creador, la creadora
el desierto
el geólogo, la geóloga
el /la habitante
el mono
la piedra
la rueda
trazar *(z → c)*
volar *(o → ue)*

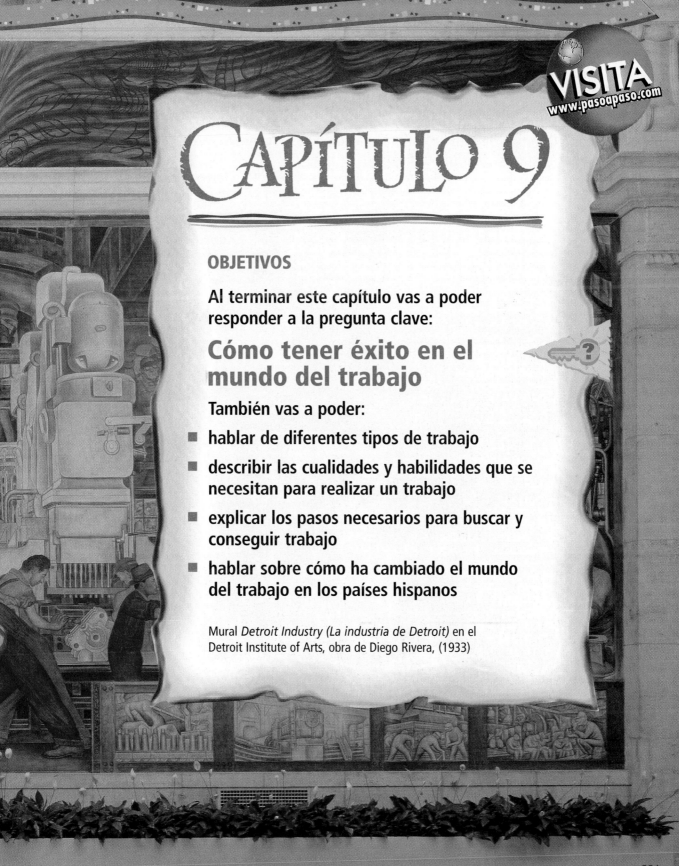

CAPÍTULO 9

OBJETIVOS

Al terminar este capítulo vas a poder
responder a la pregunta clave:

Cómo tener éxito en el mundo del trabajo

También vas a poder:

- hablar de diferentes tipos de trabajo
- describir las cualidades y habilidades que se necesitan para realizar un trabajo
- explicar los pasos necesarios para buscar y conseguir trabajo
- hablar sobre cómo ha cambiado el mundo del trabajo en los países hispanos

Mural *Detroit Industry (La industria de Detroit)* en el Detroit Institute of Arts, obra de Diego Rivera, (1933)

Anticipación

Mira las fotos. ¿Qué tipo de trabajo están haciendo estos jóvenes?
¿Te gustaría hacer alguno de estos trabajos? ¿Por qué?

"Nos encanta mostrar a otras personas esta hacienda antigua."

Los turistas que visitan la Hacienda Buena Vista, una antigua plantación de café en Puerto Rico, reciben ayuda de estas jóvenes guías del Fideicomiso de Conservación de Puerto Rico. Para este trabajo se necesita tener buenos modales y ser amable. ¿Por qué son importantes estas cualidades?

"Quiero ahorrar dinero para comprarme una bicicleta nueva."

Algunos jóvenes hispanos, como éstos en Chile, trabajan en supermercados los fines de semana y durante las vacaciones para ganar dinero extra. Así desarrollan su sentido de responsabilidad y otras cualidades que les serán útiles no sólo ahora, sino también en el futuro. ¿Qué cualidades personales puedes desarrollar en un trabajo?

"Sembrar árboles ayuda a conservar la naturaleza."

Estos jóvenes trabajan en un programa de siembra de árboles en Ecuador. Para este tipo de trabajo se necesita tener habilidad para sembrar e interés por las plantas. ¿Qué otras habilidades e intereses crees que serán útiles para trabajar en un programa como éste?

Vocabulario para comunicarse

¿Necesitas un buen trabajo?

Aquí tienes palabras y expresiones necesarias para hablar
sobre el mundo del trabajo. Léelas varias veces y practícalas
con un(a) compañero(a) en las páginas siguientes.

el salvavidas,
la salvavidas

el gerente

el intérprete

la gerente

la intérprete

el recepcionista,
la recepcionista

el diplomático

la diplomática

También necesitas . . .

Si no sabes qué quieren decir estas palabras, puedes consultar un diccionario o el Vocabulario español-inglés al final del libro.

administrar
atender *(e → ie)* (a)
capaz, *pl.* capaces
la cita
convenir *(e → ie)*:
  me conviene*
cuidadoso, -a
cumplir con
encargarse *(g → gu)* (de)
el entrenamiento
la habilidad

maduro, -a
los modales, *pl*
realizar *(z → c)*
el requisito
la solicitud
el sueldo
la tarea
(de) tiempo completo
(de) tiempo parcial
tratar (bien / mal)

¿Y qué quiere decir . . . ?

ambicioso, -a
los anuncios clasificados
la cualidad
la experiencia
honesto, -a

productivo, -a
puntual
la recomendación,
  pl. las recomendaciones
respetuoso, -a

* *Convenir* se conjuga como *venir.*

la clienta

el cliente

el repartidor

el jefe

la jefa

la repartidora

¡NO OLVIDES!

Recuerda estas palabras:
el abogado, la abogada
el / la dentista
el enfermero, la enfermera
*el hombre de negocios, la mujer
  de negocios*
el mecánico, la mecánica
el médico, la médica
el músico, la música
el pintor, la pintora
el / la policía
*el técnico, la técnica (de
  computadoras)*
el veterinario, la veterinaria

Empecemos a conversar

Túrnate con un(a) compañero(a) para ser *Estudiante A* y
Estudiante B. Reemplacen las palabras subrayadas con
palabras representadas o escritas en los recuadros. quiere
decir que puedes escoger tu propia respuesta.

¡NO OLVIDES!

Recuerda estas palabras:
comprensivo, -a
considerado, -a
inteligente
leal
ordenado, -a
prudente
sociable
trabajador, -a

1   A — *¿Qué se necesita para ser <u>recepcionista</u>?*
       B — *Lo más importante es ser <u>amable y
            respetuoso(a)</u>.*

Estudiante A   Estudiante B

a.   b.   c.

d.   e.   f.   g.

honesto, -a

productivo, -a

responsable

puntual

maduro, -a

capaz

ambicioso, -a

cuidadoso, -a

2 leer los   A — *¿Has <u>leído los anuncios clasificados</u>?*
     anuncios   B — *Sí, <u>los leí ayer. Quiero conseguir un trabajo pronto</u>.*
     clasificados   o: *¿Para qué? Ya tengo trabajo.*

Estudiante A   Estudiante B

a. llenar la solicitud   d. hablar con el jefe /la jefa

b. pedir una entrevista   e. llevar cartas de recomendación

c. hacer una cita

f.

la semana pasada

la semana próxima

ayer

mañana

todavía no

3

A —¡Mira! Aquí dice que necesitan _un(a)_
　　cocinero(a).

B —¡Qué bien! _Voy a llamar en seguida._
　　o: _Pero yo no tengo experiencia. Nunca he_
　　trabajado como cocinero(a) antes.

También se dice

Para _sueldo_ **también se dice:**
salario

Para _(de) tiempo completo_
también se dice:
jornada completa

Para _(de) tiempo parcial_
también se dice:
media jornada

Estudiante A　　　　**Estudiante B**

a.

b.　　　　c.

d.　　　e.　　　f.

4　　tenga
　　experiencia

A —_Necesitamos una persona que_ _tenga experiencia._

B —_Bueno, yo ya he trabajado antes._
　　o: _Bueno, yo no tengo mucha experiencia pero_ . . .

A —_Si no has trabajado antes_ . . .
　　o: _Si no tienes experiencia_ . . .

Estudiante A　　　　　　　　　　　　　**Estudiante B**

a. trate bien a los clientes　　　e. cumpla bien con sus tareas

b. sepa administrar el negocio　　f. realice un buen trabajo

c. se encargue de los teléfonos　　g.

d. tenga buenos modales

¿Y qué piensas tú?

Aquí tienes otra oportunidad para usar el vocabulario de este capítulo.

5 ¿Qué trabajo te gustaría tener? ¿En qué has trabajado antes? ¿Cuáles de los trabajos que aparecen en la página 292 te parecen mejores para los jóvenes? ¿Por qué?

6 Durante el verano, ¿qué clase de trabajo te conviene más: uno de tiempo parcial o uno de tiempo completo? ¿Por qué?

7 ¿Conoces a alguien que tenga uno de los trabajos de la página 292? ¿Quién es? ¿Qué responsabilidades tiene? ¿Qué habilidades se necesitan para realizar ese trabajo?

8 Haz un diagrama de Venn como el de abajo. En el círculo de la izquierda escribe tu nombre y tus cualidades y habilidades. En el de la derecha escribe el trabajo que te gustaría tener y las cualidades y habilidades necesarias para hacer ese trabajo.

Compara tu diagrama con el de otros(as) compañeros(as).

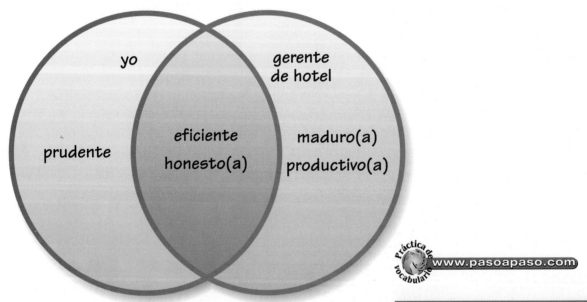

Práctica de vocabulario www.pasoapaso.com

MÁS PRÁCTICA

Más práctica y tarea, p. 571
Practice Workbook 9–1, 9–2

9 Imagínate que eres gerente de un negocio y necesitas ayuda. Escribe un anuncio clasificado. Describe:

- el nombre del trabajo
- el entrenamiento necesario para realizar el trabajo
- las habilidades y cualidades que se deben tener
- el sueldo y el horario (tiempo completo o parcial)

Pon tu anuncio con los de tus compañeros para hacer una página de anuncios clasificados.

Arquitecta Marcela Abadi delante de la sede o domicilio principal de Univisión en Dallas, un edificio que fue diseñado por ella

En una fábrica de piezas para coches en Querétaro, México

Tema para investigar

Aquí tienes más palabras e ideas para hablar sobre cómo tener éxito en el mundo del trabajo. Mira la ilustración y las fotos de esta página. ¿Qué están haciendo estos jóvenes? ¿Dónde están?

¿Cómo te estás preparando?

¿Vas a buscar un trabajo cuando termines las clases o ya tienes uno? ¿Trabajarás durante las vacaciones o no quieres trabajar antes de graduarte? Piensa en tu futuro. ¿Cómo te puede ayudar **cualquier** trabajo que hagas ahora para **alcanzar** tus **metas**?

Se necesitan cualidades y habilidades para hacer cualquier trabajo. Si eres cajero o cajera en un supermercado, por ejemplo, tienes que ser eficiente, tener habilidad con los números y ser **cortés** y amable con los clientes.

Si tienes un trabajo de tiempo parcial en una oficina, es probable que sepas usar una computadora, una máquina de fotocopias y posiblemente un fax. También es posible que hayas aprendido a usar y mantener **los archivos**. Esa experiencia te servirá en un futuro **no sólo** para realizar cualquier trabajo de oficina **sino también** para calcular el tiempo que toma hacer un trabajo, **distribuir** las tareas a otros empleados y poder dedicarte a tareas **administrativas**.

Antes de ahora hemos considerado el entrenamiento para el futuro desde el punto de vista de **las destrezas** que se pueden adquirir. Pero, ¿cuáles son las cualidades personales que se desarrollan cuando se hace un buen trabajo? **La puntualidad** y la responsabilidad son muy importantes. Si tienes un trabajo debes llegar a una hora **fija** y ser responsable de ciertas tareas. Recibir un sueldo te obliga también a ser responsable de tu propio dinero. ¿En qué y cómo gastarlo? ¿Cuánto y para qué ahorrar?

Todavía queda algo más: **la paciencia. Cuando creas** que **mereces** un **aumento** de sueldo o un **ascenso**, debes aprender a esperar el momento **oportuno** para hablar con tu jefe o con la persona **adecuada** para pedírselo.

Después de leer todo esto, ¿vas a buscar un trabajo **ahora mismo** o te parece que tienes razones suficientes para esperar un poco?

Si no sabes qué quieren decir estas palabras, puedes consultar un diccionario o el Vocabulario español-inglés al final del libro.

cualquier
alcanzar $(z \rightarrow c)$*
la meta
cortés, *pl.* corteses
el archivo
no sólo ... sino también**
la destreza
fijo, -a

Cuando creas
   (*del verbo* creer)
merecer $(c \rightarrow zc)$†
el aumento (de sueldo)
el ascenso
adecuado, -a
ahora mismo

¿Y qué quiere decir ... ?
distribuir $(i \rightarrow y)$
administrativo, -a
la puntualidad

la paciencia
oportuno, -a

---

* *Alcanzar se conjuga como* cruzar.

** *Después de un negativo se usa* sino (no *pero*): *Tengo un trabajo, pero no me gusta. / El trabajo no es de tiempo completo sino de tiempo parcial.*

† *Merecer se conjuga como* conocer.

¿Comprendiste?

1 ¿Cuáles de estas ideas están incluidas en el tema y cuáles no?

    a. Todos los estudiantes necesitan trabajar antes de entrar en la universidad.

    b. Trabajar en una oficina es práctico para aprender tareas administrativas.

    c. Las destrezas que adquieren los jóvenes en un trabajo son un entrenamiento para el futuro.

    d. La responsabilidad, la puntualidad y la paciencia son cualidades necesarias en cualquier trabajo.

    e. Si una persona piensa que merece un ascenso, debe hablar con su jefe(a) inmediatamente.

2 ¿Cuáles piensas que son las tres ideas más importantes de la lectura? Discútelas con un(a) compañero(a).

¿Y qué piensas tú?

3 Escribe cinco consejos que le darías a alguien que busca trabajo. Discútelos con un(a) compañero(a). Puedes compartirlos con otros estudiantes.

4 Haz una lista de cualidades y destrezas que hayas adquirido en algún trabajo. Luego, compara tu lista con la de un(a) compañero(a).

5 ¿Qué preguntas son las más frecuentes en una entrevista de trabajo? Y, ¿qué preguntas debe hacer la persona que busca trabajo? Con un(a) compañero(a) haz una lista de cuatro o cinco preguntas para hacer en una entrevista de trabajo.

6 Ahora, haz una entrevista de trabajo con tu compañero(a). Túrnense para ser la persona que busca trabajo y la persona que entrevista. Hablen de:

- las cualidades y habilidades del (de la) candidato(a)
- la experiencia necesaria
- la educación o el entrenamiento
- las metas
- el sueldo

7 Piensa en algún trabajo o en una profesión que te interese. Descríbele a tu compañero(a) los requisitos del trabajo y las cualidades y las habilidades que se necesitan. Tu compañero(a) va a tratar de adivinar qué trabajo describes.

MÁS PRÁCTICA

- Más práctica y tarea, p. 572
- Practice Workbook 9–3, 9–4

¿Qué sabes ahora?

¿Puedes:

■ nombrar algunas profesiones que consideras para el futuro?

—En el futuro, me gustaría ser ___ o ___ porque ___.

■ describir las habilidades y las cualidades necesarias para un trabajo o una profesión?

—Para ser ___, uno necesita ser ___, ___ y ___.

■ hablar de lo que es necesario hacer en un trabajo?

—Un(a) ___ tiene que ___, ___ y ___.

■ hablar de los pasos que se deben seguir para buscar y encontrar un trabajo?

—Para encontrar un trabajo, hay que ___, ___ y ___.

ÁLBUM CULTURAL

Para encontrar un buen trabajo es necesario saber qué clase de trabajo nos interesa y qué preparación se necesita para hacerlo. ¿Qué trabajo te gustaría hacer? ¿Cómo piensas prepararte para ese trabajo?

EL MACHISMO

SIGLO XXI. LA MUJER YA HA-brá roto en Occidente el *techo de cristal* que le impide acceder a los centros de poder y de decisión. La discriminación sexual será difícil de defender en un mundo donde la educación se extiende. La mujer aportará a las empresas los valores que ha aprendido en siglos de arrinconamiento: la sensibilidad y la capacidad de negociación y de trabajo en equipo. Para el año 2025 habrá más de 4.000 millones de mujeres en el mundo, ahora son 2.800.

En España en el 2000 trabajará el 70 por ciento de las mujeres en edad de hacerlo, frente al 48 por ciento de 1989. En Francia la previsión para el siglo XXI es que trabaje el 91,5 por ciento.

En el tercer mundo, la mujer seguirá llevando el peso de la agricultura. El peligro para la mujer son los fundamentalismos que le impiden acceder a la educación. Pero sus hijas difícilmente aceptarán esas condiciones de vida y de pobreza al difundirse por los medios de comunicación cómo se vive en otras partes del planeta.

EL HOMBRE EN CASA

El mundo del trabajo ha cambiado mucho en los últimos años. Cada día es mayor el número de mujeres que han recibido educación superior y que ahora trabajan fuera de casa. También muchos hombres han escogido quedarse en casa y cuidar a sus hijos. Estos cambios también afectan a los países hispanos.

Ahora que las mujeres se están adentrando en todas las profesiones reservadas hasta hace poco a los hombres, ellos han irrumpido triunfalmente en el último gueto de poder femenino: las labores domésticas. Cada vez con más frecuencia la mujer profesional gana más dinero que su cónyuge, y cuando un hijo llega es él quien debe quedarse en casa.
Algunas características masculinas, como la falta de obsesión por el detalle, les facilitan inmensamente las labores domésticas. El hombre que se queda en casa ya no es un hippy desempleado que no tiene nada mejor que hacer. Los nuevos hombres de hogar son tan profesionales como sus mujeres y son felices por poder ser testigos diarios del desarrollo de sus hijos. Algunos padres se quejan del rechazo que sufren por parte de muchas madres, que todavía no se acostumbran a su presencia como amos de casa. Se ha abierto un nuevo frente en la batalla de los sexos.

El desarrollo de las comunicaciones ha contribuido a crear nuevos trabajos, como el de esta operadora de Telefónica Mexicana. Aunque la mayoría de las llamadas telefónicas pueden hacerse directamente, los operadores siempre están preparados para ayudar al público.

La agricultura siempre ha atraído a muchos trabajadores. Durante un tiempo, como los jóvenes abandonaron el campo, había menos agricultores. Pero hoy en día muchos han vuelto para escaparse de las presiones de la vida en la ciudad.

EN MEXICO SE NECESITA...

- Vendedor de comercio
- Mesero
- Representante de ventas
- Técnicos en mercadotecnia
- Jefes de piso
- Seguridad pública y privada
- Bibliotecario
- Manipulador de comida rápida
- Cocinero de comida rápida
- Analistas de sistemas informáticos
- Auxiliar administrativo
- Secretaria ejecutiva bilingüe
- Publirrelacionista
- Contador público y privado
- Técnicos agrarios
- Redactores
- Zootecnista
- Médicos, en los estados
- Dentistas, en los estados

LOS 40 PRINCIPALES

Se ha publicado recientemente la lista de trabajos con más demanda en el mundo, según un estudio de la Revista Mensual de Empleo de los EE. UU. Pocos precisan títulos medios o superiores.

- Portero de finca urbana
- Cajero
- Secretaria
- Oficinista
- Vendedor
- Enfermera
- Mesero
- Maestro
- Chofer de camión
- Personal sanitario auxiliar
- Representante de ventas
- Contable y auditor
- Mecánico del automóvil
- Capataz
- Garrotero
- Guardia y velador
- Manipulador de comida rápida
- Jefe de almacén
- Carpintero
- Técnico de electricidad y electrónica
- Enfermera obstetra
- Analista de sistemas informáticos
- Ingeniero electrónico
- Programador informático
- Operario de servicios generales
- Ayudante de comercio
- Recepcionista
- Electricista
- Médico
- Jefe de administración
- Operador de computadora
- Representante de ventas, no cualificado
- Abogado
- Controlador de existencias de almacenes y depósitos
- Mecanógrafa
- Mensajero
- Bibliotecario
- Cocinero de restaurante
- Cajero bancario
- Cocinero de comida rápida

El tipo de trabajo a que podrás dedicarte puede depender de las necesidades de la comunidad. Estas tablas, publicadas en una revista mexicana, indican los tipos de trabajos para los que hay más oportunidades en México.

...desempleados

Un sondeo realizado por una organización a nivel internacional sobre una muestra del 2 por 100 de la población activa de varios países en desarrollo arrojó los datos de desempleo universitario que se reflejan en esta gráfica. Los que peor la llevan son los licenciados en filosofía y letras (con un 29.96 por 100 de desempleados). Las carreras con valores negativos presentan más puestos de trabajo que licenciados existentes.

FILOSOFÍA Y LETRAS — 29,96
CIENCIAS — 20,68
PERIODISMO — 18,71
ECONÓMICAS — 16,61
FARMACIA — 15,29
PROFESORADO — 15,22
MEDICINA — 12,84
DERECHO — 11,89
OTRAS ESC.UNIV.; INFORMÁTICA, ÓPTICA — 9,39
ENFERMERÍA — 8,14
EMPRESARIALES Y PROF. MERCANTIL — 7,25
ARQUITECTURA — 7,25
ARQ. E ING. TÉCNICA — 4,30
VETERINARIA — -6,47
INGENIERÍAS — -8,61
BELLAS ARTES — -16,21

ANTONIO MEDINA

Esta tabla preparada por una organización internacional indica en qué profesiones o trabajos hay mayor número de desempleados. Esta información se puede usar para decidir qué trabajos ofrecen mejores oportunidades para el futuro.

Reacción personal

Contesta las siguientes preguntas en una hoja de papel.

1 ¿Crees que las mujeres tienen más oportunidades de trabajo hoy en día? ¿Por qué? ¿Qué clase de trabajo pueden hacer?

2 ¿Te parece bien que los hombres se queden en casa a cuidar a sus hijos? ¿Por qué o por qué no?

3 ¿Qué trabajos crees que ofrecerán más oportunidades en tu comunidad en el futuro? ¿Cuál te gustaría hacer a ti? ¿Cómo deberás prepararte para ese trabajo?

Actividad cultural
www.pasoapaso.com

Gramática en contexto

¿Has pensado alguna vez en la ropa que se debe usar en el trabajo? Este artículo te puede ayudar a contestar esa pregunta.

A Busca en el artículo de la revista ejemplos de mandatos afirmativos. Anótalos en una lista. ¿Qué forma del verbo se usa? En el artículo hay también mandatos negativos: *nunca lleves, no te vistas, no te pongas . . . ni uses.* ¿Qué forma del verbo se usa en estos mandatos?

B En el artículo se ven estas construcciones: *ropa de colores y estilos que vayan bien* y *las cosas que ya tienes.* ¿Cuál se refiere a ropa que la persona tiene en este momento? ¿Cuál se refiere a ropa que la persona no tiene todavía? ¿Están en el indicativo o en el subjuntivo los verbos empleados en estas construcciones? ¿Puedes explicar por qué?

C Busca las construcciones en las que están las frases siguientes: *cuando consigas* y *cuando vayas.* ¿Es seguro que estas acciones van a ocurrir? ¿Se usa el indicativo o el subjuntivo? Explícale a un(a) compañero(a) la diferencia de significado entre estas dos oraciones: *¿Cuándo tienes tu primera entrevista?* y *Cuando tengas tu primera entrevista . . .*

¿Qué ropa debes usar en el trabajo?

Nunca lleves jeans o camisetas para la primera entrevista. Usa ropa que muestre una actitud seria. No te vistas demasiado informal.

Cuando consigas un trabajo, mira lo que llevan los otros empleados.

Después, cuando vayas a comprar la ropa que llevarás en tu trabajo, escoge ropa de colores y estilos que vayan bien con las cosas que ya tienes. No te pongas adornos exagerados ni uses perfumes fuertes.

Repaso: Mandatos afirmativos y negativos con *tú*

Ya sabes que para dar un mandato afirmativo a alguien a quien hablamos de *tú*, se usa por lo general la forma *Ud. / él / ella* del presente del indicativo. Para dar un mandato negativo con *tú*, se usan las formas del presente del subjuntivo. Compara los mandatos siguientes:

Llena la solicitud con cuidado.

No llenes la solicitud sin leerla primero.

Escribe con bolígrafo.

No escribas con lápiz.

Incluye una carta de recomendación.

No incluyas fotos.

- Aquí tienes los mandatos afirmativos y negativos en la forma *tú* de *llamar, traer, pedir* y *venir.*

Llamar	**Llama**	**No llames**
Traer	**Trae**	**No traigas**
Pedir	**Pide**	**No pidas**
Venir	**Ven**	**No vengas**

- Los verbos cuyas formas son irregulares o tienen un cambio en la raíz en el presente del subjuntivo conservan esas mismas formas en los mandatos negativos con *tú*.

No seas impaciente. El gerente llegará pronto.
No cuelgues el teléfono. Necesito hablarte.
No tengas miedo. Tu nueva jefa es muy amable.

- Recuerda que los pronombres de complemento y reflexivos se añaden a los mandatos afirmativos. Estos mismos pronombres, sin embargo, van **antes** de los mandatos negativos.

Llámalo por teléfono si no puedes ir a trabajar.
Despiértate temprano para no llegar tarde.
No te preocupes por ganar más sino por trabajar bien.

Buscando trabajo en los anuncios clasificados

1 Tu compañero(a) tiene un trabajo nuevo y no está seguro(a) de la ropa que debe llevar. Aconséjale usando: *ponerse, usar, vestirse (con), llevar* y *comprar.*

   A — *Voy a trabajar de repartidor. ¿Qué me pongo?*
   B — *Lleva jeans y camiseta. No te pongas corbata.*

Estudiante A   **Estudiante B**

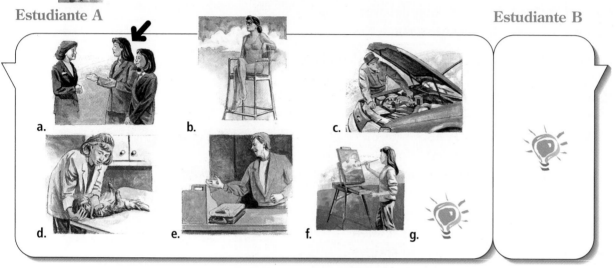

a.   b.   c.

d.   e.   f.   g.

2 Tu compañero(a) te pide consejos usando elementos de los dos recuadros. Contéstale con mandatos negativos y afirmativos.

   A — *¿Debo pedirle una carta de recomendación al profesor?*
   B — *Sí, pídele una carta de recomendación.*
        o: *No, no se la pidas a él. Pídesela al (a la) director(a).*

pedirle una carta de recomendación

a. explicarle lo que me pasa

b. decirle mi nombre

c. mostrarle mi solicitud

d. preguntarle sobre
    el sueldo

e.

El subjuntivo en cláusulas adjetivas

A veces se usa una cláusula para describir un sustantivo. Este tipo de cláusula se llama cláusula adjetiva.

• Para referirse a una persona o cosa específica, se usa el indicativo:

Ese restaurante tiene un cocinero **que sabe preparar paella**.

• Se usa el subjuntivo cuando no nos referimos a una persona o cosa específica, o cuando no estamos seguros de que esa persona o cosa exista:

El restaurante busca un cocinero **que sepa preparar paella**.

• También se usa el subjuntivo en una cláusula adjetiva cuando se refiere a una palabra negativa como *nadie, nada,* o *ninguno(a)*:

No hay **ningún puesto** en los anuncios clasificados **que me guste.**
No hay **nadie que tenga** la experiencia necesaria.

3 Imagina que se necesitan personas para hacer diferentes trabajos. Con un(a) compañero(a), forma frases con elementos de los dos recuadros.

A —*Se necesita un cocinero que sepa preparar hamburguesas.*
B —*Entonces, Miguel debe solicitar ese trabajo porque siempre cocina hamburguesas.*
o: *Debo solicitar ese trabajo porque me gusta mucho cocinar.*

a.   b.   c.

d.   e.   f.

saber nadar

hablar idiomas

saber preparar
   hamburguesas

ser honesto

acompañar al (a la)
   diplomático(a)

tener buenos modales

4 ¿Cuáles piensas que son los aspectos más importantes de un trabajo? Habla con un(a) compañero(a) y completa cada frase de varias maneras.

Me conviene trabajar en un lugar que sea callado (que quede cerca de mi casa).

a. Quiero conseguir un trabajo que . . .
b. Me gustaría trabajar para un jefe (una jefa) que . . .
c. Prefiero trabajar con otros empleados que . . .
d. Quisiera tener un horario de trabajo que . . .
e. Necesito una persona que . . .
f. Me gustaría tener un sueldo que . . .
g. 💡

Analizando información médica
en una computadora

El subjuntivo con *cuando*

Se usa el subjuntivo después de *cuando* para referirse a algo que no ha ocurrido todavía o que puede o no ocurrir en el futuro.

> Voy a trabajar en una oficina de turismo **cuando aprenda** a hablar francés.

- Se usa el indicativo si algo va a ocurrir con seguridad o si ocurre regularmente. Compara:

> Los domingos, **cuando tengo tiempo,** siempre les escribo a mis abuelos.
> Les escribiré a mis abuelos **cuando tenga tiempo.**

5 Tu compañero(a) quiere saber cuándo piensas hacer algo pero tú no estás seguro(a). Explícale de qué depende la situación.

hablar
con la jefa

A — *¿Cuándo vas a hablar con la jefa?*
B — *Cuando ella regrese a la oficina.*

Estudiante A

a. leer los anuncios clasificados

b. buscar un trabajo . . .

c. seguir un entrenamiento . . .

d. visitar al (a la) gerente

e. recibir un aumento de sueldo . . .

f. hacer una llamada . . .

g. hacer una presentación sobre . . .

h.

Estudiante B

entregar el trabajo

comprar el periódico

recordar su número

conseguir más información

tener tiempo

tener más experiencia

hacer una cita con él (ella)

Ahora lo sabes

¿Puedes:

■ dar un consejo a un(a) amigo(a)?

—Si necesitas trabajo, ___ un trabajo de tiempo parcial. No ___ un trabajo de tiempo completo.

■ describir a una persona o una cosa que no sabes si existe o no?

—Buscan una recepcionista que ___ español y francés.

■ hablar sobre hechos que pueden ocurrir en el futuro?

—No sé qué estudiaré cuando ___ a la universidad.

MÁS PRÁCTICA

Más práctica y tarea, pp. 572–573
Practice Workbook 9–5, 9–9

Un científico en un laboratorio de biología molecular

Cómo tener éxito en el mundo del trabajo

Esta sección te ofrece la oportunidad de combinar lo que aprendiste en este capítulo con lo que ya sabes para responder a la pregunta clave.

Para decir más

Aquí tienes vocabulario adicional que te puede ayudar para hacer las actividades de esta sección. Si no sabes qué quieren decir estas palabras, puedes consultar un diccionario.

contratar

despedir

el trabajo en equipo

la informática

programador, -a

redactor, -a

ingeniero, -a

diseñador, -a

sicólogo, -a

el / la asistente, -a social

Sopa de actividades

1. En parejas, preparen una conversación entre un(a) estudiante que quiere buscar trabajo y un(a) consejero(a) que le ayuda. Deben incluir la siguiente información:

- los intereses del (de la) estudiante
- sus habilidades, cualidades y experiencia
- qué tipo de trabajo quiere
- cuándo puede trabajar
- qué debe hacer para saber qué trabajos hay
- los requisitos de los trabajos
- qué debe hacer para llenar la solicitud
- cómo debe prepararse para la entrevista

Presenten la conversación a la clase. Los demás estudiantes pueden hacer sugerencias.

Si quieres trabajar de___, ve a ___. Están buscando un(a)___ que ___ .

Trabajando con una computadora en la tienda de la escuela

2 En grupos de tres o cuatro, van a averiguar cuáles serán las profesiones que van a seguir más estudiantes de la clase.

- Hagan una tabla con una lista de los nombres y las profesiones que va a seguir cada miembro del grupo.
- Den la lista a otro grupo. ¿Qué profesiones tienen las listas en común? Trabajen con el otro grupo para hacer una lista que las incluya todas.
- Compartan esta lista con la clase. Hagan una tabla con todas las profesiones escogidas.
- Decidan cuáles son las tres profesiones más populares de toda la clase. Expliquen por qué son las más populares.

3 Trabajen en grupos de tres para darle consejos a un(a) estudiante sobre una situación que le interese. Pueden darle consejos sobre cómo:

- conseguir un trabajo
- tener buena salud
- preparar algún plato que le guste

- practicar algún deporte o pasatiempo
- ser un(a) buen(a) estudiante, deportista, músico(a), artista, etc.

Piensen de cuatro a seis consejos que quieren darle usando mandatos afirmativos y negativos. Para presentar cada situación, pueden hacer un cartel, grabar una canción "rap" o hacer una dramatización.

Para leer

Antes de leer

ESTRATEGIA ➤ Uso de conocimientos previos

A mucha gente le gusta tomar pruebas de personalidad que salen en revistas. Por lo general, ¿sobre qué cosas hacen preguntas? ¿Cuál de estas preguntas crees que no aparecerá en una prueba de personalidad?

1. Tus amigos empiezan a cantar. Tú (a) también cantas, (b) te vas en seguida, (c) mueves los labios sin cantar.

2. Si estás trabajando en grupo en la clase y alguien no quiere cooperar, tú (a) tratas de convencerle de que coopere, (b) apoyas su decisión, (c) te quejas al (a la) profesor(a).

3. Si una blusa vale $17.95 y tiene un descuento del 25%, ¿cuánto tienes que pagar por ella?

4. Puedes imitar bien un paso de baile. ¿Sí o no?

Mira la lectura

ESTRATEGIA ➤ Echar una ojeada

Lee este artículo rápidamente sólo para ver su organización. Para tomar la prueba, ¿qué pasos hay que seguir?

1. a. leer las explicaciones de las categorías
   b. darle puntaje a varias actividades
   c. sumar los puntos

2. a. darle puntaje a varias actividades
   b. sumar los puntos
   c. leer las explicaciones de las categorías

3. a. sumar los puntos
   b. darle puntaje a varias actividades
   c. leer las explicaciones de las categorías

¿Qué TIPO de *inteligencia* tienes?

El intelecto es muy importante, pero aún más esencial es saber aprovecharlo al máximo. Y eso sólo puedes lograrlo si sabes qué clase de inteligencia tienes. Sí, porque muchas personas desaprovechan su potencial y no logran alcanzar sus metas. ¡Tú no quieres cometer ese fallo! Descubre ahora mismo tu área fuerte en materia gris … ¡Adelante!

Piensa lo buena que eres o serías en cada una de estas actividades, en comparación con tus amigas. Si te sientes tan buena como ellas, date un 0. Pero si piensas que lo harías un poco mejor, apúntate un 1. Si crees que las dejarías enanas, anótate un grandioso 2.

___ **1** Encontrar una dirección en un mapa.

___ **2** Reconocer que estás de mal humor y salir de él.

___ **3** Tocar, de oído, una canción que te gusta.

___ **4** Cargar una enorme cantidad de libros.

___ **5** Conversar con los amigos de tus padres.

___ **6** Empacar una maleta, con todo bien acomodado.

___ **7** Recordar la letra de una canción.

___ **8** Jugar damas.

___ **9** Reconocer la guitarra, bajo, etc., en tu canción favorita.

___ **10** Aprender suficiente francés como para "defenderte" una semana en Francia.

___ **11** Lograr que tus amigos se pongan de acuerdo sobre qué película van a ver.

__ **12** Hacer un crucigrama.

__ **13** Llevar una cuenta—en tu cabeza—de cuánto dinero has gastado durante el día.

__ **14** Imitar los manerismos de tu maestra.

__ **15** Armar la batidora que se desarmó.

__ **16** Sacar la cuenta para saber cuándo tu cumpleaños caerá un sábado.

__ **17** Aplicar esmalte de uñas, que te las cubra todas (no las cutículas ni tus jeans favoritos).

__ **18** Identificar una canción instantáneamente.

__ **19** Crear un programa de computadora.

__ **20** Intuir cuándo debes actuar.

__ **21** Hacer un acto de malabarismo.

__ **22** Jugar barajas.

__ **23** Hacer chistes… y que sean graciosos.

__ **24** Distinguir cuándo cantan fuera de tono.

PUNTUACIÓN

Mira qué número pusiste para cada pregunta y suma cada categoría. El máximo puntaje que puedes obtener de cada categoría es 8. En las que adquieres el puntaje más alto son tus áreas más fuertes en esto de la materia gris.

— **1** espacio
— **2** relaciones
— **3** música
— **4** cuerpo
— **5** _____
— **6** espacio
— **7** capacidad oral
— **8** espacio
— **9** música
— **10** capacidad oral
— **11** relaciones
— **12** capacidad oral
— **13** _____
— **14** cuerpo
— **15** espacio
— **16** lógica/matemáticas
— **17** cuerpo
— **18** _____
— **19** lógica/matemáticas
— **20** relaciones
— **21** cuerpo
— **22** lógica/matemáticas
— **23** capacidad oral
— **24** música

¿Quieres saber más?
Pues sigue leyendo…

Para leer

¿CÓMO ERES?

Ahora vamos a explicarte a qué nos referimos con inteligencia del cuerpo, espacio, etc. Pon mucho ojo, chica…

ESPACIO: Esto se refiere a tu capacidad de percibir el mundo físico y de "verlo" en tu mente e incluso "jugar" con esos elementos en tu imaginación. Es la cualidad que "hace" a un buen artista, ingeniero, arquitecto, diseñador, inventor, etc.

CAPACIDAD ORAL: Se relaciona con tu forma de hablar, tu amor por las palabras, la sutileza de una frase, la cadencia de tal oración. Es la cualidad de los escritores, abogados, políticos, historiadores, editores, personas de relaciones públicas, etc.

RELACIONES: Esta área de tu inteligencia tiene que ver con el arte de conocerte y de saber "leer" a los demás. También, con tu sensibilidad, intuición, compasión… Es la parte fuerte de los maestros, sicólogos, políticos, trabajadores sociales, ministros, etc.

LÓGICA/MATEMÁTICAS: Esta clase de inteligencia es rápida para los números y buenísima para el pensamiento abstracto (ver conexiones, patrones, etc., que no son evidentes o concretos). Si

ésta es tu área fuerte, quizás te "hala" la matemática, la contabilidad, la ciencia, las computadoras… Tienes un amplio campo para escoger.

CUERPO: Concierne a la habilidad de coordinar tu cuerpo; de moverte en forma grácil, según la ocasión. Ésta es la capacidad básica de los bailarines, deportistas, actores, músicos e incluso los cirujanos que necesitan total control de sus manos.

MÚSICA: Este aspecto de la inteligencia tiene que ver con la capacidad de percibir y apreciar los ritmos y las melodías… y de reproducirlos. Apostamos a que te pasas el día oyendo música y que muchos amigos te dicen que deberías ser cantante. Entre las profesiones que podrían "llamarte" se encuentran: músico, maestro de música, locutor de radio, ingeniero de sonido, etc.

Bueno, ya conoces cuáles son tus áreas fuertes y qué trabajos se adaptan a tu tipo de inteligencia. No creas que te conviene saberlo por simple curiosidad… "Armada" con esta información, podrás tomar una decisión astuta, precisamente, sobre tu futuro: la carrera para la que tienes aptitud, la que más te gusta de ellas y todo ese rollo universitario. Sácale provecho…

Infórmate

➤ Controlar palabras desconocidas

Recuerda que puedes seguir tres pasos cuando encuentras una palabra que no conoces. Primero, pregúntate ¿es importante saber esta palabra para entender la selección? Si es así, la segunda pregunta es ¿qué me dice el contexto sobre la palabra? Si todavía no sabes su significado, pregúntate ¿quién o qué cosa me puede ayudar? Por ejemplo, puedes preguntarle a un(a) compañero(a), o puedes buscar la palabra en un diccionario.

1 Mira la frase número 9 que empieza *Reconocer la guitarra, bajo, etc.,*... Si no conoces la palabra *bajo,* en realidad no es muy importante, pero vale la pena usar el contexto como ayuda. Como la palabra *bajo* sigue a la palabra *guitarra,* es probable que también sea un instrumento musical. ¿Qué instrumento musical tiene un tono muy bajo? Adivina, luego busca la palabra en un diccionario.

2 En la sección **Puntuación** faltan los números 5, 13 y 18. Léelos de nuevo y decide a qué categoría pertenecen. En una hoja de papel, escribe las categorías y los números correspondientes.

3 Ahora toma la prueba. Usa la estrategia que acabamos de practicar como ayuda.

Aplicación

¿Qué categorías les hacen falta a los que siguen estas profesiones? Decide con un(a) compañero(a). Pueden asignar más de una categoría a cada una.

- profesor(a) universitario(a)
- enfermero(a)
- piloto
- abogado(a)

Para escribir

Antes de graduarse de la secundaria, muchos jóvenes ya están pensando en el trabajo que van a tener o en la profesión que van a seguir. ¿Has pensado tú en esto? Para poder escoger lo que te conviene tienes que analizar tus intereses, tus habilidades y tu experiencia. Vas a preparar un resumen que te ayudará a decidir cómo puedes tener éxito en el mundo del trabajo.

1 Primero, considera estas preguntas.

- ¿Cómo eres? ¿Cuáles son tus características?
- ¿Cuáles son tus habilidades?
- ¿Qué sabes de diferentes trabajos o profesiones?
  ¿Qué experiencias de trabajo has tenido?
- ¿Cuáles son tus intereses principales?

En una hoja de papel haz cuatro columnas. Escribe tus respuestas para cada categoría.

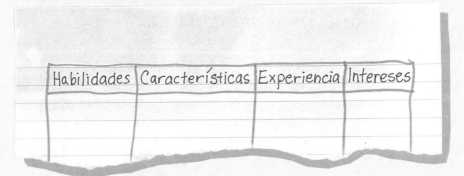

Habilidades	Características	Experiencia	Intereses

2 Ahora, piensa en un trabajo o una profesión que te interesa.

- ¿Cuál es? ¿Por qué te atrae?
- ¿Cuáles son los requisitos para el trabajo?
- ¿Qué necesitas saber? ¿Qué tipo de educación debes tener?
- ¿Qué experiencia necesitas?

Responde brevemente a estas preguntas. Luego, revisa la tabla que has hecho y compara tus habilidades, características, experiencia e intereses con los que se necesitan para el trabajo que has escogido. Escribe un breve análisis y preséntalo a la clase.

Recuerda que debes revisar tu análisis con un(a) compañero(a) y seguir los pasos del proceso de escribir.

Aquí tienes algunas palabras y expresiones que te pueden ayudar.

además	hasta ahora	por un lado / por otro lado
de la misma manera	por esto	sin embargo
desde que		

3 Para compartir tu trabajo puedes:

- exhibirlo en la sala de clases
- hacer una "Feria de trabajo" para ayudar a otros estudiantes a preparar su propio autoanálisis y darles información sobre trabajos y profesiones
- juntar las descripciones de los diferentes trabajos en una colección llamada *Trabajos y profesiones para nuestro futuro*
- poner tu trabajo en tu portafolio

¿Lo sabes bien?

Esta sección te ayudará a prepararte para el examen de habilidades, donde tendrás que hacer tareas semejantes.

Comprensión auditiva

¿Puedes entender una conversación sobre trabajos? Escucha mientras el(la) profesor(a) lee un ejemplo semejante al que vas a oír en el examen. ¿Por qué ha sido difícil para esta persona encontrar trabajo? ¿Qué cualidades personales tiene? ¿Cuáles son los trabajos que le han ofrecido?

Lectura

¿Puedes leer este anuncio que salió en un periódico y usar lo que sabes sobre los cognados, el contexto y las familias de palabras para saber de qué se trata?

Escritura

¿Puedes escribir una carta como la que Agustín le escribió a su hermano?

Querido Jaime:

Quisiera conseguir un trabajo de tiempo completo para las vacaciones. Aunque tengo poca experiencia, soy honesto y respetuoso y tengo buenas recomendaciones. He leído los anuncios clasificados y he visto algo que me conviene. Presenté una solicitud en una tienda que vende computadoras. ¿Podrías prepararme para la entrevista? Escríbeme cuando puedas.

Saludos,

Agustín

Cultura

¿Cuáles son algunos de los trabajos más populares en México hoy? ¿Y en los Estados Unidos?

Práctica oral

¿Puedes hablar con el/la gerente de un restaurante sobre un trabajo?

A —*Buenas tardes. Leí su anuncio en la puerta y me gustaría trabajar en su restaurante. ¿Qué necesito hacer?*

B —*Primero, llena esta solicitud. Escribe con bolígrafo, por favor. ¿Tienes alguna experiencia?*

A —*Bueno, he trabajado antes en un restaurante, soy puntual y honesto y tengo mucha paciencia.*

B —*¿Tienes entrenamiento como cocinero(a)? Necesitamos a una persona con experiencia.*

A —*Pues, nunca he trabajado como cocinero(a), pero . . .*

¿Qué tienen estas dos personas en común?

Las dos recibieron entrenamiento en el Instituto Global de Carreras mientras mantenían sus trabajos de tiempo completo.

Ud. también podrá conseguir un ascenso o aumento de sueldo si desarrolla sus habilidades y adquiere nuevas destrezas. Llene su solicitud en cuanto pueda y el Instituto Global de Carreras le ayudará a alcanzar su meta.

Usa el vocabulario de este capítulo para:

■ responder a la pregunta clave: Cómo tener éxito en el mundo del trabajo

■ hablar de diferentes tipos de trabajo

■ describir las cualidades y habilidades que se necesitan para realizar un trabajo

■ explicar los pasos necesarios para buscar y conseguir trabajo

para hablar de distintos trabajos

el cliente, la clienta
el diplomático, la diplomática
el /la gerente
el /la intérprete
el jefe, la jefa
el /la recepcionista
el repartidor, la repartidora
el /la salvavidas
(de) tiempo completo
(de) tiempo parcial

para describir las cualidades necesarias para un trabajo

adecuado, -a
ambicioso, -a
capaz, *pl.* capaces
cortés, *pl.* corteses
la cualidad
cuidadoso, -a
la destreza
la habilidad
honesto, -a
maduro, -a
los modales, *pl.*
la paciencia
productivo, -a
puntual
la puntualidad
respetuoso, -a

para explicar los requisitos de un trabajo

administrar
administrativo, -a
el archivo
atender *(e → ie)* (a)
cualquier
cumplir con
distribuir *(i → y)*
encargarse *(g → gu)* (de)
el entrenamiento
la experiencia
merecer *(c → zc)*
oportuno, -a
realizar *(z → c)*
la recomendación, *pl.* las recomendaciones
el requisito
la tarea
tratar (bien / mal)

para buscar y conseguir trabajo

alcanzar *(z → c)*
los anuncios clasificados
el ascenso
el aumento (de sueldo)
la cita
fijo, -a
la meta
la solicitud
el sueldo

otras palabras y expresiones útiles

ahora mismo
convenir *(e → ie)*:
   me conviene
cuando creas *(del verbo* creer)
no sólo . . . sino también

CAPÍTULO 10

OBJETIVOS

Al terminar este capítulo vas a poder responder a la pregunta clave:

¿Cómo se puede controlar la violencia?

También vas a poder:

- describir un hecho de violencia
- hablar de las causas de la violencia y de sus efectos en la sociedad
- dar tu opinión sobre diferentes medidas para controlar la violencia
- dar ejemplos del control de la violencia en los países de habla hispana y en los Estados Unidos

Mural a favor de la paz en una escuela de Madrid, España

Anticipación

Mira las fotos. ¿Cómo ayudan estas personas a controlar la violencia? ¿Crees que estos métodos son suficientes? ¿Por qué?

"Educando a otros ayudamos a controlar el uso de drogas."

Muchos jóvenes en todo el mundo luchan contra la violencia y las drogas a través de campañas educativas como ésta, en Madrid, España. ¿Por qué es efectiva la educación para reducir el uso de drogas?

A veces la violencia y la lucha son inevitables. Durante la guerra de independencia, las personas se unían para luchar por una causa justa. Esta estatua en Caracas, Venezuela, está dedicada al Libertador Simón Bolívar, líder de la lucha por la independencia de su país. ¿En qué casos crees que la violencia es inevitable?

Algunas organizaciones internacionales como la Organización de los Estados Americanos (OEA), ayudan a resolver conflictos pacíficamente. En Nicaragua en 1990 y de nuevo en 1996, los representantes de la OEA ayudaron a supervisar las elecciones para garantizar que fueran libres y seguras. ¿Qué otras organizaciones internacionales conoces? ¿Trabajan por la paz o tienen otros fines?

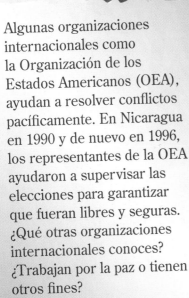

Exploración cultural www.pasoapaso.com
Visita estos países

Vocabulario para comunicarse

La violencia en nuestra vida

Aquí tienes palabras y expresiones necesarias para hablar sobre la violencia. Léelas varias veces y practícalas con un(a) compañero(a) en las páginas siguientes.

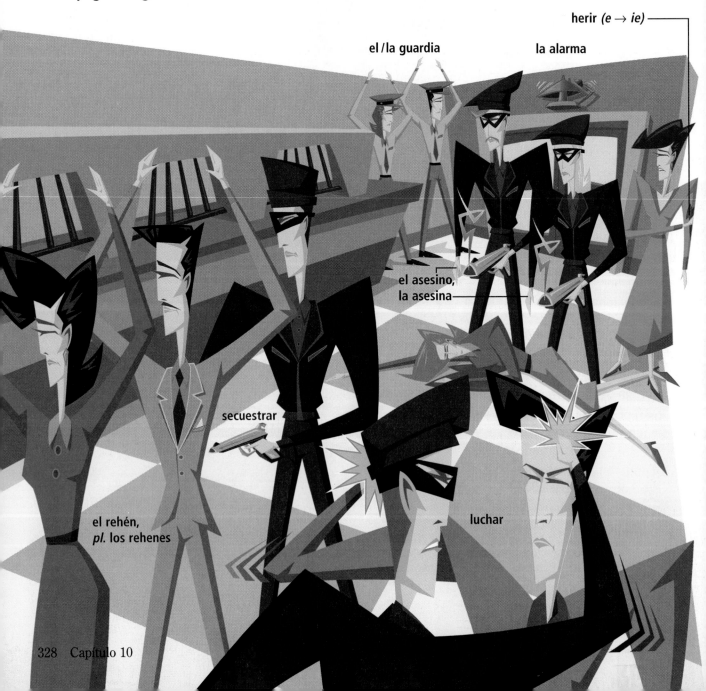

herir *(e → ie)*

el /la guardia

la alarma

el asesino, la asesina

secuestrar

el rehén, *pl.* los rehenes

luchar

También necesitas . . .

Si no sabes qué quieren decir estas palabras, puedes consultar un diccionario o el Vocabulario español-inglés al final del libro.

el asesinato
la autodefensa
castigar *(g → gu)*
culpable
el lugar de los hechos
la medida
meter en (la cárcel)
la muerte
el narcotráfico
la pena
el secuestro

el sospechoso,
  la sospechosa
tener la culpa (de)
el tiroteo
asombrar
preocupar(se)
sorprender(se)
temer (a)
tener miedo (de)
vigilar

¿Y qué quiere decir . . . ?
defender(se) *(e → ie)*
el / la delincuente

la droga
inocente

el jurado

¡NO OLVIDES!

Puedes usar también estas palabras:
arrestar
el crimen
el / la criminal
la escena
el hecho
investigar
el ladrón, la ladrona
  pl. *los ladrones*

matar
ocurrir
la policía
robar
la víctima
la violencia
violento, -a

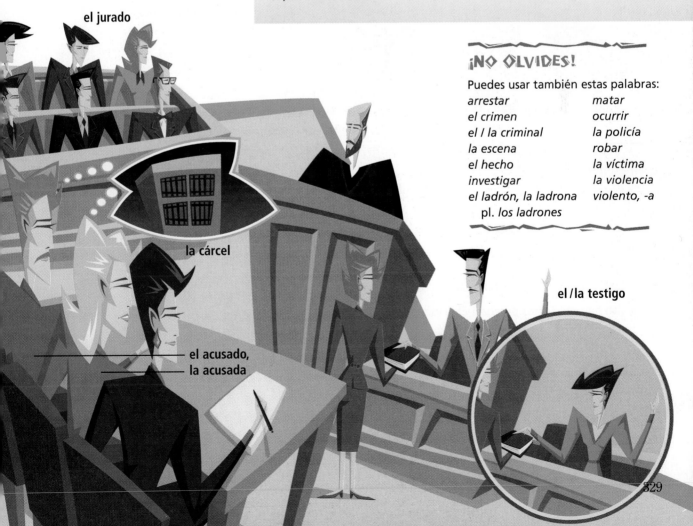

la cárcel

el acusado,
la acusada

el / la testigo

329

Empecemos a conversar

Túrnate con un(a) compañero(a) para ser *Estudiante A* y *Estudiante B*.
Reemplacen las palabras subrayadas con palabras representadas o
escritas en los recuadros. 🔦 quiere decir que puedes escoger tu
propia respuesta.

1 A —¿Sabes qué es *un asesino*?
B —*Sí, una persona que mata a otra*.

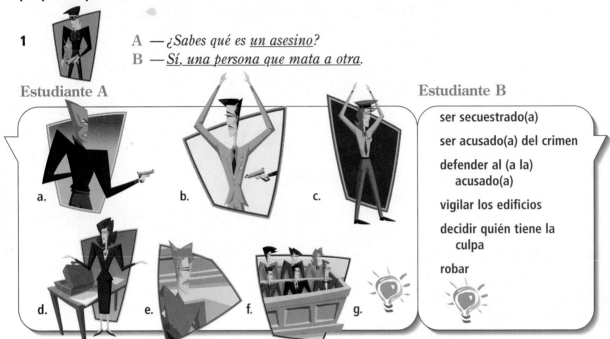

Estudiante A

a. b. c.

d. e. f. g.

Estudiante B

ser secuestrado(a)

ser acusado(a) del crimen

defender al (a la)
   acusado(a)

vigilar los edificios

decidir quién tiene la
   culpa

robar

¿Quién lo dice?

2 A —*Pero, no pude herir a nadie porque yo no tenía pistola*.
B —*Eso es lo que dice el acusado*.

Estudiante A

a. En el lugar de los hechos arresté a dos sospechosos.

b. ¡No hay suficientes pruebas! El acusado es inocente.

c. Yo estaba vigilando el museo esa noche cuando oí la alarma.

d. Vi a dos hombres salir del museo corriendo.

e. Hemos decidido que es culpable.

f. ¡A la cárcel por quince años!

g. ¡Soy inocente! ¡Tienen que creerme!

Estudiante B

Para este ejercicio, mira el dibujo de arriba.

3   A — *¿Qué <u>estaba</u> haciendo <u>el guardia</u> cuando ocurrió el asesinato?*
  B — *Dice que <u>estaba vigilando el edificio</u>.*
  A — *¿Crees que tiene la culpa?*
  B — *No, porque . . .*
    o: *Sí, porque . . .*

Estudiante A

a. los niños del apartamento A

b. el hombre del apartamento B

c. la policía

d. la señora del apartamento D

e. el ladrón

f. el hombre de la camisa azul

Estudiante B

4 meter a los criminales en la cárcel

A — *¿Crees que debemos <u>meter a los criminales en la cárcel</u>?*

B — *¡Claro! Me parece bien que los metamos en la cárcel porque . . .*
o: *No. Es una lástima que los metamos en la cárcel porque . . .*

¡NO OLVIDES!

Recuerda que en los verbos que terminan en -*gar* la *g* cambia a *gu* en la forma *yo* del pretérito y en todas las formas del presente del subjuntivo. Uno de estos verbos es *castigar.*

Estudiante A

a. apoyar la pena de muerte

b. proteger los derechos de las víctimas

c. castigar a los delincuentes

d. terminar con el terrorismo

e. construir más cárceles

f. tomar clases de autodefensa

Estudiante B

Es una lástima que . . .

(No) Me parece bien que . . .

(No) Me sorprende que . . .

(No) Me preocupa que . . .

(No) Me molesta que . . .

5 la violencia en la televisión o la censura

A — *¿Qué te preocupa más, <u>la violencia en la televisión o la censura</u>?*

B — *<u>La censura, porque nadie tiene derecho a decidir qué debo ver.</u>*
o: *Las dos porque . . .*

Estudiante A

a. el narcotráfico o la guerra contra las drogas

b. las pistolas o las leyes para controlarlas

c. los secuestros de aviones o las medidas de seguridad en los aeropuertos

d. los derechos de los acusados o los de las víctimas

e. el gran número de asesinatos o la pena de muerte

Estudiante B

¿Y qué piensas tú?

Aquí tienes otra oportunidad para usar el vocabulario de este capítulo.

6 ¿A qué temes más? ¿A qué temías más de pequeño(a)? ¿Todavía tienes miedo?

7 ¿Qué clase de crímenes ocurren con más frecuencia en tu ciudad o pueblo? ¿Crees que es peligroso o no el lugar donde vives? ¿Cómo se puede hacer menos peligroso el mundo en que vivimos?

8 ¿Qué haces para defenderte contra la violencia? ¿Crees que es una buena idea aprender a defenderse? ¿Por qué? ¿Tomas o has tomado clases de autodefensa? ¿Te interesa tomar alguna? ¿Por qué?

9 Trae periódicos recientes a la clase. Trabaja con un(a) compañero(a). Hagan una lista de los hechos de violencia que vean en los periódicos. Luego hagan una tabla y numeren estos actos de 0 a 5 en orden de importancia. Comparen su tabla con la de otros compañeros. Después, pueden hacer una tabla general de toda la clase.

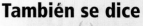
También se dice

el guardián, la guardiana
el / la vigilante

la prisión, *pl.* **las prisiones**

raptar

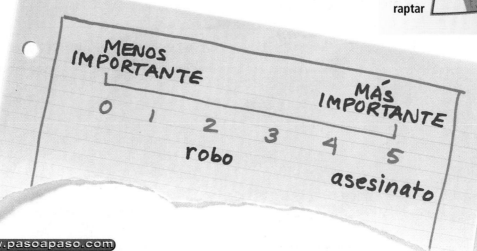

www.pasoapaso.com

MÁS PRÁCTICA

- Más práctica y tarea, p. 574
- Practice Workbook 10–1, 10–2

Tema para investigar

Aquí tienes más palabras e ideas para hablar sobre la violencia.
Mira las pinturas de esta página. ¿Qué ejemplos de violencia ves
aquí? ¿Qué soluciones se podrían proponer para controlarla?

Panel # 16 del *Fresco de Hispanoamérica*
(1932-34), José Clemente Orozco

*Los fusilamientos del 3 de mayo
de 1808* (1815), Francisco de Goya

La violencia y la justicia

Hoy en día hay tanta violencia que casi todos vivimos con **inseguridad.** En algunas partes de nuestras ciudades la gente **arriesga** su vida sólo saliendo a la calle. No nos sorprende que haya tantos **ataques a mano armada** todos los días. Hoy por la mañana intentaron secuestrar un coche en esta calle; en otra ciudad hubo un **atentado. El terrorismo** continúa con sus actos de violencia en todo el mundo. Ayer por la noche un grupo terrorista internacional se confesó autor de una **explosión.** Otro pidió millones de dólares como **rescate** para **poner en libertad** a los rehenes.

Hay personas que afirman que la causa de todo esto es que los jóvenes ven demasiada violencia en la televisión y en los videojuegos, y que algunas canciones que escuchan son demasiado violentas también. Otros creen que lo que llaman la "desintegración de la familia" tiene la culpa, y que debemos volver a los "valores tradicionales." Para ellos la solución es castigar a los criminales, **contratar** más policías, construir más cárceles e **imponer** penas más **severas.** Dicen que no se puede poner en libertad a los culpables, que los criminales deben quedarse en la cárcel hasta que terminen su **sentencia** y que, en algunos casos, los jóvenes deben recibir el mismo **castigo** que los adultos. También recomiendan el castigo **corporal** y creen que se debe imponer la pena de muerte porque, según ellos, **el temor** a la pena servirá para **acabar con** el crimen.

Otros creen que lo que hay que hacer es **evitar** que el crimen ocurra. Dicen que cualquiera puede comprar una pistola en este país, que lo más importante es controlar **las armas**, no los programas de televisión. En todas las escuelas se debe enseñar a resolver conflictos sin **recurrir a** la violencia. También se necesitan campañas de **seguridad** pública para que la gente aprenda a protegerse.

Es importante que todos tengamos seguridad en nuestras casas y en nuestras ciudades. ¿Qué piensas tú?

Si no sabes qué quieren decir estas palabras, puedes consultar un diccionario o el Vocabulario español-inglés al final del libro.

arriesgar $(g \rightarrow gu)$	el temor
a mano armada	acabar (con)
el atentado	evitar
el rescate	el arma, *pl.* las armas
poner en libertad	recurrir (a)
contratar	la seguridad
imponer*	

¿Y qué quiere decir . . . ?

la inseguridad	severo, -a
el ataque	la sentencia
el terrorismo	el castigo
la explosión, *pl.* las explosiones	corporal

Imponer se conjuga como poner.

¿Comprendiste?

1 ¿Cuáles son dos de las causas de la violencia según el tema? ¿Y dos maneras de controlarla?

2 Haz una lista de otras causas de la violencia o de maneras de controlarla que no están en el tema. Luego, con un(a) compañero(a), pónganlas en orden de importancia.

¿Y qué piensas tú?

3 ¿Cuáles son algunas maneras de resolver un conflicto? ¿Cuáles usas tú? ¿Cuál es la más efectiva para ti? ¿Por qué?

4 ¿Qué medidas de seguridad hay en tu escuela? ¿Cómo se resuelven conflictos en tu escuela? ¿Es efectivo ese método? Si no, ¿qué método sugieres tú?

5 ¿Cuáles son las penas por no obedecer las reglas de tu escuela? ¿Crees que son justas? ¿Por qué sí o no? Si no, ¿qué cambios sugieres tú?

6 ¿Conoces algún hecho histórico con resultados positivos pero que fue considerado como un acto de violencia en su época? Piensa, por ejemplo, en el *Boston Tea Party*. Explica tu respuesta.

7 ¿De acuerdo o no? Formen dos grupos. Los miembros de un grupo van a afirmar que la violencia que presentan la televisión, el cine y los videojuegos es una causa de la violencia que ocurre en la vida real. El otro grupo no va a estar de acuerdo con esta idea.

Organicen un debate entre los dos grupos. Van a discutir:

- ¿Imita la gente los crímenes que ve en la televisión y en el cine?
- Si la respuesta es sí, ¿qué tipo de crímenes imita?
- ¿Quiénes los imitan generalmente: los niños, los adolescentes, los adultos?
- ¿Por qué crees que los imitan?
- ¿Se debe permitir la censura de programas de televisión, de películas y de videojuegos? ¿Por qué?
- Si la respuesta es sí, ¿en qué tipo de programas debe haber censura?
- ¿Quién(es) debe(n) participar en esa censura?

MÁS PRÁCTICA

Más práctica y tarea, p. 575
Practice Workbook 10–3, 10–4

Guernica (1937), Pablo Picasso

¿Qué sabes ahora?

¿Puedes:

■ **describir un hecho de violencia?**

—Hubo un ___ en ___. Alguien ___.

■ **hablar de las causas de la violencia y de sus efectos?**

—Pienso que la causa de la violencia puede ser ___. La violencia me ___ porque ___.

■ **mencionar algunas medidas para controlar la violencia?**

—Para acabar con la violencia se debe ___ y ___.

ÁLBUM CULTURAL

Hoy en día la violencia afecta a toda la sociedad. Muchos grupos participan en manifestaciones pacíficas para protestar contra la violencia, el narcotráfico y otros problemas. ¿Crees que las protestas pacíficas ayudan a controlar la violencia? ¿Por qué?

El uso de murales como medio para expresar ideas se ha extendido mucho gracias a la obra de grandes artistas como Rivera y Orozco. Muchas comunidades expresan su intención de controlar la violencia por medio de murales como éste en Oaxaca, México. Tradicionalmente, la paloma—el pájaro del mural—es el símbolo de la paz. Trabajando juntos, los miembros de la comunidad pueden ayudar a que se reduzcan el crimen y la violencia.

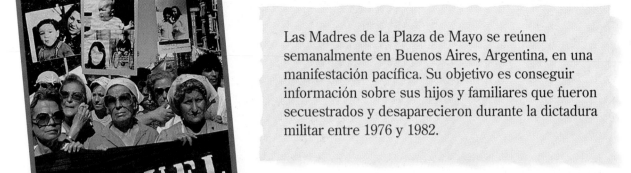

Las Madres de la Plaza de Mayo se reúnen
semanalmente en Buenos Aires, Argentina, en una
manifestación pacífica. Su objetivo es conseguir
información sobre sus hijos y familiares que fueron
secuestrados y desaparecieron durante la dictadura
militar entre 1976 y 1982.

EL 0,7% BART SIMPSON
Keanu Reeves
LOS DELFINES
LOS TEBEOS
Mi amiga
EL AÑO 2000
El tiempo
MI PERRO
Mis vaqueros viejos
Las gominolas
EL PING PONG
Hablar por teléfono

HAY UN MONTÓN DE RAZONES PARA DECIR
NO.

FUNDACIÓN DE
AYUDA CONTRA
LA DROGADICCIÓN

La oposición al narcotráfico y al uso de drogas se extiende por todo el mundo. En España, el Fondo de Ayuda contra la Drogadicción usa anuncios, como el que aparece a la izquierda, para animar a los jóvenes a decir no a las drogas. En Austin, Texas, se lleva a cabo una marcha con el mismo fin.

Reacción personal

Contesta las siguientes preguntas en una hoja de papel.

1   ¿Qué puede hacer una comunidad para controlar el crimen y la violencia?

2   Menciona algunas cosas que puedes hacer para evitar ser víctima de un crimen.

3   ¿Te parecen efectivas las campañas pacíficas en contra de la violencia y el narcotráfico? ¿Por qué?

www.pasoapaso.com

Gramática en contexto

Puedes ver aquí una tira cómica sobre un secuestro. ¿Qué información piensas encontrar? Mira las ilustraciones y lee el texto para averiguarlo.

A En la primera escena de la tira cómica aparece una forma *Uds.* de mandato: *metan.* ¿A qué otra forma que conoces se parece? En la última escena hay tres mandatos con la forma *Uds.* ¿Cuáles son? Dos son mandatos afirmativos y uno es negativo. ¿Existe alguna diferencia entre ellos? Explica a otro(a) estudiante cómo dar un mandato usando *Uds.*

B En la segunda escena el padre dice: *sabemos que los criminales piden* y *tememos que hieran.* ¿Cuál de estas frases expresa una emoción?

¿Está el verbo después de *que* en esta frase en el subjuntivo o en el indicativo? En la tercera escena el policía dice: *sentimos mucho que estos hombres hayan secuestrado.* ¿Se expresa aquí una emoción? ¿Está el verbo después de *que* en el subjuntivo o en el indicativo? Dile a un(a) compañero(a) si usarías el indicativo o el subjuntivo después de estas expresiones: *Estoy contento(a) de que . . . Yo sé que . . . Es trágico que . . .*

Mandatos afirmativos y negativos con *Ud.* y *Uds.*

Las formas que se usan para dar mandatos afirmativos y negativos a más de una persona y a personas que tratamos de *Ud.* son las mismas que las del presente del subjuntivo.

> **Escriba** un informe sobre la seguridad pública.
> **Lean** esta noticia en el periódico.

• Aquí están los mandatos afirmativos y negativos en las formas *Ud.* y *Uds.* de los verbos *explicar, obedecer* y *decir.*

	Ud.		Uds.	
explicar	expli**que**	no expli**que**	expli**quen**	no expli**quen**
obedecer	obede**zca**	no obede**zca**	obede**zcan**	no obede**zcan**
decir	di**ga**	no di**ga**	di**gan**	no di**gan**

> Señor, **explique** su situación al abogado, **diga** la verdad al jurado
>   y **obedezca** al juez.
> **Obedezcan** las órdenes del policía, **expliquen** lo que vieron
>   pero no **digan** el nombre del testigo.

• Como pasa con los mandatos negativos con *tú,* los verbos cuyas formas son irregulares en el presente del subjuntivo son también irregulares en los mandatos con *Ud.* y *Uds.*

> **No vaya Ud.** solo por esa calle por la noche. Es bastante peligrosa.
> **No vengan** al lugar de los hechos. Puede ser peligroso.

• Igual que en los mandatos con *tú,* los pronombres de complemento y reflexivos se agregan a los mandatos afirmativos, pero van antes de los mandatos negativos.

> **Quédese** aquí un momento, señor.
> **Explíqueme** por qué cree que el
>   castigo es justo.
> Ese periódico no es muy objetivo.
>   **No lo compre,** señora.

Manifestación contra las drogas
durante el desfile del Día
Dominicano en Nueva York

1 Túrnate con un(a) compañero(a) para imaginar que son jefes de policía que van al lugar de los hechos. Usen expresiones de los dos recuadros para dar órdenes a otros policías.

Llamen a la ambulancia.

a. llevar

b. vigilar

c. buscar

d. poner en libertad

e. meter en la cárcel

f.

2 Trabaja con un(a) compañero(a) para dar consejos a un grupo de estudiantes que van a visitar un área peligrosa.

oír una explosión /   **A** —*Si oyen una explosión* . . .
no moverse   **B** —*No se muevan.*

Estudiante A

a. ser testigos de un robo

b. encontrar una pistola

c. ver a un sospechoso

d. encontrarse en un tiroteo

e. sospechar de alguien

f. sonar la alarma

Estudiante B

observarlo desde lejos

buscar un lugar para esconderse

obedecer las instrucciones

informar a la policía dónde . . .

no tocarla

decir a la policía todo lo que saben

3 Imagina que tu compañero(a) y tú van a preparar carteles que van a usar en una manifestación. Trabajen juntos para formar las frases que van a escribir.

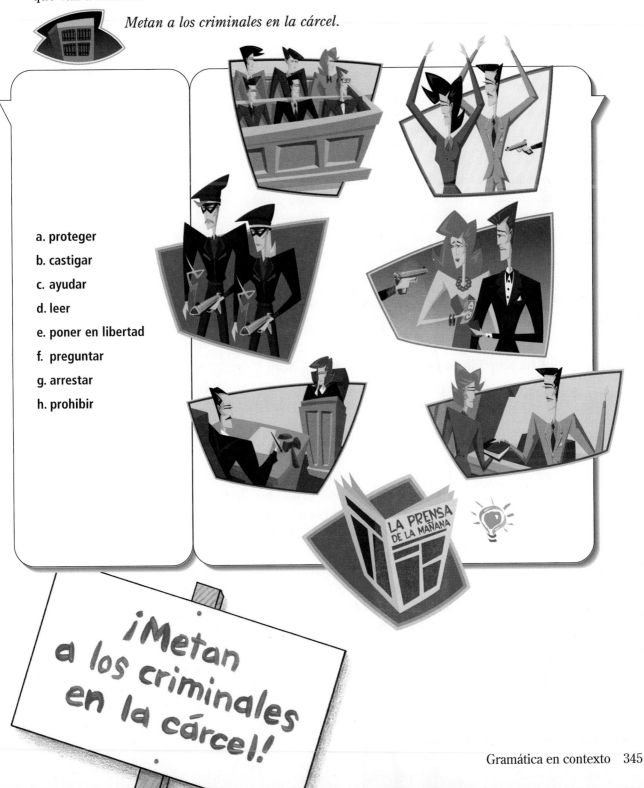

Metan a los criminales en la cárcel.

a. proteger

b. castigar

c. ayudar

d. leer

e. poner en libertad

f. preguntar

g. arrestar

h. prohibir

LA PRENSA DE LA MAÑANA

¡Metan a los criminales en la cárcel!

El subjuntivo con expresiones de emoción

Ya sabes que el subjuntivo se usa para indicar lo que una persona pide, espera, ordena, insiste o requiere que otra persona haga.

- El subjuntivo se usa también después de verbos y expresiones que se refieren a una emoción.

  Tememos que los jueces **no castiguen** a los criminales.
  Me preocupa que **haya** tanta violencia en las ciudades.
  Es una lástima que no **puedan** encontrar al asesino.

- Ya has aprendido muchas expresiones de emoción como *alegrarse de, sentir, temer* y *tener miedo.* Después de estas expresiones se usa el subjuntivo si la oración tiene dos sujetos diferentes.

  Sentimos que la víctima del accidente **esté** todavía en el hospital.
  Me sorprende que los médicos no la **puedan** ayudar.

4 Imagina que ha ocurrido un asesinato en tu ciudad. Mira las expresiones en la primera columna. ¿Cuáles requieren el subjuntivo? ¿Cuáles requieren el indicativo? Ahora con un(a) compañero(a) expresen sus reacciones.

Me asombra que . . . *Me asombra que el asesinato haya ocurrido cerca de mi casa.*

a. Me sorprende que . . .   la policía no (tener) testigos
b. Es cierto que . . .   el guardia no (saber) el nombre de la víctima
c. Me preocupa que . . .   el sospechoso (estar) en la cárcel
d. Es evidente que . . .   la abogada (querer) poner en libertad al sospechoso
e. Me molesta que . . .   el sospechoso (ser) tan joven
f. Es una lástima que . . .   el juez no (permitir) al jurado leer los periódicos
g. Es triste que . . .   el asesinato (haber) ocurrido cerca de mi casa
h. Temo que . . .   el sospechoso (decir) que es inocente
i. Siento que . . .   (haber) muchos crímenes en la ciudad

5 Trabaja con un(a) compañero(a) para expresar lo que sientes cuando piensas en ciertos aspectos de la sociedad en que vivimos. Forma frases usando elementos de los dos recuadros.

No nos gusta que roben a la gente que camina por la calle.

a. (no) Nos asombra

b. (no) Nos alegramos de

c. (no) Nos gusta

d. (no) Estamos contentos(as) de

e. (no) Nos da miedo

f. (no) Nos impresiona

g. (no) Nos molesta

h. (no) Nos preocupa

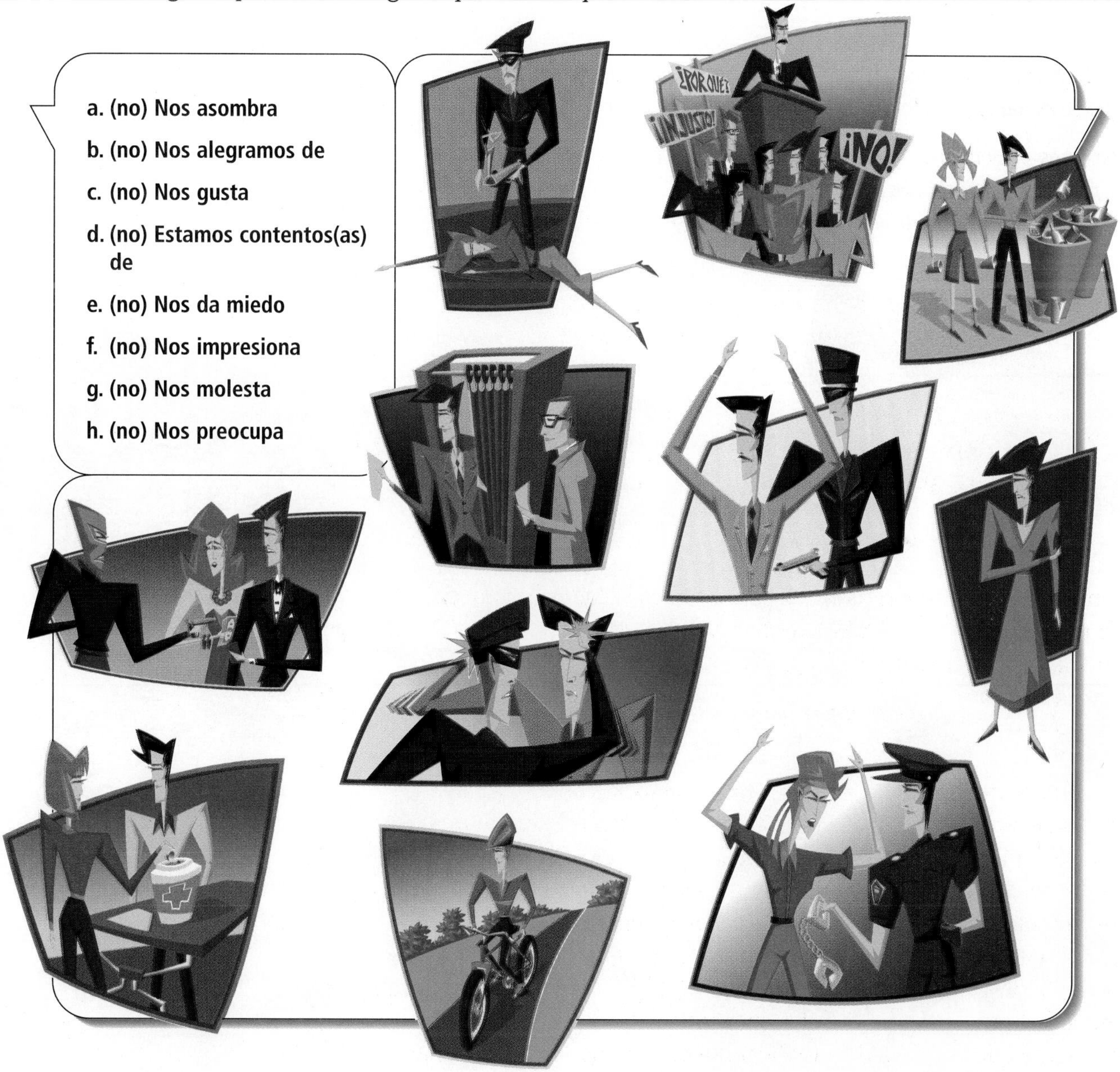

6 Con un(a) compañero(a) escriban cinco frases contando algo que ha pasado en la escuela recientemente. Traten de incluir buenas y malas noticias en sus frases.

El equipo de básquetbol ha ganado el campeonato.
Alguien ha roto una ventana.

Ahora lean sus frases a otra pareja. Cuando escuchen las noticias, deben expresar su reacción usando la expresión apropiada.

Estamos muy contentos de que el equipo de básquetbol haya
  ganado el campeonato.
Es una lástima que alguien haya roto una ventana.

El eco de una queja (1937),
David Alfaro Siqueiros

Ahora lo sabes

¿Puedes:

- dar órdenes a una persona o a un grupo de personas?

    —Señora, ___ al jurado qué estaba haciendo Ud. la noche del 16.

    —Por favor, ___ Uds. en la campaña de seguridad pública.

- expresar cómo te sientes respecto a una situación o a algo que hace otra persona?

    —Es una lástima que ___ tantos crímenes en esta ciudad.

    —Me alegro de que el sospechoso ___ en la cárcel.

MÁS PRÁCTICA

Más práctica y tarea, pp. 575–576
Practice Workbook 10–5, 10–8

¿Cómo se puede controlar la violencia?

Esta sección te ofrece la oportunidad de combinar lo que aprendiste en este capítulo con lo que ya sabes para responder a la pregunta clave.

Para decir más

Aquí tienes vocabulario adicional que te puede ayudar para hacer las actividades de esta sección. Si no sabes qué quieren decir estas palabras, puedes consultar un diccionario.

amenazar *(z → c)*

el drogadicto, la drogadicta

la pandilla, la banda

superar

reformar(se)

el acuerdo

la negociación

la regla

la norma

legal / ilegal

Sopa de  actividades

1 Van a hacer un cartel con cada una de estas palabras. Después pongan los carteles en seis lugares diferentes de la sala de clases.

- el narcotráfico
- la violencia doméstica
- los tiroteos
- el terrorismo
- los secuestros
- los asesinatos

Considera los problemas representados por estas palabras y decide cuál te preocupa más. Ve al lugar donde está el cartel y forma un grupo con los otros estudiantes que estén allí. Cada grupo va a preparar una presentación oral para:

- describir el problema y explicar a quiénes afecta más
- expresar lo que sienten sobre el problema y por qué
- sugerir ideas para mejorar la situación

Hagan la presentación a la clase.

2 En grupos de tres, piensen en un acto de violencia donde una o varias personas ayudaron a la víctima. Digan:

- qué acto de violencia fue
- cuándo y dónde ocurrió
- qué le pasó a la víctima
- qué hizo (hicieron) la(s) persona(s) para ayudarla

Hagan una presentación oral para la clase. Después discutan cuáles son las mejores ideas para ayudar a personas que lo necesitan.

3 En grupos, preparen una lista de consejos sobre qué se debe y qué no se debe hacer para defenderse de la violencia. Van a dar sus consejos a otros estudiantes. Pueden decirles cómo:

- ir a la escuela y volver a sus casas con seguridad
- vestirse para evitar que les roben
- reaccionar si ven un crimen
- protegerse si alguien trata de herirlos
- practicar la autodefensa
- ayudar para que no haya armas en la escuela

Para leer

Antes de leer

ESTRATEGIA ➤ Uso de conocimientos previos

¿Qué ocurre en una historia de detectives cuando alguien desaparece? Haz una lista de tres cosas que pueden pasar.

Mira la lectura

ESTRATEGIA ➤ Dar un vistazo

Lee la historia rápidamente, sólo para familiarizarte con los hechos.

HASTA ACLARAR *el misterio*

Ola Thune alzó la vista del rimero de papeles que tenía sobre el escritorio de su oficina en Oslo, y vio entrar a un anciano. A los 63 años, Johan Jensen tenía los hombros encorvados y la mirada de cansancio de un hombre prematuramente envejecido.

Hacía 18 meses que Marit, la esposa de Jensen, se había llevado a la única hija de ambos, Anne Kristin, a pasar unas vacaciones en la isla de Fuerteventura, una de las Canarias. La noche anterior a su regreso, la joven estudiante de 22 años había desaparecido sin dejar rastro.

Los Jensen se habían dedicado durante un año y medio a buscarla. Tanto la policía noruega como la española se habían lavado las manos. "Es cosa de todos los días que desaparezcan muchachas," dijo un policía encogiéndose de hombros. Desde entonces, Johan y Marit habían gastado todos sus ahorros en investigadores privados—y habían recurrido incluso a videntes—para encontrar a su hija.

"Usted es nuestra última esperanza," le dijo Jensen a Ola, miembro del KRIPOS, el eficiente escuadrón de detectives al que a menudo se daba el nombre de Scotland Yard noruego. "Ya no tenemos dinero, pero nos queda la casa. Tómela, señor Thune... y encuentre a nuestra Anne Kristin."

Ola ya se había interesado en el caso. Por casualidad, él también había estado de vacaciones en Fuerteventura los mismos días que Anne y Marit, en febrero de 1990.

En esos momentos tenía frente a sí al padre de Anne Kristin, cuya angustia había crecido a causa del muro de indiferencia oficial con el que se había topado. *No puedo inmiscuirme en esto sin permiso,* pensó Ola. Había trabajado mucho para llegar a ser uno de los cuatro principales inspectores de su departamento; aún no tenía 40 años, y podía aspirar a una larga y satisfactoria carrera. Luego miró los cansados ojos de Jensen. Era su deber ayudarle, aunque la búsqueda resultara infructuosa.

Ola tomó la decisión de por lo menos revisar los archivos. Tardó varias semanas en dar cuenta de ese montón de papeles: los informes de la policía española, los de la policía noruega y los recortes de periódico.

Lo primero que llamó su atención fue que menos de diez por ciento de los informes oficiales tenían que ver con los hechos. En el resto sólo se explicaba por qué era imposible avanzar más en la investigación. Los hechos eran relativamente simples. Marit Jensen se retiró a dormir temprano a su cuarto del hotel Alameda, la noche anterior a su vuelo de regreso a Oslo. Anne Kristin quería despedirse de sus amigos que había hecho en una discoteca cerca de allí, el bar Graffiti. Muchos testigos dijeron haberla visto platicando y bromeando con unas muchachas noruegas, y bailando con unos chicos alemanes.

Cuando el bar cerró, en las primeras horas de la madrugada, el popular cantinero de 18 años, Alejandro González, a quien llamaban Alexis, invitó a Anne Kristin a la discoteca de Ángel, cercana al bar. Los últimos parroquianos vieron a Anne Kristin subirse como pasajera en la motocicleta de González. Desde entonces nadie la había visto.

Para la policía, el sospechoso más obvio era Alexis. El chico confesó que, en lugar de llevar a Anne Kristin a la discoteca, la llevó a la playa, donde trató de besarla pero fue rechazado. Según él, cuando la vio por última vez estaba junto al bar donde se habían despedido.

No era una historia muy convincente, pero la policía no encontró motivos para arrestarlo. Después de todo, no había cadáver, ni sangre. Además, la policía, como todos en la isla, no tomaba muy en serio al joven de liso y brillante cabello negro y arete de oro en la oreja izquierda. Pia, una chica sueca que era novia de Alexis, atestiguó que cuando regresó a su casa de la discoteca, lo encontró durmiendo plácidamente. Cuando Alexis se topó con Marit Jensen en la jefatura de policía, la abrazó amigablemente. El mismo Ola había mirado de arriba abajo a Alexis cuando acudió al Graffiti la noche antes del regreso a Noruega. Vio al chico "tan despreocupado y alegre como siempre."

Para leer

El primer paso que dio Ola para reconstruir los sucesos de aquella fatídica noche fue ir a Alemania, donde buscó a tres muchachos que estuvieron en el Graffiti en esa ocasión. Ellos se acordaban de casi todas las personas que habían hablado con Anne Kristin. Uno recordó incluso que, después de que cerraron la discoteca, se topó con otro cliente que estaba buscando su motocicleta... la misma que Alexis tomó prestada para llevar a Anne Kristin a dar su último paseo.

Con esta información, Ola estaba listo para visitar Fuerteventura de nuevo; esta vez de incógnito para que nadie supiera que era investigador. Necesitaba un asistente que hablara español con fluidez. Por un golpe de suerte, le presentaron a una mujer que acababa de regresar a Oslo después de pasar más de 20 años en Mallorca. Liten Winther era brillante e ingeniosa, le atraía la aventura, hablaba español como si fuera su lengua, y hasta tenía el aspecto físico de una española. No le sería difícil mezclarse con la gente del lugar. Y Ola, que dominaba el alemán y no aparentaba los 39 años que tenía, podía pasar fácilmente por un muchacho hamburgués dispuesto a prestar diversos servicios en las playas.

Fue fácil eliminar los rumores. Un hombre dijo a investigadores anteriores que González había presumido de vender a Anne Kristin a una banda de narcotraficantes. Cuando lo presionaron para que fuera más explícito, se desdijo. Si Anne Kristin no había sido secuestrada, tampoco se había ido a correr una aventura romántica. Todo lo que Ola y Liten escucharon en la isla confirmó que, tal como aseguraban los amigos noruegos de la chica desaparecida, ella no era el tipo de persona que hace cosas estúpidas, o que es capaz de jugarle una mala pasada a su madre.

Sólo quedaba una posibilidad: algo terrible se había cruzado en el camino de Anne Kristin. Ola y Liten escucharon las reminiscencias de la gente que había estado en la discoteca esa noche, y anotaron meticulosamente sus relatos. No había incongruencias. Uno por uno, todos pudieron ser eliminados de la investigación... todos menos Alexis.

Éste estaba dispuesto a hablar, especialmente con una acompañante tan atractiva como Liten. La agasajó con historias de hazañas imaginarias realizadas para los "grandes" del narcotráfico.

Una noche en que González llevaba a Liten a su hotel, ésta advirtió que el muchacho tomaba por una calle desconocida.

—Es un atajo— le dijo él para tranquilizarla.

En ese momento ella se dio cuenta de que se dirigían a la playa adonde él había llevado a Anne Kristin. Pensando rápido, Liten empezó a hablarle de unos supuestos planes que tenía ella de abrir una discoteca elegante en Ibiza, donde necesitaría un cantinero bien parecido y con experiencia. Tal como lo previó, la perspectiva de un empleo atractivo en las Baleares adquirió más importancia que cualquier otra cosa que Alexis hubiera tenido en mente. Platicando animadamente, Liten consiguió que el joven la llevara de regreso a su hotel.

A estas alturas ya era obvio que González era un mentiroso sin escrúpulos, y que las pruebas circunstanciales contra él eran abrumadoras. Pero, ¿cómo puede acusarse a alguien de asesinato cuando no hay cadáver, no hay pruebas tangibles y no hay testigos?

Tal vez la respuesta la tuviera Pia, la novia de González. La muchacha había terminado repentinamente su relación con él, unas semanas después de la desaparición de Anne Kristin, y había regresado a Estocolmo. Establecer contacto con ella sería difícil. Cuando los investigadores privados de los Jensen trataron de interrogarla, ella sumamente indignada, le envió al matrimonio una carta amenazándolos con emprender acciones legales en su contra si no dejaban de acosarla.

Ola le siguió la pista a Pia hasta una guardería de Estocolmo, donde trabajaba la chica. Entró al lugar y la abordó en el momento en que ella cambiaba unos pañales; en seguida se presentó. Ola le pidió su ayuda encarecidamente...no por él, sino por los padres de Anne Kristin. Insinuándole que sabía lo que había pasado, logró despertar su curiosidad. Después de un largo silencio, ella dijo:

—Nos vemos en el café de al lado cuando salga yo de trabajar.

Bebiendo café tras café, hablaron y hablaron de la vida en Fuerteventura, y de Alexis. Detrás de su cara bonita y de sus ojos brillantes e inteligentes, Ola percibió un velo de tristeza. *Tiene buen corazón, pero está asustada,* pensó.

La conversación duró más de tres horas. Pia estaba cada vez más nerviosa y agitada. Por fin, llorando abiertamente, se inclinó hacia adelante y dijo:

Para leer

—¿Le sorprendería mucho saber que yo conozco la suerte que corrió Anne Kristin?

Era el momento que Ola había estado aguardando. Para no asustarla y obligarla a callar, siguió hablando sin demostrar excesivo interés, y poco a poco ella reveló los detalles de su terrible secreto.

Pia aseguró que había dicho la verdad cuando la policía la interrogó al día siguiente de la desaparición. Pero unos días después, Alexis admitió que había estado con Anne Kristin esa noche. Poco a poco agregó que la llevó a la playa, que ella trató de rechazarlo y que él le puso un cinturón alrededor del cuello y la estranguló con él.

Tardó un rato en darse cuenta de que estaba muerta. Desesperadamente, hizo un hoyo en la arena y la enterró. Al día siguiente le contó todo a su padre, quien acudió a la playa por la noche, desenterró el cadáver, lo puso en su barco de pesca y navegó mar adentro. Llegó a un lugar, que él conocía bien, donde las aguas eran profundas y había una fuerte corriente que iba en dirección a África. Ahí arrojó el cuerpo lastrado al mar.

Con la declaración de Pia en la mano, Ola vislumbraba ya el final de su largo viaje. Pero existía el peligro de que un abogado astuto tergiversara las palabras de Pia para que se interpretaran como la amarga venganza de una mujer burlada. Por tanto, en mayo de 1992 Ola y Liten regresaron a Fuerteventura para reunir más pruebas. El 15 de junio de 1992, Ola presentó un imponente cúmulo de pruebas contra Alejandro González ante el procurador general de Noruega. Después de una audiencia pública en Oslo, en la que Pia testificó, los documentos se trasmitieron a España.

De la noche a la mañana, después de más de dos años de apatía burocrática, las cosas empezaron a moverse con celeridad. Gracias a las nuevas pruebas, la policía arrestó a Alexis. Seguía siendo el mismo fanfarrón. Pero antes de que trascurriera una hora, tiempo que tardó la policía en leerle un detalle incriminatorio tras otro, agachó la cabeza. Por fin, tartamudeando, contó toda la historia. Su padre también fue arrestado, y también confesó.

Infórmate

ESTRATEGIA ➤ Uso de conocimientos previos para organizar la comprensión

1 La red narrativa, dibujada más abajo, te puede ayudar a entender la historia. Según vayas comprendiendo el argumento, rellena los distintos óvalos de la red.

2 En grupos, escojan otro título para esta historia.

Aplicación

1 ¿Se parece esta historia a una historia que hayas leído o que hayas visto en la televisión o en el cine? Compáralas. Haz una lista de tres semejanzas y tres diferencias.

2 En grupos, escriban una adaptación de esta historia para la radio. Divídanla en varias escenas, y asignen una escena a cada grupo. Combinen las escenas para hacer un guión de la obra completa.

- característica — característica — característica
- nombre — nombre — evento
- personajes — argumento
- Hasta aclarar el misterio — evento
- lugar

Para escribir

A veces parece que la violencia se encuentra por todas partes, pero no podemos, ni debemos, poner el control de nuestra comunidad, seguridad e independencia en sus manos. Es importante luchar contra la violencia. El problema es cómo hacerlo de una forma no violenta.

1 Primero, piensa en estas preguntas:

- ¿Cuáles son las formas o los tipos de violencia?
- ¿Cómo nos afectan?
- ¿Qué podemos hacer para protegernos y para que haya más seguridad en nuestra comunidad?

Haz una tabla como la de abajo. Escribe algunas recomendaciones para tratar de evitar la violencia.

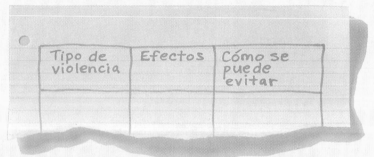

Tipo de violencia	Efectos	Cómo se puede evitar

2 Ahora, piensa en estas preguntas y escribe tus ideas:

- ¿Cuáles son las causas más frecuentes de violencia en tu comunidad?
- ¿Qué programas o actividades se pueden sugerir para educar a las personas sobre la violencia y para tratar de evitarla?

Usa la información en tu tabla y lo que has aprendido en las actividades de este capítulo para escribir un programa de prevención o control de la violencia.

Explica tu programa y di cómo se puede hacer. Incluye ejemplos de hechos violentos en tu comunidad. Da tu opinión sobre las causas y los efectos de la violencia. Habla de las actividades y los programas que se pueden hacer para educar a la comunidad en general, especialmente a los niños y a los jóvenes. Sé específico(a).

3 Recuerda que debes revisar tu trabajo con un(a) compañero(a) y seguir los pasos del proceso de escribir.

Puedes usar estas palabras y expresiones u otras.

aunque	crear	hacer daño	preocupar(se)
cada vez más	en contra	imponer	sin embargo
contribuir	entonces	justo, -a	

Para compartir tu trabajo, puedes:

- exhibirlo en la sala de clases
- enviarlo al Consejo para los jóvenes de tu comunidad
- hacer una presentación en tu comunidad para hablar sobre la violencia
- incluirlo en tu portafolio

Repaso ¿Lo sabes bien?

Esta sección te ayudará a prepararte para el examen de habilidades, donde tendrás que hacer tareas semejantes.

Comprensión auditiva

¿Puedes entender la descripción de un hecho de violencia? Escucha mientras el (la) profesor(a) lee un ejemplo semejante al que vas a oír en el examen. ¿Dónde ocurrió el crimen? ¿Hay sólo un criminal en esta descripción? ¿Quién describe el hecho?

Lectura

¿Puedes leer un folleto que publicó un grupo de la comunidad? Según la información del folleto, ¿qué ofrece este grupo? ¿Piensas que ellos pueden tener más éxito en ayudar a los jóvenes que otros grupos? ¿Por qué?

Escritura

¿Puedes escribir un mensaje como el que escribió Rosario por el *Internet?*

Nos gustaría ponernos en contacto con otros estudiantes interesados en acabar con la violencia en la escuela y la comunidad. Nos preocupa que tantos jóvenes tengan armas y que haya cada vez más muertes a causa de las drogas. Sabemos que no podremos influir sobre crímenes como los secuestros y el terrorismo internacional. Sin embargo, si no hacemos algo para ayudarnos seguiremos teniendo miedo. Si tienen experiencias o sugerencias para E.C.V., (Estudiantes Contra la Violencia) por favor pónganse en contacto con nosotros. Pueden escribirnos por el *Internet* a rosario@ecv

Cultura

¿Puedes dar un ejemplo de lo que ha hecho la gente en algún país de habla hispana para tratar de controlar la violencia en su país?

El futuro está en tus manos

Práctica oral

¿Puedes hablar con un(a) compañero(a) sobre un hecho de violencia?

A —*Leí en un periódico que un joven de doce años mató a otro con la pistola que sus padres tenían en casa.*

B —*¡Qué lástima! ¿Fue un accidente?*

A —*¡Qué va, ni fue un acto de autodefensa! Sólo quería robarle. Por eso me parece bien que lo castiguen.*

B —*Pero es un menor de edad. Yo creo que . . .*

Nuestro club existe para apoyar a los jóvenes de nuestra comunidad. Somos miembros de un grupo contra la violencia y nuestro propósito es comunicarnos con ustedes. No queremos que se arriesguen más ni que recurran a la falsa seguridad que ofrecen las armas y las drogas. Nos preocupa la muerte de las personas jóvenes e inocentes. Sabemos que ustedes pueden superar estos problemas y queremos ayudarles. Pueden llamarnos al 4-CRISIS.

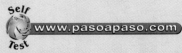
Self Test www.pasoapaso.com

Usa el vocabulario de este capítulo para:

- responder a la pregunta clave: ¿Cómo se puede controlar la violencia?
- describir un hecho de violencia
- hablar de las causas de la violencia y de sus efectos en la sociedad
- dar tu opinión sobre diferentes medidas para controlar la violencia

para describir un hecho de violencia

a mano armada
el arma, *pl.* las armas
el asesinato
el asesino, la asesina
el ataque
el atentado
el /la delincuente
la droga
la explosión,
   pl. las explosiones
herir *(e → ie)*
luchar
el lugar de los hechos
el narcotráfico
el rehén, *pl.* los rehenes
el rescate
secuestrar
el secuestro
el terrorismo
el tiroteo

para hablar sobre el control de la violencia

la alarma
castigar *(g → gu)*
el castigo
contratar
corporal
el /la guardia
la seguridad
vigilar

para describir los efectos de la violencia

arriesgar *(g → gu)*
asombrar
la inseguridad
la muerte
preocupar(se)
sorprender(se)
temer (a)
el temor
tener la culpa (de)
tener miedo (de)

para hablar de soluciones a la violencia

acabar (con)
el acusado, la acusada
la autodefensa
la cárcel
culpable
defender(se) *(e → ie)*
evitar
imponer
inocente
el jurado
la medida
meter en
   (la cárcel)
la pena
poner en libertad
recurrir (a)
la sentencia
severo, -a
el sospechoso, la sospechosa
el /la testigo

CAPÍTULO 11

OBJETIVOS

Al terminar este capítulo vas a poder
responder a la pregunta clave:

¿Cómo se mezclan culturas diferentes?

También vas a poder:

- describir cómo interactúan dos o más culturas

- hablar de la fusión de culturas en España antes de 1492

- explicar la fusión de culturas que tuvo lugar cuando los españoles llegaron a las Américas

- describir el impacto de diferentes culturas hispanas en los Estados Unidos hoy en día

Baile de la Conquista en Chichicastenango, Guatemala

Anticipación

Mira las fotos. ¿Piensas que representan una misma cultura o culturas diferentes? ¿Cómo lo sabes?

La iglesia de la Sagrada Familia en Barcelona es obra del arquitecto Antoni Gaudí. Aunque quedó sin terminar cuando Gaudí murió en 1926, hoy se trata de terminarla siguiendo su modelo. ¿Dónde has visto una iglesia parecida a ésta?

El palacio de la Alhambra en Granada, España, fue construido entre los siglos IX y XIV. El patio de los Leones, uno de sus lugares más conocidos, recibe su nombre de la fuente que tiene en el centro. ¿Se parece esta fuente a alguna que tú conoces? ¿Qué es lo que más te gusta de ella?

La gran mezquita de Córdoba es la mayor del mundo musulmán después de La Meca. Su construcción empezó alrededor del año 788 en el lugar donde antes había una iglesia. ¿Dónde podrías ver mezquitas como ésta?

La sinagoga del barrio de la Judería en Córdoba, España, fue construida alrededor del siglo XIV. Su interior combina diseños mozárabes con inscripciones en idioma hebreo. ¿Has estado alguna vez en una sinagoga? ¿Se parecía a ésta? ¿Cómo era?

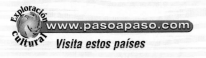

Exploración Cultural
www.pasoapaso.com
Visita estos países

Vocabulario para comunicarse

Musulmanes, judíos y cristianos en España

Aquí tienes palabras y expresiones necesarias para hablar
sobre la integración de diferentes culturas. Léelas varias veces
y practícalas con un(a) compañero(a) en las páginas siguientes.

la torre

el castillo

el alcázar, *pl.* los alcázares

el rey
la reina
pl. los reyes

la reja

el balcón,
pl. los balcones

También necesitas . . .

Si no sabes qué quieren decir estas palabras, puedes consultar un diccionario o el Vocabulario español-inglés al final del libro.

la batalla
conquistar
fundar
el / la hispanohablante
el judío, la judía
mezclar
el mundo

el musulmán, la musulmana
la poesía
el pueblo
el rasgo
(que nosotros)
   hiciéramos
   (*del verbo* hacer)

¿Y qué quiere decir . . . ?

el continente
el cristiano, la cristiana
cultural
la diversidad

la influencia
reconquistar
la región, *pl.* las regiones

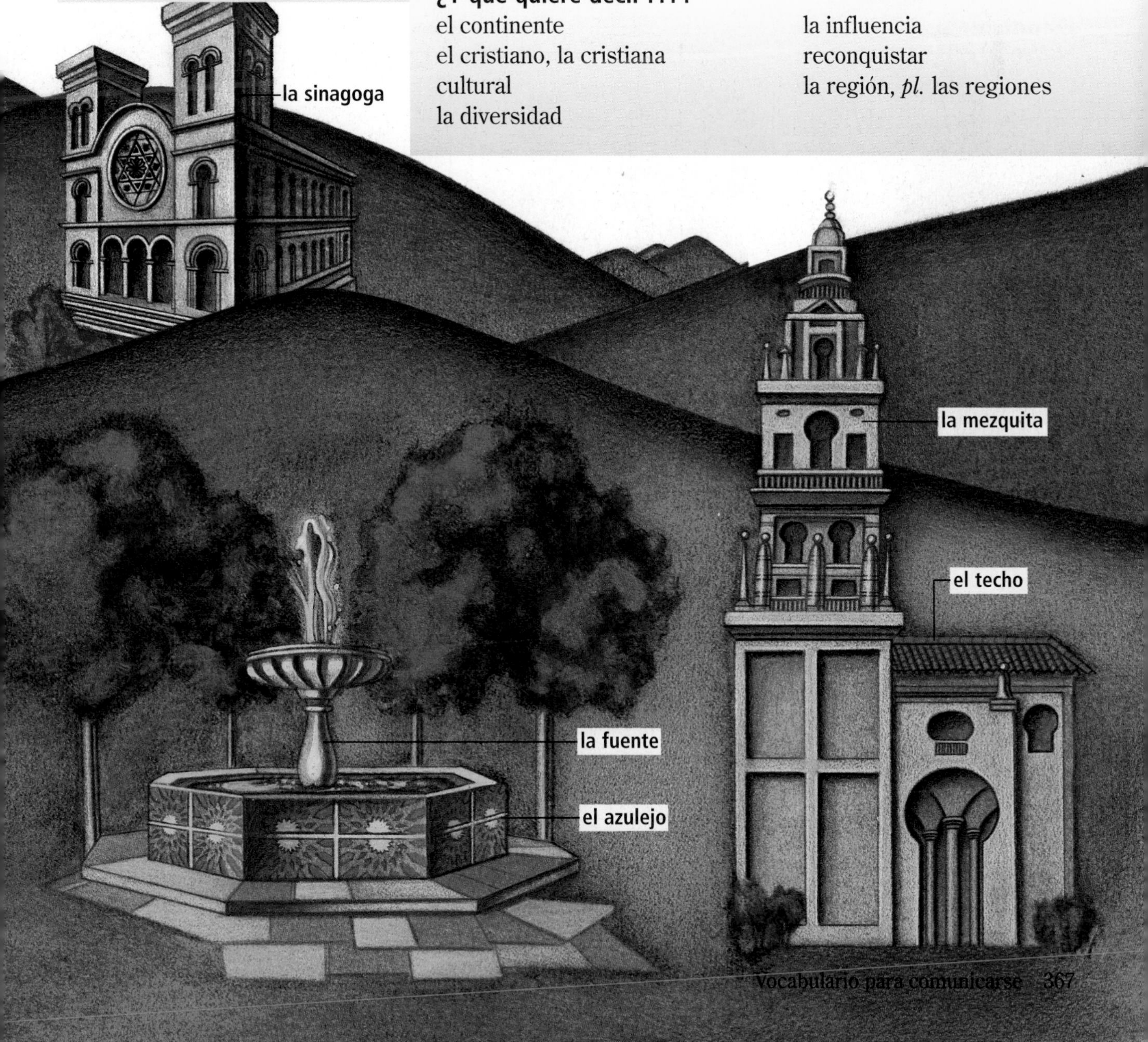

la sinagoga

la mezquita

el techo

la fuente

el azulejo

Empecemos a conversar

Túrnate con un(a) compañero(a) para ser *Estudiante A* y
Estudiante B. Reemplacen las palabras subrayadas con palabras
representadas o escritas en los recuadros. 💡 quiere decir que
puedes escoger tu propia respuesta.

Para el Ejercicio 1, mira las fotos de abajo.

1

A —*Dime, ¿se ven <u>techos</u> en estas fotos de la Alhambra?*
B —*Sí, hay <u>techos</u> en las dos fotos.*

Estudiante A   Estudiante B

a.   b.

c.   d.   e.   f.

Vistas de la Alhambra

Para el Ejercicio 2, mira el mapa de arriba.

2

A —En la ciudad, ¿dónde estaba la catedral?
B —*La catedral estaba detrás de la mezquita*.

Estudiante A

Estudiante B

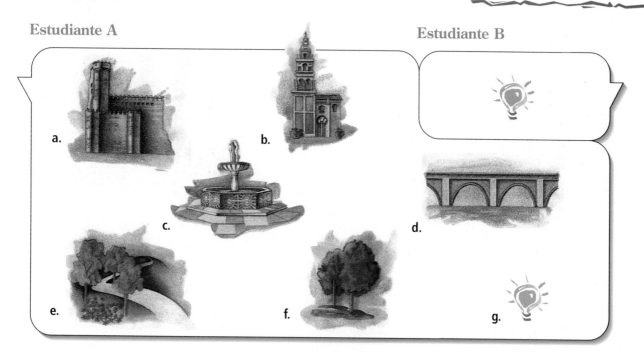

a.

b.

c.

d.

e.

f.

g.

3   siglo VIII   A — *¿Y en el siglo ocho, qué pasó?*
B — *En el siglo ocho los musulmanes conquistaron
la ciudad de Córdoba.*

SIGLO

VIII

siglo VIII
musulmanes
conquistar
ciudad de Córdoba

siglo X
musulmanes
construir
ciudad de Medina
   Azahara

X

XI

siglo XII
judíos
construir
sinagoga de Toledo

siglo XI
cristianos
reconquistar
ciudad de Toledo

XII

XIII

siglo XIII
cristianos
empezar a construir
catedral de Toledo

siglo XV
cristianos
destruir
mezquita de Sevilla

XV

Estudiante A   Estudiante B

a. siglo X   d. siglo XIII

b. siglo XI   e. siglo XV

c. siglo XII

4 español A —*¿Qué nos pidió el (la) profesor(a) de <u>español</u> que hiciéramos?*

B —*Nos pidió que hiciéramos <u>un trabajo sobre las diferentes culturas en España</u>.*

Estudiante A

a. geografía

b. arte

c. inglés

d. matemáticas

e. historia

f.

Estudiante B

un informe sobre la poesía moderna

un mapa de las regiones de España

tres problemas de álgebra

un estudio sobre los reyes de España

un dibujo del alcázar

¿Y qué piensas tú?

Aquí tienes otra oportunidad para usar el vocabulario de este capítulo.

5 ¿Qué culturas están representadas en tu comunidad? ¿Cuál es la que tiene más influencia? ¿Hay hispanohablantes en tu comunidad? ¿De qué país o países son? ¿Cómo se ve la diversidad cultural en tu comunidad?

6 ¿Qué cultura(s) representas tú? ¿De dónde eran tus abuelos? ¿Qué idioma(s) hablaban? ¿Lo(s) sigue(n) hablando? ¿Por qué?

7 ¿Cuáles son algunas de las culturas que han contribuido a la cultura de los Estados Unidos? ¿Cuáles son algunos rasgos culturales que otras culturas han traído a nuestro país?

8 Imagínate que te mudas a un país con una cultura diferente. Piensa en las características de tu propia cultura y escribe cinco contribuciones que podrías hacer.

MÁS PRÁCTICA

- Más práctica y tarea, pp. 577–578
- Practice Workbook 11–1, 11–2

Tema para investigar

Aquí tienes más palabras e ideas para hablar sobre la integración de diferentes culturas. Mira la ilustración de esta página. ¿Qué crees que representa?

La civilización totonaca (1950), Diego Rivera

¿Una cultura española, africana o indígena?

Hernán Cortés y **los conquistadores** españoles invadieron y conquistaron México en el año 1519. Fueron responsables de **la creación** de una nación y una cultura nueva. De España **trajeron** su arquitectura, su religión, su sistema legal y, por supuesto, **la lengua** española. **Establecieron colonias** y fundaron ciudades. **A través de** los años, **las razas** y culturas **europeas** e indígenas se mezclaron, y de esta **mezcla** resultó la raza **mestiza.**

El idioma español **adoptó** palabras de las lenguas indígenas, como "huracán" y "canoa" por ejemplo. Hay palabras que se refieren a **productos** nativos que los españoles no conocían antes: tomate y chocolate, entre otras. Más que el oro y la plata que los conquistadores llevaron a España, la importancia **duradera** de su invasión fue la extensión por todo el mundo de plantas nativas de las Américas, como la papa y el maíz.

Los **indígenas** también influyeron en las prácticas religiosas cristianas. En la celebración del **Día de los Muertos**, que tiene lugar el dos de noviembre para recordar a los familiares que **han muerto, se combinan** elementos de las religiones católica e indígenas.

Los españoles **esclavizaron** a los indígenas hasta que el Padre Bartolomé de las Casas **propuso** importar a **africanos** como **esclavos.** Aunque esta "solución" dio fin a una **injusticia,** sólo sirvió para crear otra. Como **resultado** de la opresión, algunos de ellos empezaron a **rebelarse.** Los que pudieron escaparse formaron sus propias comunidades. Todavía existen pueblos en los que **la mayoría** de la población es de **descendencia** africana.

El resultado de esta **fusión** de **diversas** culturas se ve hoy en día especialmente en la región del Caribe. En la música—en la salsa y la rumba, por ejemplo—se encuentran **ritmos** de la música africana. Los africanos también contribuyeron mucho a las prácticas religiosas en los países del Caribe. Por ejemplo, la santería, que contiene elementos de la religión católica y las religiones tradicionales de África, es resultado del **encuentro** de varias culturas.

Hoy en día, se ve la mezcla de muchas culturas diferentes por todo el mundo hispanohablante. La población de las Américas **se compone de** gente de muchas culturas diferentes. Aunque todos estos grupos adoptaron el estilo europeo de vida, todavía conservan muchas tradiciones de sus propias culturas.

Si no sabes qué quieren decir estas palabras, puedes consultar un diccionario o el Vocabulario español-inglés al final del libro.

trajeron *(del verbo* traer)*
la lengua
establecer *(c → zc)*
a través de
la raza
mestizo, -a
duradero, -a
el/la indígena

el Día de los Muertos
morir(se) *(o → ue)*
esclavizar *(z → c)*
proponer†
la mayoría
el encuentro
componer(se) de†

¿Y qué quiere decir . . . ?

el conquistador
la creación, *pl.* las creaciones
la colonia
europeo, -a
la mezcla
adoptar

el producto
combinar(se)
africano, -a
el esclavo, la esclava
la injusticia
el resultado
rebelarse

la descendencia
la fusión, *pl.* las fusiones
diverso, -a
el ritmo

* En el pretérito, *traer* se conjuga como *decir.*
† *Proponer* y *componer* se conjugan como *poner.*

¿Comprendiste?

1 ¿Cuáles fueron las tres culturas más importantes que se combinaron en Hispanoamérica? ¿En qué se nota su influencia?

2 Haz una lista de las tres o cuatro ideas principales del tema. Compara tu lista con la de un(a) compañero(a).

¿Y qué piensas tú?

3 En tu opinión, ¿cuál de las contribuciones de las tres culturas principales que menciona el tema es la más interesante? ¿Por qué?

4 ¿Qué te gustaría preguntarle a Hernán Cortés? Escribe tres o cuatro preguntas. Compara tus preguntas con las de un(a) compañero(a).

Práctica de vocabulario www.pasoapaso.com

5 Piensa en la llegada de los primeros europeos a lo que hoy es Estados Unidos. ¿Cómo se compara con la llegada de los españoles a México? ¿Cómo se comparan los resultados de los dos encuentros?

MÁS PRÁCTICA

- Más práctica y tarea, p. 578
- Practice Workbook 11–3, 11–4

6 Imagínate que eres uno de los escritores que viajó con Cortés al nuevo mundo. Con un(a) compañero(a) describan lo que vieron al llegar allí. ¿Qué aprendieron Uds. de los indígenas? ¿Y los indígenas de Uds.?

7 ¿Por qué te parece importante que haya diversidad cultural? ¿Qué pasa cuando no se respetan las diferentes culturas que están representadas en nuestra sociedad?

Adorno de cabeza con leopardo usado en Camerún

COSTA RICA
LIMON

El Exótico Contraste
del Caribe

I·C·T
INSTITUTO
COSTARRICENSE
DE TURISMO

MAR CARIBE

LIMON

SAN JOSE

OCEANO PACIFICO

PROVINCIA DE LIMON

NUESTRO AGRADECIMIENTO ESPECIAL
AL FOTOGRAFO FREDDY ARIAS

I·C·T
INSTITUTO
COSTARRICENSE
DE TURISMO

TELEFONOS (506) 23-1733 EXT. 277 / (506) 22-1090
FAX (506) 23-5452 TEL. USA 1-800-327-7033
APARTADO POSTAL 777 - 1000
SAN JOSE COSTA RICA
A PARTIR DEL MES DE ABRIL DE 1994 DEBERA INCLUIRSE EL # 2 AL INICIO DE
CADA NUMERO TELEFONICO DEL AREA DE SAN JOSE.

¿Qué sabes ahora?

¿Puedes:

■ describir las culturas representadas en tu comunidad?

—En la comunidad donde vivo hay ___.

■ hablar de la influencia de los musulmanes en España?

—En España los musulmanes ___ ciudades y construyeron ___ y ___.

■ explicar la fusión de diferentes culturas en Hispanoamérica?

—En las culturas de Hispanoamérica se combinan elementos ___, ___ y ___.

ÁLBUM CULTURAL

Los países hispanos, y también los grupos hispanos en Estados Unidos celebran la fusión de culturas con varios festivales durante el año. ¿Qué festivales celebran en tu comunidad?

La fiesta del Día del Descubrimiento de Puerto Rico se celebra cada año en noviembre. Este grupo de jóvenes presenta un Baile de Época como parte de la celebración en el Viejo San Juan.

Las personas de descendencia mexicana que viven en los Estados Unidos celebran el Día de la Independencia, el 16 de septiembre, con desfiles como éste en Chicago. Estas fiestas les dan la oportunidad de afirmar su cultura y celebrar las contribuciones hechas por los mexicanos a la cultura de la comunidad.

La fiesta del Corpus Christi, nueve semanas después de Pascua, se celebra en varias ciudades de España con procesiones, grupos folklóricos y flores en las calles. Las figuras conocidas como Gigantes y Cabezudos, como éstas en Valencia, son una tradición en esta fiesta.

Para celebrar el centenario (cien años) de Pasto, Colombia, los habitantes de la ciudad prepararon un desfile de carrozas. Además de la imaginación de quienes las construyeron, muchas de ellas muestran elementos del folklore colombiano.

La zona conocida como la Pequeña Habana en Miami, Florida, celebra varios festivales durante el año en la Calle Ocho. Este festival, parecido al Mardi Gras de Nueva Orleans, lo celebran los cubanos y otros hispanohablantes de Miami. Hay música, comida y bailes típicos, y algunas personas se visten con disfraces.

Reacción personal

Contesta las siguientes preguntas en una hoja de papel.

1 ¿Qué celebraciones interculturales hay en tu comunidad o en la región donde vives? ¿Cómo son? ¿Quiénes pueden participar?

2 ¿Cuáles son las culturas que han influido en la música que más te gusta? ¿En qué se nota esa influencia? ¿En el ritmo, los temas, los instrumentos…?

3 ¿Hay influencias indígenas en el lugar donde vives? ¿En qué se ven?

Gramática en contexto

¿Qué son las misiones de California? Mira las ilustraciones y lee el texto para averiguarlo.

¿Lo sabías?

LAS MISIONES DE CALIFORNIA

La vida de los indígenas del suroeste de California cambió cuando llegaron los españoles en el siglo XVIII. Los misioneros querían que los indígenas vivieran en misiones.

A los misioneros les impresionaba que los jóvenes hicieran tan bien su trabajo y que mostraran tanto talento artístico.

Los misioneros les daban clases de religión a los indígenas para que se convirtieran al cristianismo. Insistían en que aprendieran a hablar español.

Generalmente les pedían que cambiaran sus nombres indígenas para que tuvieran nombres cristianos.

86

87

A En la página de la derecha dice: *insistían en que aprendieran* y *les pedían que cambiaran*. *Aprendieran* y *cambiaran* son formas del imperfecto del subjuntivo. Son similares a las formas *Uds. / ellos / ellas* del pretérito. ¿Cuál es la diferencia? ¿Qué otras formas del imperfecto del subjuntivo se usan? ¿Cuáles son las formas *Uds. / ellos / ellas* del pretérito de estos verbos? ¿Qué patrón puedes observar?

B Observa estas expresiones que se usan en el texto: *querían que . . .* , *les impresionaba que . . .* , *insistían en que . . .* , *les pedían que . . .* . ¿En qué tiempo están estos verbos? Explícale a un(a) compañero(a) cuándo se usa un verbo en el imperfecto del subjuntivo y cuándo se usa en el presente del subjuntivo.

C Piensa en la expresión *para que se convirtieran al cristianismo*. Basándote en lo que sabes sobre el subjuntivo, ¿por qué crees que se usa en este caso?

El imperfecto del subjuntivo

Ya sabes que el subjuntivo se usa para indicar lo que una persona pide, espera, ordena, insiste o requiere que otra persona haga. Si el verbo principal está en el presente, se usa el presente del subjuntivo. Si el verbo principal está en el pretérito o en el imperfecto, se usa el imperfecto del subjuntivo.

> El rey **quiere** que los indígenas **aprendan** a hablar español.
> El rey **quiso** que los indígenas **aprendieran** a hablar español.

> Los indígenas **dudan** que el ejército **luche** con caballos.
> Los indígenas **dudaban** que el ejército **luchara** con caballos.

> **Es** injusto que muchos pobres **vivan** en condiciones tan malas.
> **Era** injusto que muchos pobres **vivieran** en condiciones tan malas.

- Para formar el imperfecto del subjuntivo se toma la forma *Uds. / ellos / ellas* del pretérito y se reemplaza la terminación *-ron* con las terminaciones del imperfecto del subjuntivo. Aquí están las formas del imperfecto del subjuntivo de los verbos *luchar, aprender* y *vivir.*

luchar		**aprender**		**vivir**	
que luch**ara**	luch**áramos**	que aprendi**era**	aprendi**éramos**	que vivi**era**	vivi**éramos**
que luch**aras**	luch**arais**	que aprendi**eras**	aprendi**erais**	que vivi**eras**	vivi**erais**
que luch**ara**	luch**aran**	que aprendi**era**	aprendi**eran**	que vivi**era**	vivi**eran**

- Como se usa la raíz de la forma *Uds. / ellos / ellas* del pretérito, los verbos en *-ir* con cambios en la raíz y los verbos con cambio ortográfico *i → y* conservan los mismos cambios.

> **Insistió** en que **siguieran** sus instrucciones.
> El rey **quería** que le **construyeran** un castillo.
> **Era** necesario que todos **contribuyeran** con su trabajo.

Basílica de la misión de Alcalá, fundada por el padre Serra en San Diego, California

1 Trabaja con un(a) compañero(a) para describir cómo estos grupos trataban de influirse entre sí. Usen lo que han aprendido para formar frases correctas. Deben usar elementos de las cuatro columnas en sus frases.

Los misioneros querían que los indígenas aprendieran a hablar español.

los musulmanes	querer	los musulmanes	hablar
los judíos	pedir	los cristianos	comer
los cristianos	esperar	los judíos	aceptar
los indios	exigir	los españoles	servir
los españoles	preferir	los indígenas	aprender
los misioneros		los esclavos	contribuir
			vestirse
			construir
			adoptar

¡NO OLVIDES!

Recuerda que estos verbos se conjugan como *influir:*
contribuir → contribuyeron → contribuyera; construir → construyeron → construyera.

El imperfecto del subjuntivo: Los verbos irregulares

Ya sabes que para formar el imperfecto del subjuntivo se toma la forma *Uds. / ellos / ellas* del pretérito y se reemplaza la terminación *-ron* con las terminaciones del imperfecto del subjuntivo. Se hace lo mismo con los verbos irregulares. Aquí están las formas del imperfecto del subjuntivo de *ir* y *ser.*

ir / ser

que fue**ra**	que fué**ramos**
que fue**ras**	que fue**rais**
que fue**ra**	que fue**ran**

Españoles y aztecas
en México

- Otros pretéritos irregulares y las formas correspondientes del imperfecto del subjuntivo son:

infinitivo	pretérito	imperfecto del subjuntivo
estar	estuvieron	que estuvie**ra**
haber	hubieron	que hubie**ra**
poder	pudieron	que pudie**ra**
poner	pusieron	que pusie**ra**
tener	tuvieron	que tuvie**ra**
hacer	hicieron	que hicie**ra**
querer	quisieron	que quisie**ra**
decir	dijeron	que dije**ra**
dar	dieron	que die**ra**
saber	supieron	que supie**ra**
traer	trajeron	que traje**ra**
venir	vinieron	que vinie**ra**

¡NO OLVIDES!

Recuerda que estos verbos se conjugan como *tener: entretener, mantener, obtener;* éstos se conjugan como *poner: componer, imponer, proponer, suponer.*

2 Bernal Díaz del Castillo (1492-1581), un soldado de Hernán Cortés, escribió un libro sobre los hechos de la conquista de México. Con un(a) compañero(a) decidan cuáles de las frases requieren el subjuntivo y cuáles requieren el indicativo. Luego escojan los verbos apropiados.

a. Vimos que la capital de los aztecas (era / fuera) enorme.
b. Era impresionante que la ciudad (estaba / estuviera) construida sobre un lago.
c. Era increíble que los edificios de la ciudad (tenían / tuvieran) torres tan altas y grandes.
d. Dudábamos que lo que veíamos (era / fuera) verdad. Parecía un sueño.
e. Era evidente que (había / hubiera) muchos árboles y flores en los jardines que no conocíamos.
f. No podíamos creer que la gente (podía / pudiera) pasear por la ciudad en canoa.
g. Parecía imposible que los indígenas (sabían / supieran) cultivar el maíz en un lago enorme.
h. Era increíble que esta civilización (era / fuera) tan avanzada.

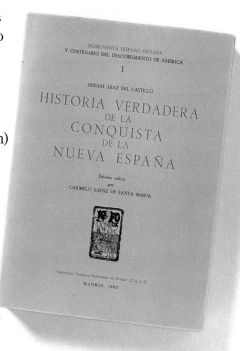

3 Imagina que un rey de España quería que le construyeran un castillo. Dibuja el castillo que tú le construirás con los elementos que ves abajo. Luego contesta las preguntas de tu compañero(a). Después comparen los dibujos.

A —*¿Quería el rey un castillo grande?*
B —*Sí, quería que construyeran un castillo con tres pisos.*
  o: *Sí, quería que el castillo fuera muy grande y que tuviera tres pisos.*

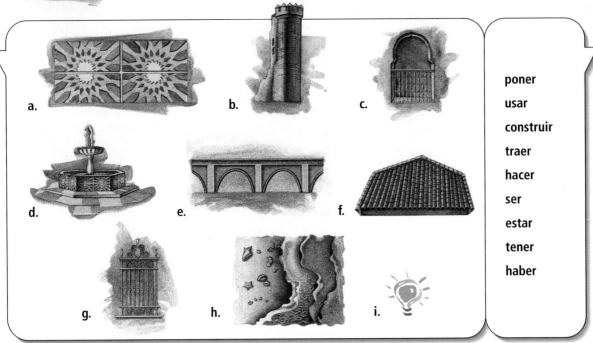

a.

b.

c.

d.

e.

f.

g.

h.

i.

poner

usar

construir

traer

hacer

ser

estar

tener

haber

El subjuntivo en frases con *para que*

El subjuntivo se usa siempre después de *para que* para explicar por qué una persona hizo algo.

Escondieron sus objetos de oro **para que** los soldados no **pudieran** encontrarlos.

Construyeron misiones **para que** los indígenas **vivieran** allí.

4 Imagina que eras un profesor de una escuela española en el siglo XIV. En la escuela había programas para que los estudiantes apreciaran más la diversidad cultural. Trabaja con un(a) compañero(a) para explicar qué quería conseguir la escuela con estos programas. Usen elementos de las tres columnas en sus frases.

Se celebraban estas fechas para que los estudiantes comprendieran otras culturas.

Dar clases sobre arquitectura musulmana	conocer	otras culturas
Celebrar varios días festivos	comprender	su influencia en la arquitectura española
Ofrecer clases de idiomas extranjeros	identificar	la contribución de diferentes grupos a la música
Estudiar la diversidad cultural	entender	el valor de la fusión de diversas culturas
Tocar música de otras regiones	expresar(se)	un punto de vista diferente sobre la vida
	aprender	sus costumbres
	ver	

Ahora lo sabes

¿Puedes:

■ **decir lo que una persona le pidió a otra o cómo te sentías respecto a una situación?**

　—El rey les pidió que ___ un palacio con muchas fuentes.

　—Era importante que los indígenas ___ sus tradiciones.

■ **expresar dudas sobre una situación en el pasado?**

　—Dudaban que ___ encontrar la ciudad que buscaban.

■ **expresar con qué intención hizo una persona algo?**

　—Los españoles establecieron misiones en el suroeste para que otros países no ___ colonias allí.

MÁS PRÁCTICA

Más práctica y tarea, p. 579
Practice Workbook 11–5, 11–10

Tiendas en El Barrio, Nueva York

¿Cómo se mezclan culturas diferentes?

Esta sección te ofrece la oportunidad de combinar lo que aprendiste en este capítulo con lo que ya sabes para responder a la pregunta clave.

Sopa de actividades

1 Trabaja con tus compañeros de clase para identificar diferentes culturas en tu comunidad o en una comunidad que esté cerca. Cuando tengan una lista de diferentes culturas, divídanse en grupos para estudiar y explicar cómo están representadas estas culturas. Pueden usar la siguiente lista o sus propias ideas.

- restaurantes
- tiendas y mercados
- anuncios
- radio y televisión

- publicaciones
- música
- manera de vestirse
- arte

Cada grupo debe describir la cultura y decir cómo se relaciona con otras culturas. Necesitan decidir cómo van a presentar su información a los otros miembros de la clase. Si es posible, usen dibujos, fotos, materiales auténticos: comida, música, etc. para hacer más interesante su presentación.

Un restaurante chino-cubano en Nueva York

2 Con tus compañeros de clase vas a describir un encuentro de dos culturas del pasado. Pueden escoger situaciones que han visto en este capítulo o en sus clases de ciencias sociales. Divídanse en grupos para describir el encuentro. Pueden incluir las siguientes ideas en su presentación:

- ¿qué culturas se encontraron?
- ¿cuándo y dónde fue el encuentro?
- ¿cómo fue el encuentro?
- ¿exigía un grupo que el otro hiciera algo en especial?
- ¿cambió un grupo más que el otro?
- ¿cuál fue el resultado del encuentro?

Pueden visualizar este encuentro por medio de una dramatización, un cartel, un video, etc.

3 En grupos de tres, describan e ilustren un plato típico de alguna cultura representada en su comunidad. Pueden preguntarle a una persona de esa cultura o pedir información en la biblioteca. Muestren sus trabajos a la clase. Luego voten para ver cuáles les parecen los mejores.

Para leer

Antes de leer

ESTRATEGIA ➤ Uso de conocimientos
previos

Cuando hablamos de las raíces de un país, ¿a
qué nos referimos? ¿Cuáles pueden ser las dos
raíces de México? ¿Y la tercera?

Mira la lectura

ESTRATEGIA ➤ Dar un vistazo

Lee la selección rápidamente, sólo para
familiarizarte con las ideas principales.

La tercera raíz de México

Donde quiera que la gente se reúne en las
empobrecidas villas pesqueras de Costa Chica,
en la costa suroeste de México—en sus casas,
en las calles, en las plazas durante los
festivales—es probable que alguien se adelante
y comience a cantar. Estos cantantes
improvisadores agasajan a su audiencia con
canciones de romance, tragedia, comedia y
protesta social, todas inspiradas por eventos
y personajes locales. En estas canciones,
llamadas "corridos," hay un sentido de dignidad
humana y un deseo de libertad arraigados en
las vidas e historia de las gentes de Costa Chica,
muchos de los cuales son descendientes de
esclavos fugitivos.

Los corridos reflejan la tradición oral de África.
La letra se improvisa, y un corrido que tenga
éxito se aprende de memoria y se canta una y
otra vez como una crónica oral de la vida del
pueblo. La letra es rica en símbolos, tradición
que probablemente comenzó cuando los
cantantes inventaron "palabras en clave" para
protestar contra las crueldades de sus amos.

La huella africana en Costa Chica no se limita
a la música. En el "Baile de los Diablos,"
celebrado durante la Semana Santa en las
calles de Collantes, Oaxaca, los bailarines
usan máscaras que reflejan la clara influencia
de África. Y en los muelles, los pescadores
emplean técnicas de trabajo que posiblemente
se trajeron desde la costa oeste africana
hace siglos.

Los colonizadores españoles aprovecharon
la tecnología que los africanos habían
desarrollado en los trópicos y que los negros
adaptaron y mejoraron en el Nuevo Mundo.
Pero aún hoy en México, muchas de las
contribuciones africanas a las técnicas de
la pesca, la agricultura, la ganadería y los
textiles no se aprecian debidamente.

Aunque es más fuerte en los enclaves negros
como Costa Chica, la presencia africana se
esparce por la cultura mexicana. En cuentos
y leyendas, en la música y el baile, en refranes
y canciones—el legado de África está presente
en la vida de cada mexicano.

Sin embargo, es difícil distinguir una influencia
como "puramente" africana. Desde luego, la
presencia africana en México nunca ha sido
monolítica. Aunque la mayoría de los esclavos

fueron traídos de la costa oeste de África, éstos representaron muchos grupos étnicos—los Cafí, los Arara, los Carabalí, los Wolof y los Mandinga, para mencionar unos cuantos—cada uno con una cultura y cosmovisión diferente. Hoy, después de 500 años de mezcla con las tradiciones de los indígenas y de los europeos, resulta casi imposible señalar las contribuciones específicas de algunos de estos grupos.

Además, es un hecho que los elementos africanos en la cultura de México no se reconocen como en otros países de las Américas. De hecho, *el mestizaje*—la ideología oficial que define la cultura de México como una mezcla de influencias europeas e indígenas—ignora completamente las contribuciones de la "tercera raíz" de nuestra nación. Los africanos y sus descendientes, casi invisibles en las crónicas españolas del período colonial, continúan recibiendo poca atención en la "historia oficial" de México. Así que no es sorprendente que los negros, que viven principalmente en áreas rurales pobres, donde el nivel de educación es muy bajo, carezcan de una clara conciencia de su herencia africana.

Para leer ?

Hasta cierto punto, la geografía ha determinado la herencia de las comunidades negras de México. El aislamiento de la costa oeste y las montañas, que ofrecieron santuario a los esclavos fugitivos, ha preservado muchos elementos de la tradición africana. Por otro lado, la región de la costa del Golfo—especialmente el puerto de Veracruz—ha sido una encrucijada donde la cultura indígena de México se mezcló con innumerables influencias de África, Europa, América del Sur y, en especial, del Caribe. En esta variada mezcla, es a veces difícil aislar, como tal, la presencia africana.

Como en el pasado, los negros en la costa del Golfo tienden más a trazar el origen de su linaje al Caribe. Sin embargo, la gente en la costa oeste y en las montañas ha comenzado a reconocer recientemente sus vínculos con África y con su pasado esclavo. En parte, esto es el resultado de recientes estudios etnográficos, folklorísticos e históricos, como también de las frecuentes visitas de estudiosos a estas

regiones. Puede ser también que la presión derivada del intenso contacto con otras personas—y con emigrantes que ahora vienen a explotar su tierra y su trabajo—haya fomentado la necesidad entre estos grupos de una identidad propia que los define como "los negros de la costa."

Es un hecho que las presiones económicas obligan a los grupos étnicos en contacto súbito con gente de afuera, a reforzar sus tradiciones o a ceder ante los atractivos que la homogenización cultural puede ofrecer. Así es como los grupos culturales se despersonalizan y sus valores tradicionales se pierden. Es de desear que los negros de Costa Chica—y de otras partes de México—lleguen a encontrar un nuevo significado en las tradiciones que los han mantenido por siglos. México será mucho más rico gracias a ello.

Infórmate

ESTRATEGIAS ➤ Controlar la comprensión

Identificar la idea principal

Identificar los detalles accesorios

1 Ahora lee la selección con cuidado. Haz una pausa después de cada párrafo y trata de expresar la idea principal de ese párrafo. Usa oraciones que comiencen con estas palabras. No escribas las oraciones todavía, sólo piénsalas.

1. Los corridos . . .
2. La letra de los corridos . . .
3. Otras huellas africanas . . .
4. Las muchas contribuciones africanas . . .
5. La presencia africana . . .
6. Es difícil distinguir . . .
7. La historia oficial de México . . .
8. La geografía . . .
9. Es importante que . . .

2 Ahora lee la selección por tercera vez. En una hoja de papel, escribe la idea principal de cada párrafo y apunta algunos detalles que apoyen esta idea. Por ejemplo:

Los corridos del área de Costa Chica reflejan la cultura de los habitantes de aquella zona.

- *Los corridos están inspirados en eventos y personajes locales.*
- *La cultura de Costa Chica tiene raíces africanas.*

Compara tu esquema con el de un(a) compañero(a).

3 Con tu compañero(a), identifica tres rasgos de la cultura africana en México. Identifica también tres motivos por los cuales no se reconoce debidamente la contribución africana a la cultura mexicana.

Aplicación

Piensa en otro país donde hay una mezcla de culturas y donde una de ellas no se reconozca. Haz una lista de tres semejanzas y tres diferencias con la situación en México.

Para escribir

Para analizar una cultura debemos conocer sus características sociales, religiosas, artísticas e intelectuales. Cuando no son como las nuestras, a veces no sabemos cómo reaccionar. Cada cultura tiene características que dependen de su lugar de origen.

1 Piensa en tu propia cultura. Haz una lista con algunas de las características sociales, religiosas y artísticas de esta cultura. Ahora piensa en otra cultura que conozcas de tu misma comunidad o de otro lugar, y haz una lista de sus características sociales, religiosas y artísticas. Si puedes, pregúntale a alguien de esa cultura. También puedes hablar con tus profesores o hacer una investigación en la biblioteca. Compara las dos listas.

2 Ahora piensa en lo que ocurre cuando dos o más culturas se mezclan. Usa tus notas y lo que has aprendido en este capítulo para escribir un trabajo sobre este tema. Considera las siguientes preguntas para organizar mejor tus ideas:

- ¿Qué culturas has escogido?
- ¿Cómo influye cada cultura en la(s) otra(s)? ¿Qué cambios ocurren en cada una? ¿Cómo se sienten o notan los cambios?
- ¿Cómo se beneficia cada grupo?
- ¿Qué problemas hay? ¿Cómo se solucionan?
- ¿Hay algo que sabes o que puedes hacer gracias a la otra cultura?
- ¿Cuáles son los resultados de este encuentro?

3 Recuerda que debes revisar tu escrito con un(a) compañero(a) y seguir los pasos del proceso de escribir.

Aquí tienes una lista de palabras y expresiones que te pueden ayudar.

aceptar	conocer	integrarse
adaptar	conveniente	lo más (menos) importante
adoptar	desconocido	proponer
adquirir	igual	resultado
beneficiar(se)		

Para compartir tu trabajo, puedes:

- exhibirlo en la sala de clases
- incluirlo en una colección llamada *Encuentros*
- enviarlo a un periódico o a una revista en español
- ponerlo en tu portafolio

Repaso ¿Lo sabes bien?

Esta sección te ayudará a prepararte para el examen de habilidades, donde tendrás que hacer tareas semejantes.

Comprensión auditiva

¿Puedes entender una descripción sobre las culturas que existían en España? Escucha mientras el (la) profesor(a) lee un ejemplo semejante al que vas a oír en el examen. Según la descripción, ¿qué contribuyeron las diferentes culturas a la ciudad de Toledo? ¿Dónde encuentra este(a) estudiante la influencia española en los Estados Unidos?

Lectura

¿Puedes leer este artículo de un periódico hispano y decir de qué habla? ¿Qué otro título podría tener?

Variedad étnica

La población de habla española comparte rasgos de tres principales grupos étnicos. A través de los años, la mezcla de europeos, indígenas y africanos, y la integración de sus rasgos culturales ha formado un mosaico fascinante. Un ejemplo de esta contribución es el jazz afro-cubano, que en parte se compone de ritmos e instrumentos africanos, y las canciones y bailes mexicanos, que mezclan la guitarra española con la marimba indígena.

Self Test www.pasoapaso.com

Escritura

¿Puedes escribir un comentario editorial breve como el que escribió Mateo para el periódico escolar esta semana?

Durante la celebración de la Semana Internacional, empecé a pensar en mi propia cultura. ¿Quiénes somos nosotros, los que formamos los Estados Unidos? Entre mis amigos está Olga. Sus padres vinieron a este país para escapar de la opresión. A su lado estaba Sam. Aunque su familia es del Japón, él prefiere la pizza al sushi. Pensé en Josh, que no pudo salir conmigo ayer porque iba a la sinagoga; y en Maya, que a veces me muestra las poesías que escribe sobre su descendencia africana. Los Estados Unidos son una fusión de las diversas culturas y razas que ellos y yo representamos.

Festival de Moros y Cristianos en Villajoyosa, cerca de Alicante, España

Cultura

¿Puedes explicar cómo las diversas culturas contribuyen a nuestro país? ¿Cuál es el impacto que tienen las diferentes culturas hispanas en los Estados Unidos?

Práctica oral

¿Puedes hablar con un(a) compañero(a) sobre la fusión de culturas que tuvo lugar cuando los españoles llegaron a las Américas?

A —*En la clase de historia leímos sobre las misiones de California.*

B —*¿Por qué querían que los indígenas vivieran en misiones?*

A —*Querían que aprendieran a hablar español, y también querían convertirles al cristianismo.*

B —*No me gusta que una cultura se imponga sobre otra.*

A —*Pero la mezcla de culturas…*

Resumen del vocabulario

Usa el vocabulario de este capítulo para:

- responder a la pregunta clave: ¿Cómo se mezclan culturas diferentes?
- describir cómo interactúan dos o más culturas
- hablar de la fusión de culturas en España antes de 1492
- explicar la fusión de culturas que tuvo lugar cuando los españoles llegaron a las Américas

para describir cómo interactúan dos o más culturas

adoptar
combinar(se)
componer(se) de
la creación, *pl.* las creaciones
cultural
la descendencia
la diversidad
diverso, -a
duradero, -a
el encuentro
la fusión, *pl.* las fusiones
la influencia
la lengua
la mezcla
mezclar
el mundo
proponer
el pueblo
el rasgo
la región, *pl.* las regiones
el resultado

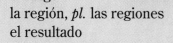

para hablar de la fusión de culturas en España antes de 1492

el alcázar, *pl.* los alcázares
el azulejo
el balcón, *pl.* los balcones
el castillo
el cristiano, la cristiana
la fuente
el judío, la judía
la mezquita
el musulmán, la musulmana
la poesía
reconquistar
la reja
el rey, la reina, *pl.* los reyes
la sinagoga
el techo
la torre

para hablar de la fusión de las culturas después que los españoles llegaron a las Américas

africano, -a
la batalla
la colonia
el conquistador
conquistar

el continente
el Día de los Muertos
esclavizar *(z → c)*
el esclavo, la esclava
establecer *(c → zc)*
europeo, -a
fundar
el / la hispanohablante
el / la indígena
la injusticia
mestizo, -a
morir(se) *(o → ue)*
el producto
la raza
rebelarse
el ritmo
trajeron *(del verbo* traer)

otras palabras y expresiones útiles

a través de
la mayoría
(que nosotros) hiciéramos *(del verbo* hacer)

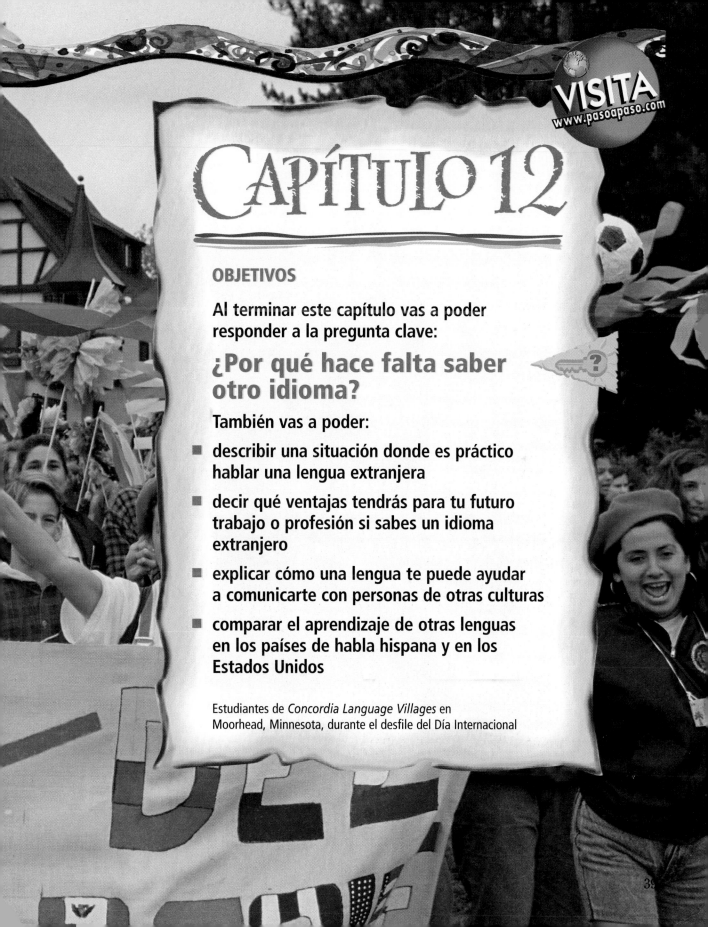

CAPÍTULO 12

OBJETIVOS

Al terminar este capítulo vas a poder responder a la pregunta clave:

¿Por qué hace falta saber otro idioma?

También vas a poder:

- describir una situación donde es práctico hablar una lengua extranjera

- decir qué ventajas tendrás para tu futuro trabajo o profesión si sabes un idioma extranjero

- explicar cómo una lengua te puede ayudar a comunicarte con personas de otras culturas

- comparar el aprendizaje de otras lenguas en los países de habla hispana y en los Estados Unidos

Estudiantes de *Concordia Language Villages* en Moorhead, Minnesota, durante el desfile del Día Internacional

Anticipación

Mira las fotos. ¿Cuáles de estas personas crees que saben hablar más de una lengua? ¿Por qué es útil hablar más de un idioma?

La Organización de las Naciones Unidas (ONU) trabaja para mantener la paz en todo el mundo. Tiene más de cien países miembros, y sus diplomáticos hablan varios idiomas. Para ser intérprete de la ONU, se necesita saber tres lenguas por lo menos. ¿En qué otros trabajos es necesario hablar más de un idioma?

Algunos quioscos de periódicos como éste en Asunción, Paraguay, venden periódicos y revistas de otros países. También pueden conseguir varias revistas de los Estados Unidos escritas en otros idiomas. ¿Has visto algún periódico o revista en otra lengua? ¿De qué país era?

En muchos aeropuertos, como el de la Ciudad de México, se da información en varios idiomas para ayudar a los pasajeros. ¿Qué tipo de información crees que dan? ¿Debe ser un requisito saber varios idiomas para trabajar en un aeropuerto? ¿Por qué?

Vocabulario para comunicarse

¿Por qué hace falta saber una lengua extranjera?

Aquí tienes palabras y expresiones necesarias para hablar sobre las ventajas de saber una lengua extranjera. Léelas varias veces y practícalas con un(a) compañero(a) en las páginas siguientes.

el bibliotecario

la bibliotecaria

la redactora

la banquera, el banquero

el contador, la contadora

el redactor

el /la periodista

También necesitas . . .

Si no sabes qué quieren decir estas palabras, puedes consultar un diccionario o el Vocabulario español-inglés al final del libro.

el / la agente de ventas
el / la asistente social
la carrera
cometer
confundirse
el / la corresponsal
defenderse *(e → ie)* (en)
dominar
el / la estudiante de
intercambio

hacer falta
la lengua extranjera
seguir *(e → i)*
sería *(del verbo* ser)
soñar *(o → ue)* (con)
sordo, -a
tener facilidad para
tendría que, tendrías
    que *(de* tener que)
viajar

¿Y qué quiere decir . . . ?

bilingüe[†]
la dificultad
el error

la traducción,
    pl. las traducciones

el traductor, la traductora

el lenguaje por señas

hablar por señas

traducir *(c → zc)**

* En el pretérito y en el imperfecto del subjuntivo, *traducir* se conjuga como *decir: traduje → tradujera.*
[†] Los dos puntos sobre la *u,* o diéresis, indican que la *u* debe pronunciarse.

¡NO OLVIDES!

¿Recuerdas estas palabras que se refieren a profesiones?
el aduanero, la aduanera
el / la agente de viajes
el / la auxiliar de vuelo
el diplomático, la diplomática
el / la gerente
el / la intérprete
el / la recepcionista
el vendedor, la vendedora

Empecemos a conversar

Túrnate con un(a) compañero(a) para ser *Estudiante A* y *Estudiante B*.
Reemplacen las palabras subrayadas con palabras representadas o
escritas en los recuadros. 💡 quiere decir que puedes escoger tu
propia respuesta.

1

A —*¿Qué tendría (yo) que estudiar para ser <u>banquero(a)</u>?*
B —*Tendrías que estudiar <u>matemáticas</u>.*
    o: *No sé, me parece que tendrías que estudiar ___.*

Estudiante A

Estudiante B

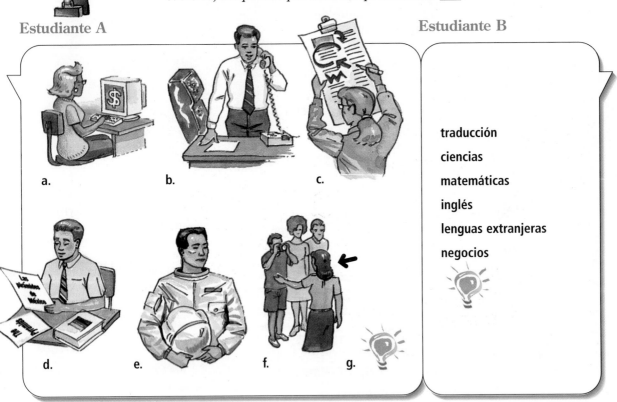

a.   b.   c.

d.   e.   f.   g.

traducción

ciencias

matemáticas

inglés

lenguas extranjeras

negocios

💡

2

A — *¿Qué te gustaría más, ser contador(a) o periodista?*

B — *Quisiera ser <u>periodista porque me gusta escribir</u>.*

o: *Ninguno de los dos, me gustaría ser ___.*

Estudiante A

Estudiante B

a.

b.

c.

d.

e.

f.

3 guía

A — *¿Hace falta estudiar una lengua extranjera para ser <u>guía</u>?*

B — *No, no es necesario, pero sería una gran ventaja porque . . .*

o: *Sí, es necesario porque . . .*

Estudiante A

Estudiante B

a. corresponsal

b. banquero, -a internacional

c. bibliotecario, -a

d. agente de ventas

e. asistente social

f. redactor, -a

g. diplomático, -a

h. aduanero, -a

i. intérprete

j.

¿Y qué piensas tú?

Aquí tienes otra oportunidad para usar el vocabulario de este capítulo.

MÁS PRÁCTICA

- Más práctica y tarea, p. 580
- Practice Workbook 12–1, 12–2

4 ¿Qué lengua(s) dominas? ¿En cuáles puedes defenderte? ¿Qué lengua(s) hablan tus padres? ¿Son tus padres bilingües? ¿Y tú?

5 Cuando hablas en español, ¿en qué idioma piensas? Cuando escribes en español, ¿todavía traduces del inglés, o empiezas a escribir en español directamente? ¿En qué idioma sueñas? ¿Te gustaría soñar en otro idioma? ¿Por qué?

6 Imagínate que eres un estudiante de intercambio, ¿a qué país te gustaría viajar? ¿Por qué?

7 ¿Cuándo hace falta aprender a hablar por señas? ¿Sabes hablar por señas? ¿Por qué o por qué no has aprendido?

8 ¿Cuáles son algunas de las dificultades que has tenido para aprender a hablar español? ¿Con qué te confundes más, con los verbos o con el masculino y el femenino? ¿Cuáles son algunos de los errores que cometen los estudiantes de tu clase de español?

- Ahora con un(a) compañero(a), haz una tabla como la de la derecha. ¿Cuáles son sus errores más frecuentes? ¿Y los menos frecuentes?

- Compartan su gráfica con la clase.

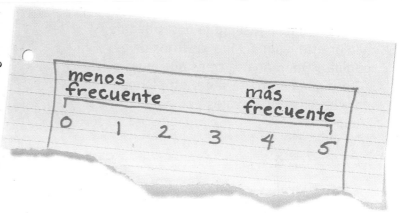

9 Conversa con un(a) compañero(a) sobre qué carrera quieres seguir y cómo saber español podría ayudarte. Sigue el modelo.

A — *Después de graduarte, ¿qué ___?*
B — *Me gustaría ___.*
A — *¿Qué hace un(a) ___?*
B — *Pues, ___.*
A — *Para ser ___, ¿hace falta ___?*
B — *...*

Tema para investigar

Aquí tienes más palabras e ideas que te ayudarán a hablar sobre la necesidad de hablar otra lengua. Mira las fotos de esta página. ¿Qué trabajos crees que muestran? ¿Crees que hace falta saber otra lengua para hacer estos trabajos?

¿Para qué sirve hablar una lengua extranjera?

Es posible que te hayan preguntado: ¿por qué estudias español?, o te hayan dicho que, **en realidad**, no es necesario saber otra lengua si tu **lengua materna** es el inglés. Sin embargo, aprender otra lengua nos beneficia a todos. Cada día **aumentan** las oportunidades de aprender otra lengua en la escuela primaria. Conocemos **los beneficios** de esto desde un punto de vista **académico.** Por ejemplo, los estudiantes de la escuela secundaria que han estudiado otra lengua obtienen resultados más altos en el examen de S.A.T. En muchas universidades, saber otra lengua es un requisito para graduarse.

Por otro lado, si vives en una ciudad grande, como Nueva York o Los Ángeles, vives en un mundo **multicultural**. Pero también en un pueblo puedes estar en **contacto** con otras culturas. En los Estados Unidos hay cada vez más **inmigrantes**. Esa **inmigración** nos hace ver que debemos hablar otras lenguas para poder comunicarnos mejor. Nuestra sociedad **se diversifica** y es **útil** que las personas puedan comunicarse, **convivir** y trabajar en **armonía** con personas de otras culturas.

Además, para poder participar **activamente** en el mundo de hoy hace falta saber otras lenguas. Muchos creen que lo único que se puede hacer con una lengua extranjera es **interpretar**, traducir o seguir una carrera en relaciones internacionales. Pero hay muchas más posibilidades: hay cada vez más compañías que necesitan empleados que conozcan la cultura y la lengua de otros países. En las escuelas de muchos países los estudiantes aprenden a comunicarse por lo menos en dos idiomas. En el mercado **mundial** los europeos y los japoneses, por ejemplo, se comunican sin problemas. Gracias a los nuevos medios de comunicación, podemos decir que vivimos en un mundo sin **fronteras**.

Hay muchas oportunidades para las personas que pueden **expresarse** en otra lengua. Para ser **completamente** bilingüe es necesario saber más que la lengua **oficial** y sus **modismos**; hace falta conocer bien a la gente y **apreciar** su cultura. ¿Qué piensas tú sobre **el aprendizaje** de otras lenguas? ¿Vale la pena?

Si no sabes qué quieren decir estas palabras, puedes consultar un diccionario o el Vocabulario español-inglés al final del libro.

en realidad	mundial
aumentar	la frontera
útil	el modismo
convivir	el aprendizaje

¿Y qué quiere decir . . . ?

la lengua materna	el / la inmigrante	interpretar
el beneficio	la inmigración	expresar(se)
académico, -a	diversificar(se) $(c \rightarrow qu)$	completamente
multicultural	la armonía	oficial
el contacto	activamente	apreciar

¿Comprendiste?

1 ¿Cuáles de estas ideas están incluidas en el tema y cuáles no?

    a. En todas partes del mundo hay personas que hablan inglés.

    b. Si tu lengua materna es el español, podrás comunicarte fácilmente en cualquier lugar del mundo.

    c. Los estudiantes que saben otra lengua obtienen mejores resultados en otras materias.

    d. Vivimos en un mundo sin fronteras.

    e. Es importante aprender una lengua extranjera antes de entrar en la universidad.

    f. Es importante saber otras lenguas para poder apreciar la cultura de otros países.

    g. Lo único que hace falta para ser bilingüe es aprender los modismos de un idioma.

2 Da tres ejemplos de por qué es importante aprender otra lengua.

Joven hispana en una entrevista de trabajo

¿Y qué piensas tú?

3 ¿Has estado en otro país o países? ¿En cuál(es)? ¿Hablaban allí tu misma lengua? Si no, ¿cómo te comunicaste?

4 Cuando hablas español fuera de la sala de clases, ¿qué ocurre? ¿Cómo te sientes?

5 ¿Es multicultural tu ciudad o pueblo? ¿En qué se ve? ¿Hay inmigrantes de otros países? ¿De dónde son?

6 ¿Hay mucha gente bilingüe en tu comunidad? Haz una lista de los lugares donde se puede escuchar una lengua extranjera en tu comunidad. Compárala con la de un(a) compañero(a).

7 Hay algunos políticos que quieren que el inglés sea la lengua oficial de los Estados Unidos. ¿Estás de acuerdo con ellos? ¿Por qué?

Práctica de vocabulario   www.pasoapaso.com

MÁS PRÁCTICA

Más práctica y tarea, p. 581
Practice Workbook 12–3, 12–4

8 En grupos de tres o cuatro decidan:

- para qué trabajos hace falta saber otra lengua
- para cuáles se necesita tener facilidad para una lengua
- para cuáles no se necesita una lengua extranjera
- para cuáles sería una ventaja saber otra lengua

Expliquen sus decisiones.

9 Los Estados Unidos es un país de inmigrantes. Entrevista a cinco o seis amigos(as) o compañeros(as) para averiguar de qué país son sus abuelos y qué lengua(s) hablaban. Luego prepara una tabla como la de abajo.

Haz estas preguntas:

- ¿De dónde son tus abuelos?
- ¿Qué lengua(s) hablaban?
- ¿Siguen hablando esa(s) lengua(s)?
- ¿Por qué siguen o no siguen hablándola(s)?

Empresa Internacional especializada en actividades de Mercados de Capitales

Necesita contratar un/una

Especialista en Informática

En Dependencia del Responsable del Departamento de Informática

Requisitos:
- Licenciado o Diplomado en los últimos 4 años.
- Experiencia mínima de 2 años en puesto similar.
- Conocimientos específicos en:
  • Redes NOVELL, Aplicaciones WINDOWS y Programación de bases de datos.
- Imprescindible dominio del idioma inglés hablado y escrito.
- Servicio militar cumplido o exento.

Se valorará:
- Conocimientos en AS/400.
- Conocimientos de francés.

Las personas interesadas deberán enviar carta y C.V. detallado al apartado de correos nº 1137. 28080 Madrid, antes del día 3/2/95 indicando en el sobre la Referencia "INFORMÁTICO"

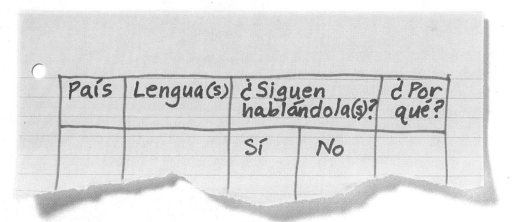

País	Lengua(s)	¿Siguen hablándola(s)?		¿Por qué?
		Sí	No	

¿Qué sabes ahora?

¿Puedes:

■ describir una situación donde puedes usar otra lengua?

—Es útil saber otra lengua para ___ y para ___.

■ explicar en qué te puede ayudar saber otra lengua?

—Si ___ otra lengua, puedes ___ mejor a personas de otros países y ___ su cultura.

■ decir cómo el aprendizaje de una lengua extranjera te puede ayudar en una carrera o profesión?

—En muchas carreras, como por ejemplo ___ y ___, es ___ saber otra ___.

ÁLBUM CULTURAL

Gracias a los adelantos en el transporte y las comunicaciones, el mundo es cada vez más pequeño. Para que podamos entendernos mejor, es necesario aprender otros idiomas que nos ayuden a comunicarnos con más facilidad. ¿Puedes dar otras razones para aprender un segundo idioma?

Estos estudiantes participan en cursos intensivos de idiomas ofrecidos por *Concordia Language Villages* en Minnesota. Además de escoger la lengua que estudiará, cada estudiante decide a qué nivel empezará su aprendizaje. Otro aspecto importante del programa es el uso de las canciones populares de un país en el aprendizaje del idioma. En 1994, un total de 975 estudiantes participaron en este programa.

Lucía (1968), Raúl Martínez

Quinto Festival de Teatro (1962), Lorenzo Homar

Una de las ventajas de hablar otra lengua es la de entender sin necesidad de intérprete. Podemos ver películas como esta película cubana, en versión original y sin subtítulos. También se puede asistir a festivales de teatro como éste en el que participa el Instituto de Cultura Puertorriqueña, y apreciar cada obra en el idioma original en lugar de oír una traducción.

En España e Hispanoamérica se da mucha importancia al aprendizaje de otra lengua, no sólo para las relaciones personales, sino también como una ventaja en el mundo del trabajo. Cada día son más los estudiantes que aprenden inglés como segundo idioma, como éstos en una escuela secundaria en Málaga, España.

Los adelantos de la tecnología también pueden usarse en la sala de clases. Estos estudiantes de Monterrey, México, usan las grabadoras y demás equipo del laboratorio de idiomas para practicar su pronunciación y mejorar su capacidad de comprensión.

Reacción personal

Contesta las siguientes preguntas en una hoja de papel.

1 ¿Te gustaría hablar varios idiomas? ¿Por qué? ¿Qué ventajas tiene poder hablar varios idiomas?

2 ¿Cómo ayuda la tecnología a aprender otras lenguas? ¿Usas el laboratorio de idiomas con frecuencia? ¿Por qué?

3 Además de ver películas y obras de teatro en el idioma original, ¿qué otras cosas estarían a tu alcance si hablaras una segunda lengua?

Actividad cultural www.pasoapaso.com

Gramática en contexto

Mira este anuncio de una escuela de idiomas. ¿Qué les ofrece a las personas que sigan sus cursos?

A Ya sabes el significado de *sería* y *tendría*. Busca los verbos *iría* y *trabajaría* en el anuncio. ¿Cuál es el sujeto de estos verbos? ¿Qué piensas que significan? Ahora busca un ejemplo con la forma condicional de *nosotros*. ¿A qué forma del verbo se le han agregado las terminaciones? ¿Son esas terminaciones diferentes para los verbos en *-ar, -er* e *-ir*? Explica a un(a) compañero(a) cómo formar el condicional de un verbo regular en *-ar, -er* o *-ir*.

B En el anuncio se usan también *podría* y *tendría*. ¿Cuáles son los infinitivos de estos verbos? ¿Qué irregularidad tienen en el condicional? ¿Cuáles de estos verbos piensas que son irregulares en el condicional: *estar, decir, poner, dar*?

C Los dos párrafos comienzan con las expresiones: *si yo supiera . . .* y *si yo hablara . . . .* ¿Qué crees que significan? ¿Piensas que son formas del subjuntivo o del indicativo? ¿Qué forma de *trabajar* se usará en esta oración? *Si yo ___ en México, hablaría español todo el tiempo.*

Si yo supiera bien español, iría a la Organización de las Naciones Unidas y trabajaría como intérprete.

Si yo hablara otro idioma, podría conseguir un trabajo como agente de viajes y no tendría que trabajar por la noche. Mi familia y yo viajaríamos por todo el mundo sin problemas.

Escuela Mundo Sin Fronteras
Donde sus sueños están al alcance de la mano
Clases de todos los niveles
Calle Cea Bermúdez 1213 • Teléfono 555-7777

El condicional

El condicional se usa para expresar lo que *podríamos hacer* o cómo *podría ser* una situación.

Me **gustaría** estudiar otro idioma.
Yo le **pediría** ese libro al bibliotecario.

¡NO OLVIDES!

Recuerda que ya sabes dos formas del condicional: ¿ *Te gustaría* ir al cine hoy? ¿ *Podrías* abrir la ventana?

- Como pasa con el futuro, el condicional se forma agregando las terminaciones al infinitivo. Las terminaciones del condicional son las mismas para todos los verbos.
- Aquí están las formas del condicional de *hablar, ser* e *ir*.

hablar **ser** **ir**

hablaría	hablaríamos	sería	seríamos	iría	iríamos
hablarías	hablaríais	serías	seríais	irías	iríais
hablaría	hablarían	sería	serían	iría	irían

- Todos los verbos que son irregulares en el futuro tienen las mismas raíces irregulares en el condicional. Aquí, por ejemplo, están las formas de *tener* en el condicional.

tener

tendría	tendríamos
tendrías	tendríais
tendría	tendrían

- Aquí tienes las raíces del futuro y del condicional de otros verbos irregulares:

decir	**dir-**	querer	**querr-**
haber	**habr-**	saber	**sabr-**
hacer	**har-**	salir	**saldr-**
poder	**podr-**	venir	**vendr-**
poner	**pondr-**		

1 ¿Qué le aconsejarías a alguien que va a seguir una de estas carreras? Habla con un(a) compañero(a) sobre lo que sería importante para esta persona. Usa elementos de los dos recuadros.

Para ser aduanero, sería útil hablar dos o más idiomas.

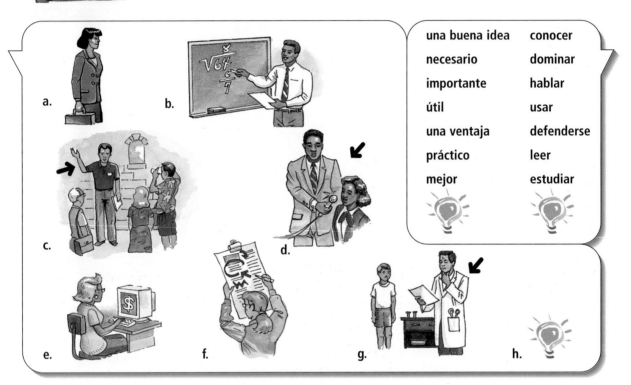

una buena idea	**conocer**
necesario	**dominar**
importante	**hablar**
útil	**usar**
una ventaja	**defenderse**
práctico	**leer**
mejor	**estudiar**

2 Imagina que eres un estudiante de intercambio en otro país. ¿Qué harías en las situaciones siguientes? Usa elementos de las dos columnas.

Alguien te ha robado la cartera.   **decirle al (a la) policía …**
Le diría a un (a una) policía que alguien me robó la cartera.

a. Perdiste tu pasaporte.   poder pedir . . .
b. Tienes hambre.   querer ir . . .
c. Hace mucho frío.   ponerme un . . .
d. Para las clases, necesitas hacer un trabajo.   tener que ir . . .
e. Unos amigos te invitaron a ver una película.   salir con . . .
f. Quieres hablar con tus hermanos que están   hacer una llamada . . .
   en otro país.

El imperfecto del subjuntivo con *si*

El imperfecto del subjuntivo se usa después de *si* cuando una situación es improbable, imposible o no es cierta.

Si hablaras japonés, podrías trabajar para esa compañía.
Si yo fuera el jefe, buscaría una persona que supiera inglés y español.
Iríamos a otro país por un año **si tuviéramos** suficiente dinero.

- Cuando se usa una forma del imperfecto del subjuntivo después de *si,* en la otra parte de la oración se usa el condicional.

3 Habla con tu compañero(a) sobre qué harías si tuvieras estos trabajos.

A — *¿Qué harías si fueras guía?*
B — *Si fuera guía, llevaría a los turistas a todos los lugares históricos de la ciudad.*

Estudiante A

a.
b.
c.
d.
e.
f.
g.
h.

Estudiante B

prometer calles menos peligrosas

vigilar el edificio para evitar los robos

entregar el correo a los demás todos los días

pedir nuevos libros y revistas

poder hablar por teléfono con todos los países del mundo

descubrir más cosas sobre las civilizaciones antiguas

querer participar en conferencias internacionales

4 Pídele a un(a) compañero(a) que haga algo por ti. Tu compañero(a) va a decirte por qué no puede hacerlo.

ayudarme . . .   A —*¿Podrías ayudarme con la tarea de química?*

B — *Te ayudaría si no estuviera tan ocupado(a).*

     o: *Te ayudaría si supiera más.*

Estudiante A   **Estudiante B**

a. darme . . .

b. decirme . . .

c. trabajar conmigo . . .

d. ir conmigo . . .

e. prestarme . . .

f. explicarme . . .

g.

estar . . .

tener . . .

entender . . .

saber . . .

poder . . .

5 Con un(a) compañero(a), habla de qué harías en estas situaciones.

ser director(a)   A — *¿Qué harías si fueras director(a) del colegio?*

de tu colegio   B — *Si fuera director(a), les permitiría*

     a los estudiantes comer en clase. ¿Y tú?

A — *Yo compraría más computadoras para el colegio.*

Estudiante A   **Estudiante B**

a. tener mucho tiempo libre

b. dominar tres idiomas

c. ganar la lotería

d. ser el (la) presidente(a)

e. jugar bien tenis

f.

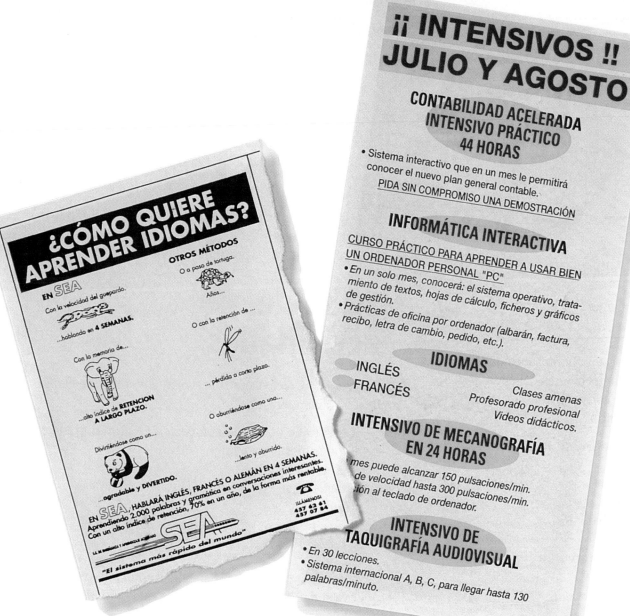

Ahora lo sabes

¿Puedes:

- decir qué haría alguien en una situación?
  —Mi abuela nunca ____ a una tienda sola.
- explicar qué dijo una persona que haría?
  —Tomás dijo que ____ la carta del inglés al español.
- decir qué haría una persona si estuviera en otra situación?
  —Si yo hablara ruso, ____ a Moscú.
  —Antonio estudiaría negocios internacionales,
  si ____ ir a la universidad.

MÁS PRÁCTICA

Más práctica y tarea, pp. 581–582
Practice Workbook 12–5, 12–8

Puntos de Vista

¿Por qué hace falta saber otro idioma?

Esta sección te ofrece la oportunidad de combinar lo que aprendiste en este capítulo con lo que ya sabes para responder a la pregunta clave.

Sopa de actividades

Para decir más

Aquí tienes vocabulario adicional que te puede ayudar para hacer las actividades de esta sección. Si no sabes qué quieren decir estas palabras, puedes consultar un diccionario.

acostumbrarse (a)

averiguar

la comprensión

el entendimiento

los trámites, *pl.*

el árabe

el chino

el italiano

el japonés

el ruso

1 En grupos de tres o cuatro, escojan dos o tres de las frases siguientes:

> Si el estudio de español empezara en primer grado . . .
> Si todos fuéramos bilingües . . .
> Si yo fuera trilingüe . . .
> Si tuviera que vivir en un país donde no hablan inglés . . .
> Si tuviera que estudiar matemáticas en alemán . . .
> Si hubiera vida en la Luna . . .

- Completen las frases escogidas con la mayor variedad de posibilidades que puedan imaginar.
- Escojan las frases más originales de cada grupo. Compártanlas con toda la clase.

2 Formen grupos de tres o cuatro. Cada grupo debe escoger un grupo de personas y sugerir cómo cambiaría nuestro mundo si todos ellos supieran hablar otro idioma. Deben pensar en diferentes cambios que podrían ocurrir. Preparen una presentación oral para su clase. Pueden escoger uno de estos grupos:

- los políticos
- los vendedores
- los enfermeros y los médicos
- los asistentes sociales
- los jefes y gerentes
- los salvavidas
- los diplomáticos
- los profesores

Si los políticos supieran hablar otro idioma, podrían ___ .

3 Formen grupos de tres o cuatro.

- Escojan grupos de personas que representen diferentes profesiones.
- Preparen cuatro o cinco preguntas para hacerles a estas personas sobre su profesión, y la ventaja o necesidad de saber otras lenguas.
- Con estas preguntas hagan una entrevista a una o más personas del grupo que hayan escogido.
- Preparen una presentación oral con la información que reciban en sus entrevistas.

Bill Richardson de Nuevo México, secretario de energía de los Estados Unidos, es bilingüe en inglés y español, y también habla francés.

421

Antes de leer

ESTRATEGIA ➤ Uso de conocimientos previos

Pregúntale a una persona mayor qué significan estos términos que se usaban mucho durante la guerra fría: *crisis cubana de misiles, bomba nuclear, lluvia radioactiva, refugio antiaéreo.* Escribe una frase en español para cada uno. Luego, formen grupos y comparen su información.

Mira la lectura

ESTRATEGIA ➤ Dar un vistazo

Lee esta selección de Julia Álvarez, sólo para averiguar de qué se trata.

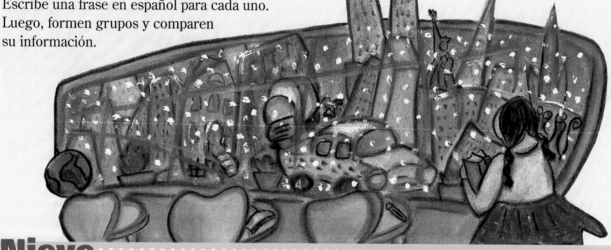

Nieve

Durante nuestro primer año en Nueva York alquilamos un pequeño apartamento con una escuela católica en las cercanías, regida por las Hermanas de la Caridad, fornidas mujeres de largos hábitos negros y unas tocas que les daban un aspecto peculiar, como de muñecas vestidas de luto. A mí me gustaban mucho, especialmente mi profesora de cuarto curso, la hermana Zoe, que tenía vocación de abuela. Mi nombre era adorable, decía, e hizo que yo enseñara a toda la clase cómo pronunciarlo: *Yo-lan-da.* Por ser la única inmigrante en la clase, se me adjudicó un sitio especial, en primera fila y junto a la ventana, apartada de las otras niñas para que la hermana Zoe pudiera darme lecciones especiales sin estorbar a las demás. Esta enunciaba despacio las palabras nuevas que yo debía repetir: *Laundromat, corn flakes, subway, snow.*

Pronto entendí suficiente inglés como para percatarme de que el holocausto estaba en el aire. La hermana Zoe explicó a una clase entera de ojos muy abiertos lo que ocurría en Cuba: se estaban instalando allí misiles rusos, supuestamente apuntando a Nueva York. El presidente Kennedy, con aspecto preocupado él también, apareció en la televisión de nuestra casa, explicando que tendríamos que ir a la guerra contra los comunistas. En la escuela hacíamos prácticas de alarma aérea: sonaba una ominosa campana y formábamos en fila en el pasillo, nos echábamos al suelo, nos cubríamos las cabezas con los abrigos, e imaginábamos que se nos caía el cabello y se nos ablandaban los huesos de los brazos. En casa, Mami, mis hermanas y yo rezábamos el rosario por la paz del mundo. Yo adquirí un nuevo vocabulario: *nuclear bomb, radioactive fallout, bomb shelter.* La

Infórmate

Recuerda que ya sabes varias maneras
de averiguar el significado de una
palabra nueva:

- reconocer un cognado
- reconocer una familia de palabras
- usar el contexto

1 Copia esta escala en una hoja de papel.
Luego coloca la letra de la expresión
apropiada en el lugar correspondiente
según lo que siente Yolanda.

├──┼──┼──┼──┼──┼──┼──┼──┤

NO LE GUSTA NADA.   **LE GUSTA MUCHO.**

a. el frío   c. los misiles rusos
b. la hermana Zoe   d. la nieve

2 Ahora compara tu escala con la de un(a)
compañero(a). Discutan las diferencias.
Usen el texto para explicar sus decisiones.

Aplicación

1 Busca una forma de los infinitivos de la lista
para sustituir las palabras subrayadas.
Luego, dile las frases a un(a) compañero(a).

1. El jugador de béisbol <u>tiró</u> la pelota.
2. "No <u>señales</u> con el dedo. Es una falta
   de educación."
3. Despidieron al empleado y no lo
   <u>sustituyeron</u>.

adjudicarse   lanzar
apuntar   reemplazar
chillar

2 Piensa en lo que siente Yolanda en esta
historia. ¿Has sentido una emoción
semejante alguna vez? Escribe un párrafo
breve explicando la emoción y por qué
la sentiste.

---

hermana Zoe explicaba cómo ocurriría. Dibujó una
seta en la pizarra y punteó con tiza una lluvia que
significaba la precipitación de polvo radiactivo que
nos mataría a todos.

Los meses trajeron más frío, noviembre, diciembre.
Todavía estaba oscuro cuando me levantaba por la
mañana; helaba cuando caminaba en pos de mi
aliento hacia la escuela. Una mañana, estaba
sentada ante mi pupitre, mirando por la ventana
y soñando despierta, cuando vi en el aire exterior
unos puntos iguales a los que la hermana Zoe había
dibujado; dispersos al principio, luego cada vez
más densos, cada vez en mayor número. Lancé
un chillido:

— ¡La bomba! ¡La bomba!

La hermana Zoe acudió convulsionada, su larga

falda negra se hinchó como un globo al correr
hacia mí. Unas pocas chicas empezaron a llorar.

Pero al instante desapareció del rostro de la
hermana Zoe la expresión de sobresalto.

— ¡Vamos, Yolanda, querida, eso es nieve!
— Se echó a reír —. ¡Nieve!
— Nieve — repetí.

Miré cautelosamente por la ventana. Toda mi vida
había oído hablar de los cristales blancos que en
invierno caían de los cielos de Norteamérica.
Desde mi pupitre presencié cómo el fino polvo
cubría la acera y los coches aparcados en las
inmediaciones de la escuela. Cada copo era
diferente había dicho la hermana Zoe, como lo
era una persona, irreemplazable y bello.

Para escribir

Actualmente, con unos medios de transporte y una tecnología tan avanzados, podemos decir que vivimos en un mundo sin fronteras. Las oportunidades para estudiar, aprender, hacer negocios, ver lugares nuevos y conocer a otras personas se presentan todos los días. Saber otro idioma es un requisito de la sociedad moderna.

1 Primero, haz una lista de trabajos y profesiones donde sería útil hablar una lengua extranjera. Luego piensa en estas preguntas y escribe tus ideas:

- De los trabajos de la lista, ¿cuáles son los que más te atraen?
- ¿Qué habilidades necesitas? ¿Cómo te prepararías?
- Si tuvieras esas habilidades, ¿dónde y con quién(es) podrías trabajar?

Prepara una tabla como la siguiente para organizar tus ideas.

Carrera/profesión	Habilidades necesarias	Preparación	Dónde podrías trabajar	Con quién (es)

2 Ahora, habla con tu profesor(a), tu consejero(a), tu familia y, si es posible, con personas que hayan tenido éxito en esos trabajos o profesiones. Pregúntales qué oportunidades habría en esos trabajos si se hablara más de un idioma. Escribe lo que te digan.

3 Con la información que cada uno haya escrito, toda la clase va a escribir un folleto informativo sobre las ventajas de saber otros idiomas. Para preparar este folleto usen sus notas y lo que hayan aprendido en este y otros capítulos.

En el folleto deben incluir:
- qué trabajos y profesiones exigirían saber otra(s) lengua(s).
- en cuáles se recomendaría tener conocimientos de otra(s) lengua(s).
- cómo se podrían adquirir estos conocimientos y cuánta preparación se necesitaría (clases, intercambios, organizaciones culturales, etc.)
- cuáles serían las ventajas de poder hablar otras lenguas (puestos de mayor responsabilidad, oportunidades para viajar, mejores sueldos, etc.)

Aquí tienen algunas palabras que les pueden ser útiles.

además	la oportunidad	por eso
a través de	no sólo...sino también	proteger
formar parte de	permitir	usar
igualmente		

Cuando terminen el texto para el folleto, revísenlo y sigan los pasos del proceso de escribir.

Luego, añadan fotos y/o dibujos y decidan un título entre todos.

Para compartir su trabajo pueden:
- hacer fotocopias para sus consejeros
- ponerlo en sus portafolios
- enviarlo a la biblioteca de la escuela
- ofrecerlo a la biblioteca de su comunidad
- compartirlo con otros estudiantes de español de su escuela

Repaso ¿Lo sabes bien?

Esta sección te ayudará a prepararte para el examen de habilidades, donde tendrás que hacer tareas semejantes.

Comprensión auditiva

¿Puedes entender a alguien que habla sobre las ventajas de saber otro idioma? Escucha mientras el (la) profesor(a) lee un ejemplo semejante al que vas a oír en el examen. Según la descripción, ¿cuál es la ventaja de hablar otra lengua?

Lectura

¿Puedes leer estos anuncios de una agencia de empleos y decir qué requisito tienen todos en común? ¿Para qué trabajo sólo sería necesario leer el idioma? ¿Para qué trabajos sería necesario saber comunicarse con gente que no pueda oír?

Escritura

¿Puedes escribir una breve carta como la que escribió Angélica a su amigo?

Querido Ernesto:

Como no tengo bastante dinero para asistir a la universidad el año que viene, quiero tomar clases por la noche y trabajar durante el día. Tal vez podría trabajar como recepcionista o camarera, pero sería mejor encontrar algo que me ayudara para el futuro. Podría usar mis habilidades en español y en computadoras y más tarde, cuando tenga más experiencia y la preparación necesaria, podría seguir la carrera de corresponsal internacional. Eso sí me gustaría, pero no sé todavía qué hacer. ¿Qué me sugieres?

Saludos,

Angélica

Cultura

¿Puedes comparar el aprendizaje de otras lenguas en los países de habla hispana y en los Estados Unidos? Explica.

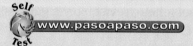
www.pasoapaso.com

Una clase de inglés en España

EMPLEOS COMERCIALES S.A.

- Agente de viajes que sepa hablar bien inglés, español y japonés. Beneficios excelentes.

- Asistente social con experiencia. Bilingüe en chino e inglés. Necesita saber hablar por señas.

- Bibliotecarias con experiencia. Deben leer bien español y ruso.

Práctica oral

Con un(a) compañero(a) habla sobre las ventajas de hablar una lengua extranjera.

A —¿Escribiste ya el informe para la clase de sociología?

B —Sí. Escribí sobre los beneficios de vivir en un lugar multicultural y sobre las ventajas de saber otro idioma. ¿Y tú?

A —Escribí sobre las ventajas de insistir en que el inglés sea la lengua oficial de los Estados Unidos.

B —¿Cómo puedes decir eso? Es importante que . . .

MÁS PRÁCTICA

Más práctica y tarea, pp. 583–587

Usa el vocabulario de este capítulo para:

- responder a la pregunta clave: ¿Por qué hace falta saber otro idioma?
- describir una situación donde es práctico hablar una lengua extranjera
- decir qué ventajas tendrás para tu futuro trabajo o profesión si sabes un idioma extranjero
- explicar cómo una lengua te puede ayudar a comunicarte con personas de otras culturas

para explicar la importancia de saber una lengua extranjera

académico, -a
activamente
apreciar
el aprendizaje
la armonía
aumentar
el beneficio
el contacto
convivir
diversificar(se) *(c → qu)*
el /la estudiante de
   intercambio
expresar(se)
la frontera
la lengua extranjera
la lengua materna
el modismo
multicultural
oficial
útil
viajar

para describir una situación donde se usa una lengua extranjera

hacer falta
la inmigración
el /la inmigrante
mundial
la traducción, *pl.* las
   traducciones

para hablar de cómo puedes expresarte en otra lengua

bilingüe
cometer
confundirse
defenderse *(e → ie)* (en)
la dificultad
dominar
el error
tener facilidad para
hablar por señas
interpretar
el lenguaje por señas
sordo, -a
traducir *(c -*

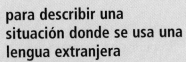

para decir qué carrera quieres seguir

el /la agente de ventas
el /la asistente social
el banquero, la banquera
el bibliotecario, la bibliotecaria
la carrera
el contador, la contadora
el /la corresponsal
el /la periodista
el redactor, la redactora
seguir *(e → i)*
el traductor, la traductora

otras palabras y expresiones útiles

completamente
en realidad
sería *(del verbo* ser)
soñar *(o → ue)* (con)
tendría que *(del verbo* tener)
tendrías que *(del verbo* tener)

FONDO LITERARIO

Índice

CAPÍTULO 1
El valor de las opiniones 430

CAPÍTULO 2
El vendedor de globos 436

CAPÍTULO 3
La persistencia de la memoria: El arte viviente . . . 440

CAPÍTULO 4
La sexta tele 444

CAPÍTULO 5
Quetzal no muere nunca 454

CAPÍTULO 6
Una carta a Dios 458
Apocalipsis 462

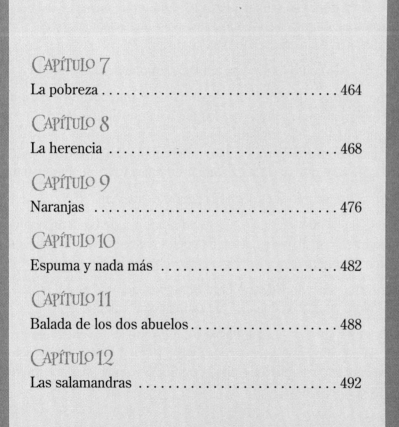

CAPÍTULO 7
La pobreza 464

CAPÍTULO 8
La herencia 468

CAPÍTULO 9
Naranjas 476

CAPÍTULO 10
Espuma y nada más 482

CAPÍTULO 11
Balada de los dos abuelos 488

CAPÍTULO 12
Las salamandras 492

El valor de las opiniones

Don Juan Manuel (1282 - 1348?) es conocido por su colección de historias *El conde Lucanor*. Sus observaciones sobre la naturaleza humana son tan válidas hoy como hace 700 años.

PARA EMPEZAR

Generalmente, ¿pides consejos? ¿A quién o a quiénes se los pides?

El conde[1] Lucanor tenía como consejero a un hombre sabio y prudente que se llamaba Patronio. Éste era conocido por su buen sentido para juzgar a los hombres y para tomar decisiones juiciosas.[2] Era su costumbre no contestar directamente sino después de contar una anécdota. En una ocasión le dijo el conde:

—Patronio: estoy preocupado porque voy a hacer algo muy particular y, como no pienso seguir la opinión de otros, sé que hablarán mal de mí. Sé, además, que si no hago nada, también me juzgarán mal, con o sin razón para hacerlo.

En seguida, le contó lo que iba a hacer, pidiéndole una opinión.

—Señor conde—dijo Patronio—, sé que hay muchos que podrían darle mejores consejos que yo. También sé que su merced[3] tiene clara inteligencia. Me inclino[4] a pensar que mis palabras no van a tener ningún efecto. Pero, como su merced me ha pedido una opinión, le diré qué haría yo, estando en una situación como la suya.

—Te lo agradeceré mucho. Habla con toda libertad.[5]

—Pues, señor, había una vez un buen hombre que tenía un hijo de mucha inteligencia, pero, cada vez que el padre decidía hacer algo, el muchacho le presentaba razones para hacer lo contrario.

"Padre, ¿ha pensado Ud. que todo tiene dos lados?" "Sí, hijo mío, pero lo importante es decidir qué es más conveniente."

Es cosa bien sabida—continuó Patronio—que los jóvenes tienen gran percepción para ciertas cosas, pero también cometen grandes errores porque ven claramente el comienzo y no la terminación de lo que proponen.

—Y ¿qué ocurrió?

---

[1] el conde *título que se da a nobles, aristócratas*

[2] juiciosas *razonables, sensatas*

[3] su merced *antiguamente, tratamiento o título de cortesía*

[4] me inclino *tiendo, estoy predispuesto*

[5] con toda libertad *con toda franqueza, con toda confianza*

—Pues, señor, ese hijo hablaba de cómo se debían hacer muchas cosas, pero, cuando era necesario hacerlas, nunca lo hacía bien. Y con esto creaba a su padre muchos problemas, pues no lo dejaba hacer lo que era necesario para el bien de todos.

—Así ocurre muchas veces.

—Como el padre tenía que vivir oyendo las opiniones de su hijo, decidió darle una lección, no para castigarlo,[6] sino para obligarlo a pensar seriamente.

El buen hombre y su hijo eran labradores[7]—continuó Patronio—, y vivían cerca de una aldea.[8] Un día, necesitando comprar algunas cosas en el mercado, decidieron ir con una mula[9] para traer, en el viaje de vuelta, lo que iban a comprar. Salieron de casa y caminaron alegremente, sin poner ninguna carga[10] sobre el animal. Muy pronto vieron a varios hombres que venían en dirección opuesta.[11] Se detuvieron[12] un momento para charlar con ellos. Hablando del animal, dijo uno de los hombres:

"No entiendo por qué va este muchacho a pie teniendo Uds. una mula que nada lleva encima."

---

[6] castigarlo *reprenderlo, regañarlo*
[7] los labradores *los campesinos*
[8] la aldea *el pueblo*
[9] la mula *la burra*
[10] la carga *el bulto, el peso*
[11] opuesta *contraria*
[12] se detuvieron *pararon*

Cuando los hombres ya no estaban presentes, le pidió el padre una opinión a su hijo y éste contestó que tenían razón. Entonces dijo el padre: "Puedes ir en la mula; así vas a descansar."

Poco después vino otro grupo de caminantes y uno dijo: "No entiendo por qué va el viejo a pie y el muchacho montado en el animal: un joven siempre sufre menos, precisamente porque es joven, ¿verdad?"

Poco después preguntó el padre: "¿Qué piensas tú ahora?" El muchacho contestó inmediatamente: "Tienen razón." Bajó del animal, y el padre ocupó su lugar.

Poco más tarde, encontraron un tercer grupo de vecinos, y varios dijeron que no era justo obligar a un muchacho a caminar, no siendo todavía muy fuerte. Cuando estuvieron solos, preguntó el padre: "Y ¿qué dices tú ahora?" "Digo que tienen razón." Decidieron entonces subir los dos sobre el animal para evitar nuevos comentarios.

Viajaban en esta forma, cuando un campesino se detuvo para preguntarles: "¿Cómo pueden Uds. poner tanto peso sobre un pobre animal tan flaco[13] y tan pequeño? Es seguro que lo van a matar."

El muchacho dijo que ambos hacían mal y comenzaron otra vez a viajar a pie. "¿Ves?" dijo el padre, "primero diste una opinión, después otra, y después, otra, sin pensar antes de hablar. Ahora quiero oír tu opinión una vez más." El hijo no sabía qué contestar. "Hijo mío, en este mundo casi nunca es posible dar opiniones y agradar[14] a todo el mundo. Lo que es bueno para unos, es malo para otros. Por esta razón, siempre debemos hacer lo que uno cree mejor, pero sin hacer mal a nadie. Hay muchos que dan opiniones sólo para expresar su voluntad,[15] sin pensar en las personas a quienes dan consejos. Entre ésos estás tú."

—Ahora bien, señor conde, su merced me pregunta qué debe hacer para que otros no hablen mal. Mi consejo es éste: antes de hacer nada, debe pensar en el bien y el mal que puede resultar de lo que va a hacer. Lo importante es usar la razón. Su merced debe escuchar a otros sólo cuando los que dan una opinión son personas leales[16] y de mucho conocimiento.

—Te agradezco tu consejo, buen Patronio. Así lo haré.

—Pero, si no encuentra su merced a tales consejeros, debe esperar un día y una noche. Y, si halla[17] que lo que piensa hacer es para su bien, y no para el mal de otros, su merced debe hacerlo, sin pensar en la opinión de los demás.

---

[13] flaco *delgado*

[14] agradar *complacer, satisfacer*

[15] la voluntad *el deseo, algo que se quiere*

[16] leales *fieles, de confianza*

[17] si halla *si encuentra, si descubre*

El conde Lucanor comprendió que había recibido muy buen consejo y, para no olvidarlo, escribió estos versos:

Sigue la opinión de otros,
si no es para tu mal;
piensa en lo que es bueno,
siendo siempre prudencial.[18]

---

[18] prudencial *razonable, sensato*

DESPUÉS DE LEER

1 ¿Crees que el consejo que Patronio le dio al conde es bueno? ¿Por qué?

2 Por lo general, ¿te gusta dar consejos a tus amigos? ¿Por qué?

3 ¿Puedes explicar el mensaje del cuento?

El vendedor de globos

Eduardo Robles Boza (Tío Patota) nació en México D.F. el 7 de junio de 1941. Es licenciado en periodismo por la universidad de Venezuela. Presenta el programa de televisión *El círculo de la imaginación*. Es también fundador de IBBY en México y presidente de la Asociación nacional de narradores de cuento. En 1980, recibió el premio nacional Juan Pablos de literatura infantil con el libro *Los cuentos del Tío Patota*.

PARA EMPEZAR

¿Te gustan los globos? ¿Qué pueden simbolizar los globos?

El pueblo de Tapatán es un pueblo pequeño porque tiene pocos habitantes. La mayoría trabaja en la tierra y unos pocos son comerciantes[1] que venden alimentos y ropa a los campesinos. Los niños y los jóvenes estudian en la escuelita del maestro Gabriel y, en el tiempo que les queda libre, ayudan a sus papás en el campo. También trabajan.

Están ocupados de lunes a sábado, porque en el pueblo hay muchas cosas que hacer. Pero cuando llega el domingo, los niños y los adultos se olvidan del trabajo y los estudios y saben divertirse. ¡Es la gente más alegre que uno pueda imaginarse! La plaza del pueblo es, como en todos los pueblos pequeños, el lugar de reunión preferido de sus habitantes. Y es que alrededor de esa plaza está la tienda de don Gaspar, el lugar donde venden periódicos y revistas, la oficina de correos, donde se compran timbres[2] para las cartas y, por supuesto, la casa del gobierno y la iglesia. Como verán, hay de todo.

Ese día, los muchachos inventan juegos, competencias deportivas[3] y bailes muy divertidos. La orquesta del pueblo sabe tocar bonitas canciones y cada domingo se luce[4] con el tambor, el trombón y la trompeta, que hacen mucho ruido en las fiestas.

Pero lo que más les gusta a los niños y a los jóvenes son los globos, esas pelotas redondas que don Nacho, el globero, vende cada domingo en la plaza del pueblo.

---

[1] los comerciantes *los vendedores, los tenderos*

[2] los timbres *los sellos*

[3] las competencias deportivas *competiciones deportivas*

[4] se luce *hace algo con esmero y dedicación*

Amarrados a un cordón[5] para no escaparse ni volar al cielo, don Nacho los va ofreciendo a niños y a adultos:

—¡Globos, globos, de todos los tamaños y todos los colores! ¡Lleve uno o lleve dos!

Y de repente los muchachos corren hasta donde se encuentra el globero para escoger el mejor. Algunos globos son rojos, otros verdes o amarillos, pero también los hay de muchos colores, que son los que más lucen.

—¡Yo quiero uno verde!

—¡Y yo el azul!

—¡Yo prefiero de todos los colores, don Nacho!

Y el buen hombre no sabe a quién escuchar primero... En pocos minutos, los globos de don Nacho ya están repartidos[6] y los muchachos salen corriendo con su globo amarrado al dedo. En realidad es un espectáculo emocionante ver a los jóvenes reír y a los globos volar. La plaza del pueblo se llena de risas y colores y todos parecen estar felices.

Lo que pocas personas saben es que en Tapatán, el domingo por la tarde, los muchachos dejan volar a los globos, desamarran[7] el cordón y se van como pájaros.

---

[5] amarrados a un cordón *atados a una cuerda*
[6] repartidos *distribuidos*
[7] desamarran *desatan*

Es emocionante ver las caras de los muchachos cuando miran el cielo mientras los globos vuelan cada vez más alto, hasta perderse. Cuando todo el cielo está pintado de colores, los niños y los adultos aplauden para celebrar tan hermoso espectáculo. Esto ocurre cada domingo, desde hace muchos años...

El único que se queda callado es don Nacho, que mira cómo se van sus globos volando. En una ocasión, una niña curiosa, al ver que el globero se quedaba pensando, le preguntó:

—¿Está triste, don Nacho? ¿En qué piensa?

—En muchas cosas, muchacha...

—¿Ya vio cómo se van los globos?

—Sí, y también se me van mis años...

Para el vendedor de globos, cada domingo que pasaba le hacía sentirse más viejo y es que ya tenía muchos años. Por eso, cuando veía volar a los globos sentía que también volaba su vida. En una ocasión, don Nacho le dijo al maestro Gabriel:

—¿Sabe una cosa, maestro?

—¿Qué cosa, don Nacho?

—Que algún día no muy lejano, con el último globo que vuele, yo también me iré con ellos volando...

El maestro Gabriel quiso saber más de sus pensamientos y le preguntó otra vez:

—¿Y adónde se irá, don Nacho?

—Al cielo, adonde están ellos, maestro... al cielo.

Y así pasó el tiempo y con el tiempo los años, pero don Nacho no dejaba de[8] vender sus globos ni los muchachos se olvidaban de comprarlos. Uno de esos domingos se encontraba el globero repartiendo sus globos, cuando de repente descubrió que sólo le quedaba uno por vender y era de color blanco. Llegó una muchacha y le preguntó:

—¿Ya no le queda ningún rojo, don Nacho?

—¿No te gusta el blanco? Es el último que me queda.

—Es que los rojos vuelan más alto.

—Ni te fijes en eso, muchacha. El color no es lo que los hace volar. Es lo que llevan adentro. ¡Toma, te lo regalo!

La muchacha, emocionada, lo tomó y antes de salir corriendo con su regalo, le dio un beso a don Nacho.

El globero terminó su venta, pero esa tarde, más que ninguna otra, se sentía realmente cansado, muy cansado. Lejos del resto de la gente, dejó que los muchachos lanzaran[9] sus globos al aire. Escuchó las risas y los aplausos:

—¡Bravo, bravo!

Y esperó la noche y el silencio de la plaza vacía. Entonces, como lo prometió, se quitó el sombrero, que nunca antes abandonaba, miró al cielo. . . y voló.

---

[8] no dejaba de *no paraba de, no cesaba de*
[9] lanzaran *soltaran, arrojaran*

DESPUÉS DE LEER

1 ¿Dónde tiene lugar este cuento? Describe el lugar.
2 Para don Nacho, ¿qué representan los globos? ¿Y para los niños del pueblo? ¿Cómo lo sabes?

En este artículo de la revista *Américas* de Patricia Harris y David Lyon se nos habla sobre el arte tradicional hispano de Nuevo México y del papel de los jóvenes en la continuación del arte popular.

La persistencia de la memoria:
El arte viviente

PARA EMPEZAR

¿Cómo se pueden conservar las tradiciones de una cultura?

Santa Fe, en Nuevo México, exhibe sus raíces españolas en el corazón de la ciudad, donde la plaza tradicional se extiende al pie[1] del Palacio de los Gobernadores. El edificio, construido en 1610, estableció a Santa Fe como sede[2] de gobierno. La ciudad pasó al poder de México en 1821 y a manos de los Estados Unidos en 1848. Ambos—el palacio y la plaza—sobrevivieron las distintas dominaciones.

El *Traditional Spanish Market* (Mercado Español Tradicional) que tiene lugar el último fin de semana del mes de julio, demuestra que las artes del período colonial español siguen vivas en los Estados Unidos del siglo XX. Parece increíble que estas artes domésticas y religiosas tengan tanta aceptación: *bultos* (imágenes de santos talladas[3]), *retablos* (imágenes de santos pintadas), trabajos en hojalata,[4] cruces de paja,[5] muebles de pino y cedro locales y finos tejidos[6] hechos en telares[7] españoles de pie. Pero esta muestra pública constituye una manifestación de orgullo individual e identidad cultural. El hecho de tallar la imagen de un santo tal como lo hacía el abuelo, de tejer alfombras como las que han estado en la familia durante un siglo o de seguir la meditación devota que produce una cruz adornada con paja brillante, son formas de honrar la tradición, y esto significa mantener vivas la memoria y la identidad.

Resulta difícil creer que estas artes llegaron al borde de[8] la extinción hace muy pocas generaciones. Hacia 1920 era posible contar con los dedos de una mano a los *santeros,* creadores de imágenes de santos, que había en Nuevo México. Los maestros de estas manifestaciones artísticas disminuían,[9] en parte, debido a la baja en la demanda de sus obras.

---

[1] al pie *junto a cualquier cosa alta*

[2] la sede *lugar principal, base*

[3] talladas *cortadas en madera*

[4] la hojalata *lámina de metal*

[5] la paja *el heno, tallo delgado y seco de trigo o cebada*

[6] los tejidos *telas hechas de fibra textil*

[7] los telares *máquinas para hacer tejidos*

[8] al borde de *muy cerca de*

[9] disminuían *se reducían, descendían*

En 1925 se fundó la *Spanish Colonial Arts Society (SCAS)* (Sociedad de Artes Coloniales Españolas). Sus metas[10] eran proteger y documentar las artes tradicionales del Nuevo México colonial y encontrar las vías[11] para perpetuar[12] la tradición. Además, los miembros de la *SCAS* deseaban alertar a los artistas de hoy educando a la gente sobre su trabajo y creando un mercado para las artes de acuerdo con la tradición colonial. Uno de los primeros pasos fue el establecimiento del *Traditional Spanish Market*.

Para participar en el *Traditional Spanish Market,* los artistas deben satisfacer una serie de requisitos culturales y artísticos. La *SCAS* dice que los artistas deben de ser de ascendencia[13] hispana y provenir de las comunidades del norte de Nuevo México y de Colorado, y que sus obras deben haber sido hechas a mano, usando materiales y técnicas tradicionales. Asimismo, cada obra debe ser única, eliminando de esta forma las innovaciones "modernas," como la litografía.

Una de las características más notables del *Spanish Market* es la inclusión de los "expositores[14] jóvenes," que sumaron 59 en el mercado de 1993. Estos artistas, de edades entre cinco y dieciocho años, exponen, a veces, junto con sus familias, pero muchos de ellos instalan su propia mesa en las sendas diagonales que atraviesan la plaza. En la mayoría de los casos están aún en el período de aprendizaje, pero sus obras tienden a ser sumamente refinadas y hermosas.

[10] las metas *los objetivos, los goles*
[11] las vías *las maneras, los medios*
[12] perpetuar *conservar, mantener*
[13] la ascendencia *el origen, los antepasados*
[14] los expositores *los que muestran su obra*

"Los expositores jóvenes son los favoritos del mercado y constituyen una de las adiciones más importantes que se haya hecho al acontecimiento[15] en muchos años," dice Bud Redding, director ejecutivo de la *SCAS*. "Los chicos[16] muestran sus obras, comparten sus conocimientos y practican su talento como vendedores. Sus obras son admiradas por muchos coleccionistas."

La *SCAS* da premios a los jóvenes artistas según su edad. Los artistas adultos y los organizadores de la *SCAS* consideran que es fundamental fomentar el interés de los artistas jóvenes, porque éstos representan un futuro para las artes tradicionales.

Los niños y jóvenes que solicitan participar en el mercado deben contar con[17] el patrocinio[18] de un artista adulto, no necesariamente miembro de su familia. En muchos casos el patrocinador es un padre o abuelo, un tío o una tía. En otros puede ser el maestro[19] de esa rama artesanal[20] en su comunidad o ciudad, alguien que haya encontrado una nueva generación que siga adelante.

La *Spanish Colonial Arts Society* amplía todos los años su colección mediante compras directas en el *Spanish Market*. Coleccionistas privados y museos, como el *Museum of International Folk Art* en Santa Fe, también hacen adquisiciones. Y, por supuesto, muchas otras personas no coleccionistas muestran su interés en este arte comprando piezas[21] que para ellas tienen un encanto[22] especial.

DESPUÉS DE LEER

1. ¿Cuáles son algunos de los requisitos necesarios para participar en el *Traditional Spanish Market?*

2. ¿Por qué es tan importante que artistas jóvenes participen en ésta u otras exposiciones?

---

[15] el acontecimiento *el evento, el hecho*

[16] los chicos *los niños*

[17] contar con *disponer de, tener*

[18] el patrocinio *la protección, la ayuda*

[19] el maestro *el experto, el profesor*

[20] artesanal *relativo al trabajo realizado con las manos*

[21] las piezas *las obras, los objetos*

[22] el encanto *el atractivo, la belleza*

La sexta tele

Alfredo Gómez Cerdá es un escritor madrileño que ha escrito varios libros para lectores jóvenes. Se caracteriza por un estilo directo e irónico, pero al mismo tiempo nos hace reflexionar sobre temas importantes.

PARA EMPEZAR

¿Cuántos televisores hay en tu casa? ¿Qué pasa cuando todos quieren ver programas diferentes?

Rebeca Revuelta Revuelta decidió escribir unas cartas al director de la revista *A ver si te enteras* para que se comentaran los problemas que tuvo su familia con la televisión.

Cada vez que se emitía[1] otro canal de televisión en Urbecualquiera la familia de Rebeca buscaba una excusa para comprar otra tele. Fue poco después de nacer ella cuando compraron la segunda tele, ya que[2] la madre quería ver un partido de fútbol y el padre un concurso que daban a la misma hora. Un día el abuelo, que andaba en danza con su vieja silla de madera del salón a la habitación de los padres, quiso ver su programa—"El asilo ataca" que daban en el canal tres. Resultó que le compraron la tercera tele. La puso en el cuarto de estar o lo que era lo mismo, el dormitorio del abuelo Jeremías. La compra de la tercera tele les hizo felices a todos.

Unos años más tarde se enteraron de que[3] el cuarto canal se emitiría. En éste el hijo Jeremías podría ver partidos de ping-pong (Él era un buen jugador de ping-pong.). Cuando se perdió[4] la final del campeonato mundial[5] porque los otros miraban sus programas, decidieron comprar la cuarta tele. Entonces dejó de[6] jugar porque le pareció más divertido ser espectador. Ahora ya todos estaban contentos menos la hija, Rebeca, que tenía que andar de un lado para otro para ver el programa que deseaba. Cuando comenzaron a emitir el quinto canal, fue ella la que dio la noticia en casa. La compraron y la instalaron en su cuarto.

Entonces todos dedicaban sus horas libres a ver la tele. No tenían tiempo para nada más. No sentían necesidad de verse porque no tenían cosas importantes que decirse. Eran felices y no tenían problemas.

Pero todavía les quedaba el problema de hacer la comida, primero, y de recoger la mesa y fregar los platos después. Y no porque no les gustara este trabajo. Todos lo hacían de buen grado. El problema estaba en que durante el tiempo que empleaban[7] en esa actividad, no podían ver la tele y, a veces, se perdían programas muy divertidos.

---

[1] se emitía *se televisaba*

[2] ya que *pues, dado que*

[3] se enteraron de que *descubrieron que*

[4] se perdió *no pudo ver*

[5] el campeonato mundial *la competición del mundo*

[6] dejó de *paró de, cesó de*

[7] empleaban *dedicaban, destinaban*

Elevando el volumen de la tele del salón, podían oír algo desde la cocina. Pero no era lo mismo. La televisión se inventó para ser vista, no para ser oída. Para ser oída ya estaba la radio.

Entonces se le ocurrió una brillante idea al padre. Se lo explicó en el salón, donde la madre, el abuelo y el hijo estaban viendo "La digestión con *Jota* Hormiga,"[8] un programa que a todos les gustaba.

—¿Qué tal está hoy el programa? —preguntó el padre.

—¡Qué ocurrencias tiene este *Jota* Hormiga! —exclamó el abuelo.

—Rebeca y yo no hemos podido verlo porque nos tocaba fregar los cacharros —añadió el padre.

---

[8] La digestión con Jota Hormiga *Después de la comida (en España se come desde las 2 hasta las 4) se habla de hacer la digestión. Hay programas de televisión desde las 3 hasta las 5 que son ligeros para ayudar a hacer la digestión. Jota Hormiga está basado en el típico presentador popular.*

La madre, sin duda sorprendida por las palabras del padre, volvió la cabeza y les clavó su mirada.

—Claro—dijo al fin—. Y mañana Jeremías y yo nos quedaremos sin verlo porque tendremos que fregar los cacharros.

—A no ser que... —el padre repitió esa enigmática frase, que volvió a dejar sin terminar.

Todos miraban al padre. Tal vez hasta *Jota* Hormiga le miraba.

—A no ser... ¿qué? —preguntó la madre al cabo de un rato.

—A no ser que compremos la sexta tele.

Y la compraron.

El primer síntoma de que algo estaba pasando se produjo dos días después de la llegada de la sexta tele, a la hora de comer. Daban un reportaje sobre el circo. Salieron primero unos trapecistas muy buenos, luego unos payasos y finalmente un domador[9] con varios tigres. En ese instante, oímos en el salón un rugido de tigre. Aquel rugido resonó en el salón de la casa como si el tigre estuviese debajo de la mesa.

Se asustaron mucho. La madre tiró incluso un vaso de agua que iba a coger en esos momentos. Al hermano Jeremías se le abrió la boca de par en par y Rebeca se abrazó a su padre.

El único que no se asustó fue el abuelo Jeremías, porque él, en su juventud, fue domador de fieras y durante algunos años trabajó en un circo.

Al cabo de un rato,[10] un olor[11] extraño comenzó a invadir el salón. Era un olor sencillamente repugnante.

El padre miró con extrañeza la fuente de pescado que estaba en el centro de la mesa.

—¿Dónde has comprado este pescado? —le preguntó el padre al abuelo.

---

[9] el domador *el entrenador, el adiestrador*
[10] al cabo de un rato *un poco más tarde*
[11] el olor *la fragancia (buen olor), la peste (mal olor)*

—Hijo, no entiendes nada de olores —respondió el abuelo.

—¡Ah, no! ¡Este pescado está podrido![12]

—¡No huele a pescado! ¡Huele a tigre! —se enfadó un poco el abuelo.

De la pantalla emanaba un olor difícilmente soportable, sobre todo a la hora de comer.

—¡Es verdad! —gritó el hermano Jeremías—. ¡Huele a tigre!

Todo esto le había escrito Rebeca al director de la revista *A ver si te enteras* en sus cuatro cartas anteriores. Entonces decidió escribirle la QUINTA CARTA.

---

[12] podrido *descompuesto, rancio*

Urbecualquiera, martes 17 de abril

Sr. Director de "A ver si te enteras"

Muy Sr. mío:

Pues bien, después de lo del olor a tigre, que le aseguro salía de la mismísima pantalla del televisor del salón, sucedió otra cosa extraña al día siguiente, poco más o menos a la misma hora, ya que todos estábamos en el salón terminando de comer. Después de las noticias y del reportaje correspondiente, comenzó "La digestión con *Jota Hormiga*."

A mi hermano y a mi madre les tocaba ese día fregar los cacharros, así que, una vez acabado el postre, me senté en el sofá con ánimo de disfrutar del programa hasta la hora del colegio.

Mi abuelo se levantó tras de mí y se dispuso a colocar su silla junto al sofá. En ese preciso instante, Jota Hormiga, con su gesto característico, decía aquello de...

— "Señorasssssss, señoresssss, buenasssss tardesssss."

Mi abuelo, que en ese instante pasaba frente al televisor, se detuvo en seco[13] y, llevándose una mano a la frente, exclamó:

— ¡Caramba!—

— ¡Pero qué te pasa! —insistió mi padre.

---

[13] se detuvo en seco   *paró bruscamente*

—¿Es que no le habéis visto? Con esa manía que tiene de arrastrar las eses, se le ha escapado de la boca una salivilla, que me ha caído en la mismísima frente.

El abuelo se enfadó mucho con *Jota* Hormiga. Estaba indignadísimo.

—¡No volveré a ver jamás "La digestión con *Jota* Hormiga"! ¡En la vida!

Pues bien, señor director de "A ver si te enteras," ya conoce usted los dos primeros síntomas de lo que se avecinaba: primero, el olor a tigre; después las salivillas de *Jota* Hormiga. Tal vez ninguno de los dos sucesos le parezca realmente importante y significativo, pero estoy segura de que lo que sucedió después le despejará[14] cualquier duda.

Y lo que sucedió después, ocurrió aquella misma noche.

Mi madre veía la tele en el salón, mi padre en su dormitorio, mi abuelo en su cuarto, mi hermano en el suyo y yo en el mío. Todos estábamos tranquilos y felices, disfrutando de nuestros programas favoritos, hasta que de pronto un grito angustioso resonó en toda la casa.

¡¡¡Aaaaahhhhh!!!

Era mi padre.

Iniciamos todos a la vez una carrera hacia el dormitorio, donde se suponía que estaba mi padre, pero al instante nos detuvimos en seco, pues él ya salía también al pasillo.

---

[14] despejará *aclarará*

Mi padre se acercó al grupo. Estaba pálido, con los ojos ausentes y andaba como si fuese un zombi. Con una de sus manos se tapaba la boca.

Entonces se quitó la mano de la boca y todos pudimos verlo. Su bigote había desaparecido. En su lugar quedaba únicamente una especie de rasguño,[15] en perfecta línea recta, sobre su labio superior.

—¿Quién te lo ha afeitado? —preguntó mi abuelo.

—¡Ha sido Toro Sentado! —dijo mi padre, señalando hacia el interior de su dormitorio.

Entramos todos en el dormitorio y lo primero que nos llamó la atención fue la pantalla de la tele, encendida, en la que un grupo de indios, en pie de guerra,[16] cabalgaba al galope[17] por una pradera, enarbolando[18] arcos y lanzas con ademanes[19] claramente amenazantes.[20]

—¡Ha sido Toro Sentado! —repitió mi padre—. ¡Ha sido él!

Todos creímos a mi padre. No porque nos pareciese verosímil lo que decía, sino porque, clavada en una de las puertas del armario, con restos de su bigote, había una flecha.[21]

—¿Tú crees que se trata de una flecha envenenada?[22] —le preguntó mi hermano a mi abuelo, en voz baja, para que mi padre no se inquietase.

—No lo creo.

—¡Menos mal!

En esto mi hermano gritó—. ¡Mis pies han desaparecido!

---

[15] el rasguño *el arañazo*

[16] en pie de guerra *preparados para luchar*

[17] cabalgaba al galope *iba a caballo velozmente*

[18] enarbolando *sosteniendo en alto*

[19] los ademanes *los gestos*

[20] amenazantes *desafiantes*

[21] la flecha *arma que se dispara con un arco*

[22] envenenada *venenosa*

Todos miramos hacia el suelo y ninguno pudo verse los pies. El suelo del dormitorio estaba cubierto por una densa nube de humo, que ascendía poco a poco. Y esa nube salía también del televisor.

Después del telefilm "Toro Sentado, toro cansado," habían conectado con una unidad móvil para informar de un devastador incendio forestal. Y el humo de aquel incendio, e incluso el calor sofocante, se colaban por la misteriosa pantalla del televisor e invadían el dormitorio.

—¡Que me asfixio! —grité, llevándome las manos a la garganta.

Corriendo, salimos del dormitorio.

—¡Al salón! ¡Al salón! —gritaba mi padre.

Al llegar al salón fuimos recibidos por una ráfaga de ametralladora,[23] que dio con nuestros cuerpos en el suelo. En el salón nos parapetamos[24] tras el sofá. Por encima del respaldo, y al cabo de un rato, asomamos la cabeza para ver lo que sucedía.

—¡Es la serie "El exterminador inmisericorde"! —dijo mi madre.

Una nueva ráfaga, disparada[25] desde el televisor por un tipo fornido,[26] vestido de cuero negro con remaches[27] y con gran cantidad de fetiches[28] colgados del cuello, nos rozó las cabezas y destrozó un par de cuadros colgados en la pared.

—¡Hay que salir de aquí! —gritó mi padre—. ¡A rastras! ¡De uno en uno! ¡En orden! ¡Como si fuésemos lagartijas![29]

[23] una ráfaga de ametralladora *disparos de arma de fuego*

[24] nos parapetamos *nos protegimos*

[25] disparada *lanzada, tirada*

[26] fornido *robusto*

[27] con remaches *con clavos para adornar*

[28] los fetiches *los amuletos, los talismanes*

[29] las lagartijas *reptiles, lagartos pequeños*

Sin levantarnos del suelo, nos dirigimos al cuarto de estar, es decir, a la habitación de mi abuelo, que era la más próxima. Empujamos la puerta para entrar y lo que vimos nos heló la sangre.[30]

Dentro había un enorme toro bravo, arremetiendo[31] contra todo, destrozando con sus cuernos el mueble-cama del abuelo. Desde la pantalla del televisor, el torero y su cuadrilla lo llamaban a voces y lo citaban con sus capotes.

Continuamos, por tanto, arrastrándonos[32] por el pasillo. Estábamos muertos de miedo.

De repente, como impulsados por una misma idea, nos lanzamos todos a la vez contra la puerta del cuarto de baño. Menos mal que la puerta no estaba cerrada, porque de lo contrario hubiese saltado en pedazos.

Allí nos encerramos.

Por fortuna, en el cuarto de baño todo era normal.

Recuerde, señor director, que nos quedamos en el momento en que toda mi familia se refugió en el cuarto de baño. No sé si se habrá dado cuenta de que el cuarto de baño era el único lugar de mi casa donde no había televisor. Se lo digo para que vaya usted atando cabos.[33]

Y nada más por hoy.

Se despide, enviándole un afectuoso saludo, su amiga

Rebeca

Rebeca Revuelta Revuelta.

---

[30] nos heló la sangre *nos asombró, nos dejó atónitos*
[31] arremetiendo *atacando*
[32] arrastrándonos *deslizándonos*
[33] atando cabos *aclarando o descubriendo algo*

¿Y cómo termina esta extraña historia? En su sexta y última carta, Rebeca le contó al director de la revista *A ver si te enteras* cómo había terminado todo.

Decidieron que la causa de estos problemas era la sexta tele. Después de unos días difíciles en que todos se quedaron en el cuarto de baño, Jeremías hijo escapó por el ventanuco[34] y se deslizó[35] al suelo usando toallas y pantalones, que, anudados, le hicieron una cuerda. Al llegar al suelo se dirigió al cuarto donde estaban los contadores de luz.[36] Cogió un pico[37] y se lió a golpes con[38] los contadores. Al irse la luz, se acabaron los problemas. Una vez fuera del baño y sin decir más, el padre cogió la sexta tele, la de la cocina, y la devolvió a la tienda.

Después la familia Revuelta podía ver la tele sin problemas, cada uno su tele, en su cuarto, tranquilamente. Rebeca quería que el señor director avisara a todo el mundo a través de su prestigiosa revista de las cosas que podrían pasar al comprar una sexta tele. Sólo a ella le quedaba una duda: Si los problemas surgieron al comprar la sexta tele o al comprar una tele de más.

DESPUÉS DE LEER

1 ¿Qué trata de decirnos el autor en esta obra? ¿Estás de acuerdo con él? ¿Por qué?

2 ¿En qué aspectos crees que nos influye más la televisión? Explica tu respuesta.

---

[34] el ventanuco *ventana pequeña*
[35] se deslizó *bajó arrastrándose*
[36] los contadores de luz *aparatos para medir el consumo de electricidad*
[37] el pico *herramienta acabada en punta*
[38] se lió a golpes con *golpeó*

Quetzal
no muere nunca

PARA EMPEZAR

¿Qué leyenda(s) te ha contado o leído alguien de tu familia? ¿De qué se trata(n)?

Quetzal era un valiente muchacho, hijo del poderoso cacique[1] de una tribu quiché. Era admirado y querido por todos. Esperaban de él grandes hazañas,[2] pues desde el día de su nacimiento habían notado en Quetzal muchas señales de predestinación.[3]

Cuando el joven llegó a la mayoría de edad y pudo participar en todos los asuntos de los guerreros[4] quichés, se reunió la tribu en un gran claro del bosque para celebrar la ocasión. Primero, los músicos tocaron los tambores, después las flautas y más tarde la marimba. Entonces llegó el momento tan esperado cuando se daría a conocer el destino de Quetzal.

En medio de un silencio expectante, el adivino más anciano se levantó de su asiento bajo el árbol de color coral. Lentamente y con dignidad, arrojó a su alrededor con sabia mano los granos coralinos.[5] Los estudió por unos momentos, algo perplejo[6] y lleno de admiración. Al fin anunció claro y firme:

—Tu destino está decidido, Quetzal. No has de morir nunca. Vivirás eternamente a través de generaciones de quichés.

Todas las personas reunidas se quedaron perplejas ante aquella profecía, y la admiración y el entusiasmo que tenían por Quetzal aumentaron.

---

[1] el cacique *el jefe indígena*
[2] las hazañas *las proezas, acciones de héroes*
[3] la predestinación *señal de buena fortuna*
[4] los guerreros *los soldados*
[5] los granos coralinos *semillas de coral*
[6] perplejo *confundido, sorprendido*

Pero no toda la tribu amaba al muchacho. Había una persona a quien los éxitos de Quetzal le molestaban. Era Chiruma, el hermano del cacique.

Chiruma era casi tan joven como Quetzal y había soñado[7] toda su vida con ser cacique. Pero ahora, después de escuchar la profecía del adivino, ¿cómo podría él realizar su ambición? Era indudable que Quetzal, admirado por todos y considerado casi un dios, sería el jefe de la tribu al morir su padre.

Poco después de la ceremonia en honor de Quetzal, él y los otros jóvenes de su edad participaron en una lucha contra un enemigo del sur. Chiruma aprovechó esta ocasión para no perder de vista a Quetzal. Estaba perplejo al notar que las flechas que rodeaban al joven nunca lo herían.[8] ¿Sería cierta la profecía que el adivino había hecho? Pero no, ¡aquello era imposible! ¿Cómo iba a vivir Quetzal a través de generaciones?

De pronto, Chiruma tuvo una idea.

—Ya sé —pensó. —Ya sé por qué la muerte respeta a Quetzal. Tiene algún amuleto[9] poderoso que lo protege y yo voy a robárselo cuando esté durmiendo.

---

[7] había soñado . . . con *había deseado*
[8] herían *hacían daño, lesionaban*
[9] el amuleto *objeto de buena suerte, talismán*

Esa misma noche cuando Quetzal dormía profundamente sobre su estera,[10] Chiruma se acercó a él con paso silencioso. Miró sobre su pecho. El amuleto no estaba allí. Iba ya a irse cuando vio a la cabeza de la estera donde dormía el joven una pluma de colibrí.[11] Chiruma no dudó ni por un momento de que aquello era lo que buscaba. Con todo el cuidado posible sacó la brillante pluma mientras sonreía de felicidad.

Entonces recordó lo que había dicho el adivino cuando nació Quetzal: que el colibrí era el símbolo de la buena suerte del niño.

Pasó algún tiempo y murió el cacique. Inmediatamente los ancianos[12] eligieron a Quetzal para ser el nuevo jefe.

Chiruma, por supuesto, no dio ninguna seña de su enojo. Estaba seguro de que muy pronto el nuevo cacique sin su amuleto poderoso podría ser vencido.

Cierta tarde, Quetzal, el nuevo cacique, paseaba por el bosque, solitario, armado de su arco y sus flechas. De súbito[13] un colibrí hermoso descendió de un árbol y sin miedo se posó sobre su hombro.

—Escúchame, Quetzal. Soy tu protector y vengo a prevenirte de que la muerte te persigue. Guárdate de cierto hombre.

---

[10]la estera *alfombra para dormir*

[11]el colibrí *especie de pájaro*

[12]los ancianos *las personas mayores, los viejos*

[13]de súbito *de repente, de pronto*

—¿De cuál hombre he de guardarme, hermoso colibrí? —preguntó el joven.

Pero el pájaro no pronunció ni una palabra más. Después de mirar unos instantes a Quetzal, emprendió el vuelo y desapareció.

El joven, con una seña de incomprensión continuó su camino. De pronto un agudo silbido llegó hasta él y una flecha quedó clavada en su pecho. Cayó sobre la hierba verde y cerró los ojos dispuesto a morir.

Pero los dioses habían predicho[14] su inmortalidad y Quetzal quedó convertido en un hermoso pájaro. Su cuerpo tomó el color verde de la hierba sobre la que había caído y su pecho conservó el color de la sangre. El sol dorado de la tarde puso en su larga cola una gran variedad de colores.

Por muchos siglos se ha considerado al Quetzal como pájaro sagrado que hasta hoy día no se permite cazarlo. Guatemala ha honrado a este pájaro bello, colocando su imagen en el escudo nacional de armas. También la moneda de este país se llama quetzal.

Así como lo predijo el adivino, y como lo quisieron los dioses, el joven y valiente cacique vive y vivirá para siempre en el país de los maya-quiché.

---

[14]habían predicho *habían anunciado por adivinación, habían revelado*

DESPUÉS DE LEER

1 Según la lectura, ¿cuáles son algunas de las características de Quetzal?

2 ¿Conoces algún otro símbolo que represente los valores de otro país? Descríbelo.

Una carta a Dios

Gregorio López y Fuentes, (1897-1966) es un escritor y novelista mexicano, y uno de los mejores intérpretes de la gente común, los campesinos. López y Fuentes formó parte de un grupo de hombres y mujeres interesados en la reconstrucción nacional en el período que siguió a la revolución.

PARA EMPEZAR

¿Qué haces cuando tienes algún problema? ¿Pides ayuda a alguien? ¿A quién(es)?

La casa está en lo alto de una colina. Desde allí se ven el río y, junto al corral,[1] el campo de maíz maduro. El aire está fresco y dulce. Pero de pronto[2] comienza a soplar[3] un fuerte viento y, con la lluvia, comienzan a caer granizos[4] muy grandes.

—¡Qué malo!—exclama mortificado[5] el hombre— ¡Ojalá que pase pronto!

No pasa pronto. Durante una hora cae el granizo sobre la casa, el maíz y todo el valle. El campo está blanco, como cubierto de sal. Los árboles están sin una hoja. El jardín, sin una flor. El maíz, destruido. Y Lencho, con el alma[6] llena de tristeza. La noche es de lamentaciones:[7]

—Todo nuestro trabajo, ¡perdido!

—¡Y nadie para ayudarnos!

—Este año pasaremos hambre…[8]

---

[1] el corral *sitio cercado y descubierto donde se tienen animales*

[2] de pronto *de repente, de súbito*

[3] soplar *moverse el viento*

[4] los granizos *bolitas de hielo*

[5] mortificado *triste*

[6] el alma *el corazón, el espíritu*

[7] las lamentaciones *quejas de dolor o pena*

[8] pasaremos hambre *tendremos hambre*

Pero en el corazón de todos hay una esperanza: la ayuda de Dios. Y, durante la noche, Lencho piensa en esta sola esperanza: Dios, cuyos ojos lo miran todo hasta lo que está en el fondo de las conciencias.[9]

Lencho es un hombre rudo,[10] pero sin embargo sabe escribir. Al día siguiente, después de haberse fortificado[11] en la idea de que hay alguien que nos protege, escribe una carta que él mismo lleva al pueblo para echarla al correo.

No es nada menos que una carta a Dios.

Aquella misma tarde, un empleado de la oficina de correos llega riéndose mucho ante su jefe, y le muestra la carta que está dirigida a Dios. El jefe—gordo y amable—también empieza a reírse, pero muy pronto se pone serio.

—¡La fe!—comenta, dando golpecitos en la mesa con la carta—.

¡Qué estupendo, creer como cree aquel hombre! ¡Esperar con la confianza con que él sabe esperar!

---

[9] las conciencias *los conocimientos, los pensamientos*
[10] rudo *de poca cultura o educación*
[11] haberse fortificado *hacerse fuerte, adquirir fortaleza moral*

Y, para no desilusionar aquel tesoro de fe, el jefe decide contestar la carta. Pero al leerla, descubre que no va a ser fácil. Lencho ha pedido cien pesos para poder mantener a su familia hasta la próxima cosecha. Sin embargo, el jefe sigue con su determinación. Y, aunque no puede reunir[12] todo el dinero, logra enviar un poco más de la mitad.

Al siguiente domingo, Lencho vuelve a la oficina de correos para preguntar si hay una carta para él. El mismo empleado le entrega el sobre mientras que el jefe, con la alegría de un hombre que ha hecho una buena acción, mira desde su oficina.

Lencho no muestra la menor sorpresa al ver los billetes—tan seguro está de recibirlos—pero se enfada al contar el dinero… ¡Dios no puede equivocarse, ni negar[13] lo que Lencho le ha pedido!

---

[12] reunir *agrupar, juntar*
[13] negar *decir que no*

Inmediatamente, se acerca a la ventanilla para pedir papel y tinta. En la mesa para el público, escribe otra carta, arrugando[14] la frente a causa del trabajo que le da expresar sus ideas.

Tan pronto como la carta cae al buzón, el jefe de correos corre a abrirla. Dice:

Dios: Del dinero que te pedí sólo llegaron a mis manos setenta pesos. Mándame[15] el resto, pero no me lo mandes por la oficina de correos, porque los empleados son muy ladrones — Lencho.

---

[14]arrugando *haciendo arrugas o pliegues, frunciendo*
[15]mándame *envíame*

DESPUÉS DE LEER

1 ¿Por qué Lencho no mostró ninguna sorpresa al ver el dinero?

2 Imagínate que eres el jefe de correos. ¿Cómo vas a contestar la segunda carta?

APOCALIPSIS

Marco Denevi,
escritor argentino, nacido
en 1922, es autor de
relatos y de obras de
teatro. *Apocalipsis* es un
cuento de ciencia ficción
que trata de la extinción
de la raza humana.

PARA EMPEZAR

**¿En qué piensas cuando
oyes la palabra "futuro"?
¿Cómo crees que será?**

DESPUÉS DE LEER

**1 ¿Qué crees que piensa el
autor sobre la
tecnología?**

**2 Cambia las dos últimas
frases de este cuento
para que tenga un final
diferente.**

La extinción de la raza de los hombres se sitúa aproximadamente a fines del siglo XXXII. La cosa ocurrió así: las máquinas habían alcanzado tal[1] perfección que los hombres ya no necesitaban comer, ni dormir, ni leer, ni hablar, ni escribir, ni siquiera[2] pensar. Les bastaba[3] apretar botones y las máquinas lo hacían todo por ellos. Gradualmente fueron desapareciendo las biblias, los Leonardo da Vinci,[4] las mesas y los sillones, las rosas, los discos con las nueve sinfonías de Beethoven, las tiendas de antigüedades, el vino de Burdeos, las oropéndolas,[5] los tapices flamencos,[6] todo Verdi, las azaleas, el palacio de Versalles. Sólo había máquinas. Después los hombres empezaron a notar que ellos mismos iban desapareciendo[7] gradualmente, y que en cambio[8] las máquinas se multiplicaban. Bastó poco tiempo para que el número de los hombres quedase reducido[9] a la mitad y el de las máquinas aumentase al doble.[10] Las máquinas terminaron por ocupar todo el espacio disponible.[11] Nadie podía moverse sin tropezar con[12] una de ellas. Finalmente los hombres desaparecieron. Como el último se olvidó de desconectar las máquinas, desde entonces seguimos funcionando.

[1] tal *tanta*
[2] ni siquiera *ni tan sólo*
[3] bastaba *era suficiente*
[4] los Leonardo da Vinci *las obras de dicho artista*
[5] las oropéndolas *especie de pájaro*
[6] los tapices flamencos *telas decorativas de la antigua región de Flandes*
[7] iban desapareciendo *comenzaban a desaparecer*
[8] en cambio *al contrario*
[9] quedase reducido *se redujese*
[10] aumentase al doble *se doblase*
[11] disponible *desocupado, libre*
[12] tropezar con *encontrarse con*

LA POBREZA

María Luisa Góngora Pacheco se ha dedicado a conservar las narraciones orales de los pueblos mayas de Yucatán. También ha trabajado para promover la artesanía, la cocina y el teatro popular en la lengua maya.

PARA EMPEZAR

Cuando eras pequeño(a), ¿te gustaban los cuentos? ¿Cuáles eran los que más te gustaban?

El señor Aurelio Zumárraga cuenta que hubo una vez cierta viejita cuyo nombre era Pobreza y que vivía en las afueras de la población. En la puerta de su casa había sembrado[1] una mata de huaya[2] y ésta le daba frutos todo el año. Lo que le molestaba a la viejita es que a aquél que veía el fruto le daban ganas de[3] comérselo y sin pedirle permiso se subía a la mata y se anolaba[4] las huayas.

Un día, cuando la viejita llegó al centro del poblado,[5] vio que un viejito pedía limosna, pedía aunque sea le dieran algo para comer en vez de unas monedas, pero nadie lo tomaba en cuenta.

---

[1]había sembrado *había plantado*
[2]una mata de huaya *planta o arbusto de huaya*
[3]le daban ganas de *tenía ganas de*

[4]se anolaba *se comía*
[5]el poblado *el pueblo*

A la viejita le dio pena verlo en ese estado tan lastimoso y se lo llevó a su casa para darle de almorzar. Cuando el hombrecito terminó de comer, le dijo a la viejita:

—Ahora que ya comí lo que me diste, pídeme lo que quieras, que yo puedo concedértelo.[6]

—Buen hombre, —dijo la viejita—, lo único que quiero es que le digas a la huaya que no deje bajar al que se suba a sus ramas, hasta que yo se lo mande.

—¡Que se cumpla lo que pides! —contestó el viejito y se fue satisfecho.

La viejita se quedó muy complacida[7] al ver que se cumplía lo prometido por el viejito.

Pasaron muchos años, y un día llegó con la viejita el señor de la Muerte quien le ordenó:

—Ya es tiempo de que vengas conmigo vieja Pobreza, por eso te vine a buscar.

Ella pensó rápidamente la forma de deshacerse[8] de la Muerte y le dijo: —Me voy contigo, pero primero quiero que bajes unas huayas para que yo anole.

—Bien, en seguida lo haré, —contestó la Muerte.

Se dirigieron al árbol y ya debajo, la viejita le dijo a la Muerte:

—Sube hasta allá en lo más alto, ahí se encuentran las más grandes y hermosas huayas, de ésas quiero.

La Muerte, muy segura de sí misma, trepó[9] a la mata, pero no pudo bajarse.

La Pobreza al ver lo que sucedía, se metió a su casa y se desajenó[10] de todo.

---

[6] concedértelo *dártelo*

[7] complacida *contenta*

[8] deshacerse *librarse*

[9] trepó *subió, escaló*

[10] se desajenó *se lavó las manos*

Así pasaron muchos años y la Muerte no llegaba a nadie, aunque se enfermara la persona. Los doctores veían con asombro que la viejita Pobreza no moría aún buscando alguna manera para hacerlo.

Un día, uno de los doctores fue a casa de la viejita y lo primero que vio fue la mata llena de frutos, dándole tantas ganas de comer algunos se subió y no pudo bajar. En las ramas encontró al señor de la Muerte y le preguntó:

—¿Qué haces aquí?, todos te andan buscando, pues ya quieren morirse y tú no llegas para llevártelos.

—Mira, lo que pasó fue que esa mentecata[11] de viejita de la casa, me fregó;[12] pues vine a buscarla y la muy taimada[13] me dijo que se iría conmigo, pero antes le bajara unas cuantas huayas. Al subir no pude bajarme y aquí me tienes, y todo aquel que se sube, se queda y hasta tú te quedarás— contestó la Muerte.

—Entonces, a eso se debe que no mueran las personas, —dijo el doctor.— Lo que debemos hacer es bajar, —y empezó a gritar: ¡vengan aquí, vengan aquí, la Muerte está en mi poder, vengan a verla!

---

[11] mentecata *insensata, necia*
[12] me fregó *arruinó mis planes*
[13] taimada *astuta, granuja*

Fue tanto lo que gritó y tan fuerte, que la gente de la población[14] se reunió debajo del árbol.

—Bajen, —les decían.

—No podemos, todo el que se sube, se queda aquí, —contestó el doctor.

Entonces la gente acordó[15] cortar el árbol para que bajaran el doctor y la Muerte. Al momento que lo iban a comenzar a cortar, se asomó[16] la viejita Pobreza.

—¿Qué pretenden hacer, si quieren bajar a los que están en la mata de huaya, por qué no me lo dicen?

—Discúlpenos,[17] —dijeron los allí reunidos.

La vieja Pobreza se volvió hacia el árbol y le dijo:

—¡Deja que todos bajen!

Cuando todos bajaron, el señor de la Muerte le dijo:

—Vieja Pobreza, por dejarme bajar del árbol, ahora tengo mucho trabajo y no te puedo llevar, otro día será.

Se fue el señor de la Muerte y la Pobreza se quedó en la tierra. Por eso hasta ahora la tenemos con nosotros.

DESPUÉS DE LEER

1 ¿Qué tipo de persona es la viejita Pobreza? ¿Cómo lo sabes?

2 ¿Cómo termina la historia? ¿Tiene un final feliz?

---

[14] la población *el pueblo*

[15] acordó *decidió*

[16] se asomó *apareció*

[17] discúlpenos *perdónenos*

LA HERENCIA

¿Crees en los espíritus?
¿Por qué?

Eran las doce de la noche y la campanilla[1] del convento de San Francisco en la capital de México tocaba a maitines.[2] Los frailes[3] fueron saliendo de sus celdas[4] y silenciosamente entraron en la capilla[5] iluminada por la temblorosa luz de las velas que estaban encendidas en el altar, luz que proyectaba extrañas sombras en las paredes, creando un mundo fantasmagórico.[6] El padre guardián, fray Lucas, permaneció junto a la puerta hasta que todos estuvieron en sus sitios. Entonces se colocó en el suyo.

---

[1] la campanilla *campana pequeña*
[2] maitines *hora de plegaria de los monjes que se reza al amanecer*
[3] los frailes *los monjes*

[4] las celdas *dormitorios pequeños*
[5] la capilla *el altar, el oratorio*
[6] fantasmagórico *irreal, de fantasmas*

El rezo sagrado comenzó con la salmodia[7] eterna. De pronto, se abrió la puerta y entró un hermano desconocido con la capucha[8] puntiaguda calada sobre el rostro.[9] Avanzó hasta el centro de la capilla, se arrodilló[10] y allí quedó rezando hasta que todos los frailes, terminadas sus oraciones, volvieron a sus celdas, excepto fray Lucas.

Por fin el desconocido se levantó. Con la cabeza inclinada y las manos cruzadas sobre el pecho y ocultas[11] bajo las anchas mangas, se dirigió lentamente hacia la puerta, donde se encontró con fray Lucas, el padre guardián.

---

[7] la salmodia *música con que se acompañan los salmos*

[8] la capucha *gorro unido al hábito*

[9] el rostro *la cara*

[10] se arrodilló *se puso de rodillas*

[11] ocultas *escondidas*

—Bienvenido, hermano. ¿De qué provincia vienes? ¿De Jalisco o de Oaxaca? —preguntó fray Lucas.

El desconocido se detuvo y permaneció silencioso.

Fray Lucas repitió la pregunta y al mismo tiempo levantó la vela que sostenía en la mano hacia la cara del nuevo fraile. Pero sus ojos se quedaron abiertos de estupor[12] mientras sentía flaquear[13] sus piernas—¡la temblorosa llama iluminaba débilmente una calavera[14] amarilla!

Tras unos momentos, que a fray Lucas le parecían eternos, se oyó una voz grave que dijo:

—No tengas miedo, fray Lucas. Has de saber que yo fui en este mundo fray Bernardino de Ypes, también guardián como tú, de este convento.

—Ah, sí, hermano—respondió fray Lucas, algo más tranquilo. —He visto tu nombre varias veces en la crónica del convento.

La calavera continuó:

—Cierta vez, siendo yo guardián de este convento, llegó aquí un señor que vivía en San Luis Potosí. Se llamaba don Francisco Balandrano. Había venido a la capital para recoger una gran herencia que le había dejado un pariente rico. Pero, a causa de una rebelión india en la proximidad de su casa, temía llevar consigo esa fortuna.

—Es natural—observó fray Lucas.

—Me pidió que, por favor, le guardara en el convento aquel tesoro hasta que hubiera paz en su región. Entonces él volvería, o mandaría a alguna persona de su confianza, para recoger sus bienes.

—¿Y qué hiciste, hermano? —preguntó fray Lucas, que ya se había olvidado que hablaba con un aparecido.[15]

---

[12] el estupor *el asombro*
[13] flaquear *mostrar debilidad*

[14] la calavera *esqueleto de la cabeza*
[15] el aparecido *el fantasma, el espíritu*

—Yo le di permiso para dejar aquí su herencia, y aquella misma tarde, antes de salir para su casa, la trajo. Había gran cantidad de talegas[16] llenas de oro y plata. Nadie en el convento, excepto el padre prior, supo esto.

—¿Qué hicieron con el tesoro, fray Bernardino?

—Pues —continuó el aparecido— llevamos las talegas a nuestra pequeña biblioteca. Allí, debajo del gran cuadro de la Virgen, levantamos las losas[17] del suelo, cavamos un agujero[18] y enterramos el tesoro. Pasó el tiempo y al morir el padre y yo, el secreto se fue con nosotros a la tumba.

—Entonces —preguntó fray Lucas— ¿la herencia continúa escondida?

—Así es, pero ha llegado el momento de sacarla a la luz del día, y tú, fray Lucas, vas a ser el encargado de hacerlo.

—Sí, sí, la sacaré, pero ¿qué voy a hacer con ella? ¿La repartiré entre los pobres? Pues bien sabes nuestro voto de pobreza.[19]

—Ten paciencia y te explicaré lo que debes hacer. En la cárcel de México está Juan Balandrano, hijo honrado y bueno de don Francisco. Es el heredero[20] legítimo de la herencia enterrada aquí. Hazme el favor de entregársela.

Fray Lucas estaba perplejo, dudoso. Tenía ganas de enterarse más en esos sucesos misteriosos, pero notando que el aparecido estaba para salir, respondió:

—Sí, fray Bernardino, mañana llevaré a cabo tus deseos.

Una vez dicho esto, el alto esqueleto cruzó de nuevo sus huesudas[21] manos, inclinó la encapuchada calavera y caminando lentamente, cruzó la puerta de la capilla hasta perderse entre las sombras del claustro.[22]

A la mañana siguiente, fray Lucas se apresuró[23] a contar al padre prior todo lo que había sucedido en la capilla.

---

[16] las talegas *los sacos*

[17] las losas *las baldosas*

[18] el agujero *el hoyo*

[19] el voto de pobreza *promesa de vivir pobremente*

[20] el heredero *el receptor de la herencia*

[21] huesudas *con los huesos marcados*

[22] el claustro *el convento*

[23] se apresuró *corrió*

—De veras, parece un milagro, pero vamos a la biblioteca para sacar el tesoro.

Dicho y hecho. En el lugar indicado por el aparecido encontraron las talegas.

Inmediatamente fray Lucas, llevando una talega llena de oro, se encaminó a la cárcel para llevar a cabo la promesa hecha a fray Bernardino. Pero ¿cómo sabía éste que don Juan estaba en la cárcel, o que era el heredero legítimo? ¡Era un gran misterio!

Al llegar a su destino, fray Lucas fue llevado a una pequeña sala de espera. A los pocos minutos el sonido de pasos en los silenciosos y oscuros corredores[24] anunció la llegada de un joven acompañado del carcelero.[25] Los dos se sentaron al lado del fraile.

—¿Es usted don Juan Balandrano, hijo de don Francisco?

—Sí, padre, yo soy —respondió el joven, perplejo.

—No tema usted. Soy fray Lucas, del convento franciscano.

—¿Usted fue amigo de mi padre?, ¡que en paz descanse!

—No, no lo conocí, pero tengo para usted una herencia que él dejó en el convento la última vez que estuvo aquí en la capital.

Don Juan no salía de su asombro; las últimas palabras del fraile trajeron a su memoria lo que tantas veces había oído. Su padre regresaba a casa cuando los indios le dieron muerte y así él quedó huérfano[26] a la edad de dos años.

Durante los dieciocho años siguientes sus tutores deshonestos habían malgastado[27] su fortuna; y ahora, agobiado[28] por deudas que no podía pagar, sus acreedores[29] lo habían puesto en prisión. Todo había salido en contra de él, y ahora no podía creer que aquel fraile viniera en su ayuda.

—¡Oh, padre, explíqueme todo, por favor! —sollozó[30] el joven, lleno de gratitud.

---

[24] los corredores *los pasillos*

[25] el carcelero *el guardián*

[26] huérfano *sin padres*

[27] habían malgastado *habían derrochado*

[28] agobiado *abrumado*

[29] los acreedores *personas a quienes se debe dinero*

[30] sollozó *lloró*

—Es una larga historia que le contaré más tarde —contestó el padre, poniendo una mano benévola[31] sobre el hombro del joven. —Lo importante en este momento es que usted use esta talega de oro para pagar a sus acreedores. Luego, salga de aquí y vaya al convento para recoger el resto del tesoro. Adiós, Juan.

—Hasta la vista, padre. ¡Que Dios lo bendiga!

En cuanto don Juan se vio libre, se apresuró a visitar el convento de los franciscanos. Cuando supo todo lo sucedido, dio gracias a Dios y a los frailes que habían cumplido el deseo de fray Bernardino. Después de rezar en la capilla, abandonó el convento y se dirigió a San Luis Potosí. Y en los meses que siguieron, repartió entre los pobres de su región una buena parte de aquella herencia que tan maravillosamente había llegado a sus manos.

Desde entonces, el joven visitó el convento cada año en el aniversario de la milagrosa aparición de fray Bernardino, el buen franciscano que regresó a este mundo para cumplir con su obligación de dar la herencia a la familia Balandrano.

---

[31] benévola *afectuosa, comprensiva*

DESPUÉS DE LEER

1. ¿Qué crees que sintió fray Lucas después de hablar con el aparecido?

2. ¿Por qué crees que don Juan repartió parte de su herencia entre los pobres?

NARANJAS

Ángela McEwan-Alvarado nació en Los Ángeles. Estudió en México donde se casó. Viajó y trabajó en Nicaragua. Es intérprete de español en los tribunales estatales y federales de Los Ángeles, y hace traducciones legales y de literatura.

PARA EMPEZAR

¿Por qué crees que las personas cambian de trabajo? ¿Por qué se mudan a otra ciudad o a otro país?

Desde que me acuerdo, las cajas de naranjas eran parte de mi vida. Mi papá trabajaba cortando naranjas y mi mamá tenía un empleo en la empacadora, donde esos globos dorados rodaban sobre bandas para ser colocados en cajas de madera. En casa, esas mismas cajas burdas[1] nos servían de cómoda, bancos y hasta lavamanos, sosteniendo una palangana[2] y un cántaro[3] de esmalte[4] descascarado.[5] Una caja con cortina se usaba para guardar las ollas.

Cada caja tenía su etiqueta[6] con dibujos distintos. Esas etiquetas eran casi los únicos adornos que había en la habitación pequeña que nos servía de sala, dormitorio y cocina. Me gustaba trazar con el dedo los diseños coloridos—tantos diseños—me acuerdo que varios eran de flores—azahares,[7] por supuesto—y amapolas y orquídeas, pero también había un gato negro y una calavera.[8] El único inconveniente eran las astillas. De vez en cuando se me metía una en la mano. Pero como dicen, "A caballo regalado, no se le miran los dientes."[9]

Mis papás llegaron de México siguiendo su propio sueño de El Dorado.[10] Pero lo único dorado que encontramos eran las naranjas colgadas entre abanicos de hojas en hectáreas y hectáreas de árboles verdes y perfumados. Ganábamos apenas lo suficiente para ajustar, y cuando yo nací el dinero era más escaso aún, pero lograron seguir comiendo y yo pude ir a la escuela. Iba descalzo, con una camisa remendada y un pantalón recortado de uno viejo de mi papá. El sol había acentuado el color de mi piel y los otros muchachos se reían de mí. Quería dejar de asistir, pero mi mamá me decía —Estudia, hijo, para que consigas un buen empleo, y no tengas que trabajar duro como tus papás—. Por eso, iba todos los días a luchar con el sueño y el aburrimiento mientras la maestra seguía su zumbido monótono.

[1] burdas *toscas, poco delicadas*

[2] la palangana *recipiente utilizado para lavarse*

[3] el cántaro *la jarra, la vasija*

[4] el esmalte *el barniz, la laca*

[5] descascarado *pelado*

[6] la etiqueta *papel que describe el producto*

[7] los azahares *flores de naranjos*

[8] la calavera *esqueleto de la cabeza*

[9] "A caballo regalado, no se le miran los dientes." *refrán popular que indica que, cuando se recibe algo sin realizar ningún esfuerzo, no es apropiado buscarle defectos*

[10] El Dorado *lugar fabuloso, según la leyenda, donde se podía encontrar gran cantidad de oro*

En los veranos acompañaba a mi papá a trabajar en los naranjales. Eso me parecía más interesante que ir a la escuela. Ganaba quince centavos por cada caja que llenaba. Iba con una enorme bolsa de lona colgada de una banda ancha para tener las manos libres, y subía por una escalerilla angosta y tan alta que podía imaginarme pájaro. Todos usábamos sombreros de paja de ala ancha para protegernos del sol, y llevábamos un pañuelo para limpiar el sudor que salía como rocío[11] salado en la frente. Al cortar las naranjas se llenaba el aire del olor punzante del zumo,[12] porque había que cortarlas justo a la fruta sin dejar tallo.[13] Una vez nos tomaron una foto al lado de las naranjas recogidas. Eso fue un gran evento para mí. Me puse al lado de mi papá, inflándome los pulmones y echando los hombros para atrás, con la esperanza de aparecer tan recio[14] como él, y di una sonrisa tiesa a la cámara. Al regresar del trabajo, mi papa solía sentarme sobre sus hombros, y así caminaba a la casa riéndose y cantando.

Mi mamá era delicada. Llegaba a casa de la empacadora, cansada y pálida, a preparar las tortillas y recalentar los frijoles; y todas las noches, recogiéndose en un abrigo de fe, rezaba el rosario ante un cuadro de la Virgen de Zapopan.

Yo tenía ocho años cuando nació mi hermana Ermenegilda. Pero ella sólo vivió año y medio. Dicen que se enfermó por una leche mala que le dieron cuando le quitaron el pecho. Yo no sé, pero me acuerdo que estuvo enferma un día nada más, y al día siguiente se murió.

Nuestras vidas hubieran seguido de la misma forma de siempre, pero vino un golpe inesperado. El dueño de la compañía vendió parte

[11] el rocío *gotas de agua en las plantas en la madrugada*
[12] el zumo *el jugo*
[13] el tallo *parte de la planta que sostiene los frutos*
[14] recio *fuerte*

de los terrenos para un reparto de casas, y por eso pensaba despedir a varios empleados. Todas las familias que habíamos vivido de las naranjas sufríamos, pero no había remedio. Mi mamá rezaba más y se puso más pálida, y mi papá dejó de cantar. Caminaba cabizbajo y no me subía a los hombros.

—Ay, si fuera carpintero podría conseguir trabajo en la construcción de esas casas—decía. Al fin se decidió a ir a Los Ángeles donde tenía un primo, para ver si conseguía un trabajo. Mi mamá sabía coser y tal vez ella podría trabajar en una fábrica. Como no había dinero para comprarle un pasaje en el tren, mi papá decidió meterse a escondidas en el tren de la madrugada. Una vez en Los Ángeles, seguramente conseguiría un empleo bien pagado. Entonces nos mandaría el pasaje para trasladarnos.[15]

La mañana que se fue hubo mucha neblina.[16] Nos dijo que no fuéramos a despedirle al tren para no atraer la atención. Metió un pedazo de pan en la camisa y se puso un gorro. Después de besarnos a mi mamá y a mí, se fue caminando rápidamente y desapareció en la neblina.

Mi mamá y yo nos quedamos sentados juntos en la oscuridad, temblando de frío y de los nervios, y tensos por el esfuerzo de escuchar el primer silbido del tren. Cuando al fin oímos que el tren salía, mi mamá dijo: —Bueno, ya se fue. Que vaya con Dios—.

No pudimos volver a dormir. Por primera vez me alisté[17] temprano para ir a la escuela.

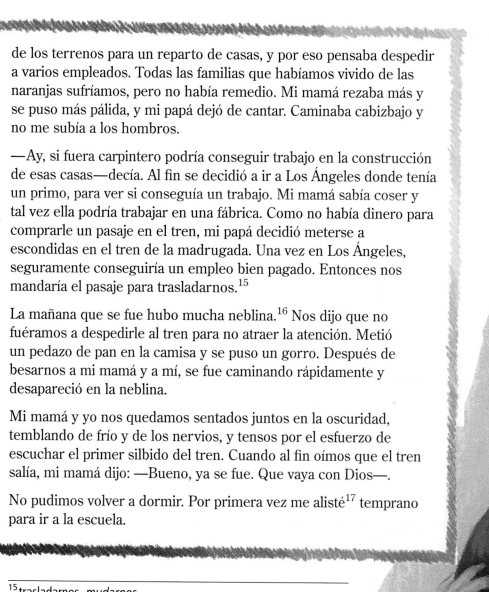

---

[15]trasladarnos *mudarnos*
[16]la neblina *la niebla, la bruma*
[17]me alisté *me vestí*

Como a las diez de la mañana me llamaron para que fuera a mi casa. Estaba agradecido por la oportunidad de salir de la clase, pero tenía una sensación rara en el estómago y me bañaba un sudor helado mientras corría. Cuando llegué jadeante, estaban varias vecinas en la casa y mi mamá lloraba sin cesar.

—Se mató, se mató—gritaba entre sollozos. Me arrimé[18] a ella mientras el cuarto[19] y las caras de la gente daban vueltas alrededor de mí. Ella me agarró como un náufrago[20] a una madera, pero siguió llorando.

Allí estaba el cuerpo quebrado de mi papá. Tenía la cara morada y coágulos de sangre en el pelo. No podía creer que ese hombre tan fuerte y alegre estuviera muerto. Por cuenta había tratado de cruzar de un vagón a otro por los techos y a causa de la neblina no pudo ver bien el paraje. O tal vez por la humedad se deslizó. La cosa es que se cayó poco después de haberse subido. Un vecino que iba al trabajo lo encontró al lado de la vía, ya muerto.

Los que habían trabajado con él en los naranjales hicieron una colecta, y con los pocos centavos que podían dar reunieron lo suficiente para pagarnos el pasaje en el tren. Después del entierro, mi mamá empacó en dos bultos los escasos bienes que teníamos y fuimos a Los Ángeles. Fue un cambio decisivo en nuestras vidas, más aún, porque íbamos solos, sin mi papá. Mientras el tren ganaba velocidad, soplé un adiós final a los naranjos.

---

[18] me arrimé *me puse junto a ella*
[19] el cuarto *la pieza, la habitación*
[20] el náufrago *persona en un barco que se ha hundido*

El primo de mi papá nos ayudó y mi mamá consiguió trabajo cosiendo en una fábrica de overoles. Yo empecé a vender periódicos después de la escuela. Hubiera dejado de ir del todo a la escuela para poder trabajar más horas, pero mi mamá insistió en que terminara la secundaria.

Eso pasó hace muchos años. Los naranjales de mi niñez han desaparecido. En el lugar donde alzaban sus ramas perfumadas hay casas, calles, tiendas y el constante vaivén de la ciudad. Mi mamá se jubiló con una pensión pequeña, y yo trabajo en una oficina del estado. Ya tengo familia y gano lo suficiente para mantenerla. Tenemos muebles en vez de cajas, y mi mamá tiene una mecedora donde sentarse a descansar. Ya ni existen aquellas cajas de madera, y las etiquetas que las adornaban se coleccionan ahora como una novedad.

Pero cuando veo las pirámides de naranjas en el mercado, hay veces que veo esas cajas de antaño y detrás de ellas está mi papá, sudado y sonriendo, estirándome los brazos para subirme a sus hombros.

DESPUÉS DE LEER

1 ¿Cómo crees que la vida de los hijos del autor será diferente a la suya?

2 El hijo dice que cuando ve las naranjas en el mercado le parece ver a su papá detrás de ellas. ¿Hay algo que te recuerda a una persona que conoces? Explica.

Espuma y nada más

Hernando Téllez (1908-1966), cuentista y ensayista colombiano. Es un maestro del lenguaje. En *Espuma y nada más* usa las palabras para describir física y sicológicamente a los personajes.

¿Qué debes hacer cuando tienes que tomar una decisión importante?

No saludó al entrar. Yo estaba repasando sobre una badana[1] la mejor de mis navajas.[2] Y cuando lo reconocí me puse a temblar. Pero él no se dio cuenta. Para disimular continué repasando la hoja. La probé luego sobre la yema del dedo gordo y volví a mirarla contra la luz. En este instante se quitaba el cinturón ribeteado de balas[3] de donde pendía[4] la funda de la pistola. Lo colgó de uno de los clavos del ropero y encima colocó el kepis.[5] Volvió completamente el cuerpo para hablarme y deshaciendo el nudo de la corbata, me dijo: "Hace un calor de todos los demonios. Aféiteme." Y se sentó en la silla. Le calculé cuatro días de barba. Los cuatro días de la última excursión[6] en busca de los nuestros. El rostro aparecía quemado, curtido por el sol. Me puse a preparar minuciosamente el jabón. Corté unas rebanadas de la pasta, dejándolas caer en el recipiente, mezclé un poco de agua tibia y con la brocha empecé a revolver. Pronto subió la espuma. "Los muchachos de la tropa deben tener tanta barba como yo." Seguí batiendo la espuma. "Pero nos fue bien, ¿sabe? Pescamos[7] a los principales. Unos vienen muertos y otros todavía viven. Pero pronto estarán todos muertos." "¿Cuántos cogieron?" pregunté. "Catorce. Tuvimos que internarnos bastante para dar con[8] ellos. Pero ya la están pagando. Y no se salvará ni uno." Se echó para atrás en la silla al verme con la brocha en la mano, rebosante de espuma. Faltaba ponerle la sábana. Ciertamente yo estaba aturdido. Extraje del cajón una sábana y la anudé al cuello de mi cliente. Él no cesaba de hablar. Suponía que yo era uno de los partidarios del orden. "El pueblo habrá escarmentado[9] con lo del otro día," dijo. "Sí," repuse mientras concluía de hacer el nudo sobre la oscura nuca,[10] olorosa a sudor. "¿Estuvo bueno, verdad?" "Muy bueno," contesté mientras regresaba a la brocha. El hombre cerró los ojos con un gesto de fatiga y esperó así la fresca caricia del jabón. Jamás lo había tenido tan cerca de mí.

---

[1] la badana *piel curtida para suavizar la navaja*

[2] las navajas *los cuchillos*

[3] las balas *proyectiles de arma*

[4] pendía *colgaba*

[5] el kepis *gorra militar*

[6] la excursión *la salida, la redada*

[7] Pescamos *Atrapamos*

[8] dar con *encontrar*

[9] habrá escarmentado *habrá aprendido con el ejemplo*

[10] la nuca *parte posterior del cuello*

El día en que ordenó que el pueblo desfilara por el patio de la Escuela para ver a los cuatro rebeldes allí colgados, me crucé con él un instante. Pero el espectáculo de los cuerpos mutilados me impedía fijarme[11] en el rostro del hombre que lo dirigía todo y que ahora iba a tomar en mis manos. No era un rostro desagradable, ciertamente. Y la barba, envejeciéndolo un poco, no le caía mal. Se llamaba Torres. El capitán Torres. Un hombre con imaginación, porque ¿a quién se le había ocurrido antes colgar a los rebeldes desnudos y luego ensayar sobre determinados sitios del cuerpo una mutilación a bala? Empecé a extender la primera capa de jabón. Él seguía con los ojos cerrados. "De buena gana[12] me iría a dormir un poco," dijo, "pero esta tarde hay mucho que hacer." Retiré la brocha y pregunté con aire falsamente desinteresado: "¿Fusilamiento?"[13] "Algo por el estilo, pero más lento," respondió. "¿Todos?" "No. Unos cuantos apenas." Reanudé de nuevo la tarea de enjabonarle la barba. Otra vez me temblaron las manos. El hombre no podía darse cuenta de ello y ésa era mi ventaja. Pero yo hubiera querido que él no viniera. Probablemente muchos de los nuestros lo habrían visto entrar. Y el enemigo en la casa impone condiciones. Yo tendría que afeitar esa barba como cualquiera otra, con cuidado, con esmero,[14] como la de un buen parroquiano,[15] cuidando de que ni por un solo poro fuese a brotar una gota de sangre. Cuidando de que en los pequeños remolinos no se desviara la hoja.

Cuidando de que la piel quedara limpia, templada, pulida, y de que al pasar el dorso de mi mano por ella, sintiera la superficie sin un pelo. Sí. Yo era un revolucionario clandestino, pero era también un barbero de conciencia, orgulloso de la pulcritud[16] en su oficio. Y esa barba de cuatro días se prestaba para una buena faena.[17]

---

[11] me impedía fijarme *no me permitía fijarme*

[12] De buena gana *Con gusto*

[13] el fusilamiento *ejecución con arma de fuego*

[14] el esmero *mucho cuidado*

[15] el parroquiano *el cliente*

[16] la pulcritud *conducta limpia y escrupulosa*

[17] la faena *el trabajo*

Tomé la navaja, levanté en ángulo oblicuo las dos cachas,[18] dejé libre la hoja y empecé la tarea, de una de las patillas[19] hacia abajo. La hoja respondía a la perfección. Hice una pausa para limpiarla, tomé la badana de nuevo y me puse a asentar el acero, porque yo soy un barbero que hace bien sus cosas. El hombre había mantenido los ojos cerrados, los abrió, sacó una de las manos por encima de la sábana, se palpó[20] la zona del rostro que empezaba a quedar libre de jabón, y me dijo: "Venga usted a las seis, esta tarde a la Escuela." "¿Lo mismo del otro día?" le pregunté horrorizado. "Puede que resulte mejor," respondió. "¿Qué piensa usted hacer?" "No sé todavía. Pero nos divertiremos." Otra vez se echó hacia atrás y cerró los ojos. Yo me acerqué con la navaja en alto. "¿Piensa castigarlos a todos?" aventuré[21] tímidamente. "A todos." El jabón se secaba sobre la cara. Debía apresurarme. Ahora de la otra patilla hacia abajo. Le quedaría bien. Muchos no lo reconocerían. Y mejor para él, pensé, mientras trataba de pulir suavemente todo el sector del cuello. Porque allí sí que debía manejar con habilidad la hoja. Los poros podían abrirse, diminutos, y soltar su perla de sangre.[22] Un buen barbero como yo finca su orgullo en[23] que eso no ocurra a ningún cliente. Y éste era un cliente de calidad.

¿A cuántos de los nuestros había ordenado matar? ¿A cuántos de los nuestros había ordenado que los mutilaran?... Mejor no pensarlo. Torres no sabía que yo era su enemigo. No lo sabía él ni lo sabían los demás. Se trataba de un secreto entre muy pocos, precisamente para que yo pudiese informar a los revolucionarios de lo que Torres estaba haciendo en el pueblo y de lo que proyectaba hacer cada vez que emprendía una excursión para cazar revolucionarios. Iba a ser, pues, muy difícil explicar que yo lo tuve entre mis manos y lo dejé ir tranquilamente, vivo y afeitado.

---

[18]las cachas *los mangos*

[19]las patillas *parte de la barba por delante de las orejas*

[20]se palpó *se tocó*

[21]aventuré *me arriesgué a preguntar*

[22]la perla de sangre *gota de sangre*

[23]finca su orgullo en *está orgulloso de*

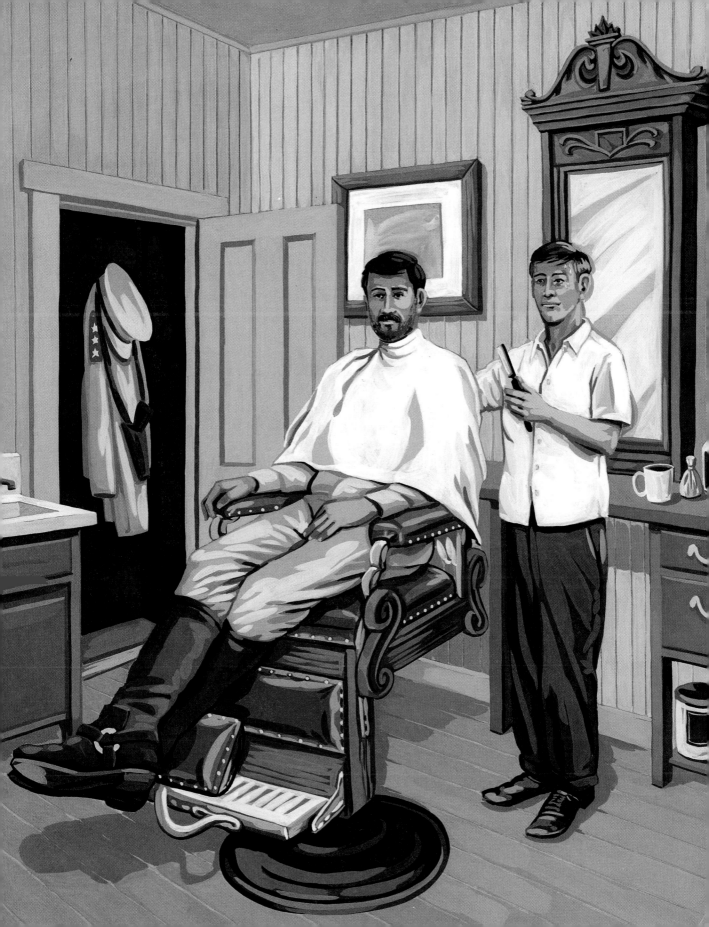

La barba le había desaparecido casi completamente. Parecía más joven, con menos años de los que llevaba a cuestas cuando entró.[24] Yo supongo que eso ocurre siempre con los hombres que entran y salen de las peluquerías. Bajo el golpe de mi navaja Torres rejuvenecía, sí, porque yo soy un buen barbero, el mejor de este pueblo, lo digo sin vanidad. Un poco más de jabón, aquí, bajo la barbilla, sobre la manzana,[25] sobre esta gran vena. ¡Qué calor! Torres debe estar sudando como yo. Pero él no tiene miedo. Es un hombre sereno que ni siquiera piensa en lo que ha de hacer esta tarde con los prisioneros. En cambio yo, con esta navaja entre las manos, puliendo y puliendo esta piel, evitando que brote sangre de estos poros, cuidando todo golpe, no puedo pensar serenamente. Maldita la hora en que vino, porque yo soy un revolucionario pero no un asesino. Y tan fácil como resultaría matarlo. Y lo merece. ¿Lo merece? No, ¡qué diablos! Nadie merece que los demás hagan el sacrificio de convertirse en asesinos. ¿Qué se gana con ello? Pues nada. Vienen otros y otros y los primeros matan a los segundos y éstos a los terceros y siguen y siguen hasta que todo es un mar de sangre. Yo podría cortar este cuello, así, ¡zas!, ¡zas! No le daría tiempo de quejarse y como tiene los ojos cerrados no vería ni el brillo de la navaja ni el brillo de mis ojos. Pero estoy temblando como un verdadero asesino. De ese cuello brotaría un chorro de sangre sobre la sábana, sobre la silla, sobre mis manos, sobre el suelo. Tendría que cerrar la puerta.

Y la sangre seguiría corriendo por el piso, tibia, imborrable, incontenible, hasta la calle, como un pequeño arroyo escarlata.[26] Estoy seguro de que un golpe fuerte, una honda incisión, le evitaría todo dolor. No sufriría. ¿Y qué hacer con el cuerpo? ¿Dónde ocultarlo? Yo tendría que huir, dejar estas cosas, refugiarme lejos, bien lejos.

---

[24] con menos años de los que llevaba a cuestas cuando entró *más joven de lo que parecía cuando entró*

[25] la manzana *la nuez, el bocado de Adán*

[26] escarlata *color rojo vivo*

Pero me perseguirían hasta dar conmigo. "El asesino del Capitán Torres. Lo degolló[27] mientras le afeitaba la barba. Una cobardía."[28] Y por otro lado: "El vengador[29] de los nuestros. Un nombre para recordar (aquí mi nombre). Era el barbero del pueblo. Nadie sabía que él defendía nuestra causa. . ." ¿Y qué? ¿Asesino o héroe? Del filo de esta navaja depende mi destino. Puedo inclinar más la mano, apoyar un poco más la hoja, y hundirla. La piel cederá[30] como la seda, como el caucho, como la badana. No hay nada más tierno que la piel del hombre, y la sangre siempre está ahí, lista a brotar. Una navaja como ésta no traiciona. Es la mejor de mis navajas. Pero yo no quiero ser un asesino, no señor. Usted vino para que yo lo afeitara. Y yo cumplo honradamente con mi trabajo. No quiero mancharme de sangre. De espuma y nada más. Usted es un verdugo[31] y yo no soy más que un barbero. Y cada cual en su puesto.[32] Eso es. Cada cual en su puesto.

La barba había quedado limpia, pulida y templada. El hombre se incorporó para mirarse en el espejo. Se pasó las manos por la piel y la sintió fresca y nuevecita.

"Gracias," dijo. Se dirigió al ropero en busca del cinturón, de la pistola y del kepis. Yo debía estar muy pálido y sentía la camisa empapada.[33] Torres concluyó de ajustar la hebilla,[34] rectificó la posición de la pistola en la funda y luego de alisarse maquinalmente los cabellos, se puso el kepis. Del bolsillo del pantalón extrajo[35] unas monedas para pagarme el importe del servicio. Y empezó a caminar hacia la puerta. En el umbral[36] se detuvo un segundo y volviéndose me dijo:

"Me habían dicho que usted me mataría. Vine para comprobarlo. Pero matar no es fácil. Yo sé por qué se lo digo." Y siguió calle abajo.

DESPUÉS DE LEER

1 ¿Cuál es el secreto del barbero? ¿Por qué no quiere que nadie lo sepa?

2 ¿Por qué crees que el barbero no mató al capitán? ¿Cómo hubieras reaccionado tú?

---

[27] degolló *decapitó*

[28] la cobardía *acto realizado sin valor*

[29] El vengador *El justiciero*

[30] cederá *no se resistirá*

[31] el verdugo *el ejecutor*

[32] Y cada cual en su puesto.
Y que cada uno se dedique a lo suyo.

[33] empapada *mojada*

[34] la hebilla *el broche, el cierre*

[35] extrajo *sacó*

[36] el umbral *la entrada*

Nicolás Guillén (1902 - 89)
es uno de los poetas
afrocubanos más conocidos.
Muchas de sus obras tratan
del folklore africano y de
las tradiciones de los
cubanos. Guillén ha escrito
también poesía de protesta
social, y ha creado una
nueva forma poética, el
son, basada en un baile
popular cubano.

PARA EMPEZAR

**Mira el título y las
ilustraciones. ¿De qué
crees que se va a hablar
en este poema?**

---

[1] las sombras *las siluetas*

[2] escoltan *protegen*

[3] la lanza *arma con punta de hierro*

[4] la gorguera *parte de la armadura
para el cuello*

[5] la armadura *traje de hierro*

[6] los gongos *instrumentos
musicales de metal*

[7] aguaprieta de caimanes *agua
oscura y densa con caimanes*

[8] los cocos *los cocoteros*

[9] el galeón *barco de vela usado
especialmente en el siglo XVI*

[10] los abalorios *cuentas de vidrio*

Balada de los dos abuelos

Sombras[1] que sólo yo veo,
me escoltan[2] mis dos abuelos.

Lanza[3] con punta de hueso,
tambor de cuero y madera:
mi abuelo negro.
Gorguera[4] en el cuello ancho,
gris armadura[5] guerrera:
mi abuelo blanco.

África de selvas húmedas
y de gordos gongos[6] sordos.
—¡Me muero!
(Dice mi abuelo negro.)
Aguaprieta de caimanes[7]
verdes mañanas de cocos[8]...
—¡Me canso!
(Dice mi abuelo blanco.)
Oh velas de amargo viento,
galeón[9] ardiendo en oro...
—¡Me muero!
(Dice mi abuelo negro.)
¡Oh costas de cuello virgen
engañadas de abalorios[10]...
—¡Me canso!
(Dice mi abuelo blanco.)

¡Oh puro sol repujado,[11]
preso[12] en el aro del trópico;
oh luna redonda y limpia
sobre el sueño de los monos!

¡Qué de barcos, qué de barcos![13]
¡Qué de negros, qué de negros!
¡Qué largo fulgor de cañas![14]
¡Qué látigo[15] el del negrero![16]
Piedra de llanto[17] y de sangre,
venas y ojos entreabiertos,[18]
y madrugadas vacías,
y atardeceres de ingenio,[19]
y una gran voz, fuerte voz
despedazando[20] el silencio.
¡Qué de barcos, qué de barcos,
qué de negros!

Sombras que sólo yo veo,
me escoltan mis dos abuelos.

Don[21] Federico me grita,
y Taita[22] Facundo calla:
los dos en la noche sueñan,
y andan, andan.
Yo los junto.

---

[11] repujado *grabado en relieve*
[12] preso *prisionero*
[13] ¡Qué de barcos! *¡Cuántos barcos!*
[14] el fulgor de cañas *resplandor de la caña de azúcar*
[15] el látigo *cuerda empleada para golpear*
[16] el negrero *comerciante de esclavos negros*
[17] el llanto *el lamento*
[18] entreabiertos *entornados, medio abiertos*
[19] el ingenio *fábrica de azúcar*
[20] despedazando *destrozando, rompiendo*
[21] Don *tratamiento de respeto que se antepone a los nombres masculinos de pila*
[22] Taita *tratamiento que se daba antiguamente a los ancianos negros*

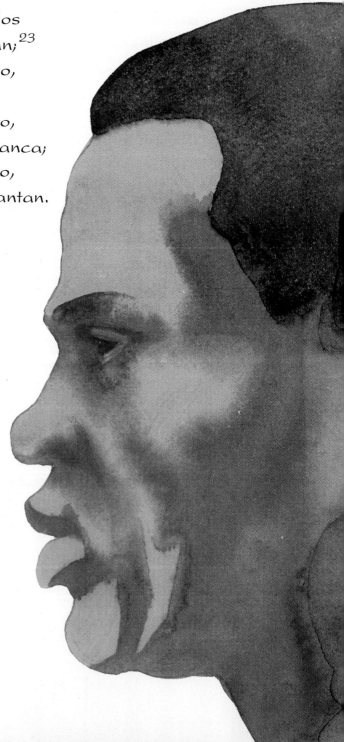

—¡Federico!
¡Facundo! Los dos se abrazan.
Los dos suspiran. Los dos
las fuertes cabezas alzan;[23]
los dos del mismo tamaño,
bajo las estrellas altas;
los dos del mismo tamaño,
ansia[24] negra y ansia blanca;
los dos del mismo tamaño,
gritan, sueñan, lloran, cantan.
Sueñan, lloran, cantan.
Lloran, cantan.
¡Cantan!

DESPUÉS DE LEER

1 ¿Cómo describe el autor a los dos abuelos? ¿De dónde crees que viene cada uno?

2 El autor llama a los dos abuelos "sombras que sólo yo veo." ¿Qué crees que quiere decir?

3 ¿Qué grupos étnicos viven en Cuba? ¿Dónde se ve su influencia?

---

[23] alzan *levantan*
[24] el ansia *el anhelo, la ansiedad*

Las salamandras

Tomás Rivera (1935 - 1984) es uno de los principales escritores chicanos. Nació en Crystal City, Texas. Cursó estudios universitarios y recibió el doctorado en Literatura Española. En sus obras, Rivera quería retratar la vida chicana, sobre todo las experiencias de los obreros migratorios, como las que él había vivido en su juventud. Incluso escribe su narrativa como hablan los chicanos del cuento.

PARA EMPEZAR

Imagínate que te discriminan por no hablar el idioma o por otra razón. ¿Cómo te sentirías?

Lo que más recuerdo de aquella noche es lo oscuro de la noche, el lodo[1] y lo resbaloso[2] de las salamandras. Pero tengo que empezar desde el principio para que puedan comprender todo esto que sentí y también de que, al sentirlo, comprendí algo que traigo todavía conmigo. Y no lo traigo como recuerdo solamente, sino también como algo que siento aún.

Todo empezó porque había estado lloviendo por tres semanas y no teníamos trabajo. Se levantó el campamento, digo campamento porque eso parecíamos. Con ese ranchero[3] de Minesora[4] habíamos estado esperando ya por tres semanas que se parara el agua, y nada. Luego vino y nos dijo que mejor nos fuéramos de sus gallineros[5] porque ya se le había echado a perder[6] el betabel.[7] Luego comprendimos yo y mi 'apá[8] que lo que tenía era miedo de nosotros, de que le fuéramos a robar algo o de que alguien se le enfermara y entonces tendría él que hacerse el responsable. Le dijimos que no teníamos dinero, ni qué comer, y ni cómo regresarnos a Texas; apenas tendríamos con qué comprar gasolina para llegarle a Oklahoma. Y él nómas nos dijo que lo sentía pero quería que nos fuéramos, y nos fuimos. Ya para salir se le ablandó el corazón[9] y nos dio dos carpas[10] llenas de telarañas que tenía en la bodega y una lámpara y kerosín. También le dijo a 'apá que, si nos íbamos rumbo a Crystal Lake en Iowa, a lo mejor encontrábamos trabajo en la ranchería que estaba por allí, y que a lo mejor no se les había echado a perder el betabel. Y nos fuimos.

---

[1] el lodo *el fango, el barro*

[2] resbaloso *que resbala*

[3] el ranchero *jefe del rancho*

[4] Minesora *Minnesota*

[5] los gallineros *los corrales*

[6] echado a perder *estropeado*

[7] el betabel *cosecha de remolacha*

[8] 'apá *papá*

[9] se le ablandó el corazón *se enterneció*

[10] las carpas *las tiendas de campaña*

En los ojos de 'apá y 'amá[11] se veía algo original y puro que nunca les había notado. Era como cariño triste. Casi ni hablábamos al ir corriendo los caminos de grava.[12] La lluvia hablaba por nosotros. Ya al faltar algunas cuantas millas de llegar a Crystal Lake, nos entró el remordimiento.[13] La lluvia que seguía cayendo nos continuaba avisando que seguramente no podríamos hallar trabajo, y así fue. En cada rancho que llegamos, nomás nos movían la cabeza desde adentro de la casa, ni nos abrían la puerta para decirnos que no. Entonces me sentía que no era parte ni de 'apá ni de 'amá, y lo único que sentía que existía era el siguiente rancho.

El primer día que estuvimos en el pueblito de Crystal Lake nos fue mal. En un charco se le mojó el alambrado al carro y papá le gastó la batería al carro. Por fin un garaje nos hizo el favor de cargarla. Pedimos trabajo en varias partes del pueblito pero luego nos echó la chota.[14] Papá le explicó que sólo andábamos buscando trabajo pero él nos dijo que no quería húngaros[15] en el pueblo y que nos saliéramos. El dinero ya casi se nos había acabado, y nos fuimos. Nos fuimos al oscurecer y paramos el carro a unas tres millas del pueblo, y allí vimos el anochecer.

---

[11]'amá *mamá*

[12]la grava *piedrecillas empleadas en la construcción de caminos*

[13]el remordimiento *la inquietud, el pesar*

[14]la chota *la policía*

[15]húngaros *gitanos*

La lluvia se venía de vez en cuando. Sentados todos en el carro a la orilla del camino, hablábamos un poco. Estábamos cansados. Estábamos solos. En los ojos de 'apá y 'amá veía algo original. Ese día no habíamos comido casi nada para dejar dinero para el siguiente día. Ya 'apá se veía más triste, agüitado.[16] Creía que no íbamos a encontrar trabajo. Y nos quedamos dormidos sentados en el carro esperando el siguiente día. Casi ni pasaron carros por ese camino de grava durante la noche.

En la madrugada desperté y todos estaban dormidos, y podía verles los cuerpos y las caras a mi 'apá, a mi 'amá y a mis hermanos, y no hacían ruido. Eran caras y cuerpos de cera. Me recordaron a la cara de 'buelito[17] el día que lo sepultamos.[18] Pero no me entró miedo como cuando lo encontré muerto a él en la troca.[19] Yo creo porque sabía que estaban vivos. Y por fin amaneció completamente.

Ese día buscamos trabajo todo el día, y nada. Dormimos en la orilla del camino y volví a despertar en la madrugada y volví a ver a mi gente dormida. Y esa madrugada, la tercera, me dieron ganas de dejarlos a todos porque ya no me sentía que era de ellos.

A mediodía paró de llover y nos entró ánimo. Dos horas más tarde encontramos a un ranchero que tenía betabel y a quien, según creía él, no se le había echado a perder la cosecha. Pero no tenía casas ni nada.

---

[16]agüitado *deprimido*
[17]'buelito *abuelo*

[18]lo sepultamos *lo enterramos*
[19]la troca *el camión*

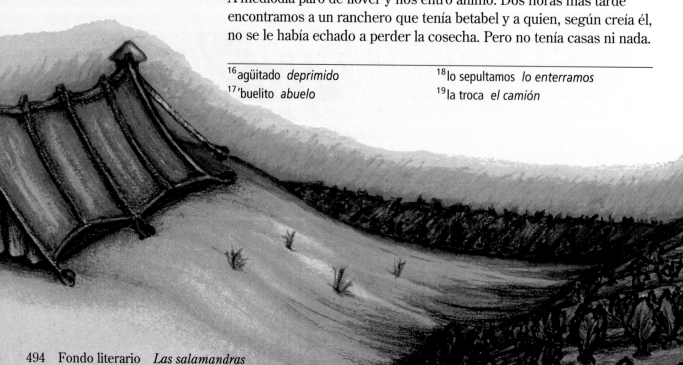

Nos enseñó los acres de betabel que tenía y todo estaba por debajo del agua, todo enlagunado.[20] Nos dijo que, si nos esperábamos hasta que se bajara el agua para ver si no estaba echado a perder, y si estaba bien el betabel, nos pagaría bonos por cada acre que le preparáramos. Pero no tenía casas ni nada. Nosotros le dijimos que teníamos unas carpas que, si nos dejaba, podríamos sentarlas en su yarda. Pero no quiso. Nos tenía miedo. Nosotros lo que queríamos era estar cerca del agua de beber que era lo necesario, y también ya estábamos cansados de dormir sentados, todos entullidos,[21] y claro que queríamos estar debajo de la luz que tenía en la yarda. Pero no quiso, y nos dijo que, si queríamos trabajar allí, que pusiéramos las carpas al pie de la labor[22] de betabel y que esperáramos allí hasta que se bajara el agua. Y pusimos las carpas al pie de la labor de betabel, y nos pusimos a esperar.

---

[20]enlagunado *encharcado, inundado*   [22]la labor *campo arado*

[21]entullidos *paralizados*

Al oscurecer prendimos la lámpara de kerosín en una de las carpas y luego decidimos dormir todos en una sola carpa. Recuerdo que todos nos sentíamos a gusto al poder estirar las piernas,[23] y el dormirnos fue fácil. Luego lo primero que recuerdo de esa noche y lo que me despertó fue el sentir lo que yo creía que era la mano de uno de mis hermanos, y mis propios gritos. Me quité la mano de encima y luego vi que lo que tenía en la mano yo era una salamandra. Estábamos cubiertos de salamandras que habían salido de lo húmedo de las labores, y seguimos gritando y quitándonos las salamandras del cuerpo. Con la ayuda de la luz de kerosín, empezamos a matar las salamandras. De primero nos daba asco[24] porque al aplastarlas les salía como leche del cuerpo, y el piso de la carpa se empezó a ver negro y blanco. Se habían metido en todo, dentro de los zapatos, en las colchas… Al ver fuera de la carpa con la ayuda de la lámpara, se veía todo negro el suelo. Yo realmente sólo las veía como bultitos negros que al aplastarlos les salía leche.

---

[23]estirar las piernas *poner rectas las piernas para desentumecerlas*
[24]nos daba asco *lo encontrábamos repugnante*

Luego parecía que nos estaban invadiendo la carpa, como que querían reclamar el pie de la labor. No sé por qué matamos tantas salamandras esa noche. Lo fácil hubiera sido subirnos al carro. Ahora que recuerdo, creo que sentíamos nosotros también el deseo de recobrar[25] el pie de la labor, no sé. Sí recuerdo que hasta empezamos a buscar más salamandras, para matarlas. Queríamos encontrar más para matar más. Y luego recuerdo que me gustaba aluzar[26] con la lámpara y matar despacio a cada una. Sería que les tenía coraje[27] por el susto. Sí, me empecé a sentir como que volvía a ser parte de mi 'apá y de mi 'amá y de mis hermanos.

Lo que más recuerdo de aquella noche fue lo oscuro de la noche, el zoquete,[28] lo resbaloso de las salamandras y lo duro que a veces se ponían antes de que las aplastara. Lo que traigo conmigo todavía es lo que vi y sentí al matar la última. Y yo creo que por eso recuerdo esa noche de las salamandras. Pesqué a una y la examiné bien con la lámpara, luego le estuve viendo los ojos antes de matarla. Lo que vi y sentí es algo que traigo todavía conmigo, algo puro —la muerte original.

DESPUÉS DE LEER

1 El narrador piensa que los rancheros tenían miedo de él y su familia. ¿Estás de acuerdo? ¿Por qué?

2 ¿Por qué crees que el autor y su familia querían matar a las salamandras?

---

[25] recobrar *recuperar, reconquistar*

[26] aluzar *iluminar*

[27] tenía coraje *estaba enfadado*

[28] el zoquete *el barro, el lodo*

Verbos

Verbos regulares

estudiar					
	PRESENTE	estudio		PRESENTE PERFECTO	he estudiado
	PRESENTE DEL SUBJ.	estudie		PRESENTE PERFECTO DEL SUBJ.	haya estudiado
	PRETÉRITO	estudié		PLUSCUAMPERFECTO	había estudiado
	IMPERFECTO	estudiaba		MANDATOS CON TÚ/UD./UDS.	estudia, no estudies / (no)
	IMPERFECTO DEL SUBJ.	estudiara			estudie / (no) estudien
	FUTURO / CONDICIONAL	estudiaré / estudiaría		GERUNDIO, PARTICIPIO PASADO	estudiando, estudiado

comer					
	PRESENTE	como		PRESENTE PERFECTO	he comido
	PRESENTE DEL SUBJ.	coma		PRESENTE PERFECTO DEL SUBJ.	haya comido
	PRETÉRITO	comí		PLUSCUAMPERFECTO	había comido
	IMPERFECTO	comía		MANDATOS CON TÚ/UD./UDS.	come, no comas / (no) coma /
	IMPERFECTO DEL SUBJ.	comiera			(no) coman
	FUTURO / CONDICIONAL	comeré / comería		GERUNDIO, PARTICIPIO PASADO	comiendo, comido

vivir					
	PRESENTE	vivo		PRESENTE PERFECTO	he vivido
	PRESENTE DEL SUBJ.	viva		PRESENTE PERFECTO DEL SUBJ.	haya vivido
	PRETÉRITO	viví		PLUSCUAMPERFECTO	había vivido
	IMPERFECTO	vivía		MANDATOS CON TÚ/UD./UDS.	vive, no vivas / (no) viva / (no)
	IMPERFECTO DEL SUBJ.	viviera			vivan
	FUTURO / CONDICIONAL	viviré / viviría		GERUNDIO, PARTICIPIO PASADO	viviendo, vivido

Verbos reflexivos

lavarse					
	PRESENTE	me lavo		PRESENTE PERFECTO	me he lavado
	PRESENTE DEL SUBJ.	me lave		PRESENTE PERFECTO DEL SUBJ.	me haya lavado
	PRETÉRITO	me lavé		PLUSCUAMPERFECTO	me había lavado
	IMPERFECTO	me lavaba		MANDATOS CON TÚ/UD./UDS.	lávate, no te laves / lávese,
	IMPERFECTO DEL SUBJ.	me lavara			no se lave / lávense, no se laven
	FUTURO / CONDICIONAL	me lavaré / me lavaría		GERUNDIO, PARTICIPIO PASADO	lavándose, lavado

Verbos con cambios en la raíz

adquirir (i → ie)					
	PRESENTE	adquiero, adquieres, adquiere; adquirimos, adquirís, adquieren		PRESENTE DEL SUBJ.	adquiera, adquieras, adquiera; adquiramos, adquiráis, adquieran
				PRETÉRITO	adquirí

Para las demás formas, véase **preferir.**

cerrar (e → ie)					
	PRESENTE	cierro, cierras, cierra; cerramos, cerráis, cierran		FUTURO / CONDICIONAL	cerraré / cerraría
				PRESENTE PERFECTO	he cerrado
	PRESENTE DEL SUBJ.	cierre, cierres, cierre; cerremos, cerréis, cierren		PRESENTE PERFECTO DEL SUBJ.	haya cerrado
				PLUSCUAMPERFECTO	había cerrado
	PRETÉRITO	cerré		MANDATOS CON TÚ/UD./UDS.	cierra, no cierres / (no) cierre /
	IMPERFECTO	cerraba			(no) cierren
	IMPERFECTO DEL SUBJ.	cerrara		GERUNDIO, PARTICIPIO PASADO	cerrando, cerrado

Verbos como **cerrar:** *despertarse, gobernar, pensar y recomendar.*

dormir (o → ue)					
	PRESENTE	duermo, duermes, duerme; dormimos, dormís, duermen		IMPERFECTO DEL SUBJ.	durmiera
				FUTURO / CONDICIONAL	dormiré / dormiría
	PRESENTE DEL SUBJ.	duerma, duermas, duerma; durmamos, durmáis, duerman		PRESENTE PERFECTO	he dormido
				PRESENTE PERFECTO DEL SUBJ.	haya dormido
	PRETÉRITO	dormí, dormiste, durmió; dormimos, dormisteis, durmieron		PLUSCUAMPERFECTO	había dormido
				MANDATOS CON TÚ/UD./UDS.	duerme, no duermas / (no) duerma / (no) duerman
	IMPERFECTO	dormía		GERUNDIO, PARTICIPIO PASADO	durmiendo, dormido

Verbos como **dormir:** *morir(se).*

empezar (e → ie),   PRETÉRITO   empecé, empezaste, empezó;   PRESENTE DEL SUBJ.   empiece, empieces, empiece;
(z → c)   empezamos, empezasteis,   empecemos, empecéis,
                                    empezaron   empiecen

Para las demás formas, véase **cerrar.**

---

jugar (u → ue)			
PRESENTE	juego, juegas, juega; jugamos, jugáis, juegan	FUTURO / CONDICIONAL	jugaré / jugaría
		PRESENTE PERFECTO	he jugado
PRESENTE DEL SUBJ.	juegue, juegues, juegue; juguemos, juguéis, jueguen	PRESENTE PERFECTO DEL SUBJ.	haya jugado
		PLUSCUAMPERFECTO	había jugado
PRETÉRITO	jugué, jugaste, jugó; jugamos, jugasteis, jugaron	MANDATOS CON TÚ/UD./UDS.	juega, no juegues / (no) juegue / (no) jueguen
IMPERFECTO	jugaba		
IMPERFECTO DEL SUBJ.	jugara	GERUNDIO, PARTICIPIO PASADO	jugando, jugado

---

llover (o → ue)			
PRESENTE	llueve	FUTURO / CONDICIONAL	lloverá / llovería
PRESENTE DEL SUBJ.	llueva	PRESENTE PERFECTO	ha llovido
PRETÉRITO	llovió	PRESENTE PERFECTO DEL SUBJ.	haya llovido
IMPERFECTO	llovía	PLUSCUAMPERFECTO	había llovido
IMPERFECTO DEL SUBJ.	lloviera	GERUNDIO, PARTICIPIO PASADO	lloviendo, llovido

---

mover (o → ue)			
PRESENTE	muevo, mueves, mueve; movemos, movéis, mueven	FUTURO / CONDICIONAL	moveré / movería
		PRESENTE PERFECTO	he movido
PRESENTE DEL SUBJ.	mueva, muevas, mueva; movamos, mováis, muevan	PRESENTE PERFECTO DEL SUBJ.	haya movido
		PLUSCUAMPERFECTO	había movido
PRETÉRITO	moví	MANDATOS CON TÚ/UD./UDS.	mueve, no muevas / (no) mueva / (no) muevan
IMPERFECTO	movía		
IMPERFECTO DEL SUBJ.	moviera	GERUNDIO, PARTICIPIO PASADO	moviendo, movido

Verbos como **mover: doler.**

---

nevar (e → ie)			
PRESENTE	nieva	FUTURO / CONDICIONAL	nevará / nevaría
PRESENTE DEL SUBJ.	nieve	PRESENTE PERFECTO	ha nevado
PRETÉRITO	nevó	PRESENTE PERFECTO DEL SUBJ.	haya nevado
IMPERFECTO	nevaba	PLUSCUAMPERFECTO	había nevado
IMPERFECTO DEL SUBJ.	nevara	GERUNDIO, PARTICIPIO PASADO	nevando, nevado

---

pedir (e → i)			
PRESENTE	pido, pides, pide; pedimos, pedís, piden	FUTURO / CONDICIONAL	pediré / pediría
		PRESENTE PERFECTO	he pedido
PRESENTE DEL SUBJ.	pida, pidas, pida; pidamos, pidáis, pidan	PRESENTE PERFECTO DEL SUBJ.	haya pedido
		PLUSCUAMPERFECTO	había pedido
PRETÉRITO	pedí, pediste, pidió; pedimos, pedisteis, pidieron	MANDATOS CON TÚ/UD./UDS.	pide, no pidas / (no) pida / (no) pidan
IMPERFECTO	pedía	GERUNDIO, PARTICIPIO PASADO	pidiendo, pedido
IMPERFECTO DEL SUBJ.	pidiera		

Verbos como **pedir: conseguir, despedirse, medir, seguir, servir** *y* **vestirse.**

---

perder (e → ie)			
PRESENTE	pierdo, pierdes, pierde; perdemos, perdéis, pierden	FUTURO / CONDICIONAL	perderé / perdería
		PRESENTE PERFECTO	he perdido
PRESENTE DEL SUBJ.	pierda, pierdas, pierda; perdamos, perdáis, pierdan	PRESENTE PERFECTO DEL SUBJ.	haya perdido
		PLUSCUAMPERFECTO	había perdido
PRETÉRITO	perdí	MANDATOS CON TÚ/UD./UDS.	pierde, no pierdas / (no) pierda / (no) pierdan
IMPERFECTO	perdía		
IMPERFECTO DEL SUBJ.	perdiera	GERUNDIO, PARTICIPIO PASADO	perdiendo, perdido

Verbos como **perder: atender, defender(se), encender** *y* **entender(se).**

preferir (e → ie)	PRESENTE	prefiero, prefieres, prefiere; preferimos, preferís, prefieren		IMPERFECTO DEL SUBJ.	prefiriera
				FUTURO / CONDICIONAL	preferiré / preferiría
				PRESENTE PERFECTO	he preferido
	PRESENTE DEL SUBJ.	prefiera, prefieras, prefiera; prefiramos, prefiráis, prefieran		PRESENTE PERFECTO DEL SUBJ.	haya preferido
				PLUSCUAMPERFECTO	había preferido
	PRETÉRITO	preferí, preferiste, prefirió; preferimos, preferisteis, prefirieron		MANDATOS CON TÚ/UD./UDS.	prefiere, no prefieras / (no) prefiera / (no) prefieran
	IMPERFECTO	prefería		GERUNDIO, PARTICIPIO PASADO	prefiriendo, preferido

Verbos como **preferir: divertirse, herir, hervir, mentir, sentirse** *y* **sugerir.**

probar (o → ue)	PRESENTE	pruebo, pruebas, prueba; probamos, probáis, prueban		PRETÉRITO	probé
				MANDATOS CON TÚ/UD./UDS.	prueba, no pruebes / (no) pruebe / (no) prueben
	PRESENTE DEL SUBJ.	pruebe, pruebes, pruebe; probemos, probéis, prueben		GERUNDIO, PARTICIPIO PASADO	probando, probado

Para las demás formas, véase **estudiar.**

Verbos como **probar: acostarse.**

resolver (o → ue)	PRESENTE	resuelvo, resuelves, resuelve; resolvemos, resolvéis, resuelven		PRESENTE DEL SUBJ.	resuelva, resuelvas, resuelva; resolvamos, resolváis, resuelvan
	GERUNDIO, PARTICIPIO PASADO	resolviendo, resuelto			

Para las demás formas, véase **mover.**

Verbos como **resolver: devolver, envolver, revolver** *y* **volver.**

soler (o → ue)	PRESENTE	suelo, sueles, suele; solemos, soléis, suelen		IMPERFECTO	solía
				PARTICIPIO PASADO	solido

Verbos con cambios ortográficos

actuar (u → ú)	PRESENTE	actúo, actúas, actúa; actuamos, actuáis, actúan		MANDATOS CON TÚ/UD./UDS.	actúa, no actúes / (no) actúe / (no) actúen
	PRESENTE DEL SUBJ.	actúe, actúes, actúe; actuemos, actuéis, actúen		GERUNDIO, PARTICIPIO PASADO	actuando, actuado

Para las demás formas, véase **estudiar.**

Verbos como **actuar: evaluar, graduarse.**

apagar (g → gu)	PRESENTE	apago, apagas, apaga; apagamos, apagáis, apagan		PRESENTE DEL SUBJ.	apague, apagues, apague; apaguemos, apaguéis, apaguen

Para las demás formas, véase **jugar.**

Verbos como **apagar: arriesgar, castigar, colgar, descolgar, despegar, encargarse, entregar, investigar, llegar, navegar** *y* **pagar.**

buscar (c → qu)	PRESENTE	busco, buscas, busca; buscamos, buscáis, buscan		PRETÉRITO	busqué, buscaste, buscó; buscamos, buscasteis, buscaron
	PRESENTE DEL SUBJ.	busque, busques, busque; busquemos, busquéis, busquen		MANDATOS CON TÚ/UD./UDS.	busca, no busques / (no) busque / (no) busquen

Para las demás formas, véase **estudiar.**

Verbos como **buscar: clasificar, comunicar(se), criticar, dedicarse, diversificar(se), equivocarse, explicar, fabricar, indicar, marcar, picar, practicar, sacar, secar(se)** *y* **tocar.**

conocer (c → zc)	PRESENTE	conozco, conoces, conoce; conocemos, conocéis, conocen		MANDATOS CON TÚ/UD./UDS.	conoce, no conozcas / (no) conozca / (no) conozcan
	PRESENTE DEL SUBJ.	conozca, conozcas, conozca; conozcamos, conozcáis, conozcan			

Para las demás formas, véase **comer.**

Verbos como **conocer: aparecer, desobedecer, establecer, merecer, nacer, obedecer, ofrecer, parecer** *y* **pertenecer.**

creer (i → y)

PRESENTE	creo		PRESENTE PERFECTO	he creído
PRESENTE DEL SUBJ.	crea		PRESENTE PERFECTO DEL SUBJ.	haya creído
PRETÉRITO	creí, creíste, creyó; creímos, creísteis, creyeron		PLUSCUAMPERFECTO	había creído
			MANDATOS CON TÚ/UD./UDS.	cree, no creas / (no) crea / (no) crean
IMPERFECTO	creía			
IMPERFECTO DEL SUBJ.	creyera		GERUNDIO, PARTICIPIO PASADO	creyendo, creído
FUTURO / CONDICIONAL	creeré / creería			

Verbos como **creer: leer.**

---

cruzar (z → c)

PRESENTE	cruzo		FUTURO / CONDICIONAL	cruzaré / cruzaría
PRESENTE DEL SUBJ.	cruce, cruces, cruce; crucemos, crucéis, crucen		PRESENTE PERFECTO	he cruzado
			PRESENTE PERFECTO DEL SUBJ.	haya cruzado
PRETÉRITO	crucé, cruzaste, cruzó; cruzamos, cruzasteis, cruzaron		PLUSCUAMPERFECTO	había cruzado
			MANDATOS CON TÚ/UD./UDS.	cruza, no cruces / (no) cruce / (no) crucen
IMPERFECTO	cruzaba		GERUNDIO, PARTICIPIO PASADO	cruzando, cruzado
IMPERFECTO DEL SUBJ.	cruzara			

Verbos como **cruzar: abrazarse, alcanzar, analizar, aterrizar, bostezar, esclavizar, garantizar, lanzar, realizar** *y* **trazar.**

---

dirigir (g → j) PRESENTE dirijo, diriges, dirige; dirigimos, dirigís, dirigen

Para las demás formas, véase **escoger.**

Verbos como **dirigir: exigir.**

---

empezar (z → c) Véase Verbos con cambios en la raíz.

---

enviar (i → í)

PRESENTE	envío, envías, envía; enviamos, enviáis, envían		FUTURO / CONDICIONAL	enviaré / enviaría
			PRESENTE PERFECTO	he enviado
PRESENTE DEL SUBJ.	envíe, envíes, envíe; enviemos, enviéis, envíen		PRESENTE PERFECTO DEL SUBJ.	haya enviado
			PLUSCUAMPERFECTO	había enviado
PRETÉRITO	envié		MANDATOS CON TÚ/UD./UDS.	envía, no envíes / (no) envíe / (no) envíen
IMPERFECTO	enviaba			
IMPERFECTO DEL SUBJ.	enviara		GERUNDIO, PARTICIPIO PASADO	enviando, enviado

Verbos como **enviar: esquiar.**

---

escoger (g → j)

PRESENTE	escojo, escoges, escoge; escogemos, escogéis, escogen		FUTURO / CONDICIONAL	escogeré / escogería
			PRESENTE PERFECTO	he escogido
PRESENTE DEL SUBJ.	escoja, escojas, escoja; escojamos, escojáis, escojan		PRESENTE PERFECTO DEL SUBJ.	haya escogido
			PLUSCUAMPERFECTO	había escogido
PRETÉRITO	escogí		MANDATOS CON TÚ/UD./UDS.	escoge, no escojas / (no) escoja / (no) escojan
IMPERFECTO	escogía			
IMPERFECTO DEL SUBJ.	escogiera		GERUNDIO, PARTICIPIO PASADO	escogiendo, escogido

Verbos como **escoger: proteger(se)** *y* **recoger.**

---

incluir (i → y)

PRESENTE	incluyo, incluyes, incluye; incluimos, incluís, incluyen		IMPERFECTO DEL SUBJ.	incluyera
			FUTURO / CONDICIONAL	incluiré / incluiría
PRESENTE DEL SUBJ.	incluya, incluyas, incluya; incluyamos, incluyáis, incluyan		PRESENTE PERFECTO	he incluido
			PRESENTE PERFECTO DEL SUBJ.	haya incluido
PRETÉRITO	incluí, incluiste, incluyó; incluimos, incluisteis, incluyeron		PLUSCUAMPERFECTO	había incluido
			MANDATOS CON TÚ/UD./UDS.	incluye, no incluyas / (no) incluya / (no) incluyan
IMPERFECTO	incluía		GERUNDIO, PARTICIPIO PASADO	incluyendo, incluido

Verbos como **incluir: construir, contribuir, destruir, distribuir** *e* **influir.**

---

jugar (g → gu) Véase Verbos con cambios en la raíz.

Verbos irregulares

caerse	PRESENTE	me caigo, te caes, se cae; nos caemos, os caéis, se caen		IMPERFECTO DEL SUBJ.	me cayera
				FUTURO / CONDICIONAL	me caeré / me caería
	PRESENTE DEL SUBJ.	me caiga, te caigas, se caiga; nos caigamos, os caigáis, se caigan		PRESENTE PERFECTO	me he caído
				PRESENTE PERFECTO DEL SUBJ.	me haya caído
				PLUSCUAMPERFECTO	me había caído
	PRETÉRITO	me caí, te caíste, se cayó; nos caímos, os caísteis, se cayeron		MANDATOS CON TÚ/UD./UDS.	cáete, no te caigas / cáigase, no se caiga / cáiganse, no se caigan
	IMPERFECTO	me caía		GERUNDIO, PARTICIPIO PASADO	cayéndose, caído
dar	PRESENTE	doy, das, da; damos, dais, dan		PRESENTE PERFECTO	he dado
	PRESENTE DEL SUBJ.	dé, des, dé; demos, deis, den		PRESENTE PERFECTO DEL SUBJ.	haya dado
	PRETÉRITO	di, diste, dio; dimos, disteis, dieron		PLUSCUAMPERFECTO	había dado
				MANDATOS CON TÚ/UD./UDS.	da, no des / (no) dé / (no) den
	IMPERFECTO	daba			
	IMPERFECTO DEL SUBJ.	diera		GERUNDIO, PARTICIPIO PASADO	dando, dado
	FUTURO / CONDICIONAL	daré / daría			
decir	PRESENTE	digo, dices, dice; decimos, decís, dicen		FUTURO / CONDICIONAL	diré / diría
				PRESENTE PERFECTO	he dicho
	PRESENTE DEL SUBJ.	diga, digas, diga; digamos, digáis, digan		PRESENTE PERFECTO DEL SUBJ.	haya dicho
				PLUSCUAMPERFECTO	había dicho
	PRETÉRITO	dije, dijiste, dijo; dijimos, dijisteis, dijeron		MANDATOS CON TÚ/UD./UDS.	di, no digas / (no) diga / (no) digan
	IMPERFECTO	decía		GERUNDIO, PARTICIPIO PASADO	diciendo, dicho
	IMPERFECTO DEL SUBJ.	dijera			
estar	PRESENTE	estoy, estás, está; estamos, estáis, están		IMPERFECTO DEL SUBJ.	estuviera
				FUTURO / CONDICIONAL	estaré / estaría
	PRESENTE DEL SUBJ.	esté, estés, esté; estemos, estéis, estén		PRESENTE PERFECTO	he estado
				PRESENTE PERFECTO DEL SUBJ.	haya estado
	PRETÉRITO	estuve, estuviste, estuvo; estuvimos, estuvisteis, estuvieron		PLUSCUAMPERFECTO	había estado
				MANDATOS CON TÚ/UD./UDS.	está, no estés / (no) esté / (no) estén
	IMPERFECTO	estaba		GERUNDIO, PARTICIPIO PASADO	estando, estado
haber	PRESENTE	hay		IMPERFECTO	había
	PRESENTE DEL SUBJ.	haya		IMPERFECTO DEL SUBJ.	hubiera
	PRETÉRITO	hubo		FUTURO / CONDICIONAL	habrá / habría
hacer	PRESENTE	hago, haces, hace; hacemos, hacéis, hacen		FUTURO / CONDICIONAL	haré / haría
				PRESENTE PERFECTO	he hecho
	PRESENTE DEL SUBJ.	haga, hagas, haga; hagamos, hagáis, hagan		PRESENTE PERFECTO DEL SUBJ.	haya hecho
				PLUSCUAMPERFECTO	había hecho
	PRETÉRITO	hice, hiciste, hizo; hicimos, hicisteis, hicieron		MANDATOS CON TÚ/UD./UDS.	haz, no hagas / (no) haga / (no) hagan
	IMPERFECTO	hacía		GERUNDIO, PARTICIPIO PASADO	haciendo, hecho
	IMPERFECTO DEL SUBJ.	hiciera			
ir	PRESENTE	voy, vas, va; vamos, vais, van		FUTURO / CONDICIONAL	iré / iría
	PRESENTE DEL SUBJ.	vaya, vayas, vaya; vayamos, vayáis, vayan		PRESENTE PERFECTO	he ido
				PRESENTE PERFECTO DEL SUBJ.	haya ido
	PRETÉRITO	fui, fuiste, fue; fuimos, fuisteis, fueron		PLUSCUAMPERFECTO	había ido
				MANDATOS CON TÚ/UD./UDS.	ve, no vayas / (no) vaya / (no) vayan
	IMPERFECTO	iba, ibas, iba; íbamos, ibais, iban		GERUNDIO, PARTICIPIO PASADO	yendo, ido
	IMPERFECTO DEL SUBJ.	fuera			

oír	PRESENTE	oigo, oyes, oye; oímos, oís, oyen		FUTURO / CONDICIONAL	oiré / oiría
				PRESENTE PERFECTO	he oído
	PRESENTE DEL SUBJ.	oiga, oigas, oiga; oigamos, oigáis, oigan		PRESENTE PERFECTO DEL SUBJ.	haya oído
				PLUSCUAMPERFECTO	había oído
	PRETÉRITO	oí, oíste, oyó; oímos, oísteis, oyeron		MANDATOS CON TÚ/UD./UDS.	oye, no oigas / (no) oiga / (no) oigan
	IMPERFECTO	oía		GERUNDIO, PARTICIPIO PASADO	oyendo, oído
	IMPERFECTO DEL SUBJ.	oyera			

poder	PRESENTE	puedo, puedes, puede; podemos, podéis, pueden		FUTURO / CONDICIONAL	podré / podría
				PRESENTE PERFECTO	he podido
	PRESENTE DEL SUBJ.	pueda, puedas, pueda; podamos, podáis, puedan		PRESENTE PERFECTO DEL SUBJ.	haya podido
				PLUSCUAMPERFECTO	había podido
	PRETÉRITO	pude, pudiste, pudo; pudimos, pudisteis, pudieron		MANDATOS CON TÚ/UD./UDS.	puede, no puedas / (no) pueda / (no) puedan
	IMPERFECTO	podía		GERUNDIO, PARTICIPIO PASADO	pudiendo, podido
	IMPERFECTO DEL SUBJ.	pudiera			

poner	PRESENTE	pongo, pones, pone; ponemos, ponéis, ponen		FUTURO / CONDICIONAL	pondré / pondría
				PRESENTE PERFECTO	he puesto
	PRESENTE DEL SUBJ.	ponga, pongas, ponga; pongamos, pongáis, pongan		PRESENTE PERFECTO DEL SUBJ.	haya puesto
				PLUSCUAMPERFECTO	había puesto
	PRETÉRITO	puse, pusiste, puso; pusimos, pusisteis, pusieron		MANDATOS CON TÚ/UD./UDS.	pon, no pongas / (no) ponga / (no) pongan
	IMPERFECTO	ponía		GERUNDIO, PARTICIPIO PASADO	poniendo, puesto
	IMPERFECTO DEL SUBJ.	pusiera			

Verbos como **poner: componer, imponer, proponer** *y* **suponer.**

querer	PRESENTE	quiero, quieres, quiere; queremos, queréis, quieren		IMPERFECTO DEL SUBJ.	quisiera
				FUTURO / CONDICIONAL	querré / querría
	PRESENTE DEL SUBJ.	quiera, quieras, quiera; queramos, queráis, quieran		PRESENTE PERFECTO	he querido
				PRESENTE PERFECTO DEL SUBJ.	haya querido
	PRETÉRITO	quise, quisiste, quiso; quisimos, quisisteis, quisieron		PLUSCUAMPERFECTO	había querido
				MANDATOS CON TÚ/UD./UDS.	quiere, no quieras / (no) quiera / (no) quieran
	IMPERFECTO	quería		GERUNDIO, PARTICIPIO PASADO	queriendo, querido

reírse	PRESENTE	me río, te ríes, se ríe; nos reímos, os reís, se ríen		FUTURO / CONDICIONAL	me reiré / me reiría
				PRESENTE PERFECTO	me he reído
	PRESENTE DEL SUBJ.	me ría, te rías, se ría; nos riamos, os riáis, se rían		PRESENTE PERFECTO DEL SUBJ.	me haya reído
				PLUSCUAMPERFECTO	me había reído
	PRETÉRITO	me reí, te reíste, se rio; nos reímos, os reísteis, se rieron		MANDATOS CON TÚ/UD./UDS.	ríete; no te rías / ríase, no se ría / ríanse, no se rían
	IMPERFECTO	me reía		GERUNDIO, PARTICIPIO PASADO	riéndose, reído
	IMPERFECTO DEL SUBJ.	me riera			

saber	PRESENTE	sé, sabes, sabe; sabemos, sabéis, saben		FUTURO / CONDICIONAL	sabré / sabría
				PRESENTE PERFECTO	he sabido
	PRESENTE DEL SUBJ.	sepa, sepas, sepa; sepamos, sepáis, sepan		PRESENTE PERFECTO DEL SUBJ.	haya sabido
				PLUSCUAMPERFECTO	había sabido
	PRETÉRITO	supe, supiste, supo; supimos, supisteis, supieron		MANDATOS CON TÚ/UD./UDS.	sabe, no sepas / (no) sepa / (no) sepan
	IMPERFECTO	sabía		GERUNDIO, PARTICIPIO PASADO	sabiendo, sabido
	IMPERFECTO DEL SUBJ.	supiera			

salir	PRESENTE	salgo, sales, sale; salimos, salís, salen		FUTURO / CONDICIONAL	saldré / saldría
				PRESENTE PERFECTO	he salido
	PRESENTE DEL SUBJ.	salga, salgas, salga; salgamos, salgáis, salgan		PRESENTE PERFECTO DEL SUBJ.	haya salido
				PLUSCUAMPERFECTO	había salido
	PRETÉRITO	salí		MANDATOS CON TÚ/UD./UDS.	sal, no salgas / (no) salga / (no) salgan
	IMPERFECTO	salía			
	IMPERFECTO DEL SUBJ.	saliera		GERUNDIO, PARTICIPIO PASADO	saliendo, salido

ser	PRESENTE	soy, eres, es; somos, sois, son	FUTURO / CONDICIONAL	seré / sería
	PRESENTE DEL SUBJ.	sea, seas, sea; seamos, seáis, sean	PRESENTE PERFECTO	he sido
			PRESENTE PERFECTO DEL SUBJ.	haya sido
	PRETÉRITO	fui, fuiste, fue; fuimos, fuisteis, fueron	PLUSCUAMPERFECTO	había sido
			MANDATOS CON TÚ/UD./UDS.	sé, no seas / (no) sea / (no) sean
	IMPERFECTO	era, eras, era; éramos, erais, eran	GERUNDIO, PARTICIPIO PASADO	siendo, sido
	IMPERFECTO DEL SUBJ.	fuera		

tener	PRESENTE	tengo, tienes, tiene; tenemos, tenéis, tienen	FUTURO / CONDICIONAL	tendré / tendría
			PRESENTE PERFECTO	he tenido
	PRESENTE DEL SUBJ.	tenga, tengas, tenga; tengamos, tengáis, tengan	PRESENTE PERFECTO DEL SUBJ.	haya tenido
			PLUSCUAMPERFECTO	había tenido
	PRETÉRITO	tuve, tuviste, tuvo; tuvimos, tuvisteis, tuvieron	MANDATOS CON TÚ/UD./UDS.	ten, no tengas / (no) tenga / (no) tengan
	IMPERFECTO	tenía	GERUNDIO, PARTICIPIO PASADO	teniendo, tenido
	IMPERFECTO DEL SUBJ.	tuviera		

Verbos como **tener: entretener(se), mantener(se)** *y* **obtener.**

traducir	PRESENTE	traduzco, traduces, traduce; traducimos, traducís, traducen	IMPERFECTO DEL SUBJ.	tradujera
			FUTURO / CONDICIONAL	traduciré / traduciría
	PRESENTE DEL SUBJ.	traduzca, traduzcas, traduzca; traduzcamos, traduzcáis, traduzcan	PRESENTE PERFECTO	he traducido
			PRESENTE PERFECTO DEL SUBJ.	haya traducido
			PLUSCUAMPERFECTO	había traducido
	PRETÉRITO	traduje, tradujiste, tradujo; tradujimos, tradujisteis, tradujeron	MANDATOS CON TÚ/UD./UDS.	traduce, no traduzcas / (no) traduzca / (no) traduzcan
			GERUNDIO, PARTICIPIO PASADO	traduciendo, traducido
	IMPERFECTO	traducía		

Verbos como **traducir: reducir.**

traer	PRESENTE	traigo, traes, trae; traemos, traéis, traen	FUTURO / CONDICIONAL	traeré / traería
			PRESENTE PERFECTO	he traído
	PRESENTE DEL SUBJ.	traiga, traigas, traiga; traigamos, traigáis, traigan	PRESENTE PERFECTO DEL SUBJ.	haya traído
			PLUSCUAMPERFECTO	había traído
	PRETÉRITO	traje, trajiste, trajo; trajimos, trajisteis, trajeron	MANDATOS CON TÚ/UD./UDS.	trae, no traigas / (no) traiga / (no) traigan
	IMPERFECTO	traía	GERUNDIO, PARTICIPIO PASADO	trayendo, traído
	IMPERFECTO DEL SUBJ.	trajera		

Verbos como **traer: atraer**

venir	PRESENTE	vengo, vienes, viene; venimos, venís, vienen	FUTURO / CONDICIONAL	vendré / vendría
			PRESENTE PERFECTO	he venido
	PRESENTE DEL SUBJ.	venga, vengas, venga; vengamos, vengáis, vengan	PRESENTE PERFECTO DEL SUBJ.	haya venido
			PLUSCUAMPERFECTO	había venido
	PRETÉRITO	vine, viniste, vino; vinimos, vinisteis, vinieron	MANDATOS CON TÚ/UD./UDS.	ven, no vengas / (no) venga / (no) vengan
	IMPERFECTO	venía	GERUNDIO, PARTICIPIO PASADO	viniendo, venido
	IMPERFECTO DEL SUBJ.	viniera		

Verbos como **venir: convenir.**

ver	PRESENTE	veo, ves, ve; vemos, veis, ven	FUTURO / CONDICIONAL	veré / vería
	PRESENTE DEL SUBJ.	vea, veas, vea; veamos, veáis, vean	PRESENTE PERFECTO	he visto
			PRESENTE PERFECTO DEL SUBJ.	haya visto
	PRETÉRITO	vi, viste, vio; vimos, visteis, vieron	PLUSCUAMPERFECTO	había visto
			MANDATOS CON TÚ/UD./UDS.	ve, no veas / (no) vea / (no) vean
	IMPERFECTO	veía, veías, veía; veíamos, veíais, veían	GERUNDIO, PARTICIPIO PASADO	viendo, visto
	IMPERFECTO DEL SUBJ.	viera		

el **bosque** woods (II)
bostezar *(z → c)* to yawn (4)
la **bota** boot (I)
el **bote** rowboat (I)
pasear en — to row (I)
la **botella** bottle (I, II)
el **botín** half boot (II)
el **botón** button (II)
el **brazo** arm (I)
el **bronceador** suntan lotion (I)
bucear to skin-dive (I)
bueno (buen), -a good (I)
bueno OK, fine, all right (I)
la **bufanda** muffler, scarf (I)
el **bufet de ensaladas** salad bar (II)
el **búho** owl (II)
el **burrito** burrito (I)
buscar *(c → qu)* to look for (I)
el **buzón** mailbox (II)

el **caballero: la ropa para —s** men's wear (II)
el **caballo** horse (II)
montar a — to ride a horse (II)
la **cabeza** head (I)
tener dolor de — to have a headache (I)
cable: la televisión por — cable television (4)
el **cacto** cactus (II)
la **cadena** chain (II)
caerse to fall down (II)
el **café** coffee (I)
la **cafetería** cafeteria (I)
la **caja** cashier's station (II)
el **cajero, la cajera** cashier (II)
el **cajón de arena** sandbox (II)
la **calabaza** pumpkin (II)
la **calamina** calamine lotion (II)
el **calcetín** sock (I)
la **calculadora** calculator (I)
calcular to calculate (8)
la **calefacción** heating (II)
el **calendario** calendar (5)
el **calentador** heater (II)
caliente: el perro — hot dog (II)
callado, -a quiet (I)
la **calle** street (I)
calor:
hace — it's hot (out) (I)
tener — to be hot *(person)* (I)
la **caloría** calorie (II)
la **cama** bed (I)
la **cámara** camera (I)
el **camarero, la camarera** waiter, waitress (I)
el **camarón** shrimp (II)
cambiar to change (II); to cash (II)
— de canal to change channels (4)

el **cambio** change (II)
la casa de — currency exchange (II)
caminar to walk (I, II)
caminata: dar una — to go hiking (II)
el **camino** road (2)
el **camión** truck (II)
la **camisa** shirt (I)
la **camiseta** T-shirt (I)
el **campamento** campground (II)
la **campaña** campaign (1)
— electoral electoral campaign (7)
el **campeón, la campeona** champion (II)
el **campeonato** championship (II)
camping: ir de — to go camping (II)
el **campo** countryside (I); field, area (5)
el **canal** (TV) channel (I)
la **canción** song (II)
el **candidato, la candidata** candidate (7)
la **canoa** canoe (II)
navegar *(g → gu)* **en —** to go canoeing (II)
canoso: pelo — gray hair (I)
cansado, -a tired (I)
el/la **cantante** singer (II)
cantar to sing (I, II)
capaz, *pl.* **capaces** capable (9)
el **capítulo** chapter (II)
la **cara** face (II)
la **cárcel** jail (10)
el **carbohidrato** carbohydrate (II)
Cariños *pl.* Love *(as a closing in a letter)* (6)
cariñoso, -a affectionate, loving (I)
la **carne (de res)** beef (I)
el **carnet de identidad** ID card (II)
la **carnicería** butcher shop (II)
caro, -a expensive (I)
la **carpeta** pocket folder (I)
la — de argollas three-ring binder (I)
la **carrera** career (12)
la **carretera** highway (II)
el **carrusel** merry-go-round (II)
la **carta** letter (I)
a la — a la carte (I)
el **cartel** poster (I)
la **cartera** wallet (II)
el **cartero, la cartera** mail carrier (6)
el **cartón** cardboard (I, II)
la **casa** house (I)
la — de cambio currency exchange (II)
en — at home (I)
la especialidad de la — house specialty (I)
casado, -a (con) married (to) (II)
casarse (con) to marry, to get married (to) (II)
el **casco** helmet (II)
el **casete** cassette (II)

casi almost (I)
caso: en — de in case of (II)
castaño: pelo — brown (chestnut) hair (I)
castigar *(g → gu)* to punish (10)
el **castigo** punishment (10)
el **castillo** castle (11)
el **catálogo** catalog (II)
las **cataratas** waterfall (I)
la **catedral** cathedral (I)
catorce fourteen (I)
la **causa** cause (7)
la **cebolla** onion (I)
la **celebración** celebration (II)
celebrar to celebrate (II)
la **cena** dinner (I)
la **censura** censorship (4)
el **centímetro** centimeter (8)
central central (II)
el **centro** center (I); downtown (II); center *(middle)* (3)
el — comercial mall (I)
el — de la comunidad community center (7)
el — de reciclaje recycling center (I)
el — de rehabilitación rehabilitation center (7)
el — recreativo recreation center (7)
cepillarse (los dientes) to brush (one's teeth) (II)
el **cepillo** brush (II)
el — de dientes toothbrush (II)
cerca (de) near (I)
la **cerca** fence (2)
el **cerdo** pork (II)
el **cereal** cereal (I)
la **ceremonia** ceremony (5)
la **cereza** cherry (II)
cero zero (I)
cerrar *(e → ie)* to close (I)
el **césped** lawn (I)
el **cesto de la ropa sucia** laundry hamper (II)
el **chaleco** vest (II)
el **champiñón** mushroom (II)
el **champú** shampoo (I)
el **chandal** sweatsuit (II)
la **chaqueta** jacket (I)
el **chaquetón** car coat (II)
charlar to chat (II)
el **cheque** check (II)
el — de viajero traveler's check (II)
el **chile** chili pepper (I)
el — con carne beef with beans (I)
el — relleno stuffed pepper (I)
el **chocolate** hot chocolate (I)
el **chorizo** sausage (II)
la **choza** hut, shack (5)
el **churro** churro (I)

el/la **ciclista** cyclist (2)
cien one hundred (I)
la **ciencia ficción** science fiction (I)
las **ciencias** science (I)
　　— **de la salud** health (science) (I)
　　— **sociales** social studies (I)
el **científico, la científica** scientist (II)
ciento uno, -a; ciento dos; etc. 101,
　　102, etc. (I)
cierto, -a true, certain (8)
cinco five (I)
cincuenta fifty (I)
el **cine** movies, movie theater (I)
el **cinturón** belt (II)
　　el — **de seguridad** seatbelt (II)
la **cita** appointment (9)
la **ciudad** city (I)
la **ciudadanía** citizenship (7)
el **ciudadano, la ciudadana** citizen (7)
la **civilización** civilization (5)
el **clarinete** clarinet (II)
claro: ¡— que sí(no)! of course (not) (I)
claro, -a light (color) (II)
la **clase (de)** class; kind, type (I)
　　después de las —s after school (I)
　　la sala de —s classroom (I)
clásico, -a classical (II)
clasificar (c → qu) to classify (4)
el **cliente, la clienta** client, customer (9)
la **clínica** clinic (I)
el **club** club (II)
el **coche** car (I)
cocido, -a cooked (II)
la **cocina** kitchen (I)
cocinar to cook (I)
el **cocinero, la cocinera** cook (II)
el **codo** elbow (I)
colaborar (con) to collaborate (7)
la **colección** collection (II)
coleccionar to collect (II)
　　colgar (o → ue) (g → gu) to hang (II);
　　　to hang up (the telephone) (6)
la **colina** hill (II)
el **collar** necklace (I, II)
la **colonia** colony (11)
el **color** color (I)
　　¿de qué —? what color? (I)
　　en —es in color (I)
el **columpio** swing (II)
combinar(se) to combine (11)
la **comedia** comedy, sitcom (I)
el **comedor** dining room (I)
　　el — **de beneficencia** soup kitchen
　　　(7)
el **comentario (sobre)** review (of) (II);
　　commentary (4)
comer to eat (I)
los **comestibles** groceries (I)
cometer to commit (12)

cómico, -a comical (I)
la **comida** meal, food (I)
como like, as (I)
　　tan + adj. + — **as** + adj. + **as** (II)
　　tanto(s), -a(s) + noun + — as much
　　　(many) + noun + **as** (II)
¿cómo? how? (I)
　　¿— eres? what are you like? (I)
　　¿— estás/está Ud.? how are you? (I)
　　¡— no! certainly! (I)
　　¿— se dice . . . ? how do you
　　　say . . . ? (I)
　　¿— se llama(n)? what is
　　　his/her/their name? (I)
　　¿— te llamas? what's your name? (I)
la **cómoda** dresser (I)
cómodo, -a comfortable (I)
el **compañero, la compañera** classmate
　　(I)
compartir to share (1)
completamente completely (12)
completar to complete (7)
componer(se) de to be composed of
　　(11)
la **composición** composition (II)
comprar to buy (I)
compras:
　　hacer las — to shop (II)
　　ir de — to go shopping (I)
　　el **programa de —** home shopping
　　　show (II)
comprensivo, -a understanding (1)
comprobar (o → ue) to prove (4)
la **computadora** computer (II)
común: tener en — to have in
　　common (1)
comunicar(se) (c → qu) to
　　communicate (6)
la **comunidad** community (I)
con with (I)
el **concierto** concert (I)
concursos: el programa de — game
　　show (II)
la **conferencia por video** video
　　conference (6)
el **conflicto** conflict (1)
confundirse to be confused (12)
congelado, -a frozen (II)
conmigo with me (I)
conocer (c → zc) to know, to be
　　acquainted with (I, II)
el **conquistador** conqueror (11)
conquistar to conquer (11)
conseguir (e → i) to get, to obtain (II)
el **consejero, la consejera** counselor (II)
el **consejo** piece of advice; pl. advice (1)
　　dar un — to give advice (1)
el **consejo estudiantil** student council
　　(II)

consentido, -a spoiled (child) (II)
conservar to conserve, to save (I, II)
considerado, -a considerate (1)
construir (i → y) to build,
　　to construct (5)
el **contacto** contact (12)
el **contador, la contadora** accountant
　　(12)
la **contaminación** pollution (2)
contaminado, -a contaminated,
　　polluted (I, II)
contaminar to pollute (II)
el **contestador automático** answering
　　machine (6)
contestar to answer (II)
contigo with you (I)
el **continente** continent (11)
contra: en — de against (7)
el **contrabajo** bass (II)
contratar to hire (10)
la **contribución** contribution (5)
contribuir (i → y) to contribute (2)
el **control remoto** remote control (II)
controlar to control (4)
conveniente convenient (2)
convenir (e → ie): **me conviene** to be
　　convenient; to suit: it suits me (9)
convivir to live together (12)
la **corbata** necktie (I, II)
el **coro** chorus, choir (II)
corporal corporal (10)
el **correo** post office (I)
　　el — **electrónico** electronic mail (6)
　　por — urgente by special delivery
　　　(6)
correr to run, to jog (II)
la **correspondencia** correspondence (6)
el/la **corresponsal** correspondent (12)
cortar to cut (I, II)
　　—se to cut oneself (II)
cortés, pl. **corteses** courteous (9)
corto, -a short (length) (I)
la **cosa** thing (I)
la **cosecha** harvest (5)
coser to sew (II)
costar (o → ue) to cost (I)
la **costumbre** custom (5)
el **coyote** coyote (II)
la **creación** creation (11)
el **creador, la creadora** creator (8)
crear to create (6)
creará see **crear**
crédito: la tarjeta de — credit card (II)
creer to think, to believe (I)
　　creo que sí (no) I (don't) think so (I)
la **cremallera** zipper (II)
el **crimen** crime (II)
el/la **criminal** criminal (II)
el **cristiano, la cristiana** Christian (11)

criticar *(c → qu)* to critique (3)
crítico, -a critical (4)
el cruce intersection (II)
el crucigrama crossword puzzle (II)
la Cruz Roja Red Cross (7)
cruzar *(z → c)* to cross (II)
el cuaderno spiral notebook (I)
la cuadra block (I)
cuadrado, -a square (I)
el cuadro picture (I)
cuadros: a — plaid, checked (II)
¿cuál(es)? what? which? which one(s)? (I)
la cualidad quality (9)
cualquier any (9)
cualquiera anybody (6)
cuando, ¿cuándo? when (I)
  de vez en — sometimes (II)
¿cuánto? how much? (I)
  ¿— (tiempo) hace que . . . ? how
    long has it been since . . . ? (I)
  ¿cuántos, -as? how many? (I)
  ¿— años tiene . . . ? how old is . . . ? (I)
cuarenta forty (I)
cuarto, -a quarter; fourth (I)
  y — *(time)* quarter after, quarter past (I)
el cuarto room (I)
cuatro four (I)
cuatrocientos four hundred (I)
el cubismo cubism (3)
la cucaracha cockroach (II)
la cuchara spoon (I)
el cuchillo knife (I)
el cuello neck (I)
  el suéter de — alto turtleneck (II)
el cuenco *(earthenware)* bowl (5)
la cuenta bill *(restaurant)* (I)
la cuerda rope (II)
  saltar a la — to jump rope (II)
el cuero leather (I)
  de — (made of) leather (I)
el cuerpo body (I)
cuidado: tener — (con) to be careful
  (with / of) (II)
cuidadoso, -a careful (9)
cuidar niños to babysit (II)
culpa: tener la — (de) to be guilty (of),
  to be at fault (10)
culpable guilty (10)
cultivar to cultivate, to grow *(crops)* (2)
la cultura culture (5)
cultural cultural (11)
el cumpleaños birthday (I, II)
  ¡feliz —! happy birthday! (I)
  la fiesta de — birthday party (I)
  la tarjeta de — birthday card (I)
cumplir:
  — años to have a birthday (II)
  — con to fulfill (9)
el cuñado, la cuñada brother-in-law,
  sister-in-law (II)

damas: la ropa para — ladies' wear
  (II)
las damas checkers (II)
dañar to damage (II)
daño:
  hacer — to be harmful (4)
  hacer — a to make ill, not to agree
    with *(food)* (II)
dar to give (I)
  — + *movie or TV program* to show (I)
  — una caminata to go hiking (II)
  — clases particulares to give
    private lessons, to tutor (1)
  — un consejo to give advice (1)
  — miedo a to scare (I)
  — saltos to dive (II)
  —se la mano to shake hands (II)
  (me) da igual it's all the same
    (to me) (II)
los datos data, information (8)
de, del *(de + el)* from; of; —'s, —s' (I)
  — + *material* made of (I)
  — nada you're welcome (I)
  — pie standing (3)
  — postre for dessert (I)
  ¿— veras? really? (I)
debajo de under(neath) (I)
deber ought to, should (I)
decidir to decide (2)
decir to say, to tell (I)
  ¿cómo se dice . . . ? how do you say
    . . . ? (I)
  —se "¡Hola!" to say hello (II)
  ¡no me digas! really?, you don't say!
    (I)
  ¿qué quiere — . . . ? what
    does . . . mean? (I)
  se dice . . . it is said (I)
la decoración decoration (I)
decorar to decorate (I)
dedicarse *(c → qu)* (a) to be involved
  in; to devote oneself (to) (II)
el dedo finger (I)
  el — del pie toe (I)
defender(se) *(e → ie)* to defend
  (oneself) (10)
  — en + *language* to get along, to not
    do badly *(in a language)* (12)
dejar to leave *(a message)* (6)
delante de in front of (I)
el/la delincuente delinquent (10)
los demás the others (1)
demasiado *adv.* too (I); *adj.* too many (4)
dental: la seda — dental floss (II)
el/la dentista dentist (I)
depender (de) to depend (on) (I, II)
los deportes sports (I)
deportista athletic (I)
el/la deportista athlete (II)

deportivo, -a *adj.* sports (I)
depositar to deposit (I)
derecha: a la — (de) to the right (of)
  (I)
derecho, -a right (I)
el derecho right (4)
el derrumbe landslide (II)
desabrocharse to unfasten (II)
desaparecido, -a disappeared (5)
desarrollar to develop (5)
el desastre disaster (II)
desayunar to have breakfast (II)
el desayuno breakfast (I)
descansar to rest (I)
la descendencia descent, ancestry (11)
descolgar *(o → ue)* *(g → gu)* to pick
  up *(telephone)* (6)
desconocido, -a unknown (8)
descubierto, -a exposed, open (5)
el descubrimiento discovery (5)
descubrir to discover (5)
el descuento: la tienda de —s discount
  store (I)
desde (que + *verb*) since, from (II)
desear: ¿qué desea Ud? may I help
  you? (I)
el desfile parade (II)
el desierto desert (II, 8)
desobedecer *(c → zc)* to disobey (II)
desobediente disobedient (II)
el desodorante deodorant (II)
desordenado, -a messy (II)
despedirse *(e → i)* (de) to say
  good-by (to) (II)
despegar *(g → gu)* *(plane)* to take off
  (II)
el despertador alarm clock (II)
despertarse *(e → ie)* to wake up (II)
después de + *inf.* after + *verb* + -ing
  (I, II)
el destinatario, la destinataria
  addressee (6)
destino: con — a going to (II)
la destreza skill (9)
destruir *(i → y)* to destroy (II)
la desventaja disadvantage (II)
el/la detective detective (II)
  el programa de —s detective show
    (I)
el detector de humo smoke detector (II)
detrás (de) behind (I)
devolver *(o → ue)* to return
  (something) (I)
el día day (I)
  buenos —s good morning (I)
  el — de fiesta holiday (II)
  el plato del — daily special (I)
  ¿qué — es hoy? what day is it? (I)
  todos los —s every day (I)

el Día de (Acción de) Gracias Thanksgiving (II)

el Día de los Enamorados Valentine's Day (II)

el Día de la Independencia Independence Day (II)

el Día de la Madre Mother's Day (II)

el Día de los Muertos Day of the Dead/All Souls' Day (11)

el Día del Padre Father's Day (II)

el Día de la Raza Columbus Day (II)

el diámetro diameter (8)

la diapositiva slide (II)

diario, -a daily (2)

dibujar to draw (I)

el dibujo drawing (I)

    los —s animados cartoons (I)

el diccionario dictionary (I)

diciembre December (I)

diecinueve nineteen (I)

dieciocho eighteen (I)

dieciséis sixteen (I)

diecisiete seventeen (I)

los dientes teeth (II)

    el cepillo de — toothbrush (II)

dieron *see* **dar**

diez ten (I)

diferente different (2)

difícil difficult, hard (I)

la dificultad difficulty (12)

digas *see* **decir**

el dinero money (I)

el dinosaurio dinosaur (II)

el dios, *pl.* **los dioses** god (5)

el diplomático, la diplomática diplomat (9)

la dirección address (II); direction (II)

el director, la directora *(school)* principal (II); *(film)* director (II)

dirigir *(g → j)* to direct (II)

el disco disk (II)

    el — compacto compact disk (II)

    el — (de hockey) (hockey) puck (II)

discreción: se recomienda — parental guidance suggested (4)

la discusión discussion (1)

discutir to argue, to discuss (1)

el diseño design (8)

disfraces: la fiesta de — costume party (I, II)

disfrutar de to enjoy (II)

la distancia distance (II)

distribuir *(i → y)* to distribute (9)

la diversidad diversity (11)

diversificar(se) *(c → qu)* to diversify (12)

la diversión fun, entertainment (II)

    el parque de —es amusement park (I)

diverso, -a diverse (11)

divertido, -a amusing, funny (I)

divertirse *(e → ie)* to have fun (I, II)

divorciado, -a (de) divorced (from) (II)

doblar to turn (II)

doble double (II)

doce twelve (I)

el documental documentary (I)

el dólar dollar (I)

doler *(o → ue)* to hurt, to ache (I)

dolor: tener — de . . . to have a . . . ache (I)

doméstico, -a domestic (II)

dominar + *language* to master, to have a good knowledge of *(a language)* (12)

domingo Sunday (I)

    el — on Sunday (I)

donar to donate (7)

donde, ¿dónde? where (I)

dormir *(o → ue)* to sleep (I)

    el saco de — sleeping bag (II)

el dormitorio bedroom (I)

dos two (I)

doscientos two hundred (I)

la droga drug (10)

ducharse to take a shower (II)

la duda doubt (8)

dudar to doubt (8)

el dulce sweet (II)

el dulce candy (II)

duradero, -a long-lasting, enduring (11)

durar to last (I)

el durazno peach (II)

duro: el huevo — hard-boiled egg (II)

echar to throw out, to dump (II)

económico, -a economical (II)

la edad: ¿a qué —? at what age? (II)

el edificio building (II)

la educación education (II)

    la — física physical education (I)

educado, -a polite, well-mannered (II)

educativo, -a educational (I)

efectivo: (el dinero) en — cash (II)

los efectos especiales special effects (II)

eficiente efficient (II)

el ejercicio exercise (I)

    hacer — to exercise (I)

el ejército army (7)

el the *m. sing.* (I)

él he; him *after prep.* (I)

la elección election (7)

la electricidad electricity (II)

eléctrico, -a electric (II)

el elefante elephant (I, II)

elegante elegant (I, II)

ella she; her *after prep.* (I)

ellos, ellas they; them *after prep.* (I)

el embarque: la tarjeta de — boarding pass (II)

la emergencia emergency (II)

    en caso de — in case of emergency (II)

    la sala de — emergency room (II)

emocionante exciting, touching (I)

emocionarse to be moved, touched (4)

la empanada turnover (II)

empatar to tie *(in scoring)* (II)

empezar *(e → ie) (z → c)* to begin, to start (I)

el empleado, la empleada employee (II)

en in, at, on (I)

    — + *vehicle* by (I)

enamorarse (de) to fall in love (with) (II)

encantado, -a delighted (I); haunted (8)

encantar to love (I)

encargarse *(g → gu)* **(de)** to take charge (of) (9)

encender *(e → ie)* to light (II); to turn on (II)

la enchilada enchilada (I)

encima (de) on (top of) (I)

encontrar *(o → ue)* to find (II)

    —se *(o → ue)* to meet (II)

el encuentro encounter (11)

la energía energy (I, II)

enero January (I)

la enfermedad illness (II)

la enfermería nurse's office (I)

el enfermero, la enfermera nurse (II)

enfermo, -a ill, sick (I)

enfrente (de) facing, opposite, in front of (I)

enlatado, -a canned (II)

enojarse to get angry (1)

enorme enormous (8)

la ensalada salad (I)

    el bufet de —s salad bar (II)

    la — de frutas fruit salad (II)

enseñar to teach (I)

entender(se) *(e → ie)* to understand (each other) (1)

enterrado, -a buried (5)

entonces then (6)

la entrada ticket (I); entrance (II)

entre between, among (I)

entregar *(g → gu)* to deliver (I); to hand in (I)

el entrenador, la entrenadora coach (II)

el entrenamiento training (9)

entretener(se) *(e → ie)* to amuse (oneself) (4)

la entrevista interview (II)

    el programa de —s talk show (I)

enviar *(i → í)* to send, to mail (I)

envolver *(o → ue)* to wrap (6)

la época time, age (3)

el equipaje baggage (II)

    la terminal de — baggage claim (II)

el equipo team (II)
    el — de sonido stereo (I)
equivocado, -a wrong (6)
equivocarse *(c → qu)* to make a mistake, to be mistaken (6)
el error error (12)
la erupción eruption (II)
la escala stopover (II)
    sin — nonstop (II)
escalar montañas to go mountain climbing (II)
la escalera stairs (II)
    la — mecánica escalator (II)
escaparse to escape, to get away (2)
la escena scene (II)
el escenario stage (II)
esclavizar *(z → c)* to enslave (11)
el esclavo, la esclava slave (11)
escoger *(g → j)* to choose (I, II)
escolar *adj.* school (II)
esconder to hide *(something)* (II)
    —se to hide (II)
escribir to write (I, II)
    ¿cómo se escribe . . . ? how do you spell . . . ? (I)
    —se to write each other (II)
el escritor, la escritora writer (II)
el escritorio desk (I)
la escritura writing (5)
escuchar to listen (to) (I)
la escuela school (I)
la escultura sculpture (5)
ese, -a; -os, -as *adj.* that; those (I, II)
ése, -a; -os, -as *pron.* that one; those (I, II)
la esgrima fencing (1)
el esmalte de uñas nail polish (II)
eso: por — that's why (I)
el espacio outer space (II); space (2)
la espalda back (I)
el español Spanish *(language)* (I)
el espárrago asparagus (II)
especial special (II)
la especialidad de la casa house specialty (I)
el espejo mirror (I)
esperar to wait (for) (6); to hope (7)
la espina thorn, spine (II)
las espinacas spinach (II)
el esplendor splendor (5)
el esposo, la esposa husband, wife (II)
el esquí ski (II)
    el — acuático water skiing (II)
    hacer — acuático to water ski (II)
esquiar *(i → í)* to ski (I)
la esquina corner (I)
establecer *(c → zc)* to establish (11)
la estación season; station (I)
el estadio stadium (I)

el estante shelf (II)
estar to be (I)
    ¿cómo estás/está Ud.? how are you? (I)
    la sala de — family room (I)
la estatua statue (5)
este, -a; -os, -as *adj.* this; these (I, II)
éste, -a; -os, -as *pron.* this one; these (II)
el estilo style (3)
el estómago stomach (I)
    tener dolor de — to have a stomachache (I)
estornudar to sneeze (II)
la estrella star (5)
el/la estudiante student (I)
    el/la — de intercambio exchange student (12)
estudiantil *adj.* student (II)
estudiar to study (I)
la estufa stove (I)
la etapa stage *(in a process)* (3)
europeo, -a European (11)
evaluar *(u → ú)* to evaluate (4)
la evidencia evidence (8)
evitar to avoid (10)
exagerado, -a exaggerated (II)
el examen exam, test (II)
excavar to excavate (5)
excelente excellent (II)
la excursión excursion, short trip (II)
    hacer una — to take an excursion (II)
exigir *(g → j)* to demand (7)
existir to exist (5)
éxito: tener — to be successful (II)
la experiencia experience (9)
explicar *(c → qu)* to explain (II)
explorar to explore (I, II)
la explosión explosion (10)
la exposición (de arte) (art) exhibit (II)
expresar(se) to express (oneself) (12)
la extinción: en peligro de — endangered (I, II)
extracurricular extracurricular (II)
extraño, -a strange (8)
extraordinario, -a extraordinary (8)
el/la extraterrestre alien (II)

la fábrica factory (I)
fabricar *(c → qu)* to manufacture (6)
fácil easy (I)
facilidad: tener — para to be good at (12)
fácilmente easily (II)
facturar to check *(baggage)* (II)
la falda skirt (I)
falso, -a false (8)
faltar to be lacking, to be missing (I)
la familia family (I)
familiar *adj.* family (II)
el fantasma ghost (8)

fantástico, -a fantastic (I)
la farmacia drugstore (I)
fascinante fascinating (I)
fascinar to fascinate (I)
favor: a — (de) in favor (of) (7)
el fax fax (6)
febrero February (I)
la fecha date (I)
¡felicidades! congratulations! (II)
felicitar to congratulate (II)
¡feliz cumpleaños! happy birthday! (I)
el fenómeno phenomenon (8)
feo, -a ugly (I)
la ficha token (6)
la fiebre fever (I)
    tener — to have a fever (I)
la fiesta party (I, II)
    el día de — holiday (II)
    la — de cumpleaños birthday party (I, II)
    la — de disfraces costume party (I, II)
    la — de fin de año New Year's Eve party (I, II)
    la — de sorpresa surprise party (I, II)
la figura form, shape (3)
fijarse (en) to pay attention (to) (3)
fijo, -a fixed (9)
fila: hacer — to line up, to stand in line (II)
el fin:
    el — de año New Year's Eve (II)
    el — de semana on the weekend (I)
financiero, -a financial (7)
física: la educación — physical education (I)
el flan flan (I)
la flauta flute (II)
    flojo, -a loose *(clothing)* (II)
la flor flower (I, II)
floreado, -a flowered (II)
la floristería flower shop (II)
el fondo background (3)
    al — in the back (II)
la forma form (3)
formar parte de to be a part of (I)
el formulario form (6)
el fósforo match (II)
el fósil fossil (II)
la foto photo (I)
    sacar —s to take pictures (I)
la fotografía photography (II)
el fracaso failure (II)
el francés French *(language)* (II)
frecuentemente frequently (1)
el fregadero sink (II)
los frenillos braces (II)
la fresa strawberry (II)

fresco, -a fresh (II)
fresco: hace — it's cool outside (I)
el **frijol** bean (I)
los **—es refritos** refried beans (I)
frío:
hace **—** it's cold outside (I)
tener **—** to be cold *(person)* (I)
frito, -a fried (II)
la **frontera** border (12)
la **fruta** fruit (I)
la **frutería** fruit store (II)
fue *see* **ser**
el **fuego** fire (I)
los **—s artificiales** fireworks (II)
la **fuente** fountain (11)
fuerte strong (II)
fui, fuiste *see* **ir, ser**
funcionar to work, to function (II)
fundar to found (11)
la **fusión** fusion (11)
el **fútbol** soccer (I)
el **— americano** football (I)
el **futuro** future (II)

el **galán** *(film)* hero (II)
la **galería** gallery (3)
ganar to earn money (II); to win (II)
—se la vida to earn a living (II)
la **ganga** bargain (I)
el **garaje** garage (I)
garantizar *(z → c)* to guarantee (7)
la **garganta** throat (I)
las **pastillas para la —** throat lozenges (I)
tener dolor de — to have a sore throat (I)
gastar to spend (II); to waste (II)
el **gato** cat (I)
el **gazpacho** gazpacho (I, II)
el **gemelo, la gemela** twin (I)
generalmente usually, generally (I)
generoso, -a generous (I)
¡genial! great! wonderful! (I)
la **gente** people (I)
la **— sin hogar** the homeless (7)
la **geografía** geography (II)
el **geólogo, la geóloga** geologist (8)
la **geometría** geometry (II)
geométrico, -a geometric (8)
el/la **gerente** hotel manager (9)
gigante: la pantalla — big screen TV (II)
gigantesco, -a gigantic (8)
el **gimnasio** gymnasium (I)
gobernar *(e → ie)* to govern (7)
el **gobierno** government (7)
el **gol** goal (II)
el **golf** golf (II)
el **gorila** gorilla (I, II)
la **gorra** cap (I)

el **gorro** ski cap (I)
las **gotas (para los ojos)** (eye)drops (II)
la **grabadora** tape recorder (I)
grabar to record (4)
gracias thank you (I)
— a thanks to (5)
gracioso, -a funny (I)
la **graduación** graduation (II)
graduarse *(u → ú)* to graduate (II)
grande big, large (I, II)
la **granja** farm (2)
la **grapadora** stapler (II)
grasoso, -a greasy (II)
la **gripe** flu (I)
tener — to have the flu (I)
gris gray (I)
el **guacamole** avocado dip (I)
el **guante** glove (I)
guapo, -a handsome, good-looking (I)
guardar to put away, to keep (II)
el **guardarropa** closet (I)
la **guardería infantil** day-care center (II)
el/la **guardia** security guard (10)
la **guerra** war (II)
el/la **guía** guide (II)
la **— guidebook** (II)
la **— telefónica** phone book (I)
el **guión** script (II)
guisado, -a stewed (II)
el **guisante** pea (I)
la **guitarra** guitar (I)
gustar to like (I)
me (te) gustaría I'd (you'd) like … (I)

haber:
había there was / were (II)
hay there is / are (II)
hubo there was / were (II)
la **habilidad** skill (9)
la **habitación** hotel room (II)
el/la **habitante** inhabitant (8)
hablar to talk, to speak (I)
— por señas to speak in sign language (12)
—se to talk to each other (II)
se habla is spoken (II)
hacer to do, to make (I)
hace + *(time)* … ago (I)
hace + *(time)* **+ que** it's been *(time)* since (I)
— caso a to pay attention to (1)
— ejercicio to exercise (I)
— falta to be necessary (12)
— el servicio militar to serve in the armed forces (7)
se hace(n) con … it's (they're) made with … (I)
hagan *see* **hacer**

he visto *see* **ver**
has visto *see* **ver**
hambre: tener — to be hungry (I)
la **hamburguesa** hamburger (I)
la **harina** flour (I)
hasta until (I)
— luego see you later (I)
hay there is /are (I)
— que + *inf.* it's necessary to (I, II)
haya resuelto *see* **resolver**
hecho, -a (de) made (of) (I, II)
el **hecho** fact (I, II)
la **heladería** ice cream shop (II)
helado: el té — iced tea (I)
el **helado** ice cream (I)
heredar to inherit (5)
herir *(e → ie)* to injure (10)
el **hermano, la hermana** brother, sister (I)
los **hermanos** brothers; brother(s) and sister(s) (I)
la **heroína** heroine (II)
hervir *(e → ie)* to boil (II)
hice, hiciste *see* **hacer**
hiciéramos *see* **hacer**
el **hielo** ice (II)
la **higiene** hygiene (1)
el **hijo, la hija** son, daughter (I)
los **hijos** sons; children (I)
el/la **hispanohablante** Spanish speaker (11)
la **historia** history (I)
histórico, -a historic(al) (II)
el **hockey** hockey (II)
la **hoja** leaf (II)
la **— de papel** sheet of paper (I)
¡hola! hi!, hello! (I)
el **hombre** man (I)
el **— de negocios** businessman (II)
honesto, -a honest (9)
la **hora** period; time (I)
¿a qué —? at what time? (I)
¿qué — es? what time is it? (I)
el **horario** schedule (I)
la **hormiga** ant (II)
el **horno** oven (II)
al — baked (II)
horrible horrible (I)
el **horror** horror (II)
el **hospital** hospital (I)
el **hotel** hotel (I)
hoy today (I)
— en día nowadays (6)
— no not today (I)
hubo *see* **haber**
la **huella** footprint (II, 8)
el **hueso** bone (II)
el **huevo** egg (I)
el **— duro** hard-boiled egg (II)
humano, -a human (II)

humo: el detector de — smoke detector (II)

humor: de buen / mal — in a good / bad mood (II)

el **huracán** hurricane (II)

ida *see* **boleto**

sólo de — one way (II)

idealizado, -a idealized (2)

la **identidad: el carnet de —** ID card (II)

la **identificación** identification (II)

el **idioma** language (II)

la **iglesia** church (I)

igual: (me) da — it's all the same (to me) (II)

igualmente likewise (I)

la **imagen,** *pl.* **las imágenes** image (3)

la **imaginación** imagination (3)

impaciente impatient (I)

el **impermeable** raincoat (I)

imponer to impose (10)

imposible impossible (8)

impresionista impressionist (3)

improbable improbable (8)

los **impuestos** taxes (2)

el **incapacitado, la incapacitada** person with a physical disability (7)

el **incendio** fire (II)

el extinguidor de —s fire extinguisher (II)

incluir *(i → y)* to include (II)

incómodo, -a uncomfortable (I)

incomprensivo, -a insensitive (1)

increíble unbelievable (8)

indicar *(c → qu)* to indicate, to show, to point out (II)

indígena indigenous, native, *adj.* (II)

el/la **indígena** Native American (11)

individual: la habitación — single room (II)

inexplicable inexplicable (8)

infantil *see* **guardería**

la **infección** infection (II)

la **influencia** influence (11)

influir *(i → y)* **(en / sobre)** to influence (1)

la **información** information (II)

informativo, -a informative (4)

el **informe** report (II)

el **inglés** English *(language)* (I)

el **ingrediente** ingredient (I, II)

la **injusticia** injustice (11)

injusto, -a unjust (7)

la **inmigración** immigration (12)

el/la **inmigrante** immigrant (12)

inocente innocent (10)

inscribirse to enroll, to sign up (1)

el **insecticida** insecticide (II)

la **inseguridad** insecurity (10)

la **inspiración** inspiration (3)

el **instrumento** instrument (II)

inteligente intelligent (I)

interactivo, -a interactive (6)

el **interés** interest (I)

interesante interesting (I)

interesar to interest (I)

internacional international (II)

interpretar to interpret (3, 12)

el/la **intérprete** interpreter (9)

íntimo, -a close (1)

la **inundación** flood (II)

inventar to invent (6)

el **invento** invention (6)

investigar *(g → gu)* to investigate (II)

el **invierno** winter (I)

la **invitación** invitation (I, II)

el **invitado, la invitada** guest (I)

invitar to invite (I, II)

la **inyección** injection, shot (II)

poner una — to give an injection (II)

ir to go (I)

— a + *inf.* to be going to + *verb* (I)

izquierda: a la — (de) to the left (of) (I)

izquierdo, -a left (I)

el **jabón** soap (I)

el **jade** jade (5)

el **jaguar** jaguar (I)

el **jamón** ham (I)

el **jarabe (para la tos)** cough syrup (II)

el **jardín,** *pl.* **los jardines** garden (2)

los **jeans** jeans (I)

el **jefe, la jefa** boss (9)

los **jeroglíficos** hieroglyphics (5)

joven *adj.* young (I)

el/la **joven** young man, young woman (I)

los **jóvenes** young people (I)

las **joyas** jewelry (I)

las **judías verdes** green beans (I)

el **judío, la judía** Jew (11)

jueves Thursday (I)

el — on Thursday (I)

el/la **juez** judge (II)

el **jugador, la jugadora** player (II)

jugar *(u → ue)* *(g → gu)* to play (I)

el **juguete** toy (II)

de — *adj.* toy (II)

el **jugo** juice (I)

julio July (I)

junio June (I)

juntar fondos to raise funds (7)

junto a next to (3)

el **jurado** jury (10)

justo, -a just, fair (7)

el **kilómetro** kilometer (II)

el **kindergarten** kindergarten (II)

la the *f. sing.;* her, it *dir. obj. pron.* (I)

los **labios** lips (II)

el lápiz de — lipstick (II)

el **laboratorio** laboratory (II)

lado:

al — de next to, beside (I)

por otro — on the other hand (2)

por un — on the one hand (2)

el **ladrón, la ladrona** thief (II)

el **lago** lake (I)

la **lámpara** lamp (I)

la **lana** wool (II)

lanzar *(z → c)* to shoot (II)

el **lápiz** pencil (I)

el — de labios lipstick (II)

largo, -a long (I)

el **largo** length (8)

las the *f. pl.;* them *dir. obj. pron.* (I)

lástima: ¡qué —! that's too bad! what a shame! (I)

lastimar to hurt (I)

la **lata** can (I, II)

el **lavadero** laundry room (I)

la **lavadora** (clothes) washer (II)

el **lavaplatos** dishwasher (II)

lavar to wash (I)

—se (la cara, etc.) to wash (one's face, etc.) (II)

le *ind. obj. pron.* (to) him, her, it, you (I)

la **lección** lesson (II)

la **leche** milk (I)

la **lechuga** lettuce (I)

leer to read (I)

el **legado** legacy (5)

lejos (de) far (from) (I)

la **lengua** language (11)

la — extranjera foreign language (12)

la — materna mother tongue (12)

el **lenguaje por señas** sign language (12)

los **lentes de contacto** contact lenses (II)

lento, -a slow (6)

la **leña** firewood (II)

les *ind. obj. pron.* (to) them (I)

levantar to lift (II)

—se to get up (II)

leve light, minor (II)

la **ley,** *pl.* **las leyes** law (7)

la **leyenda** legend (8)

libertad: poner en — to set free (10)

libre: al aire — outdoors (II)

la **librería** bookstore (I)

el **libro** book (I)

el/la **líder** leader (5)

la **liga** league (II)

ligero, -a light *(weight)* (II)

el **limón** lemon, lime (II)

la limonada lemonade (I)
limpiar to clean (I)
limpio, -a clean (I)
la línea line (6)
   la — aérea airline (II)
la linterna flashlight (II)
la liquidación sale (II)
   estar en — to be on sale (II)
liso, -a plain (II)
literario, -a literary (II)
la literatura literature (II)
la llamada phone call (6)
   hacer una — to make a phone call (6)
   hacer una — a cobro revertido to make a collect call (6)
   hacer una — de larga distancia to make a long-distance call (6)
llamar to call (I)
   —se to be named (I, II)
la llave key (II)
el llavero keychain (II)
llegar *(g → gu)* to arrive (I)
llenar un formulario to fill out a form (6)
lleno, -a de gente crowded (2)
llevar to wear; to take, to carry along (1)
   —se (bien / mal) to get along (well / badly) (1)
llorar to cry (II)
llover *(o → ue)* to rain (I)
llueve it rains, it's raining (I)
la lluvia rain (I)
lo *dir. obj. pron.* him, it (I)
   — que what (II)
   — siento I'm sorry (I)
el lobo, la loba wolf (I, II)
local local (I)
el locutor, la locutora announcer (II)
la lona canvas (II)
los the *m. pl.; dir. obj. pron.* them (I)
   — + *day of week* on (I)
luchar to struggle, to fight (10)
lucro: sin fines de — non-profit (7)
luego then, afterward, later (I)
el lugar place (I)
   el — de los hechos scene of the crime (10)
el lujo luxury (II)
la Luna moon (II)
lunes Monday (I)
   el — on Monday (I)
la luz light (I)

la madera wood (I)
   de — (made of) wood (I)
la madre mother (I)
maduro, -a mature (9)
el maíz corn (I)

mal badly (I)
   menos — que . . . it's a good thing that . . . (I)
   me siento — I feel ill (I)
maleducado, -a rude, impolite (II)
la maleta suitcase (I, II)
   (des)hacer la — to (un)pack (II)
malo, -a bad (I)
mandar to send (6)
manera: de ninguna — not at all (I)
la manga sleeve (II)
la manifestación demonstration (7)
manipular to manipulate (4)
la mano hand (I)
   a — armada armed (10)
   a — by hand (II)
   darse la — to shake hands (II)
   hecho, -a a — handmade (I)
el mantel tablecloth (II)
mantener *(e → ie)* to maintain (1)
   —se sano, -a to stay healthy (II)
la mantequilla butter (I)
la manzana apple (I)
mañana tomorrow (I)
la mañana morning (I)
   de/por la — in the morning (I)
el mapa map (II)
el maquillaje make-up (II)
   maquillarse to put on makeup (II)
el mar sea (I)
   maravilla: ¡una —! wonderful! (2)
el marcador marker (I)
   marcar *(c → qu)* to dial *(a telephone number)* (6)
la marcha walk; hike (7)
la mariposa butterfly (II)
los mariscos seafood (II)
   marrón brown (I)
   martes Tuesday (I)
   el — on Tuesday (I)
   marzo March (I)
   más more, *adj.* + -er (I)
   el / la / los / las — + *adj.* the most + *adj.*, the *adj.* + -est (I, II)
   lo — + *adj.* (thing) (1)
la masa dough (II)
matar to kill (II)
las matemáticas mathematics (I)
la materia school subject (II)
los mayas Mayas (5)
mayo May (I)
la mayonesa mayonnaise (II)
   mayor older (I)
   el — the oldest (I)
mayores: sólo para — adults only (4)
la mayoría majority (11)
me *obj. pron.* me (I)
mecánica: la escalera — escalator (II)
el mecánico, la mecánica mechanic (II)

media:
   una hora y — an hour and a half (I)
   — hora *f.* half an hour (I)
   y — half-past (I)
mediano, -a medium *(in sizes)* (II)
la medianoche midnight (I)
la medicina medicine (II)
el médico, la médica doctor (I)
la medida measure (10)
   medio: *(número)* **y —** and a half *(in sizes)* (II)
el medio ambiente environment (I, II)
el medio de comunicación means of communication (6)
el mediodía noon (I)
medir *(e → i)* to measure (8)
   — . . . de alto to be/measure . . . high (8)
   — . . . de ancho to be/measure . . . wide (8)
   — . . . de diámetro to be/measure . . . in diameter (8)
   — . . . de largo to be/measure . . . long (8)
mejor better (I)
   el / la / (los / las) —(es) the best (I)
   lo — the best (thing) (1)
el melón cantaloupe (II)
menor younger (I)
menos:
   el / la /los / las — + *adj.* the least + *adj.* (I, II)
   lo — + *adj.* the least + *adj.* (thing) (1)
   — mal que . . . it's a good thing that . . . (I)
   por lo — at least (II)
el mensaje message (3)
mentir *(e → ie)* to lie (II)
el menú menu (I)
menudo: a — often (I)
el mercado market (II)
merecer *(c → zc)* to deserve (9)
la merienda afternoon snack (I)
   de — for a snack (I)
el mes month (I)
la mesa table (I)
   la — de noche night table (II)
mestizo, -a (Native American and European) mestizo (11)
la meta goal (9)
   metal: de — (made of) metal (I)
meter en (la carcel) to put (in jail) (10)
   — un gol to score a goal (II)
el metro subway (I); meter *(measurement)* (II)
la mezcla mixing, mixture (11)
mezclar to mix (II, 11)
la mezquita mosque (11)

mi, mis my (I)
mí me *after prep.* (I)
el **microondas** microwave (oven) (II)
miedo: tener — (de) to be afraid (of) (10)
el **miembro** member (II)
  ser — de to be a member of (II)
mientras while (II)
miércoles Wednesday (I)
  el **—** on Wednesday (I)
mil one thousand (I)
la **milla** mile (I)
el **minuto** minute (I)
mío, -a my, (of) mine (II)
el **mío, la mía** mine (II)
mismo, -a same (II)
  lo — the same thing (I)
  (yo) — myself (II)
el **misterio** mystery (8)
misterioso, -a mysterious (8)
el **mito** myth (8)
el **mocasín** loafer (II)
la **mochila** backpack (I)
la **moda** fashion (II)
  estar de — to be fashionable (II)
los **modales** manners (9)
moderno, -a modern (I)
modesto, -a modest (1)
el **modismo** idiom (12)
mojado, -a wet (II)
molestar to bother, to annoy (II)
la **moneda** coin (II)
el **mono** monkey (8)
el **monstruo** monster (II)
la **montaña** mountain (I)
montar:
  — a caballo to ride horseback (II)
  — en bicicleta to ride a bike (I, II)
el **monumento** monument (I)
morado, -a purple (I)
morir(se) *(o → ue)* to die (11)
la **mosca** fly (II)
el **mosquito** mosquito (II)
la **mostaza** mustard (II)
el **mostrador** counter (II)
mostrar *(o → ue)* to show (II)
la **moto acuática** jet skiing (II)
  hacer — to jet ski (II)
mover *(o → ue)* to move (8)
el **movimiento** movement, school (3)
el **muchacho, la muchacha** boy, girl (I)
mucho, -a a lot of, much (I)
  — gusto pleased / nice to meet you (I)
  —as veces many times (I)
mudarse to move *(residence)* (1)
los **muebles** furniture (I)
las **muelas: tener dolor de —** to have a toothache (I)
la **muerte** death (10)

muerto, -a dead (II)
la **mujer** woman (I)
  la **— de negocios** businesswoman (II)
las **muletas** crutches (II)
la **multa** fine (4)
multicultural multicultural (12)
mundial world, world-wide (12)
el **mundo** world (11)
la **muñeca** doll (II); wrist (II)
el **muñeco** action figure (II)
el **mural** mural (3)
el **músculo** muscle (II)
el **museo** museum (I)
la **música** music (I)
musical *adj.* musical (I, II)
  el **video —** music video (II)
el **músico, la música** musician (II)
el **musulmán, la musulmana** Muslim (11)
muy very (I)

nacer *(c → zc)* to be born (II)
nacional national (II)
nada nothing, not at all (I)
  de — you're welcome (I)
nadar to swim (I)
nadie no one (I)
la **naranja** orange (I)
el **narcotráfico** drug trafficking (10)
la **nariz** nose (I)
la **naturaleza** nature (II)
  la **— muerta** still life (3)
la **nave espacial** spaceship (8)
navegar *see* balsa, canoa
la **Navidad** Christmas (II)
necesario, -a necessary (II)
la **necesidad** necessity (II)
necesitar to need (I)
negativo, -a negative (4)
los **negocios** business (II)
  el **hombre / la mujer de —** businessman, businesswoman (II)
negro, -a black (I)
  en blanco y — in black and white (I)
nervioso, -a nervous (1)
nevar: nieva it snows, it's snowing (I)
ni . . . ni neither . . . nor, not . . . or (I)
el **nieto, la nieta** grandson, granddaughter (II)
la **nieve** snow (I)
el **nilón** nylon (II)
ninguno (ningún), -a no, not any (I, II)
  —a parte nowhere, not anywhere (I)
el **niño, la niña** boy, girl (II)
  cuidar niños to baby-sit (II)
  los **niños** children (II)
no no, not (I)
  ¿no? don't you?, aren't I?, etc. (I)
la **noche** evening (I)

  buenas —s good evening, good night (I)
  de la — at night (I)
  por la — in the evening (I)
la **Nochebuena** Christmas Eve (II)
el **nombre** name (I)
nos *obj. pron.* us (I)
nosotros, -as we (I); us *after prep.* (I)
la **nota** grade (II)
notar to notice (11)
las **noticias** news (I)
el **noticiero** newscast (4)
novecientos nine hundred (I)
la **novela** novel (I)
noventa ninety (I)
noviembre November (I)
el **novio, la novia** boyfriend, girlfriend (I)
nuestro, -a our (I); (of) ours (II)
el **nuestro, la nuestra** ours (II)
nueve nine (I)
nuevo, -a new (I)
  de — again (II)
el **número** number (I); (shoe) size (II)
nunca never (I)

o or (I)
obedecer *(c → zc)* to obey (II)
obediente obedient (II)
objetivo, -a objective (4)
el **objeto** object, thing (5)
obligatorio, -a obligatory (7)
la **obra (de arte)** work (of art) (3)
  la **— de teatro** play (II)
el **obrero, la obrera** laborer (II)
el **observatorio** observatory (5)
obtener *(e → ie)* to obtain (7)
el **océano** ocean (I, II)
ochenta eighty (I)
ocho eight (I)
ochocientos eight hundred (I)
octavo, -a eighth (I)
octubre October (I)
ocupado, -a busy (I)
ocurrir to occur, to happen (II)
el **oeste: la película del —** western (I)
oficial official (12)
la **oficina** office (II)
ofrecer *(c → zc)* to offer (2)
el **oído** ear (I)
  tener dolor de — to have an earache (I)
oír to hear (2)
el **ojo** eye (I)
las **olimpiadas de minusválidos** Special Olympics (games for people with disabilities) (7)
la **olla** pot (II)
once eleven (I)
la **operación** operation (II)

el **operador,** la **operadora** operator (6)
la **opinión** opinion (4)
la **oportunidad** chance, opportunity (2)
   oportuno, -a opportune, appropriate (9)
   ordenado, -a neat, tidy (I)
el **orfanato** orphanage (1)
la **organización** organization (7)
el **origen,** pl. los **orígenes** origin (5)
el **oro** gold (II)
   de — (made of) gold (II)
la **orquesta** orchestra (II)
   oscuro, -a dark (color) (II)
el **oso** bear (I, II)
el **otoño** fall, autumn (I)
   otro, -a another, other (I)
   ovalado, -a oval (8)
el **oxígeno** oxygen (II)

la **paciencia** patience (9)
   paciente adj. patient (I)
el **padre** father (I)
   los —s parents (I)
la **paella** paella (II)
   pagar (g → gu) to pay (I)
la **página** page (II)
el **país** country (I)
el **paisaje** landscape (2)
el **pájaro** bird (I, II)
el **palacio** palace (II)
la **paleta** palette (3)
el **palito** twig; pl. kindling (II)
el **palo (de golf, de hockey)** golf club, hockey stick (II)
el **pan** bread (I)
   el — tostado toast (I)
la **panadería** bakery (II)
la **pantalla** screen (II)
los **pantalones** pants (I)
las **pantimedias** pantyhose (I)
el **pañuelo** scarf (II)
la **papa** potato (I)
   la — frita French fry (I)
el **papel** paper (I); part, role (II)
   hacer el — (de) to play the part (of) (II)
   la hoja de — sheet of paper (I)
el **paquete** package, parcel (6)
   para for, in order to (I)
la **parada del autobús** bus stop (I)
el **paraguas** umbrella (I)
   parecer (c → zc) to appear, to seem (II)
la **pared** wall (I)
el **pariente,** la **parienta** relative (I, II)
el **parque** park (I)
   el — de diversiones amusement park (I)
la **parrilla: a la —** grilled (II)
   parte:
     ¿de — de quién? who's calling? (6)
     por todas —s all over, everywhere (II)

participar (en) to participate (in) (II)
el **partido** match, game (I, II)
   el — político political party (7)
   pasado, -a last, past (I)
el **pasado** past (5)
el **pasajero,** la **pasajera** passenger (II)
el **pasaporte** passport (I)
   pasar to pass; to happen (I)
   — la aspiradora to vacuum (I)
   —lo bien / mal to have a good / bad time (I)
   ¿qué pasa? what's the matter? (I)
el **pasatiempo** pastime, hobby (I)
   pasear:
     ir a — to take a walk (I)
     — en bote to row (I)
el **pasillo** aisle (II)
la **pasta dentífrica** toothpaste (I)
   pastel pastel (color) (3)
el **pastel** cake (I, II)
la **pastilla** pill (I, II)
el **patín** skate (II)
   patinar to skate (I)
   — sobre hielo to ice skate (II)
el **patio de recreo** playground (II)
el **pavo** turkey (II)
la **paz** peace (II)
el **peaje** toll booth (2)
el **peatón,** pl. los **peatones** pedestrian (2)
   pedir (e → i) to ask for, to order (I)
   — prestado, -a (a) to borrow (from) (II)
   peinarse to comb one's hair (II)
el **peine** comb (II)
   pelearse to fight (II)
la **película** film, movie (I)
el **peligro** danger (I, II)
   en — de extinción endangered (I, II)
   peligroso, -a dangerous (II, 2)
   pelirrojo, -a red-haired (I)
el **pelo** hair (I, II)
   el secador de — hair dryer (II)
la **pelota** ball (II)
   peluche:
     el animal de — stuffed animal (II)
     el oso de — teddy bear (II)
la **pena** penalty (10)
   pensar (e → ie) to think (I)
   — + inf. to plan (I)
la **pensión** inexpensive lodging (II)
   peor worse (I)
   el / la (los / las) —(es) the worst (I)
   lo — the worst (thing) (1)
el **pepino** cucumber (II)
   pequeño, -a small (I, II)
   de — as a child (II)
la **percepción** perception (4)
   perder (e → ie) to lose (II)
   perdón excuse me (I)

perdonar to excuse, to pardon (II)
   perdone (Ud.) excuse me, pardon me (II)
   perezoso, -a lazy (I)
el **perfil** profile (3)
el **perfume** perfume (II)
el **periódico** newspaper (I, II)
el/la **periodista** journalist (12)
   permitir to permit, to allow (II)
   se permite it's allowed (II)
   pero but (I)
el **perro** dog (I)
   el — caliente hot dog (II)
la **persona** person (I)
el **personaje** character (II)
   personal personal (I)
   pertenecer (c → zc) to belong (8)
   pesado, -a heavy (II)
   pesar: a — de (que) in spite of (the fact that) (8)
   pesar to weigh (8)
las **pesas** weights (II)
   pesca: ir de — to go fishing (I)
la **pescadería** fish store (II)
el **pescado** fish (cooked) (I)
el **peso** weight (8)
el **pez,** pl. los **peces** fish (live) (II)
el **piano** piano (II)
la **picadura (de insecto)** insect bite, sting (II)
   picante spicy, peppery, hot (flavor) (I)
   no — mild (flavor) (I)
   picar (c → qu) to sting (II); to chop (II)
el **picnic** picnic (II)
   hacer un to have a — picnic (II)
el **pie** foot (I)
   a — walking, on foot (I)
   de — standing (3)
   el dedo del — toe (I)
la **piedra** rock, stone (II, 8)
la **piel** fur (I)
la **pierna** leg (I)
la **pila** battery (II)
el/la **piloto** pilot (II)
la **pimienta** pepper (seasoning) (I)
el **pimiento verde** green pepper (II)
el **pincel** paintbrush (3)
el **pintor,** la **pintora** painter (II)
   pintoresco, -a picturesque (II)
la **pintura** painting (3)
la **piña** pineapple (II)
la **pirámide** pyramid (I)
la **piscina** pool (I)
el **piso** story, floor (I)
la **pistola (de agua)** (water) pistol (II)
la **pizarra** chalkboard (I)
   planear to plan (II)
el **planeta** planet (II)
   plano: el primer — foreground (3)

la planta plant (I, II)
el plástico plastic (I, II)
   de — (made of) plastic (I)
la plata silver (II)
   de — (made of) silver (II)
el plátano banana (I)
el platillo saucer (I)
el plato dish, plate (I)
   el — del día daily special (I)
la playa beach (I)
la plaza town square (I)
la pluma feather (II)
la población population (2)
los pobres poor people (7)
   poco: un — (de) a little (I)
poder *(o → ue)* can, to be able (I)
   ¿podría(s)? could you? (II)
la poesía poetry (11)
el polen pollen (II)
el/la policía police officer (II)
   la — the police (I)
la política politics (II)
el político, la política politician (II)
el pollo chicken (I)
el polvo dust (II)
poner to put, to place (I)
   — la mesa to set the table (I)
   — una tienda to pitch a tent (II)
   —se to put on *(clothing, make-up, etc.)* (II); to become (3)
por for (I, II); *(+ place)* by, through, at (II); on behalf of; *(agent)* by (7)
   — aquí around here (I)
   — eso that's why, therefore (I)
   — la mañana / la tarde / la noche in the morning / afternoon / evening (I)
   — lo menos at least (II)
   — otro lado on the other hand (2)
   ¿— qué? why? (I)
   — supuesto of course (I, II)
   — todas partes all over, everywhere (II)
   — un lado on the one hand (2)
porque because (I)
portarse (bien / mal) to behave (well / badly) (II)
la posdata postscript (6)
la posesión possession (II)
posible possible (8)
positivo, -a positive (4)
el postre dessert (I)
   de — for dessert (I)
practicar *(c → qu)* to practice (I)
práctico, -a practical (I)
precolombino, -a pre-Columbian (5)
preferir *(e → ie)* to prefer (I)
la pregunta question (II)
   hacer una — to ask a question (II)

preguntar to ask (II)
preocupar(se) to worry (10)
preparar to prepare (I)
presentar to introduce (I)
   —(se) to join *(army)* (7)
   te presento a . . . I'd like you to meet . . . (I)
el presente present (5)
la presión pressure, stress (2)
prestado, -a: pedir — (a) to borrow (from) (II)
prestar to lend (II)
primaria: la escuela — elementary school (II)
la primavera spring (I)
primero (primer), -a first (I)
el primo, la prima cousin (I)
principal *adj.* main, principal (II)
privado, -a private (6)
probable probable (8)
probar *(o → ue)* to try, to taste (I)
   —se to try on (II)
el problema problem (II)
procedente de arriving from (II)
productivo, -a productive (9)
el producto product (11)
la profesión profession (II)
el profesor, la profesora teacher (I)
el programa program (I)
prohibida: — para menores under 17 not admitted without an adult (4)
prohibir to prohibit (II)
   se prohíbe it's prohibited (II)
prometer to promise (7)
el pronóstico del tiempo weather forecast (I)
propio, -a own (II)
proponer to propose (11)
proteger(se) *(g → j)* to protect (oneself) (I, II)
la proteína protein (II)
protestar to protest (7)
próximo, -a next (II)
el proyector projector (II)
prudente cautious (I)
la prueba quiz (II); proof (8)
público, -a public (II)
el público viewers, public (4)
pude, pudiste *see* **poder**
el pueblo town (II); people (11)
el puente bridge (2)
la puerta door (I); gate (II)
pues well *(to indicate pause)* (I)
la pulsera bracelet (I, II)
   el reloj — wristwatch (I, II)
las puntadas stitches (II)
   hacer — to stitch *(surgically)* (II)
punto:
   el — de vista point of view (3)
   en — sharp, on the dot (I)

puntual punctual (9)
la puntualidad punctuality (9)
puntualmente on time (I)
el pupitre student desk (I)
puro, -a pure, clean (I)
puse, pusiste *see* **poner**

que that, who (I)
   lo — what (II)
¿qué? what? (I)
   ¿de — es...? what's it made of? (II)
   ¡— + *adj.***!** how + *adj.!* (I)
   ¿— tal? how's it going? (I)
   ¿— tal es . . . ? how is . . .? (II)
   ¡— va! not at all! (1)
quedar to fit; to be located (I)
   —se (en la cama) to stay (in bed) (I)
el quehacer (de la casa) household chore (I)
quejarse (de) to complain (about) (1)
quemar(se) to burn (oneself) (II)
querer *(e → ie)* to want (I)
   ¿qué quiere decir . . . ? what does . . . mean? (I)
   quisiera(s) I'd / you'd like (I, II)
querido, -a dear (6)
querremos, *see* **querer**
la quesadilla quesadilla (I)
el queso cheese (I)
el quiché Quiche (a Mayan language) (5)
¿quién(es)? who? whom? (I)
la química chemistry (II)
quince fifteen (I)
quinientos five hundred (I)
quinto, -a fifth (I)
el quiosco (de periódicos) newsstand (II)
quisiera *see* **querer**
quisieron *see* **querer**
quitar la mesa to clear the table (I)
quitarse to take off *(clothing, make-up, etc.)* (II)

el radio radio (set) (II)
la radiografía X-ray (II)
   sacar una — to take an X-ray (II)
la rana frog (II)
la rapidez speed (6)
rápido, -a fast (2)
la raqueta (de tenis) (tennis) racket (II)
el rascacielos, *pl.* **los rascacielos** skyscraper (2)
el rasgo feature (11)
   rayas: a — striped (II)
la raza race (11)
la Raza *see* **Día**
   razón: (no) tener — to be right (wrong) (I)
la reacción reaction (II)
real real (I)

realidad: en — really (12)

el **realismo** realism (3)

realista realistic (I)

realizar *(z → c)* to perform (9)

rebelarse to revolt (11)

el **recado** message (6)

el/la **recepcionista** receptionist (9)

la **receta** prescription (II); recipe (II)

recetar to prescribe (II)

recibir to receive (I)

el **reciclaje: el centro de** — recycling center (I)

reciclar to recycle (I, II)

recientemente recently (4)

recoger *(g → j)* to gather, to pick up (I, II)

la **recomendación** recommendation (9)

recomendar *(e → ie)* to recommend (II)

reconquistar to reconquer (11)

recordar *(o → ue)* to remember (II)

recreo: el patio de — playground (II)

el **recuerdo** souvenir (I)

recurrir (a) to resort (to) (10)

la **redacción** editing (1)

el **redactor, la redactora** editor (12)

redondo, -a round (I)

reducir *(c → zc)* to reduce (I, II)

reflejado, -a reflected (3)

el **refresco** soft drink (I)

el **refrigerador** refrigerator (I)

el **refugio** shelter (7)

regalar to give a gift (I, II)

el **regalo** gift (I)

la **tienda de** —s gift shop (I)

regatear to bargain (II)

la **región** region (11)

registrar to inspect, to search (II)

la **regla** ruler (I)

regresar to come back, to return (I)

regular so-so, fair (I)

el **rehén,** *pl.* **los rehenes** hostage (10)

la **reina** queen (11)

reírse *(e → i)* to laugh (4)

la **reja** grating (11)

relacionarse con to relate to (1)

la **religión** religion (5)

el **relleno** filling (II)

el **reloj** clock (II)

el/la **remitente** sender (6)

reparar to repair, to fix (II)

el **repartidor, la repartidora** delivery person (9)

repartir to deliver (II)

repasar to review (II)

el **repelente** insect repellent (II)

el **reportaje** report (4)

el **requisito** requirement (9)

el **rescate** ransom (10)

la **reservación** reservation (II)

el **resfriado** cold (I)

resolver *(o → ue)* to solve (1)

respetar to respect (1)

respetuoso, -a respectful (9)

la **responsabilidad** responsibility (7)

responsable responsible (1)

la **respuesta** answer (II)

el **restaurante** restaurant (I)

el **resultado** result (11)

el **retraso** delay (II)

el **retrato** portrait (3)

la **reunión** gathering, get-together (I, II)

la **revista** magazine (I, II)

revolver *(o → ue)* to stir (II)

el **rey,** *pl.* **los reyes** king (11)

rico, -a rich (5)

el **río** river (II)

el **ritmo** rhythm (11)

robar to rob (II)

el **robot** robot (II)

rock: la música — rock music (II)

la **rodilla** knee (II)

rojo, -a red (I)

romántico, -a romantic (I)

el **rompecabezas** jigsaw puzzle (II)

romperse to break *(a bone)* (II)

la **ropa** clothes (I)

la — **para caballeros** men's wear (II)

la — **para damas** ladies' wear (II)

la — **para niños** children's wear (II)

rosado, -a pink (I)

roto, -a broken (II); torn (II)

rubio, -a blonde (I)

la **rueda** wheel (8)

la **silla de** —s wheelchair (II)

el **ruido** noise (2)

las **ruinas** ruins (I)

rural rural (2)

sábado Saturday (I)

el — **on Saturday** (I)

saber to know (how) (I, II)

(yo) no lo sabía I didn't know that (I)

sabroso, -a delicious, tasty (I)

el **sacapuntas** pencil sharpener (II)

sacar *(c → qu)* to take; to take out (I)

— **dinero** to withdraw money (I)

— **fotos** to take pictures (I)

— **una buena / mala nota** to get a good / bad grade (II)

— **un libro** to check out a book (I)

el **saco de dormir** sleeping bag (II)

sacudir to dust (I)

sagrado, -a sacred (5)

la **sal** salt (I)

la **sala** living room (I)

la — **de clases** classroom (I)

la — **de emergencia** emergency room (II)

la — **de estar** family room (I)

salado, -a salty (II)

la **salida** exit (II)

salir to go out, to leave (I)

la **salsa** sauce, dressing (I, II)

saltar (a la cuerda) to jump (rope) (II)

saltos: dar — to dive (II)

la **salud** health (I)

saludar to greet (II)

saludos a todos greetings to everyone (6)

salvaje wild *(animals)* (II)

el/la **salvavidas** lifeguard (9)

la **sandía** watermelon (II)

el **sandwich** sandwich (I)

la **sangre** blood (II)

sano, -a healthy (II, 2)

satélite: la televisión por — satellite television (4)

el **saxofón** saxophone (II)

se ha dicho *see* **decir**

el **secador de pelo** hair dryer (II)

la **secadora** (clothes) dryer (II)

secar *(c → qu)* to dry (II)

—**se (el pelo)** to dry (one's hair) (II)

la **sección** section (II)

seco, -a dry (II)

el **secretario, la secretaria** secretary (II)

secuestrar to kidnap (10)

el **secuestro** kidnapping, hijacking (10)

sed: tener — to be thirsty (I)

la **seda dental** dental floss (II)

seguida: en — right away (I)

seguir *(e → i)* to follow; to continue (II); to pursue (12)

— + *present participle* to continue + *verb* + -ing (5)

según according to (II)

segundo, -a second (I)

la **seguridad** safety (10)

el **cinturón de** — seatbelt (II)

el **sistema de** — security system (II)

seguro, -a safe (2)

estar — to be sure (8)

seis six (I)

seiscientos six hundred (I)

el **sello** stamp (I)

la **selva** forest (I)

la — **tropical** rain forest (I)

el **semáforo** traffic light (II)

la **semana** week (I)

el **fin de** — on the weekend (I)

el **semestre** semester (I)

sencillo, -a simple (II)

el **sendero** path (II, 2)

sensacionalista sensationalistic (II)

sentado, -a seated (3)

la **sentencia** sentence (10)

sentido: el — **del humor** sense of humor (1)

sentir:
    lo siento I'm sorry (I)
    —se *(e → ie)* to feel (II)
la **señal de alto** stop sign (II)
    señor Mr.; sir (I)
    señora Mrs.; ma'am (I)
    señorita Miss; miss (I)
    separado, -a (de) separated (from) (II)
    separar to separate; to sort (I, II)
    septiembre September (I)
    séptimo, -a seventh (I)
    ser to be (I)
el **ser humano** human being (II)
    sería *see* **ser**
    serio, -a serious (I)
la **serpiente** snake (I, II)
el **servicio:**
    la estación de — gas station (I)
    el — social social service (7)
los **servicios** restroom (II)
la **servilleta** napkin (I)
    servir *(e → i)* to serve (I)
    — para to be used for (8)
    ¿para qué sirve? what's it used for? (8)
    sesenta sixty (I)
    setecientos seven hundred (I)
    setenta seventy (I)
    severo, -a severe (10)
    sexto, -a sixth (I)
    si if, whether (I)
    sí yes; do + *verb (emphatic)* (I)
la **siembra** planting, sowing (5)
    siempre always (I)
    siete seven (I)
el **siglo** century (3)
el **significado** meaning (5)
la **sílaba** syllable (5)
la **silla** chair (I)
    la — de ruedas wheelchair (II)
el **sillón** armchair (I)
    silvestre wild *(plants)* (II)
el **símbolo** symbol (5)
    simpático, -a nice, friendly (I)
    sin without (II)
    — embargo nevertheless (2)
la **sinagoga** synagogue (11)
    sincero, -a sincere (1)
    sino but *(after negative)* (7)
    no sólo . . . — también not only . . . but also (9)
    sintético, -a synthetic (II)
el **síntoma** symptom (II)
el **sistema de seguridad** security system (II)
    situado, -a situated, placed (2)
    sobre about; on (I)
    patinar — hielo to ice skate (II)
el **sobre** envelope (6)

el **sobrino, la sobrina** nephew, niece (II)
    sociable outgoing (I)
la **sociedad** society (7)
el **sofá** sofa (I)
el **sol** sun (I)
    los anteojos de — sunglasses (I)
    hace — it's sunny (I)
    tomar el — to sunbathe (I)
    solar solar (II)
    soler *(o → ue)* + *inf.* to be in the habit of (I, II)
    solicitar to solicit *(donations)* (7)
la **solicitud** application (9)
    solo, -a alone (I)
    sólo only (I)
    no — . . . sino también not only . . . but also (9)
    soltero, -a single, unmarried (II)
la **sombra** shade (II); shadow (3)
    sonar *(o → ue)* to ring (6)
    sonido: el equipo de — stereo (I)
    soñar *(o → ue)* **(con)** to dream (about) (12)
la **sopa** soup (I)
    soportar to tolerate, to stand (II)
    sordo, -a deaf (12)
    sorprender(se) to surprise (10)
la **sorpresa: la fiesta de —** surprise party (I, II)
    soso, -a tasteless (II)
el **sospechoso, la sospechosa** suspect (10)
el **sótano** basement (I)
    su, sus his, her; your *formal,* their (I)
el **subconsciente** subconscious (3)
el **sube y baja** seesaw (II)
    subir to climb (I)
    subjetivo, -a subjective (4)
    sucio, -a dirty (I)
la **sudadera** sweatshirt (I)
el **sueldo** salary (9)
el **suelo** floor (II)
    sueño: tener — to be sleepy (I)
el **sueño** dream (3)
    suerte: por — luckily (II)
el **suéter** sweater (I)
    el — de cuello alto turtleneck (II)
    suficiente sufficient, enough (II)
    sugerir *(e → ie)* to suggest (II)
el **sujetapapeles** paper clip (II)
el **supermercado** supermarket (I)
    suponer to suppose (8)
    supuesto: por — of course (I, II)
    surf:
    hacer — to surf (II)
    hacer — de vela to windsurf (II)
    la tabla de — surfboard (II)
el **surrealismo** surrealism (3)

    suyo, -a (of) his, her (of hers), your (of yours), their (of theirs) (II)
el **suyo, la suya** yours, his, hers, theirs (II)

la **tabla (de surf)** surfboard (II)
    tacaño, -a stingy (I)
el **taco** taco (I)
el **tacón** heel (I, II)
    tal:
    ¿qué —? how's it going? (I)
    ¿qué — es . . . ? how is . . . ? (II)
    — como such as (4)
la **talla** clothing size (II)
el **tamaño** size (II)
    también also, too (I)
el **tambor** drum (5)
    tampoco either, neither, not either (I)
    tan + *adj.* + **como** as + *adj.* + as (II)
    tanto(s), -a(s) + *noun* + **como** as much / many + *noun* + as (II)
las **tapas** Spanish-style appetizers (II)
    tardar (en) to take time (to) (2)
    tarde late (I)
la **tarde** afternoon (I)
    buenas —s good afternoon, good evening (I)
    de/por la — in the afternoon (I)
la **tarea** homework (I); task (9)
la **tarjeta** card (I)
    la — de crédito credit card (II)
    la — de embarque boarding pass (II)
    la — postal post card (I)
la **tarta** pie (II)
el **taxi** taxi (I)
la **taza** cup (I)
el **tazón** bowl (I)
    te *fam. obj. pron.* you (I)
el **té** tea (I)
    el — helado iced tea (I)
el **teatro** theater (I)
    la obra de — play (II)
el **técnico, la técnica (de computadoras)** (computer) technician (II)
la **tecnología** technology (II)
la **tela** fabric, cloth (II)
    telefónica: la oficina — telephone office (II)
el **teléfono** telephone (I)
    el número de — phone number (I)
    por — on the telephone (I)
    el — celular cellular phone (6)
    el — con video video telephone (II)
    el — inalámbrico cordless phone (6)
    el — público public (pay) phone (II)
el **telegrama** telegram (6)
la **telenovela** soap opera (I)

la **tele(visión)** television (I)
    la **— por cable** cable television (4)
    la **— por satélite** satellite television (4)
el **televisor** TV set (II)
el **tema** subject (3)
temer (a) to fear (10)
el **temor** fear (10)
el **templo** temple (I, 5)
temprano early (I)
el **tenedor** fork (I)
tener to have (I)
    ¿qué tienes? what's wrong? (I)
    — que + *inf.* to have to (I)
    — en común to have in common (1)
(yo) tendría que *see* **tener**
(tú) tendrías que *see* **tener**
el **tenis** tennis (I)
los **tenis** sneakers (I)
la **teoría** theory (8)
tercer, -a third (I)
la **terminal de equipaje** baggage claim (II)
terminar to end (I)
el **terremoto** earthquake (II)
terrible terrible (I)
terror: la película de — horror film (I)
el **terrorismo** terrorism (10)
el/la **testigo** witness (10)
ti you *fam. after prep.* (I)
el **tiempo** time; weather (I)
    (de) — completo full-time (9)
    (de) — parcial part-time (9)
    hace buen/mal — the weather is nice/bad (I)
    el pronóstico del — weather forecast (I)
    ¿qué — hace? what's the weather like? (I)
tener — de + *inf.* to have time + *inf.* (II)
la **tienda** store (I)
    poner una — to pitch a tent (II)
    la **— (de acampar)** tent (II)
la **Tierra** Earth (I, II)
el **tigre** tiger (I)
tímido, -a shy (II)
el **tío, la tía** uncle, aunt (I)
    los **tíos** uncles; aunts and uncles (I)
típico, -a typical (I, II)
el **tiroteo** shooting (10)
el **tobillo** ankle (II)
el **tobogán** slide (II)
el **tocacintas** tape player (II)
tocar *(c → qu)* to play (I)
todavía still (I)
    — no not yet (I)
todos, -as all; everyone (I)
    — los días every day (I)
tomar to take (I)
    — el sol to sunbathe (I)

el **tomate** tomato (I)
la **tonelada** ton (8)
el **tono** tone *(in a painting)* (3); dial tone (6)
tonto, -a silly, dumb (I)
la **tormenta** storm (II)
la **torre** tower (11)
la **tortilla** tortilla (I)
    la **— española** potato and onion omelet (II)
la **tortuga** turtle (II)
la **tos** cough (II)
    el **jarabe (para la —)** cough syrup (II)
toser to cough (II)
tostado: el pan — toast (I)
el **tostador** toaster (II)
trabajador, -a hardworking (I)
trabajar to work (I)
el **trabajo** work (7)
la **tradición** tradition (5)
la **traducción** translation (12)
traducir *(c → zc)* to translate (12)
el **traductor, la traductora** translator (12)
traer to bring (I)
el **tráfico** traffic (II)
el **traje** suit (I, II)
    el **— de baño** bathing suit (I)
trajeron *see* **traer**
el **trampolín** diving board (II)
tranquilo, -a still, calm (1)
transformar(se) to transform (3)
el **transporte** transportation (II)
tratar (bien/mal) to treat (well/badly) (9)
    — de to try to (3)
    —se de to be about (II)
través: a — de through (11)
travieso, -a mischievous, naughty (II)
trazar *(z → c)* to draw (8)
trece thirteen (I)
treinta thirty (I)
el **tren** train (I)
tres three (I)
trescientos three hundred (I)
el **triciclo** tricycle (II)
    montar en — to ride a tricycle (II)
triste sad (I)
la **trompeta** trumpet (II)
tu, tus your *fam.* (I)
tú you *fam.* (I)
la **tumba** tomb (5)
el **turismo: la oficina de —** tourist office (II)
el/la **turista** tourist (II)
el **tutor, la tutora** tutor (II)
tuve, tuviste *see* **tener**
tuyo, -a your, (of) yours (II)
el **tuyo, la tuya** yours (II)

último, -a last (II)
la **uña** fingernail (II)
    el esmalte de —s nail polish (II)
único, -a only (I)
unir to unite (7)
la **universidad** university (II)
uno (un), una a, an, one (I)
    es la una it's one o'clock (I)
    — one, a person (II)
unos, -as a few, some (I)
usar to use (I, II); to wear (II)
usted (Ud.) you *formal sing.* (I)
ustedes (Uds.) you *formal pl.* (I)
útil useful (12)
la **uva** grape (I)

la **vaca** cow (I)
las **vacaciones** vacation (I)
    ir de — to go on vacation (I)
valer: (no) vale la pena it's (not) worthwhile (I)
el **valle** valley (I)
el **valor** value (3)
vanidoso, -a vain (1)
el **vaquero, la vaquera** cowboy, cowgirl (II)
la **vasija** jar (5)
el **vaso** glass (I)
¡vaya! my goodness! gee! wow! (I)
el **vecino, la vecina** neighbor (II)
veinte twenty (I)
veintiuno (veintiún) twenty-one (I)
la **vela** candle (II); sail (II)
el **venado** deer (II)
la **venda** bandage (II)
el **vendedor, la vendedora** salesperson (II)
vender to sell (I)
    —se to be sold (II)
venenoso, -a poisonous (II)
venir *(e → ie)* to come (2)
venta: el / la agente de —s (sales) agent (12)
la **ventaja** advantage (II)
la **ventana** window (II)
la **ventanilla** *(plane)* window (II)
el **ventilador** electric fan (II)
ver to see, to watch (I)
    a — let's see (I)
    —se to see each other (II)
el **verano** summer (I)
veras: ¿de —? really? (I)
la **verdad** truth (II)
    ¿—? isn't that so?, right? (I)
verde green (I)
la **verdulería** greengrocer (II)
las **verduras** vegetables (I)
el **vestido** dress (I)
vestirse *(e → i)* to get dressed (II)
el **veterinario, la veterinaria** veterinarian (II)

la **vez,** *pl.* **las veces** time (I)
    a la — at the same time (I)
    a veces at times, sometimes (I)
    alguna — ever (I)
    cada — **más** more and more (6)
    de — **en cuando** sometimes (II)
    dos veces twice (I)
    muchas veces many times (I)
    una — one time, once (I)
vía: por — **aérea** by air mail (6)
viajar to travel (12)
el **viaje** trip, voyage (II)
    la agencia de —**s** travel agency (II)
    el / la agente de —**s** travel agent (II)
el **viajero, la viajera** traveler (II)
    el cheque de — traveler's check (II)
la **víctima** victim (II)
la **vida** life (I)
    ganarse la — to earn a living (II)
    el programa de hechos de la —
      real fact-based program (I)
el **video** video (II)
la **videocasetera** VCR (I)
el **videojuego** video game (I)

el **vidrio** glass (I, II)
    de — (made of) glass (I)
viejo, -a old (I)
el **viento** wind (I)
    hace — it's windy (I)
viernes Friday (I)
    el — on Friday (I)
vigilar to guard (10)
el **vinagre** vinegar (II)
la **violencia** violence (II)
violento, -a violent (II)
el **violín** violin (II)
el **virus** virus
visitar to visit (I)
la **vitamina** vitamin (II)
vivir to live (I)
vivo, -a bright (3)
volar *(o → ue)* to fly (8)
el **vóleibol** volleyball (I)
voluntario(a): trabajar como — to
    volunteer (II)
volver *(o → ue)* **a** + *inf.* to do
    (something) again (6)
vomitar to vomit (II)

vosotros, -as you *pl.* (I)
votar to vote (7)
voz: en — **alta/baja** in a loud/soft
    voice (6)
el **vuelo** flight (II)
    el / la auxiliar de — flight
      attendant (II)
vuelta *see* **boleto**

y and (I)
ya already (I)
    — **no** no longer, not anymore (I)
el **yeso** cast (II)
el **Yeti** the abominable snowman (8)
yo I (I)

la **zanahoria** carrot (I)
la **zapatería** shoe store (I)
el **zapato** shoe (I)
    los —**s de tacón alto** high-heeled
      shoes (I, II)
el **zoológico** zoo (I)

VOCABULARIO INGLÉS-ESPAÑOL

Este *Vocabulario* contiene todo el vocabulario activo de *PASO A PASO 1, 2* y *3*.

Un guión (—) representa la palabra principal del artículo. Por ejemplo, **to make a phone —** a continuación de **call** significa **to make a phone call.**

El número que sigue a cada artículo indica el capítulo en que se presenta la palabra o expresión. Un número romano (I) indica que la palabra se presentó en *PASO A PASO 1;* un número romano (II) indica que se presentó en *PASO A PASO 2.*

Se emplean las abreviaturas siguientes: *adj.* (adjetivo), *dir. obj.* (complemento directo), *f.* (femenino), *fam.* (familiar), *ind. obj.* (complemento indirecto), *inf.* (infinitivo), *m.* (masculino), *pl.* (plural), *prep.* (preposición), *pron.* (pronombre), *sing.* (singular).

a, an un, una (I)
able: to be — poder (*o → ue*) (I)
abominable snowman el Yeti (8)
about sobre (I)
  to be — tratarse de (II)
abstract abstracto, -a (3)
abundant abundante (2)
academic académico, -a (12)
to **accept** aceptar (5)
accident el accidente (II)
according to según (II)
accountant el contador, la contadora (12)
accused (person) el acusado, la acusada (10)
ache el dolor (I)
to **achieve** alcanzar (*z → c*) (9)
acquainted: to be — with conocer (*c → zc*) (I, II)
to **acquire** adquirir (*i → ie*) (1)
to **act** actuar (*u → ú*) (II)
acting la actuación (II)
action:
  — figure el muñeco (II)
  — film la película de acción (II)
actively activamente (12)
activity la actividad (II)
actor, actress el actor, la actriz (I)
ad el anuncio (I)
addition: in — además (II)
address la dirección, *pl.* las direcciones (II)
addressee el destinatario, la destinataria (6)
administrative administrativo, -a (9)
to **admire** admirar (1)
to **adopt** adoptar (11)
adults only sólo para mayores (4)
advanced avanzado, -a (5)
advantage la ventaja (II)
adventure film la película de aventuras (I)
advice el consejo (1)
  to give a piece of — dar un consejo (1)
affectionate cariñoso, -a (I)
to **affirm** afirmar (8)
affirmation la afirmación (8)

afraid: to be — (of) tener miedo (de) (10)
African africano, -a (11)
after después (de) (I)
  — + *verb* después de + *inf.* (II)
  — school después de las clases (I)
afternoon la tarde (I)
  — snack la merienda (I)
  good — buenas tardes (I)
  in the — por la tarde (I)
afterward luego (I)
again de nuevo (II)
  to do something — volver a + inf. (6)
against en contra (de) (7)
age la época (3)
  at the age of ... a los ... años (II)
  at what —? ¿a qué edad? (II)
agency: travel — la agencia de viajes (II)
agent:
  sales — el / la agente de ventas (12)
  travel — el / la agente de viajes (II)
ago hace + *(time)* ... (I)
to **agree** estar de acuerdo (I)
  not to — with *(food)* hacer daño a (II)
agriculture la agricultura (5)
aide el / la ayudante (1)
air el aire (I)
  — conditioning el aire acondicionado (II)
  by —mail por vía aérea (6)
airline la línea aérea (II)
airplane el avión, *pl.* los aviones (II)
airport el aeropuerto (II)
aisle el pasillo (II)
alarm la alarma (10)
  — clock el despertador (II)
algebra el álgebra *f.* (II)
alien el / la extraterrestre (II)
all todo, -a (I)
  — over por todas partes (II)
  — right bueno (I)
  — the same (to me) (me) da igual (II)
All Souls' Day el Día de los Muertos (11)
allergic (to) alérgico, -a (a) (II)
allergy la alergia (II)
to **allow** permitir (II)
  it's —ed se permite (II)
almost casi (I)

alone solo, -a (I)
already ya (I)
also también (I)
although aunque (1)
aluminum el aluminio (I)
always siempre (I)
ambitious ambicioso, -a (9)
ambulance la ambulancia (II)
among entre (I)
to **amuse (oneself)** entretener(se) (*e → ie*) (4)
amusement park el parque de diversiones (I)
amusing divertido, -a (I)
to **analyze** analizar (*z → c*) (4)
ancestors los antepasados (5)
ancestry la descendencia (11)
and y (I)
angry: to get — enojarse (1)
animal el animal, *pl.* los animales (I, II)
  stuffed — el animal de peluche (II)
  wild — el animal salvaje (II)
ankle el tobillo (II)
anniversary el aniversario (II)
announcer el locutor, la locutora (II)
to **annoy** molestar (II)
another otro, -a (I)
answer la respuesta (II)
to **answer** contestar (II)
answering machine el contestador automático (6)
ant la hormiga (II)
anthropologist el antropólogo, la antropóloga (5)
antibiotic el antibiótico (II)
any cualquier (9)
  not — ninguno (ningún), -a (I, II)
anybody cualquiera (6)
anything else algo más (I)
anywhere: not — ninguna parte (I)
apartment el apartamento (I)
to **appear** aparecer (*c → zc*) (8)
appetizers *(Spanish-style)* las tapas (II)
apple la manzana (I)
appliance el aparato (II)
application la solicitud (9)
appointment la cita (9)

appropriate adecuado, -a; oportuno, -a (9)

approximately aproximadamente (6)

April abril (I)

archaeologist el arqueólogo, la arqueóloga (5)

architect el arquitecto, la arquitecta (5)

area el campo (5)

to argue discutir (1)

arm el brazo (I)

armchair el sillón, *pl.* los sillones (I)

armed a mano armada (10)

army el ejército (7)

around here por aquí (I)

to arrest arrestar (II)

to arrive llegar *(g → gu)* (I)

arriving from procedente de (II)

art el arte (I, II)
— exhibit la exposición (*pl.* las exposiciones) de arte (II)

artist el / la artista (3)

artistic artístico, -a (I)

as:
— + *adj.* — tan + *adj.* + como (II)
— much (many) + *noun* + — tanto, -a (tantos, -as) + *noun* + como (II)
such — tal como (4)

to ask preguntar (II)
to — a question hacer una pregunta (II)
to — for pedir *(e → i)* (I)

asparagus el espárrago (II)

assault el atentado (10)

assistance la ayuda (II)

assistant el / la ayudante (1)

to astonish asombrar (10)

astronaut el / la astronauta (II)

astronomer el astrónomo, la astrónoma (5)

at en; a (I); por (II)

athlete el / la deportista (II)

athletic deportista (I)

atmosphere el ambiente (I)

attack el ataque (10)

to attend to atender *(e → ie)* (a) (9)

attention: to pay — to hacer caso a (1); fijarse (en) (3)

to attract atraer (3)

attractive atractivo, -a (I)

auditorium el auditorio (II)

August agosto (I)

aunt la tía (I)
— s and uncles los tíos (I)

automatic automático, -a (II)

autumn el otoño (I)

avenue la avenida (I)

avocado el aguacate (I)
— dip el guacamole (I)

to avoid evitar (10)

to baby-sit cuidar niños (II)

back la espalda (I)
in the — al fondo (II)

background el fondo (3)

backpack la mochila (I)

bad malo, -a (I)
to have a — time pasarlo mal (I, II)
That's too —! ¡Qué lástima! (I)

badly mal (1)

baggage el equipaje (II)
— claim la terminal de equipaje (II)

baked *adj.* al horno (II)

bakery la panadería (II)

balcony el balcón, *pl.* los balcones (11)

ball la pelota (II); *(inflated)* el balón, *pl.* los balones (II)

banana el plátano (I)

band la banda (II)

bandage la venda (II)

bank el banco (I)

banker el banquero, la banquera (12)

barbecue la barbacoa (II)
to have a — hacer una barbacoa (II)

bargain la ganga (I)

to bargain regatear (II)

baseball el béisbol (I)

based (on) basado, -a (en) (II)

basement el sótano (I)

basketball el básquetbol (I)

bass el contrabajo (II)

bat *(baseball)* el bate (de béisbol) (II)

bath: to take a — bañarse (II)

bathing suit el traje de baño (I)

bathroom el baño (I)

battery la pila (II)

battle la batalla (11)

to be estar; ser (I)
to — a part (of) formar parte (de) (11)
to — about tratarse de (II)
to — (used) for servir *(e → i)* para (8)

beach la playa (I)

bean el frijol (I)
green —s las judías verdes (I)
refried —s los frijoles refritos (I)

bear el oso (I)

beautiful bello, -a (2)

because porque (I)

to become adquirir *(i → ie)* (1)

bed la cama (I)
to go to — acostarse *(o → ue)* (II)

bedroom el dormitorio (I)

bee la abeja (II)

beef la carne (de res) (I)

before + *verb* antes de + *inf.* (II)

to begin empezar *(e → ie)* *(z → c)* (I)

behalf: on — of por (7)

to behave (well / badly) portarse (bien / mal) (II)

behind detrás (de) (I)

to believe creer (I)

to belong pertenecer *(c → zc)* (8)

below abajo (3)

belt el cinturón, *pl.* los cinturones (II)

benefit el beneficio (12)

to benefit beneficiar(se) (7)

beside al lado de (I)

besides además (II)

best el / la (los / las) mejor(es) (I)
the — (thing) lo mejor (1)

better mejor (I)

between entre (I)

beverage la bebida (I)

bicycle la bicicleta (I, II)
to ride a — montar en bicicleta (I, II)

big grande (I)
— screen TV la pantalla gigante (II)

bike *see* bicycle

bilingual bilingüe (12)

bill *(restaurant)* la cuenta (I)

binder (3-ring) la carpeta de argollas (I)

biology la biología (II)

bird el pájaro (I, II)

birthday el cumpleaños (I)
— card la tarjeta de cumpleaños (I)
— party la fiesta de cumpleaños (I, II)
happy —! ¡feliz cumpleaños! (I)
to have a — cumplir años (II)

bite *(insect)* la picadura (II)

to bite *(insect)* picar *(c → qu)* (II)

bitter amargo, -a (II)

black negro, -a (I)
in — and white en blanco y negro (I)

block la cuadra (I); *(toy)* el bloque (II)
how many —s (from . . .)? ¿a cuántas cuadras (de …)? (I)

blond rubio, -a (I)

blood la sangre (II)

blouse la blusa (I)

to blow out *(candles)* apagar *(g → gu)* (II)

blue azul (I)

boarding pass la tarjeta de embarque (II)

body el cuerpo (I)

to boil hervir *(e → ie)* (II)

bold atrevido, -a (I)

bone el hueso (II)
to break a — romperse (II)

book el libro (I)
— bag el bolso (II)

bookstore la librería (I)

boot la bota (I)
half — el botín, *pl.* los botines (II)

border la frontera (12)
to **bore** aburrir (I)
bored: to be — aburrirse (II)
boring aburrido, -a (I)
born: to be — nacer (II)
to **borrow (from)** pedir *(e → i)*
   prestado, -a (a) (II)
boss el jefe, la jefa (9)
to **bother** molestar (II)
bottle la botella (I, II)
bowl el tazón, *pl.* los tazones (I);
   (earthenware) el cuenco (5)
bowling los bolos (II)
boy el muchacho (I); el niño (II)
boyfriend el novio (I)
bracelet la pulsera (I, II)
braces los frenillos (II)
bread el pan (I)
to **break** *(a bone)* romperse (II)
breakfast el desayuno (I)
  for — en el desayuno (I)
  to have — desayunar (II)
bridge el puente (2)
bright vivo, -a (3)
to **bring** traer (I)
  they brought trajeron (11)
broken roto, -a (II)
brother el hermano (I)
  —s and sisters los hermanos (I)
  —-in-law el cuñado (II)
brown marrón, *pl.* marrones (I);
   (hair) castaño (I)
to **brush** *(one's teeth, hair, etc.)* cepillarse
   (los dientes, el pelo, etc.) (II)
to **build** construir *(i → y)* (5)
building el edificio (II)
buried enterrado, -a (5)
to **burn** quemar (II)
  to — oneself quemarse (II)
burrito el burrito (I)
bus el autobús, *pl.* los autobuses (I)
  — stop la parada del autobús (I)
business los negocios (II)
  —man, —woman el hombre / la
   mujer de negocios (II)
busy ocupado, -a (I)
but pero (I); *(after negative)* sino (7)
butcher shop la carnicería (II)
butter la mantequilla (I)
butterfly la mariposa (II)
button el botón, *pl.* los botones (II)
to **buy** comprar (I)
by por (I); + *vehicle* en (I)

cable television la televisión por cable
  (4)
cactus el cacto (I, II)
cafeteria la cafetería (II)
cake el pastel (I, II)

calamine lotion la calamina (II)
to **calculate** calcular (8)
calculator la calculadora (I)
calendar el calendario (5)
call la llamada (6)
  to make a — hacer una llamada (6)
  to make a collect — hacer una
   llamada a cobro revertido (6)
  to make a long-distance — hacer
   una llamada de larga distancia (6)
to **call** llamar (I)
calm tranquilo, -a (1)
calorie la caloría (II)
camera la cámara (I)
campaign la campaña (1)
  electoral — la campaña electoral (7)
campground el campamento (II)
camping: to go — ir de camping (II)
can poder *(o → ue)* (I); la lata (I, II)
  — opener el abrelatas (II)
candidate el candidato, la candidata (7)
candle la vela (II)
candy el dulce (II)
canned enlatado, -a (II)
canoe la canoa (II)
  to go —ing navegar *(g → gu)* en
   canoa (II)
cantaloupe el melón, *pl.* los melones (II)
canvas la lona (II)
cap la gorra (II)
  ski — el gorro (I)
capable capaz, *pl.* capaces (9)
car el coche (I)
  — coat el chaquetón, *pl.* los
   chaquetones (II)
carbohydrate el carbohidrato (II)
card la tarjeta (I)
  ID — el carnet de identidad (II)
cardboard el cartón (I, II)
career la carrera (12)
careful cuidadoso, -a (9)
  to be — (of / with) tener cuidado
   (con) (II)
carousel el carrusel (II)
carrot la zanahoria (I)
carte: a la — a la carta (I)
cartoons los dibujos animados (I)
case: in — of en caso de (II)
cash (el dinero) en efectivo (II)
to **cash** cambiar (II)
cashier el cajero, la cajera (II)
  —'s station la caja (II)
cassette el casete (II)
cast el yeso (II)
castle el castillo (11)
cat el gato (I)
catalog el catálogo (II)
cathedral la catedral (I)
cause la causa (7)

cautious prudente (I)
CD el disco compacto (II)
to **celebrate** celebrar (II)
celebration la celebración, *pl.* las
  celebraciones (II)
censorship la censura (4)
center el centro (I); *(middle)* el centro (3)
  community — el centro de la
   comunidad (7)
  day-care — la guardería infantil (II)
  recreation — el centro recreativo (7)
  recycling — el centro de reciclaje (I)
  rehabilitation — el centro de
   rehabilitación (7)
  shopping — el centro comercial (I)
centimeter el centímetro (8)
central central (II)
century el siglo (3)
cereal el cereal (I)
ceremony la ceremonia (5)
certain cierto, -a (8)
chain la cadena (II)
  key — el llavero (II)
chair la silla (I)
chalkboard la pizarra (I)
champion el campeón, *pl.* los
  campeones; la campeona (II)
championship el campeonato (II)
chance la oportunidad (2)
change el cambio (II)
to **change** cambiar (II)
  to — channels cambiar de canal (4)
channel el canal (I)
chapter el capítulo (II)
character el personaje (II)
charge: to take — of encargarse
   (g → gu) (de) (9)
to **chat** charlar (II)
cheap barato, -a (I)
check el cheque (II)
to **check** *(baggage)* facturar (II)
  to — out a book sacar un libro (I)
checked *(design)* a cuadros (II)
checkers las damas (II)
cheese el queso (I)
chemistry la química (II)
cherry la cereza (II)
chess el ajedrez (II)
chestnut(-colored) castaño, -a (I)
chicken el pollo (I)
  — soup la sopa de pollo (I)
child el niño, la niña (II)
  as a — de pequeño, -a (II)
  only — el hijo único, la hija única (I)
children los niños (II)
  —'s wear la ropa para niños (II)
chili pepper el chile (I)
chocolate: hot — el chocolate (I)
choir el coro (II)

to **choose** escoger *(g → j)* (I, II)
to **chop** picar *(c → qu)* (II)
chore el quehacer (I)
   household — el quehacer de la casa (I)
chorus el coro (II)
Christian el cristiano, la cristiana (11)
Christmas la Navidad (II)
   — **Eve** la Nochebuena (II)
church la iglesia (I)
churro el churro (I)
citizen el ciudadano, la ciudadana (7)
citizenship la ciudadanía (7)
city la ciudad (I)
civilization la civilización, *pl.* las civilizaciones (5)
clarinet el clarinete (II)
class la clase (de) (I)
classical clásico, -a (II)
classified ads los anuncios clasificados (9)
to **classify** clasificar *(c → qu)* (4)
classmate el compañero, la compañera (I)
classroom la sala de clases (I)
clean limpio, -a; puro, -a (I)
to **clean** limpiar (I)
   to — **up** arreglar (I)
to **clear the table** quitar la mesa (I)
client el cliente, la clienta (9)
to **climb** subir (I)
clinic la clínica (I)
clock el reloj (II)
   alarm — el despertador (II)
close íntimo, -a (1)
to **close** cerrar *(e → ie)* (I)
closet el guardarropa (I)
cloth la tela (II)
clothes la ropa (I)
club el club, *pl.* los clubes (II)
coach el entrenador, la entrenadora (II)
coat el abrigo (I)
   car — el chaquetón, *pl.* los chaquetones (II)
cockroach la cucaracha (II)
coffee el café (I)
coin la moneda (II)
cold frío, -a (I)
   to be (very) — tener (mucho) frío (I)
   to have a — tener (un) resfriado (I)
   it's — **out** hace frío (I)
to **collaborate** colaborar (con) (7)
to **collect** coleccionar (II)
collect call la llamada a cobro revertido (6)
collection la colección, *pl.* las colecciones (II)
colony la colonia (11)
color el color (I)
   in — en colores (I)
   what —? ¿de qué color? (I)

Columbus Day el Día de la Raza (II)
comb el peine (II)
to **comb one's hair** peinarse (II)
to **combine** combinar(se) (11)
to **come** venir *(e → ie)* (2)
comedy la comedia (I)
comfortable cómodo, -a (I)
comical cómico -a (I)
commentary el comentario (4)
commercial el anuncio (de televisión) (I)
to **commit** cometer (12)
common: to have in — tener en común (1)
to **communicate** comunicar(se) *(c → qu)* (6)
community la comunidad (I)
compact disc el disco compacto (II)
to **complain (about)** quejarse (de) (1)
to **complete** completar (7)
completely completamente (12)
composed: to be — **of** componer(se) de (11)
composition la composición (II)
computer la computadora (II)
   — **technician** el técnico, la técnica de computadoras (II)
concert el concierto (I)
conflict el conflicto (1)
confused: to be — confundirse (12)
to **congratulate** felicitar (II)
congratulations! ¡felicidades! (II)
to **conquer** conquistar (11)
conqueror el conquistador (11)
to **conserve** conservar (I, II)
considerate considerado, -a (1)
consist: to — **of** componer(se) de (11)
to **construct** construir *(i → y)* (5)
contact el contacto (12)
contact lenses los lentes de contacto (II)
to **contaminate** contaminar (II)
contaminated contaminado, -a (I, II)
continent el continente (11)
to **continue** + *verb* + *-ing* seguir *(e → i)* + *present participle* (5)
to **contribute** contribuir *(i → y)* (2)
contribution la contribución, *pl.* las contribuciones (5)
to **control** controlar (4)
convenient conveniente (2)
   to be — convenir *(e → ie)* (9)
cook el cocinero, la cocinera (II)
to **cook** cocinar (I)
cooked cocido, -a (II)
cool: it's — **out** hace fresco (I)
corn el maíz (I)
   — **tortilla** la tortilla de maíz (I)
corner la esquina (I)
corporal corporal (10)

correspondence la correspondencia (6)
correspondent el / la corresponsal (12)
to **cost** costar *(o → ue)* (I)
cotton el algodón (II)
cough la tos (II)
   — **syrup** el jarabe (para la tos) (II)
to **cough** toser (II)
could you . . . ? ¿podría (Ud.) / podrías (tú) + *inf.?* (II)
counselor el consejero, la consejera (II)
counter el mostrador (II)
country el país (I)
countryside el campo (I)
course:
   of — claro que sí (I); por supuesto (I, II)
   of — **not** ¡claro que no! (I)
courteous cortés, *pl.* corteses (9)
cousin el primo, la prima (I)
cow la vaca (I)
cowboy, cowgirl el vaquero, la vaquera (II)
coyote el coyote (II)
to **create** crear (6)
   it will create creará (6)
creation la creación, *pl.* las creaciones (11)
creator el creador, la creadora (8)
credit card la tarjeta de crédito (II)
crime el crimen (II)
criminal el / la criminal (II)
critical crítico, -a (4)
to **critique** criticar *(c → qu)* (3)
to **cross** cruzar *(z → c)* (II)
crossword puzzle el crucigrama (II)
crowded lleno, -a de gente (2)
crutches las muletas (II)
to **cry** llorar (I)
cubism el cubismo (3)
cucumber el pepino (II)
to **cultivate** cultivar (2)
cultural cultural (11)
culture la cultura (5)
cup la taza (I)
currency exchange la casa de cambio (II)
custom la costumbre (5)
customer el cliente, la clienta (8)
customs la aduana (II)
   — **agent** el aduanero, la aduanera (II)
to **cut** cortar (I)
   to — **oneself** cortarse (II)
cyclist el / la ciclista (2)

daily diario, -a (2)
daily special el plato del día (I)
to **damage** dañar (II)
dance el baile (I, II)
to **dance** bailar (I, II)
dancer el bailarín, la bailarina (II)
danger el peligro (I, II)

dangerous peligroso, -a (II, 2)
daring atrevido, -a (I)
dark *(color)* oscuro, -a (II)
data los datos (8)
date la fecha (I)
   what's today's —? ¿cuál es la fecha
     de hoy? (I)
daughter la hija (I)
dawn el amanecer (II)
day el día (I)
   every — todos los días (I)
Day of the Dead el Día de los Muertos
   (11)
dead muerto, -a (II)
deaf sordo, -a (12)
dear querido, -a (6)
death la muerte (10)
December diciembre (I)
to **decide** decidir (2)
to **decorate** decorar (I)
decoration la decoración, *pl.* las
   decoraciones (I)
deer el venado (II)
to **defend (oneself)** defender(se)
   (e → ie) (10)
delay el retraso (II); tardar (en) (2)
delicious sabroso, -a (I)
delighted encantado, -a (I)
delinquent el / la delincuente (10)
to **deliver** repartir (II)
delivery: by special — por correo
   urgente (6)
delivery person el repartidor, la
   repartidora (9)
to **demand** exigir *(g → j)* (7)
   I demand, you demand (yo) exijo,
     (tú) exiges (7)
demonstration la manifestación, *pl.* las
   manifestaciones (7)
dental floss la seda dental (II)
dentist el / la dentista (II)
deodorant el desodorante (II)
to **depend (on)** depender (de) (I, II)
to **deposit** depositar (I)
descent la descendencia (11)
desert el desierto (II, 8)
to **deserve** merecer *(c → zc)* (9)
design el diseño (8)
desk el escritorio; *(student)* el pupitre
   (I)
dessert el postre
   for — de postre (I)
to **destroy** destruir *(i → y)* (II)
detective el / la detective (II)
   — show el programa de detectives
     (I)
to **develop** desarrollar (5)
device el aparato (II)
to **devote oneself (to)** dedicarse

   (c → qu) (a) (II)
to **dial** *(a telephone number)* marcar
   (c → qu) (6)
dial tone el tono (6)
diameter el diámetro (8)
dictionary el diccionario (I)
to **die** morir(se) *(o → ue)* (11)
different diferente (2)
difficult difícil (I)
difficulty la dificultad (12)
dining room el comedor (I)
dinner la cena (I)
   for — en la cena (I)
dinosaur el dinosaurio (II)
diplomat el diplomático, la diplomática
   (9)
to **direct** dirigir *(g → j)* (II)
direction la dirección, *pl.* las direcciones
   (II)
director *(film)* el director, la directora (II)
dirty sucio, -a (I)
disability: person with a physical —
   el incapacitado, la
   incapacitada (7)
disadvantage la desventaja (II)
to **disagree** no estar de acuerdo (I)
disappeared desaparecido, -a (5)
disaster el desastre (II)
to **discover** descubrir (5)
discovery el descubrimiento (5)
to **discuss** discutir (1)
discussion la discusión, *pl.* las
   discusiones (1)
disgusting: that's —! ¡qué asco! (I)
dish el plato (I)
   main — el plato principal (I)
dishwasher el lavaplatos (II)
disk el disco (II)
disobedient desobediente (II)
to **disobey** desobedecer *(c → zc)* (II)
distance la distancia (II)
distribute distribuir *(i → y)* (9)
to **dive** dar saltos (II)
diverse diverso, -a (11)
to **diversify** diversificar(se) *(c → qu)* (12)
diversity la diversidad (11)
diversion la diversión, *pl.* las diversiones
   (II)
diving board el trampolín, *pl.* los
   trampolines (II)
divorced (from) divorciado, -a (de) (II)
to **do** hacer (I)
   that we did (que nosotros)
     hiciéramos (11)
   to — (something) again volver
     (o → ue) a + *inf.* (6)
   to not — badly *(in a language)*
     defenderse *(e → ie)* en + *language*
     (12)

doctor el médico, la médica (I)
documentary el documental (I)
dog el perro (I)
doll la muñeca (II)
dollar el dólar (I)
domestic doméstico, -a (II)
to **donate** donar (7)
door la puerta (I)
dot: on the — en punto (I)
double doble (II)
doubt la duda (8)
to **doubt** dudar (8)
dough la masa (II)
downtown el centro (II)
to **draw** dibujar (I); trazar
   (z → c) (8)
drawing el dibujo (I)
dream el sueño (3)
to **dream (about)** soñar
   (o → ue) (con) (12)
dress el vestido (I)
   party — el vestido de fiesta (I)
dressed: to get — vestirse *(e → i)* (II)
dresser la cómoda (I)
to **drink** beber (I)
drops las gotas (II)
drug la droga (10)
   — store la farmacia (I)
   — trafficking el narcotráfico (10)
drum el tambor (II)
dry seco, -a (II)
to **dry** secar *(c → qu)* (II)
   to — one's hair secarse el pelo (II)
dryer:
   clothes — la secadora (II)
   hair — el secador de pelo (II)
dull apagado, -a (3)
dumb tonto, -a (I)
to **dump** echar (II)
dust el polvo (II)
to **dust** sacudir (I)

ear el oído (I)
   —ache el dolor de oído (I)
early temprano (I)
to **earn** ganar (II)
   to — a living ganarse la vida (II)
earring el arete (I, II)
Earth la Tierra (I, II)
earthquake el terremoto (II)
easily fácilmente (II)
easy fácil (I)
to **eat** comer (I)
economical económico, -a (II)
editing la redacción (1)
editor el redactor, la redactora (12)
education la educación (II)
educational educativo, -a (I)
efficient eficiente (II)

egg el huevo (I)
   hard-boiled — el huevo duro (II)
eight ocho (I)
   — hundred ochocientos (I)
eighteen dieciocho (I)
eighth octavo, -a (I)
eighty ochenta (I)
either: not — no … tampoco (I)
elbow el codo (II)
election la elección, *pl.* las elecciones (7)
electric eléctrico, -a (II)
electricity la electricidad (II)
elegant elegante (I, II)
elementary school la escuela primaria (II)
elephant el elefante (I, II)
elevator el ascensor (II)
eleven once (I)
else: anything — algo más (I)
to **embrace** abrazarse *(z → c)* (II)
emergency la emergencia (II)
   — room la sala de emergencia (II)
   in case of — en caso de emergencia (II)
employee el empleado, la empleada (II)
enchilada la enchilada (I)
encounter el encuentro (11)
to **end** terminar (I)
endangered en peligro de extinción (I, II)
enduring duradero, -a (11)
energy la energía (I, II)
English *(language)* el inglés (I)
to **enjoy** disfrutar de (II)
enormous enorme (8)
enough suficiente (II)
to **enroll** inscribirse (1)
to **enslave** esclavizar *(z → c)* (11)
entertainment la diversión, *pl.* las diversiones (II)
enthusiast el aficionado, la aficionada (1)
entrance la entrada (II)
envelope el sobre (6)
environment el medio ambiente (I, II)
error el error (12)
eruption la erupción, *pl.* las erupciones (II)
escalator la escalera mecánica (II)
to **escape** escaparse (2)
to **establish** establecer *(c → zc)* (11)
European europeo, -a (11)
to **evaluate** evaluar *(u → ú)* (4)
evening la noche (I)
   good — buenas noches / tardes (I)
   in the — por la noche / tarde (I)
ever alguna vez (I)
every day todos los días (I)
everyone todos, -as (I)
everywhere por todas partes (II)

evidence la evidencia (8)
exaggerated exagerado, -a (II)
exam el examen, *pl.* los exámenes (II)
to **excavate** excavar (5)
excellent excelente (II)
exchange intercambio (12)
   — student el / la estudiante de intercambio (12)
exciting emocionante (I)
excursion la excursión, *pl.* las excursiones (II)
   to take an — hacer una excursión (II)
to **excuse** perdonar (II)
   — me perdón (I); perdone (Ud.) (II)
exercise el ejercicio (II)
to **exercise** hacer ejercicio (I)
exhibit *(art)* la exposición, *pl.* las exposiciones (de arte) (II)
to **exist** existir (5)
exit la salida (II)
expensive caro, -a (I)
experience la experiencia (9)
to **explain** explicar *(c → qu)* (II)
to **explore** explorar (I)
explosion la explosión (10)
exposed descubierto, -a (5)
to **express (oneself)** expresar(se) (12)
extracurricular extracurricular (II)
extraordinary extraordinario, -a (8)
eye el ojo (I)
   — drops las gotas para los ojos (II)

fabric la tela (II)
face la cara (II)
facing enfrente (de) (I)
fact el hecho (I, II)
   —-based program el programa de hechos de la vida real (I)
factory la fábrica (I)
failure el fracaso (II)
fair regular; así, así (I); justo, -a (7)
fall el otoño (I)
to **fall (down)** caerse (II)
   to — in love (with) enamorarse (de) (II)
false falso, -a (8)
family la familia (I); *adj.* familiar (II)
   — room la sala de estar (I)
fan *(electric)* el ventilador (II); el aficionado, la aficionada (1)
fantastic fantástico, -a (I)
far (from) lejos (de) (I)
farm la granja (2)
to **fascinate** fascinar (I)
fascinating fascinante (I)
fashion la moda (II)
fashionable: to be — estar de moda (II)
fast rápido, -a (2)
to **fasten** abrocharse (II)

father el padre (I)
   —'s Day el Día del Padre (II)
fault: to be at — tener la culpa (de) (10)
favor: in — (of) a favor (de) (7)
fax el fax (6)
fear el temor (a) (10)
to **fear** temer (a) (10)
feather la pluma (II)
feature el rasgo (11)
February febrero (I)
to **feel** sentirse *(e → ie)* (II)
   how do you —? ¿cómo te sientes? (I)
fence la cerca (2)
fencing la esgrima (1)
festive alegre (II)
fever la fiebre (I)
   to have a — tener fiebre (I)
few: a — unos, unas (I)
field campo (5)
fifteen quince (I)
fifth quinto, -a (I)
fifty cincuenta (I)
to **fight** pelearse (II); luchar (10)
file el archivo (9)
to **fill out a form** llenar un formulario (6)
filling el relleno (II)
film la película (I)
financial financiero, -a (7)
to **find** encontrar *(o → ue)* (II)
fine la multa (4)
finger el dedo (I)
fingernail la uña (II)
   — polish el esmalte de uñas (II)
fire el incendio (II); el fuego (II)
   — extinguisher el extinguidor de incendios (II)
   — station la estación de bomberos (II)
firefighter el bombero, la bombera (II)
firewood la leña (II)
fireworks los fuegos artificiales (II)
   to shoot — lanzar *(z → c)* fuegos artificiales (II)
first primero (primer), -a (I)
fish *(cooked)* el pescado (I); *(live)* el pez, *pl.* los peces (II)
   — store la pescadería (II)
   to go —ing ir de pesca (I)
to **fit** quedar (I)
five cinco (I)
   — hundred quinientos (I)
to **fix** reparar (II)
fixed fijo, -a (9)
flag la bandera (II)
flan el flan (I)
flashlight la linterna (II)
flight el vuelo (II)
   — attendant el / la auxiliar de vuelo (II)
flood la inundación, *pl.* las inundaciones (II)

floor *(story)* el piso (I); el suelo (II)
floss: dental — la seda dental (II)
flour la harina (I)
    — tortilla la tortilla de harina (I)
flower la flor (I, II)
    — shop la floristería (II)
flowered floreado, -a (II)
flu la gripe (I)
    to have the — tener gripe (I)
flute la flauta (II)
fly la mosca (II)
to fly volar *(o → ue)* (8)
folder la carpeta (I)
to follow seguir *(e → i)* (II)
food la comida (I); la alimentación (II)
foot el pie (I)
football el fútbol americano (I)
footprint la huella (II, 8)
for para (I, II); por (I)
    — + time expression por (II)
foreground el primer plano (3)
forest la selva (I)
    rain — la selva tropical (I)
fork el tenedor (I)
form *(shape)* la figura, la forma (3); el formulario (6)
    to fill out a — llenar un formulario (6)
fortress el alcázar, *pl.* los alcázares (11)
forty cuarenta (I)
fossil el fósil (II)
to found fundar (11)
fountain la fuente (11)
four cuatro (I)
    — hundred cuatrocientos (I)
fourteen catorce (I)
fourth cuarto, -a (I)
free: to set — poner en libertad (10)
French *(language)* el francés (II)
    — fries las papas fritas (I)
frequently frecuentemente (1)
fresh fresco, -a (II)
Friday viernes (I)
    on — el viernes (I)
fried frito, -a (II)
friend el amigo, la amiga (I)
friendly simpático, -a (I)
friendship la amistad, *pl.* las amistades (1)
frog la rana (II)
from de (I); desde (II)
front: in — of enfrente de; delante de (I)
frozen congelado, -a (II)
fruit la fruta (I)
    — salad la ensalada de frutas (II)
    — shop la frutería (II)
to fulfill cumplir con (9)
full-time (de) tiempo completo (9)
fun: to have — divertirse *(e → ie)* (II)

to function funcionar (II)
funny gracioso, -a; divertido, -a (I)
fur la piel (I)
furniture los muebles (I)
fusion la fusión, *pl.* las fusiones (11)
future el futuro (II)

gallery la galería (3)
game el partido (I, II)
    — show el programa de concursos (II)
garage el garaje (I)
garbage la basura (I)
garden el jardín, *pl.* los jardines (2)
garlic el ajo (II)
gas station la estación de servicio (I)
gate la puerta (II)
to gather recoger *(g → j)* (II)
gathering la reunión, *pl.* las reuniones (I, II)
gazpacho el gazpacho (II)
gee! ¡vaya! (I)
generally generalmente (I)
generous generoso, -a (I); abundante (2)
geography la geografía (II)
geologist el geólogo, la geóloga (8)
geometric geométrico, -a (8)
geometry la geometría (II)
German *(language)* el alemán (II)
to get conseguir *(e → i)* (II)
    to — along *(in a language)* defenderse *(e → ie)* en + *language* (12)
    to — along (well / badly) llevarse (bien / mal) (1)
    to — angry enojarse (2)
    to — away escaparse (2)
    to — up levantarse (II)
get-together la reunión, *pl.* las reuniones (I, II)
ghost el fantasma (8)
gift el regalo (I)
    — shop la tienda de regalos (I)
    to give a — regalar (I, II)
gigantic gigantesco, -a (8)
girl la muchacha (I); la niña (II)
girlfriend la novia (I)
to give dar (I)
    they gave dieron (4)
    to — a gift regalar (I, II)
    to — an injection poner una inyección (II)
    to — private lessons dar clases particulares (1)
glass el vaso (I); *(material)* el vidrio (I, II)
    (made of) — de vidrio (I)
glasses los anteojos (I, II)
glove el guante (I)
    baseball — el guante de béisbol (II)

to go ir (I)
    to be —ing to + verb ir a + *inf.* (I)
    to — fishing ir de pesca (I)
    — on! ¡vaya! (II)
    to — on a trip hacer una excursión (II)
    to — on vacation ir de vacaciones (I)
    to — shopping ir de compras (I)
    to — to bed acostarse *(o → ue)* (II)
    to — to school ir a la escuela (I)
goal el gol (II); la meta (9)
god el dios *pl.* los dioses (5)
going to con destino a (II)
gold el oro (II)
    (made of) — de oro (II)
golf el golf (II)
    — club el palo (de golf) (II)
good bueno (buen), -a (I)
    — afternoon buenas tardes (I)
    — evening buenas noches (I)
    — morning buenos días (I)
    — night buenas noches (I)
    it's a — thing that . . . menos mal que . . . (I)
    to be — at tener facilidad para (12)
    to have a — time pasarlo bien (I, II)
good-by adiós (I)
    to say — (to) despedirse *(e → i)* (de) (II)
good-looking guapo, -a (I)
goodness: my —! ¡vaya! (I)
gorilla el gorila (I, II)
to govern gobernar *(e → ie)* (7)
government el gobierno (7)
grade la nota (II)
    to get a good / bad — sacar una buena / mala nota (II)
to graduate graduarse *(u → ú)* (II)
graduation la graduación, *pl.* las graduaciones (II)
granddaughter la nieta (II)
grandfather el abuelo (I)
grandmother la abuela (I)
grandparents los abuelos (I)
grandson el nieto (II)
grape la uva (I)
grating la reja (11)
gray gris, *pl.* grises (I)
    — hair pelo canoso (I)
greasy grasoso, -a (II)
great! ¡genial! (I); ¡una maravilla! (2)
great-grandfather / grandmother el bisabuelo, la bisabuela (II)
green verde (I)
    — beans las judías verdes (I)
    — pepper el pimiento verde (II)
greengrocer la verdulería (II)
to greet saludar (II)
greetings to everyone saludos a todos (6)

grilled a la parrilla (II)
groceries los comestibles (I)
to **grow** *(crops)* cultivar (2)
to **guarantee** garantizar *(z → c)* (7)
to **guard** vigilar (10)
guest el invitado, la invitada (I)
guide el / la guía (II)
guidebook la guía (II)
guilty culpable (10)
    to be — **(of)** tener la culpa (de) (10)
guitar la guitarra (I)
gun la pistola (II)
gym el gimnasio (I)
    — **bag** el bolso (II)

habit: to be in the — **of** soler
    (o → ue) + inf. (I, II)
hair el pelo (I)
    to comb one's — peinarse (II)
    — **dryer** el secador de pelo (II)
half:
    and a — *(in sizes)* y medio (II)
    — **an hour** media hora (I)
    — **boots** el botín, *pl.* los botines (II)
    —**past** y media (I)
ham el jamón (I)
hamburger la hamburguesa (I)
hamper: laundry — el cesto de la
    ropa sucia (II)
hand la mano (I)
    by — a mano (II)
    — **made** hecho, -a a mano (I)
    on the one — por un lado (2)
    on the other — por otro lado (2)
    to shake —**s** darse la mano (II)
to **hand in** entregar *(g → gu)* (II)
handicrafts la artesanía (II)
handsome guapo, -a (I)
to **hang** colgar *(o → ue) (g → gu)* (II)
to **hang up** *(the telephone)* colgar
    (o → ue) (g → gu) (6)
to **happen** pasar (I); ocurrir (II)
    what —**ed to you?** ¿qué te pasó?
    (II)
happy alegre (II)
hard difícil (I)
hard-boiled egg el huevo duro (II)
hard-working trabajador, -a (I)
harmful: to be — hacer daño (4)
harmony la armonía (12)
harvest la cosecha (5)
haunted encantado, -a (8)
to **have** tener *(e → ie)* (I)
    to — **fun** divertirse *(e → ie)* (II)
    to — **a good / bad time** pasarlo
    bien / mal (I, II)
    to — **time** + *inf.* tener tiempo de +
    inf. (II)
    to — **to** tener que + *inf.* (I)

I would have to (yo) tendría que (12)
you would have to (tú) tendrías que
    (12)
he él (I)
head la cabeza (I)
    —**ache** el dolor de cabeza (I)
health la salud (I); *(class)* las ciencias de
    la salud (I)
healthy sano, -a (II, 2)
    to stay — mantenerse *(e → ie)*
    sano, -a (II)
to **hear** oír (2)
heater el calentador (II)
heating la calefacción (II)
heavy pesado, -a (II)
height el alto (8)
hello! ¡hola! (I); *(on the telephone)* ¡aló!
    (6)
helmet el casco (II)
help la ayuda (II)
to **help** ayudar (I)
    may I — **you?** ¿qué desea (Ud.)? (I)
her *adj.* su, sus (I); suyo, -a (II); *dir. obj.*
    pron. la; *ind. obj. pron.* le (I)
here aquí (I)
    around — por aquí (I)
    — **it is** aquí está (I)
hero *(film)* el galán, *pl.* los galanes (II)
heroine la heroína (II)
hers el suyo, la suya, los suyos, las suyas
    (II)
hi! ¡hola! (I)
to **hide** esconder(se) (II)
hieroglyphics los jeroglíficos (5)
high-heeled shoes los zapatos de tacón
    alto (I, II)
highway la carretera (II); la autopista (2)
hijacking el secuestro (10)
hike la marcha (7)
hiking: to go — dar una caminata (II)
hill la colina (II)
him *dir. obj. pron.* lo; *ind. obj. pron.* le (I)
to **hire** contratar (10)
his *adj.* su, sus (I); suyo, -a (II); *pron.* el
    suyo, la suya, los suyos, las suyas
    (II)
historic(al) histórico, -a (II)
history la historia (II)
hobby el pasatiempo (I)
hockey el hockey (II)
    — **puck** el disco (de hockey) (II)
    — **stick** el palo (de hockey) (II)
holiday el día de fiesta (II)
home:
    at — en casa (I)
    — **shopping show** el programa de
    compras (II)
homeless la gente sin hogar (7)
homework la tarea (I)

honest honesto, -a (9)
to **hope** esperar (7)
horrible horrible (I)
horror el horror (II)
    — **movie** la película de terror (I)
horse el caballo (I, II)
    to ride —**back** montar a caballo (II)
hospital el hospital (I)
hostage el rehén, *pl.* los rehenes (10)
hot *(flavor)* picante (I)
    to be — *(person)* tener calor (I)
    it's — **out** hace calor (I)
hot dog el perro caliente (II)
hotel el hotel (I)
    — **room** la habitación, *pl.* las
    habitaciones (II)
    — **manager** el / la gerente (9)
house la casa (I)
    — **specialty** la especialidad de la
    casa (I)
household chore el quehacer de la
    casa (I)
how + *adj.* ¡qué + *adj.*! (I)
how? ¿cómo? (I)
    — **are you?** ¿cómo estás /está
    (Ud.)? (I)
    — **long has it been since ...?**
    ¿cuánto (tiempo) hace que ...? (I)
    — **many?** ¿cuántos, -as? (I)
    — **much?** ¿cuánto? (I)
    — **old is . . . ?** ¿cuántos años tiene
    ...? (I)
    — **is . . . ?** ¿qué tal es ...? (II)
    —**'s it going?** ¿qué tal? (I)
to **hug** abrazarse *(z → c)* (II)
human being el ser humano (II)
humor: sense of — el sentido del
    humor (1)
hundred cien; ciento (I)
hungry: to be — tener hambre (I)
hurricane el huracán, *pl.* los
    huracanes (I)
to **hurt** doler *(o → ue)* (I); lastimarse +
    part of body (I)
husband el esposo (II)
hut la choza (5)
hygiene la higiene (1)

I yo (I)
ice el hielo (II)
    to — **skate** patinar sobre hielo (II)
ice cream el helado (I)
    — **shop** la heladería (II)
iced tea el té helado (I)
idealized idealizado, -a (2)
identification la identificación (II)
    — **card** el carnet de identidad (II)
idiom el modismo (12)
if si (I)

ill enfermo, -a (I)
　　to feel — sentirse *(e → ie)* mal (I)
　　to make — hacer daño a (II)
illness la enfermedad (II)
image la imagen, *pl.* las imágenes (3)
imagination la imaginación (3)
immigrant el / la inmigrante (12)
immigration la inmigración (12)
impatient impaciente (I)
impolite maleducado, -a (II)
to **impose** imponer (10)
impossible imposible (8)
impressionist impresionista (3)
improbable improbable (8)
in en (I)
　　— order to para + *inf.* (I)
to **include** incluir *(i → y)* (II)
to **increase** aumentar (12)
Independence Day el Día de la
　　Independencia (II)
to **indicate** indicar *(c → qu)* (II)
indigenous indígena (II)
inexpensive barato, -a (I)
　　— lodging la pensión, *pl.* las
　　　pensiones (II)
inexplicable inexplicable (8)
infection la infección, *pl.* las infecciones
　　(II)
influence la influencia (11)
　　to — influir *(i → y)* (en / sobre) (1)
information la información (II); los
　　datos (8)
informative informativo, -a (4)
ingredient el ingrediente (I, II)
inhabitant el / la habitante (8)
to **inherit** heredar (5)
injection la inyección, *pl.* las
　　inyecciones (II)
　　to give an — poner una inyección (II)
to **injure** herir *(e → ie)* (10)
injustice la injusticia (11)
innocent inocente (10)
insect el insecto (II)
　　— bite la picadura (de insecto) (II)
　　— repellent el repelente (II)
insecticide el insecticida (II)
insecurity la inseguridad (10)
insensitive incomprensivo, -a (1)
to **inspect** registrar (II)
inspiration la inspiración (3)
instrument el instrumento (II)
intelligent inteligente (I)
interactive interactivo, -a (6)
interest: place of — el lugar de interés
　　(I)
to **interest** interesar (I)
interesting interesante (I)
international internacional (II)
to **interpret** interpretar (3, 12)

interpreter el / la intérprete (9)
intersection el cruce (II)
interview la entrevista (II)
to **introduce** presentar (I)
to **invent** inventar (6)
invention el invento (6)
to **investigate** investigar *(g → gu)* (II)
invitation la invitación, *pl.* las invitaciones
　　(I, II)
to **invite** invitar (I, II)
involved: to be — in dedicarse
　　(c → qu) (a) (II)
isolated aislado, -a (2)
it *dir. obj.* lo (I)

jacket la chaqueta (I)
jade el jade (5)
jaguar el jaguar (I)
jail la cárcel (10)
January enero (I)
jar la vasija (5)
jeans los jeans (I)
to **jet ski** hacer moto acuática (II)
jet skiing la moto acuática (II)
Jew el judío, la judía (11)
jewelry las joyas (I)
jigsaw puzzle el rompecabezas (II)
to **jog** correr (II)
to **join** *(army)* presentar(se) (7)
journalist el / la periodista (12)
judge el / la juez, *pl.* los / las jueces (II)
to **judge** analizar *(z → c)* (4)
juice el jugo (I)
　　orange — el jugo de naranja (I)
July julio (I)
to **jump (rope)** saltar (a la cuerda) (II)
　　— rope la cuerda (II)
June junio (I)
jury el jurado (10)
just justo, -a (7)

to **keep** guardar (II)
key la llave (II)
　　— chain el llavero (II)
to **kidnap** secuestrar (10)
kidnapping el secuestro (10)
to **kill** matar (I)
kilometer el kilómetro (II)
kind *adj.* amable; la clase (I)
kindergarten el kindergarten (II)
kindling los palitos (II)
king el rey, *pl.* los reyes (11)
to **kiss** besarse (II)
kitchen la cocina (I)
knee la rodilla (II)
knife el cuchillo (I)
to **know** conocer *(c → zc)*; saber (I, II)
　　to — how saber (I, II)
knowledge: to have a good
　　— of *(a language)* dominar + *(language)*
　　(12)

laboratory el laboratorio (II)
laborer el obrero, la obrera (II)
lacking: to be — faltar a (I)
ladies' wear la ropa para damas (II)
lake el lago (I)
lamp la lámpara (I)
to **land** aterrizar *(z → c)* (II)
landscape el paisaje (2)
landslide el derrumbe (II)
language el idioma (II); la lengua (11)
　　foreign — la lengua extranjera (12)
　　sign — el lenguaje por señas (12)
large grande (I, II)
last pasado, -a (I); último, -a (II)
　　— night anoche (I)
to **last** durar (I)
late tarde (I)
later luego (I)
　　see you — hasta luego (I)
to **laugh** reírse *(e → i)* (4)
laundry hamper el cesto de la ropa
　　sucia (II)
laundry room el lavadero (I)
law la ley, *pl.* las leyes (7)
lawn el césped (I)
　　to mow the — cortar el césped (I)
lawyer el abogado, la abogada (II)
lazy perezoso, -a (I)
leader el / la líder (5)
leaf hoja (II)
league la liga (II)
to **learn** aprender (I)
learning el aprendizaje (12)
least el / la / los / las menos + *adj.* (I)
　　at — por lo menos (II)
　　the — + *adj.* thing lo menos + *adj.*
　　(1)
leather el cuero (I)
　　(made of) — de cuero (I)
to **leave** salir (I, II); *(a message)* dejar (6)
left izquierdo, -a (I)
　　to the — (of) a la izquierda (de) (I)
leg la pierna (I)
legacy el legado (5)
legend la leyenda (8)
lemon el limón, *pl.* los limones (II)
lemonade la limonada (I)
to **lend** prestar (I)
length el largo (8)
lenses: contact — los lentes de
　　contacto (II)
less menos (I)
lesson la lección, *pl.* las lecciones (II)
letter la carta (I)
lettuce la lechuga (I)
librarian el bibliotecario, la
　　bibliotecaria (12)
library la biblioteca (I)
to **lie** mentir *(e → ie)* (II)
life la vida (I)
　　—guard el / la salvavidas (9)

to **lift** levantar (II)
light *(color)* claro, -a (II); *(minor)* leve (II); *(weight)* ligero, -a (II)
light la luz, *pl.* las luces (I)
— **bulb** el bombillo (II)
traffic — el semáforo (II)
to **light** encender *(e → ie)* (II)
to **like** gustar (I)
I'd (you'd) — quisiera(s); me (te) gustaría (I)
likewise igualmente (I)
lime el limón, *pl.* los limones (II)
line la línea (6)
to — up hacer fila (II)
lips los labios (II)
lipstick el lápiz *(pl.* los lápices*)* de labios (II)
to **listen (to)** escuchar (I)
literary literario, -a (II)
lit(erature) la literatura (II)
little pequeño, -a (I)
a — un poco (de) (I)
to **live** vivir (I)
to **live together** convivir (12)
lively animado, -a (2)
living: to earn a — ganarse la vida (II)
living room la sala (I)
loafer el mocasín, *pl.* los mocasines (II)
local local (II)
located: to be — quedar (I)
locker el armario (II)
lodging: inexpensive — la pensión, *pl.* las pensiones (II)
long largo, -a (I); el largo (8)
—**-lasting** duradero, -a (11)
to **look (at)** mirar (I)
to — for buscar *(c → qu)* (I)
loose *(clothing)* flojo, -a (II)
to **lose** perder *(e → ie)* (II)
lot: a — of mucho, -a (I)
Love *(as a closing in a letter)* Cariños *pl.* (6)
love: to fall in — (with) enamorarse (de) (II)
to **love** encantar (I)
loving cariñoso, -a (I)
luckily por suerte (II)
lunch el almuerzo (I)
for — en el almuerzo (I)
luxury el lujo (II)

ma'am señora (I)
made hecho, -a (I, II)
it's — of . . . es de . . . (II)
— of de + *material* (I)
what's (it) — of ? de qué es . . . ? (II)
magazine la revista (I)
to **mail** enviar *(i → i)* (I)
by air — por vía aérea (6)

electronic — el correo electrónico (6)
— carrier el cartero, la cartera (6)
mailbox el buzón, *pl.* los buzones (II)
main principal (II)
to **maintain** mantener *(e → ie)* (1)
majority la mayoría (11)
to **make** hacer (I)
that we made (que nosotros) hiciéramos (11)
make-up el maquillaje (II)
to put on — maquillarse (II)
mall el centro comercial (I)
man el hombre (I)
to **manage (a business)** administrar (9)
to **manipulate** manipular (4)
manners los modales (9)
to **manufacture** fabricar *(c → qu)* (6)
many muchos, -as (I)
as — as tantos, -as + *noun* + como (II)
map el mapa (II)
March marzo (I)
market el mercado (II)
marker el marcador (I)
married (to) casado, -a (con) (II)
to get — (to) casarse (con) (II)
to **marry** casarse (con) (II)
martial arts las artes marciales (II)
to **master** *(a language)* dominar + *language* (12)
match *(game)* el partido (I); el fósforo (II)
mathematics las matemáticas (I)
matter: what's the —? ¿qué pasa? (I)
mature maduro, -a (9)
May mayo (I)
Mayas los mayas (5)
mayonnaise la mayonesa (II)
me *obj. pron.* me; *after prep.* mí (I)
meal la comida (I)
meaning el significado (5)
means of communication el medio de comunicación (6)
measure la medida (10)
to **measure** medir *(e → i)* (8)
to be/— . . . high medir . . . de alto (8)
to be/— . . . in diameter medir . . . de diámetro (8)
to be/— . . . long medir . . . de largo (8)
to be/— . . . wide medir . . . de ancho (8)
mechanic el mecánico, la mecánica (II)
medical test el análisis, *pl.* los análisis (II)
medicine la medicina (II)
medium *(in sizes)* mediano, -a (II)
to **meet** encontrarse *(o → ue)* (II)
I'd like you to — . . . te presento a . . . (I)
pleased to — you mucho gusto; encantado, -a (I)
member el miembro (II)
to be a — of ser miembro de (II)

men's wear la ropa para caballeros (II)
menu el menú (I)
merry-go-round el carrusel (II)
message el mensaje (3); *(phone)* el recado (6)
messy desordenado, -a (I)
mestizo (Native American and European) mestizo, -a (11)
metal el metal (I)
(made of) — de metal (I)
meter *(measurement)* el metro (II)
microwave oven el microondas (II)
midnight la medianoche (I)
mild *(flavor)* no picante (I)
mile la milla (II)
military el ejército (7)
milk la leche (I)
mine el mío, la mía, los míos, las mías (II)
minor leve (II)
minute el minuto (I)
mirror el espejo (I)
mischievous travieso, -a (II)
miss (la) señorita (I)
miss: to be —ing faltar (I)
mistake: to make a — equivocarse *(c → qu)* (6)
mistaken: to be — equivocarse *(c → qu)* (6)
to **mix** mezclar (II, 11)
mixing la mezcla (11)
mixture la mezcla (11)
modern moderno, -a (I)
modest modesto, -a (1)
Monday lunes (I)
on — el lunes (I)
money el dinero (I)
monkey el mono (8)
monster el monstruo (II)
month el mes (I)
monument el monumento (I)
mood: in a good / bad — de buen / mal humor (II)
moon la Luna (II)
more más (I)
— and — cada vez más (6)
— or less más o menos (I)
morning la mañana (I)
good — buenos días (I)
in the — por la mañana (I)
mosque la mezquita (11)
mosquito el mosquito (II)
most: the — + *adj.* el / la / los / las más + *adj.* (I, II)
the — *(adj.)* thing lo más + *adj.* (1)
mother la madre (I)
— tongue la lengua materna (12)
—**'s Day** el Día de la Madre (II)
mountain la montaña (I)
to go — climbing escalar montañas (II)

mouth la boca (I)
to **move** mudarse *(residence)* (1); mover
　　(*o → ue*) (8)
moved: to be — emocionarse (4)
movement el movimiento (3)
movie la película (I)
　　— theater el cine (I)
　　—s el cine (I)
　　to show a — dar una película (I)
to **mow the lawn** cortar el césped (I)
Mr. (el) señor (I)
Mrs. (la) señora (I)
much mucho, -a (I)
　　as — as tanto, -a + *noun* + como (II)
　　how —? ¿cuánto? (I)
muffler la bufanda (I)
multicultural multicultural (12)
mural el mural (3)
murder el asesinato (10)
　　attempted — el atentado (10)
to **murder** matar (II)
murderer el asesino, la asesina (10)
muscle el músculo (II)
museum el museo (I)
mushroom el champiñón, *pl.* los
　　champiñones (II)
music la música (I)
　　— program el programa musical (I)
　　— video el video musical (II)
musical musical (I)
musician el músico, la música (II)
Muslim el musulmán, la musulmana (11)
mustard la mostaza (II)
my mi, mis (I); mío, -a (II)
myself (yo) mismo, -a (II)
mysterious misterioso, -a (8)
mystery el misterio (8)
myth el mito (8)

nail *see* **fingernail**
name el nombre (I)
　　my — is me llamo (I)
　　what's your —? ¿cómo te llamas? (I)
named: to be — llamarse (I, II)
napkin la servilleta (I)
national nacional (II)
native *adj.* indígena (II)
Native American el / la indígena (11)
nature la naturaleza (II)
naughty travieso, -a (II)
near cerca (de) (I)
neat ordenado, -a (I)
necessary necesario (II)
　　it's — to hay que + *inf.* (I, II); es
　　　necesario (II)
　　to be — hacer falta (12)
necessity la necesidad (II)
neck el cuello (I)
necklace el collar (I, II)

necktie la corbata (I, II)
to **need** necesitar (I)
negative negativo, -a (4)
neighbor el vecino, la vecina (II)
neither tampoco (I)
neither . . . nor ni . . . ni (I)
nephew el sobrino (II)
nervous nervioso, -a (1)
never nunca (I)
nevertheless sin embargo (2)
new nuevo, -a (I)
　　— Year's Day el Año Nuevo (II)
　　— Year's Eve el fin de año (II)
　　— Year's Eve party la fiesta de fin
　　　de año (II)
news las noticias (I)
newscast el noticiero (4)
newspaper el periódico (I, II)
newsstand el quiosco (de periódicos) (II)
next próximo, -a (II)
　　— to al lado (de) (I); junto a (3)
nice amable; simpático, -a (I)
niece la sobrina (II)
night la noche (I)
　　at — de la noche (I)
　　good — buenas noches (I)
　　last — anoche (I)
　　— table la mesa de noche (II)
nine nueve (I)
　　— hundred novecientos (I)
nineteen diecinueve (I)
ninety noventa (I)
no no (I)
　　— longer ya no (I)
nobody, no one nadie (I)
noise el ruido (2)
nonallergenic antialérgico, -a (II)
nonprofit sin fines de lucro (7)
nonstop sin escala (II)
noon el mediodía (I)
nor: neither . . . — ni . . . ni (I)
nose la nariz (I)
not no (I)
　　— anymore ya no (I)
　　— at all nada (I); de ninguna manera
　　　(I)
　　— at all! ¡qué va! (1)
　　— only . . . but also no sólo . . . sino
　　　también (9)
　　— yet todavía no (I)
notebook el cuaderno (I)
nothing nada (I)
to **notice** notar (11)
nourishment la alimentación (II)
novel la novela (I)
November noviembre (I)
now ahora (I)
　　right — ahora mismo (9)
nowadays hoy en día (6)
nowhere ninguna parte (I)

number el número (I)
　　phone — el número de teléfono (I)
nurse el enfermero, la enfermera (II)
　　—'s office la enfermería (I)
nursing home el asilo (1)
nylon el nilón (II)

obedient obediente (II)
to **obey** obedecer (*c → zc*) (II)
object el objeto (5)
objective objetivo, -a (4)
obligatory obligatorio, -a (7)
observatory el observatorio (5)
to **obtain** conseguir (*e → i*) (II); obtener
　　(*e → ie*) (7)
to **occur** ocurrir (II)
ocean el océano (I, II)
October octubre (I)
of de (I)
　　— course claro que sí (I); por
　　　supuesto (I, II)
　　— course not ¡Claro que no! (I)
to **offer** ofrecer (*c → zc*) (2)
office la oficina (II)
　　telephone — la oficina telefónica (II)
　　tourist — la oficina de turismo (II)
official oficial (12)
often a menudo (I)
oil el aceite (II)
OK bueno (I)
old viejo -a; antiguo, -a (I)
　　how — is . . . ? ¿cuántos años tiene
　　　. . . ? (I)
older mayor (I)
older person el anciano, la anciana (7)
**olympic games for people with
　　disabilities** las olimpiadas de
　　minusválidos (7)
omelet: Spanish — la tortilla española
　　(II)
on en; sobre (I)
　　— behalf of por (7)
　　— the dot en punto (I)
　　— the one hand por un lado (2)
　　— the other hand por otro lado (2)
　　— time puntualmente (I)
　　— top arriba (3)
　　— top (of) encima (de) (I)
once una vez (I)
one uno (un), una (I); *(a person)* uno
　　(II)
　　it's — o'clock es la una (I)
　　—-way sólo de ida (II)
onion la cebolla (I)
only sólo (I)
　　— child el hijo único, la hija única
　　　(I)
open descubierto, -a (5)
to **open** abrir (I)
operation la operación, *pl.* las
　　operaciones (II)

operator el operador, la operadora (6)
opinion la opinión, *pl.* las opiniones (4)
opportune oportuno, -a (9)
opportunity la oportunidad (2)
opposite enfrente (de) (I)
or o (I)
  not . . . — ni . . . ni (I)
orange *adj.* anaranjado, -a; la naranja (I)
  — juice el jugo de naranja (I)
orchestra la orquesta (II)
order: in — to para + *inf.* (I)
to **order** pedir *(e → i)* (I)
organization la organización, *pl.* las
  organizaciones (7)
origin el origen, *pl.* los orígenes (5)
orphanage el orfanato (1)
other otro, -a (I)
others los demás (1)
ouch! ¡ay! (I)
ought to deber (I)
our nuestro, -a (I)
ours el nuestro, la nuestra, los nuestros,
  las nuestras (II)
outdoors al aire libre (II)
outgoing sociable (I)
outskirts las afueras (2)
oval ovalado, -a (8)
oven el horno (II)
over: all — por todas partes (II)
owl el búho (II)
own propio, -a (II)
oxygen el oxígeno (II)

to **pack** hacer la maleta (II)
package el paquete (6)
paella la paella (II)
page la página (II)
paintbrush el pincel (3)
painter el pintor, la pintora (II)
painting la pintura (3)
palace el palacio (II)
palette la paleta (3)
pants los pantalones (I)
pantyhose las pantimedias (I)
paper el papel (I)
  — clip el sujetapapeles, *pl.* los
    sujetapapeles (II)
  sheet of — la hoja de papel (I)
parade el desfile (II)
parcel el paquete (6)
to **pardon** perdonar (II)
  — me perdone (Ud.) (II)
parental guidance suggested se
  recomienda discreción (4)
parents los padres (I)
park el parque (I)
  amusement — el parque de
    diversiones (I)
part: to be a — of formar parte de (I)

part *(film, play)* el papel (II)
  to play the — (of) hacer el papel
    (de) (II)
part-time (de) tiempo parcial (9)
to **participate (in)** participar (en) (II)
party la fiesta (I)
  birthday — la fiesta de cumpleaños
    (I, II)
  costume — la fiesta de disfraces (I, II)
  New Year's Eve — la fiesta de fin de
    año (I, II)
  surprise — la fiesta de sorpresa
    (I, II)
to **pass** pasar (I)
passenger el pasajero, la pasajera (II)
passport el pasaporte (I)
past el pasado (I, 5); pasado, -a (I)
  half- — y media (I)
  quarter — y cuarto (I)
pastel *(color)* pastel (3)
pastime el pasatiempo (I)
pastry el pastel (I)
path el sendero (II, 2)
patience la paciencia (9)
patient *adj.* paciente (I)
to **pay** pagar *(g → gu)* (I)
  — attention (to) hacer caso a (1);
    fijarse (en) (3)
pedestrian el peatón, *pl.* los peatones (2)
pea el guisante (I)
peace la paz (II)
peach el durazno (II)
pen el bolígrafo (I)
penalty la pena (10)
pencil el lápiz, *pl.* los lápices (I)
  — sharpener el sacapuntas, *pl.* los
    sacapuntas (II)
people la gente (I); el pueblo (11)
pepper la pimienta (I)
  green — el pimiento verde (II)
  stuffed — el chile relleno (I)
peppery picante (I)
perception la percepción (4)
to **perform** *(volunteer work)* hacer (7);
  realizar *(z → c)* (9)
perfume el perfume (II)
period la hora (I); *(time)* la época (3)
to **permit** permitir (II)
  it's —ted se permite (II)
person la persona (I)
  a — uno (II)
personal personal (I)
phenomenon el fenómeno (8)
phone el teléfono (I)
  cellular — el teléfono celular (6)
  cordless — el teléfono inalámbrico (6)
  on the — por teléfono (I)
  pay — el teléfono público (II)
  — book la guía telefónica (I)
  — number el número de teléfono (I)

photo la foto (I)
photography la fotografía (II)
physical education la educación física
  (I)
physician el médico, la médica (I)
piano el piano (II)
to **pick up** recoger *(g → j)* (I, II); *(the
  telephone)* descolgar *(o → ue)*
  (g → gu) (6)
picnic el picnic (II)
  to have a — hacer un picnic (II)
picture el cuadro (I)
picturesque pintoresco, -a (II)
pie la tarta (II)
pill la pastilla (II)
pilot el / la piloto (II)
pineapple la piña (II)
pink rosado, -a (I)
pistol la pistola (II)
to **pitch a tent** poner una tienda (II)
place el lugar (I)
  — of interest el lugar de interés (I)
to **place** poner (I)
placed situado, -a (2)
plaid a cuadros (II)
plain liso, -a (II)
to **plan** pensar *(e → ie)* + *inf.* (I); planear (II)
plane el avión, *pl.* los aviones (II)
planet el planeta (II)
plant la planta (I, II)
planting la siembra (5)
plastic el plástico (I, II)
  (made of) — de plástico (I)
plate el plato (I)
play la obra de teatro (II)
to **play** jugar *(u → ue)* *(g → gu)* (I); *(a
  musical instrument)* tocar
  (c → qu) (I)
  to — the part (of) hacer el papel
    (de) (II)
player el jugador, la jugadora (II)
playground el patio de recreo (II)
pleased to meet you mucho gusto;
  encantado, -a (I)
plot el argumento (II)
pocket el bolsillo (II)
  — folder la carpeta (I)
poetry la poesía (11)
point of view el punto de vista (3)
to **point out** indicar *(c → qu)* (II)
poisonous venenoso, -a (II)
police la policía (I)
  — officer el / la policía (II)
  — station la estación de policía (I)
polish: nail — el esmalte de uñas (II)
polite (bien) educado, -a (II); cortés (9)
political party el partido político (7)
politician el político, la política (II)
politics la política (II)

pollen el polen (II)
to **pollute** contaminar (II)
polluted contaminado, -a (I, II)
pollution la contaminación (2)
pool la piscina (I)
poor people los pobres (7)
population la población (2)
pork el cerdo (II)
portrait el retrato (3)
positive positivo, -a (4)
possession la posesión, *pl.* las posesiones (II)
possible posible (8)
post card la tarjeta postal (I)
post office el correo (I)
post office box el apartado postal (6)
poster el cartel (I)
postscript la posdata (6)
pot la olla (II)
potato la papa (I)
  baked — la papa al horno (I)
  French-fried — la papa frita (I)
practical práctico, -a (I)
to **practice** practicar *(c → qu)* (I)
pre-Columbian precolombino, -a (5)
to **prefer** preferir *(e → ie); gustar más* (I)
to **prepare** preparar (I)
to **prescribe** recetar (II)
prescription la receta (II)
present el presente (5)
  at — actualmente (7)
present-day actual (5)
pressure la presión, *pl.* las presiones (2)
pretty bonito, -a (I)
principal *(school)* el director, la directora (II); *adj.* principal (II)
private privado, -a (6)
probable probable (8)
problem el problema (II)
  to solve a — resolver *(o → ue)* un problema (1)
product el producto (11)
productive productivo, -a (9)
profession la profesión, *pl.* las profesiones (II)
profile el perfil (3)
program el programa (I)
to **prohibit** prohibir (II)
  it's —ed se prohibe (II)
projector el proyector (II)
to **promise** prometer (7)
promotion el ascenso (9)
proof la prueba (8)
to **propose** proponer (11)
to **protect (oneself)** proteger(se) *(g → j)* (I, II)
protein la proteína (II)
to **protest** protestar (7)
to **prove** comprobar *(o → ue)* (4)

public público, -a (II, 4)
puck el disco (de hockey) (II)
pumpkin la calabaza (II)
punctual puntual (9)
punctuality la puntualidad (9)
to **punish** castigar *(g → gu)* (10)
punishment el castigo (10)
pure puro, -a (I)
purple morado, -a (I)
purse el bolso (II)
to **pursue** seguir *(e → i)* (12)
to **put** poner (I)
  to — an end (to) acabar (con) (10)
  to — away guardar (II)
  to — (in jail) meter en (la cárcel) (10)
  to — on *(clothes)* ponerse (II); *(make-up)* maquillarse (II)
pyramid la pirámide (I)

quality la cualidad (9)
quarter cuarto, -a (I)
  — past y cuarto (I)
queen la reina (11)
quesadilla la quesadilla (I)
question la pregunta (II)
  to ask a — hacer una pregunta (II)
Quiche *(a Mayan language)* el quiché (6)
quiet callado, -a (I)
quite bastante (II)
quiz la prueba (II)

race la raza (11)
racket: tennis — la raqueta de tenis (II)
radio *(set)* el radio (II)
raft la balsa (II)
  to go —ing navegar *(g → gu)* en balsa (II)
rain la lluvia (I)
to **rain** llover *(o → ue)* (I)
  it's —ing llueve (I)
raincoat el impermeable (I)
rain forest la selva tropical (I)
raise *(salary)* el aumento (de sueldo) (9)
to **raise funds** juntar fondos (7)
ransom el rescate (10)
rather bastante (I)
razor la máquina de afeitar (II)
to **reach** alcanzar *(z → c)* (9)
  within — al alcance de la mano (2)
reaction la reacción, *pl.* las reacciones (II)
to **read** leer (I)
real real (I)
realism el realismo (3)
realistic realista (I)
really en realidad (12)
really? ¿de veras?; ¡no me digas! (I)
to **receive** recibir (I)
recently recientemente (4)

receptionist el / la recepcionista (9)
recipe la receta (II)
to **recommend** recomendar *(e → ie)* (II)
recommendation la recomendación, *pl.* las recomendaciones (9)
to **reconquer** reconquistar (11)
to **record** grabar (4)
to **recycle** reciclar (I, II)
red rojo, -a (I)
  —-haired pelirrojo, -a (I)
Red Cross la Cruz Roja (7)
to **reduce** reducir *(c → zc)* (I, II)
reflected reflejado, -a (3)
refrigerator el refrigerador (I)
region la región, *pl.* las regiones (11)
to **relate to** relacionarse con (1)
relative el pariente, la parienta (I, II)
religion la religión, *pl.* las religiones (5)
to **remember** recordar *(o → ue)* (II)
remote control el control remoto (II)
to **rent** alquilar (4)
to **repair** reparar (II)
repellent el repelente (II)
report el informe (II); el reportaje (4)
requirement el requisito (9)
reservation la reservación, *pl.* las reservaciones (II)
to **resort (to)** recurrir (a) (10)
to **respect** respetar (1)
respectful respetuoso, -a (9)
responsibility la responsabilidad (7)
responsible responsable (1)
to **rest** descansar (I)
restaurant el restaurante (I)
restroom los servicios (II)
result el resultado (11)
to **return** regresar; devolver *(o → ue)* (I)
review (of) el comentario (sobre) (II)
to **review** repasar (II)
to **revolt** rebelarse (11)
rhythm el ritmo (11)
rice el arroz (I)
rich rico, -a (5)
to **ride:**
  to — a bike montar en bicicleta (II)
  to — horseback montar a caballo (II)
right derecho, -a (I)
  to be — tener razón (I)
  —? ¿verdad? (I)
  — away en seguida (I)
  — now ahora mismo (9)
  to the — (of) a la derecha (de) (I)
right el derecho (4)
ring el anillo (II)
to **ring** sonar *(o → ue)* (6)
to **risk** arriesgar *(g → gu)* (10)
river el río (II)
road el camino (2)
roasted asado, -a (II)

to **rob** robar (II)
robot el robot, *pl.* los robots (II)
rock la piedra (II, 8); *(music)* la música rock (II)
role el papel (II)
  to play the —— (of) hacer el papel (de) (II)
romantic movie la película romántica (I)
roof el techo (11)
room el cuarto (I); *(hotel)* la habitación, *pl.* las habitaciones (II)
rope la cuerda (II)
  to jump —— saltar a la cuerda (II)
round redondo, -a (I)
  ——-trip ticket el boleto de ida y vuelta (II)
to **row** pasear en bote (I)
rowboat el bote (I)
rude maleducado, -a (II)
ruins las ruinas (I)
ruler la regla (I)
to **run** correr (II)
rural rural (2)

sacred sagrado, -a (5)
sad triste (I)
safe seguro, -a (2)
safety la seguridad (10)
sail la vela (I)
salad la ensalada (I)
  fruit —— la ensalada de frutas (II)
  —— bar el bufet de ensaladas (II)
  —— dressing la salsa (II)
salary el sueldo (9)
sale la liquidación, *pl.* las liquidaciones (II)
  to be for —— se vende (II)
  to be on —— estar en liquidación (II)
sales agent el / la agente de ventas (12)
salesperson el vendedor, la vendedora (II)
salt la sal (I)
salty salado, -a (II)
same mismo, -a (II)
  it's all the —— (to me) (me) da igual (II)
  the —— thing lo mismo (I)
sandbox el cajón (*pl.* los cajones) de arena (II)
sandwich el sandwich (I); *(Spanish-style)* el bocadillo (II)
satellite:
  —— dish la antena parabólica (4)
  —— television la televisión por satélite (4)
Saturday sábado (I)
  on —— el sábado (I)
sauce la salsa (I)
saucer el platillo (I)
sausage el chorizo (II)

to **save** conservar (I, II); ahorrar (II)
sax(ophone) el saxofón, *pl.* los saxofones (II)
to **say** decir (I)
  how do you —— . . . ? ¿cómo se dice . . . ? (I)
  it has been said se ha dicho (4)
  it is said . . . se dice . . . (I)
  to —— good-by (to) despedirse *(e → i)* (de) (II)
  to —— hello decirse "¡Hola!" (II)
  you don't ——! ¡no me digas! (I)
to **scare** dar miedo a (I)
scarf el pañuelo (II)
  winter —— la bufanda (I)
scene la escena (II)
  —— of the crime el lugar de los hechos (10)
schedule el horario (I)
school la escuela (I); *adj.* escolar (II); el movimiento (3)
  after —— después de las clases (I)
  elementary —— la escuela primaria (II)
school (of thought) el movimiento (3)
science las ciencias (I)
  —— fiction la ciencia ficción (I)
scientist el científico, la científica (II)
to **score (a goal)** meter (un gol) (II)
screen la pantalla (II)
  big —— TV la pantalla gigante (II)
script el guión, *pl.* los guiones (II)
sculpture la escultura (5)
sea el mar (I)
seafood los mariscos (II)
to **search** *(baggage)* registrar (II)
season la estación, *pl.* las estaciones (I)
seat el asiento (II)
seatbelt el cinturón (*pl.* los cinturones) de seguridad (II)
seated sentado, -a (3)
second segundo, -a (I)
secretary el secretario, la secretaria (II)
section la sección, *pl.* las secciones (II)
security guard el / la guardia (10)
security system el sistema de seguridad (II)
to **see** ver (I)
  I have seen, you have seen (yo) he visto, (tú) has visto (4)
  let's —— a ver (I)
  to —— each other verse (II)
seesaw el sube y baja (II)
self-defense la autodefensa (10)
self-portrait el autorretrato (3)
to **sell** vender (I)
semester el semestre (I)
to **send** enviar *(i → í)* (I); mandar (6)
sender el / la remitente (6)
sensationalistic sensacionalista (II)

sense of humor el sentido del humor (I)
sentence la sentencia (10)
to **separate** separar (I, II)
separated (from) separado, -a (de) (II)
September septiembre (I)
serious serio, -a (I)
to **serve** servir *(e → i)* (I)
  to —— in the armed forces hacer el servicio militar (7)
to **set** poner (I)
  —— the table poner la mesa (I)
seven siete (I)
  —— hundred setecientos (I)
seventeen diecisiete (I)
seventh séptimo, -a (I)
seventy setenta (I)
severe severo, -a (10)
to **sew** coser (II)
shack la choza (5)
shade la sombra (II)
shadow la sombra (3)
to **shake hands** darse la mano (II)
shame: that's a ——! ¡qué lástima! (I)
shampoo el champú (I)
shape la figura (3)
to **share** compartir (1)
sharp en punto (I)
sharpener: pencil —— el sacapuntas (II)
to **shave** afeitarse (II)
shaving cream la crema de afeitar (II)
she ella (I)
sheet of paper la hoja de papel (I)
shelf el estante (II)
shelter el refugio (7)
shirt la camisa (I)
  T-—— la camiseta (I)
shoe el zapato (I)
  high-heeled ——s los zapatos de tacón alto (I)
  —— store la zapatería (I)
to **shoot fireworks** lanzar *(z → c)* fuegos artificiales (II)
shooting el tiroteo (10)
to **shop** hacer las compras (II)
shopping:
  to go —— ir de compras (I)
short *(height)* bajo, -a; *(length)* corto, -a (I)
shorts los pantalones cortos (I)
shot la inyección, *pl.* las inyecciones (II)
  to give a —— poner una inyección (II)
should deber + *inf.* (I)
show el programa (I)
  game —— el programa de concursos (II)
  home shopping —— el programa de compras (II)
to **show** *(movie or TV program)* dar (I); mostrar *(o → ue)* (II); indicar *(c → qu)* (II)

shower: to take a — ducharse (II)
shrimp el camarón, *pl.* los camarones (II)
shy tímido, -a (II)
sick enfermo, -a (I)
   to feel — sentirse *(e → ie)* mal (I)
sidewalk la acera (2)
to **sign up** inscribirse (1)
silly tonto, -a (I)
silver la plata (II)
   (made of) — de plata (II)
simple sencillo, -a (II)
since desde (que + *verb*) (II)
   it's been *(time)* — hace + *(time)* +
     que (I)
sincere sincero, -a (1)
to **sing** cantar (I, II)
singer el / la cantante (II)
single *(unmarried)* soltero, -a (II); *(room)*
   individual (II)
sink el fregadero (II)
sir señor (I)
sister la hermana (I)
sister-in-law la cuñada (II)
sitcom la comedia (I)
situated situado, -a (2)
six seis (I)
   — **hundred** seiscientos (I)
sixteen dieciséis (I)
sixth sexto, -a (I)
sixty sesenta (I)
size el tamaño (II); *(clothing)* la talla (II);
   (shoe) el número (de zapatos) (II)
skate el patín, *pl.* los patines (II)
to **skate** patinar (I)
   to ice — patinar sobre hielo (II)
ski el esquí, *pl.* los esquíes (II)
   — **cap** el gorro (II)
to **ski** esquiar *(i → í)* (I)
skill la destreza; la habilidad (9)
to **skin-dive** bucear (I)
skirt la falda (I)
skyscraper el rascacielos, *pl.* los
   rascacielos (2)
slave el esclavo, la esclava (11)
to **sleep** dormir *(o → ue)* (I)
sleeping bag el saco de dormir (II)
sleepy: to be — tener sueño (I)
sleeve la manga (II)
slide *(photograph)* la diapositiva (II);
   (playground) el tobogán, *pl.* los
   toboganes (II)
slow lento, -a (6)
small pequeño, -a (I)
smoke detector el detector de humo (II)
snack *(afternoon)* la merienda (I)
   for a — de merienda (I)
snake la serpiente (I, II)
sneakers los tenis (I)
to **sneeze** estornudar (II)

snow la nieve (I)
to **snow** nevar *(e → ie)* (I)
   it's —**ing** nieva (I)
soap el jabón (I)
   — **opera** la telenovela (I)
soccer el fútbol (I)
social service el servicio social (7)
social studies las ciencias sociales (I)
social worker el / la asistente social (12)
society la sociedad (7)
sock el calcetín, *pl.* los calcetines (I)
sofa el sofá (I)
soft drink el refresco (I)
solar solar (II)
sold: to be — venderse (II)
to **solicit** *(donations)* solicitar (7)
to **solve** resolver *(o → ue)* (1)
   has solved haya resuelto (8)
some unos, unas (I); alguno (algún), -a (I)
someone, somebody alguien (I, II)
something algo (I)
   — **else** algo más (I)
sometimes a veces (I); de vez en cuando
   (II)
son el hijo (I)
   —**s;** —**s and daughters** los hijos (I)
song la canción, *pl.* las canciones (II)
sorry: I'm — lo siento (I)
to **sort** separar (I)
so-so así, así; regular (I)
soup la sopa (I)
soup kitchen el comedor de
   beneficencia (7)
sour agrio, -a (II)
souvenir el recuerdo (I)
sowing la siembra (5)
space el espacio (II, 2)
   — **heater** el calentador (II)
spaceship la nave espacial (8)
Spanish español, -a; *(language)* el
   español (I)
Spanish speaker el / la hispanohablante
   (11)
to **speak in sign language** hablar por
   señas (12)
special especial (II)
   by — **delivery** por correo urgente (6)
   daily — el plato del día (I)
   — **effects** los efectos especiales (II)
Special Olympics las olimpiadas de
   minusválidos (7)
specialty: house — la especialidad de la
   casa (I)
speed la rapidez (6)
spell: how do you — ...? ¿cómo se
   escribe ...? (I)
to **spend** gastar (II)
spicy picante (I)
spider la araña (II)

spinach las espinacas (II)
spine *(on plant)* la espina (II)
spite: in — **of (the fact that)** a pesar
   de (que) (8)
splendor el esplendor (5)
spoiled *(child)* consentido, -a (II)
spoken: is — se habla (II)
spoon la cuchara (I)
sports los deportes (I)
   — **program** el programa deportivo (I)
spring la primavera (I)
square cuadrado, -a (I)
squirrel la ardilla (II)
stadium el estadio (I)
stage el escenario (II); *(in a process)* la
   etapa (3)
stairs la escalera (II)
stamp el sello (I)
to **stand** soportar (II)
   to — **in line** hacer fila (II)
standing de pie (3)
stapler la grapadora (II)
star la estrella (5)
to **start** empezar *(e → ie) (z → c)* (I)
to **state** afirmar (8)
statement la afirmación (8)
station la estación, *pl.* las estaciones (I)
statue la estatua (5)
to **stay** quedarse (I)
   to — **in bed** quedarse en la cama (I)
   to — **healthy** mantenerse *(e → ie)*
     sano, -a (II)
steak el bistec (I)
stereo el equipo de sonido (I)
steward, stewardess el / la auxiliar de
   vuelo (II)
stewed guisado, -a (II)
still todavía (I); tranquilo, -a (1)
still life la naturaleza muerta (3)
sting *(insect)* la picadura (II)
to **sting** *(insect)* picar *(c → qu)* (II)
stingy tacaño, -a (I)
to **stir** revolver *(o → ue)* (II)
to **stitch** *(surgically)* hacer puntadas (II)
stitches las puntadas (II)
stomach el estómago (I)
   —**ache** el dolor de estómago (I)
stone la piedra (II, 8)
stopover la escala (II)
stop sign la señal de alto (II)
store la tienda (I)
   clothing — la tienda de ropa (I)
   department — el almacén, *pl.* los
     almacenes (I)
   discount — la tienda de descuentos
     (I)
storm la tormenta (II)
story *(of a building)* el piso (I)
stove la estufa (I)

strange extraño, -a (8)
strawberry la fresa (II)
street la calle (I)
stress la presión, *pl.* las presiones (2)
striped a rayas (II)
strong fuerte (II)
to **struggle** luchar (10)
student el / la estudiante (I)
 — council el consejo estudiantil (II)
to **study** estudiar (I)
stuffed animal el animal de peluche (II)
style el estilo (3)
subconscious el subconsciente (3)
subject *(in school)* la materia (II); el tema (3)
subjective subjetivo, -a (4)
suburbs las afueras (2)
subway el metro (I)
 — station la estación del metro (I)
successful: to be — tener éxito (II)
such as tal como (4)
sufficient suficiente (II)
sugar el azúcar (I)
to **suggest** sugerir *(e → ie)* (II)
suit el traje (I, II)
 bathing — el traje de baño (I)
to **suit: it suits me** convenir
 (e → ie): me conviene (9)
suitable for the whole family apta para toda la familia (4)
suitcase la maleta (I, II)
summer el verano (I)
sun el sol (I)
to **sunbathe** tomar el sol (I)
Sunday domingo (I)
 on — el domingo (I)
sunglasses los anteojos de sol (I, II)
sunny: it's — hace sol (I)
sunrise el amanecer (II)
sunset el atardecer (II)
suntan lotion el bronceador (I)
supermarket el supermercado (I)
to **support (each other)** apoyar(se) (1)
to **suppose** suponer (8)
sure: to be — estar seguro, -a (8)
to **surf** hacer surf (II)
surfboard la tabla (de surf) (II)
to **surprise** sorprender(se) (10)
surprise party la fiesta de sorpresa (I, II)
surrealism el surrealismo (3)
suspect el sospechoso, la sospechosa (10)
sweater el suéter (I)
 turtleneck — el suéter de cuello alto (II)
sweatshirt la sudadera (I)
sweatsuit el chándal (II)
sweet dulce (II)

to **swim** nadar (I)
swimming pool la piscina (I)
swing el columpio (II)
syllable la sílaba (5)
symbol el símbolo (5)
symptom el síntoma (II)
synagogue la sinagoga (11)
synthetic sintético, -a (II)
system el sistema (II)

table la mesa (I)
 to clear the — quitar la mesa (I)
 night — la mesa de noche (II)
 to set the — poner la mesa (I)
tablecloth el mantel (I)
tablet la pastilla (I)
taco el taco (I)
to **take** llevar; sacar; tomar (I)
 to — a bath bañarse (II)
 to — charge of encargarse
 (g → gu) de (9)
 to — off *(clothes, make-up, etc.)*
 quitarse (II); *(aircraft)* despegar
 (g → gu) (II)
 to — out sacar *(c → qu)* (I)
 to — pictures sacar fotos (I)
 to — a shower ducharse (II)
 to — time (to) tardar (en) (2)
 to — a walk ir a pasear (I)
to **talk** hablar (I)
 to — to each other hablarse (II)
talk show el programa de entrevistas (I)
tall alto, -a (I)
tape player el tocacintas, *pl.* los tocacintas (II)
tape recorder la grabadora (I)
task la tarea (9)
to **taste** probar *(o → ue)* (I)
tasteless soso, -a (II)
tasty sabroso, -a (I)
taxes los impuestos (2)
taxi el taxi (I)
tea el té (I)
 iced — el té helado (I)
to **teach** enseñar (I)
teacher el profesor, la profesora (I)
team el equipo (II)
technician el técnico, la técnica (II)
technology la tecnología (II)
teddy bear el oso de peluche (II)
teeth las muelas (I); los dientes (II)
telegram el telegrama (6)
telephone el teléfono (I); *see also* **phone**
 — office la oficina telefónica (II)
 video — el teléfono con video (II)
television la tele(visión) (I)
 — set el televisor (II)
 to watch — ver la tele(visión) (I)
to **tell** decir (II)

temple el templo (I, 5)
ten diez (I)
tennis el tenis (I)
 — racket la raqueta de tenis (II)
 — shoes los tenis (I)
tent la tienda (de acampar) (II)
 to pitch a — poner una tienda (II)
terrible terrible (I)
terrorism el terrorismo (10)
test el examen, *pl.* los exámenes (II)
 medical — el análisis, *pl.* los análisis (II)
Thanksgiving el Día de (Acción de) Gracias (II)
thanks to gracias a (5)
thank you gracias (I)
that que (I); ese, esa (I, II); aquel, aquella (II)
 isn't — so? ¿verdad? (I)
 — one ése, ésa, (I, II); aquél, aquélla (II)
 —'s too bad! ¡qué lástima! (I)
 —'s why por eso (I)
the el, la, los, las (I)
theater *(movie)* el cine; el teatro (I)
their su, sus (I); suyo, -a (II)
theirs el suyo, la suya, los suyos, las suyas (II)
them *dir. obj. pron.* los, las; *after prep.* ellos, ellas; *ind. obj. pron.* les (I)
then luego (I); entonces (6)
theory la teoría (8)
there allí (I)
 — is / are hay (I)
 — it is allí está (I)
 — used to be había (II)
 — was / were había (II); hubo (II)
 — will be habrá (II)
therefore por eso (I)
these *adj.* estos, -as (I, II); *pron.* éstos, -as (II)
they ellos, ellas (I)
thief el ladrón, *pl.* los ladrones; la ladrona (II)
thing la cosa (I); el objeto (5)
to **think** creer; pensar *(e → ie)* (I); parecer (que) (II)
 I (don't) — so creo que sí (no) (I)
 to — about pensar en (I)
third tercer, -a (I)
thirsty: to be — tener sed (I)
thirteen trece (I)
thirty treinta (I)
this este, esta (I, II)
 — one éste, ésta (II)
thorn la espina (II)
those *adj.* esos, -as (I, II); aquellos, -as (II); *pron.* ésos, -as; aquéllos, -as (II)

thousand mil (I)
threat la amenaza (I)
three tres (I)
  — hundred trescientos (I)
  —-ring binder la carpeta de argollas (I)
throat la garganta (I)
  sore — el dolor de garganta (I)
  — lozenges las pastillas para la garganta (I)
through por (II); a través de (11)
to **throw out** echar (II)
Thursday jueves (I)
  on — el jueves (I)
ticket la entrada (I); el boleto (II)
tidy ordenado, -a (I)
tie la corbata (I, II)
to **tie** *(in scoring)* empatar (II)
tiger el tigre (I)
tight *(clothing)* apretado, -a (II)
tile el azulejo (11)
time la hora; el tiempo; la vez (I); *(period)* la época (3)
  at the same — a la vez (I)
  at —s a veces (I)
  at what —? ¿a qué hora? (I)
  to have a good / bad — pasarlo bien / mal (I, II)
  many —s muchas veces (I)
  on — puntualmente (I)
  what — is it? ¿qué hora es? (I)
tired cansado, -a (I)
to a (I)
  in order — para + *inf.* (I)
toast el pan tostado (I)
toaster el tostador (II)
today hoy (I)
  not — hoy no (I)
toe el dedo del pie (I)
token la ficha (6)
to **tolerate** soportar (II)
toll booth el peaje (2)
tomato el tomate (I)
  — soup la sopa de tomate (I)
tomb la tumba (5)
tomorrow mañana (I)
ton la tonelada (8)
tone *(in a painting)* el tono (3)
  dial — el tono (6)
tongue: mother — la lengua materna (12)
too también (I); demasiado (I)
  — many demasiado, -a (4)
toothache el dolor de muelas (I)
toothbrush el cepillo de dientes (II)
toothpaste la pasta dentífrica (I)
top:
  on — arriba (3)
  on — (of) encima de (I)

torn roto, -a (II)
tortilla la tortilla (I)
touched: to be — *(emotionally)* emocionarse (4)
tourist el / la turista (II)
  — office la oficina de turismo (II)
tower la torre (11)
town el pueblo (II)
  — square la plaza (I)
toy el juguete (II); *adj.* de juguete (II)
track la huella (8)
tradition la tradición, *pl.* las tradiciones (5)
traffic el tráfico (II)
  — jam el atasco (2)
  — light el semáforo (II)
train el tren (I)
  — station la estación del tren (I)
training el entrenamiento (9)
to **transform** transformar(se) (3)
to **translate** traducir (c → zc) (12)
translation la traducción, *pl.* las traducciones (12)
translator el traductor, la traductora (12)
transportation el transporte (II)
to **travel** viajar (12)
traveler el viajero, la viajera (II)
  —'s check el cheque de viajero (II)
to **treat (well / badly)** tratar (bien / mal) (9)
tree el árbol (I, II)
tricycle el triciclo (II)
  to ride a — montar en triciclo (II)
trip el viaje (II)
  short — la excursión, *pl.* las excursiones (II)
truck el camión, *pl.* los camiones (II)
true cierto, -a (8)
trumpet la trompeta (II)
truth la verdad (II)
to **try** probar (o → ue) (I)
  to — on probarse (o → ue) (II)
  to — to tratar de (3)
T-shirt la camiseta (I)
Tuesday martes (I)
  on — el martes (I)
turkey el pavo (II)
to **turn** doblar (II)
  to — off apagar (g → gu) (I, II)
  to — on encender (e → ie) (II)
turnover la empanada (II)
turtle la tortuga (II)
tutor el tutor, la tutora (II)
to **tutor** dar clases particulares (1)
twelve doce (I)
twenty veinte (I)
twice dos veces (I)
twig el palito (II)
twin el gemelo, la gemela (I)
two dos (I)

  — hundred doscientos (I)
type la clase (I)
typical típico, -a (I, II)

ugly feo, -a (I)
umbrella el paraguas (I)
unbelievable increíble (8)
uncle el tío (I)
uncomfortable incómodo, -a (I)
under 17 not admitted without an adult prohibida para menores (4)
under(neath) debajo de (I)
to **understand (each other)** entender(se) (e → ie) (1)
understanding comprensivo, -a (1)
to **unfasten** desabrocharse (II)
unfriendly antipático, -a (II)
to **unite** unir (7)
university la universidad (II)
unjust injusto, -a (7)
unknown desconocido, -a (8)
unmarried soltero, -a (II)
to **unpack** deshacer la maleta (II)
unpleasant antipático, -a (I)
until hasta (I)
to **upset** *(one's stomach)* hacer daño a (II)
us *obj. pron.* nos; *after prep.* nosotros, -as (I)
to **use** usar (I)
used:
  to be — for servir (e → i) para (8)
  what's it — for? ¿para qué sirve? (8)
useful útil (12)
usually generalmente (I)

vacation las vacaciones (I)
  to go on — ir de vacaciones (I)
to **vacuum** pasar la aspiradora (I)
vacuum cleaner la aspiradora (I)
vain vanidoso, -a (1)
Valentine's Day el Día de los Enamorados (II)
valley el valle (II)
value el valor (3)
to **value** apreciar (12)
VCR la videocasetera (I)
vegetable la verdura (I)
  — soup la sopa de verduras (I)
very muy (I)
vest el chaleco (II)
veterinarian el veterinario, la veterinaria (II)
victim la víctima (II)
video el video (II)
  — game el videojuego (I)
video conference la conferencia por video (6)
viewers el público (4)
vinegar el vinagre (II)

violence la violencia (II)
violent violento, -a (II)
violin el violín, *pl.* los violines (II)
virus el virus (II)
to **visit** visitar (I)
vitamin la vitamina (II)
voice: in a loud / soft — en voz alta / baja (6)
volleyball el vóleibol (I)
to **volunteer** trabajar como voluntario (II)
to **vomit** vomitar (II)
to **vote** votar (7)
voyage el viaje (II)

to **wait (for)** esperar (6)
to **wait on** atender *(e → ie)* (a) (9)
waiter, waitress el camarero, la camarera (I)
to **wake up** despertarse *(e → ie)* (II)
walk la marcha (7)
walk: to take a — ir a pasear (I)
to **walk** caminar (II)
walking a pie (I)
wall la pared (II)
wallet la cartera (II)
to **want** querer *(e → ie)* (I)
they wanted to ellos quisieron (3)
we will want querremos (6)
war la guerra (II)
to **wash** lavar (I)
— one's face, hair, etc. lavarse la cara, el pelo, etc. (II)
washer:
clothes — la lavadora (II)
dish— el lavaplatos (II)
to **waste** gastar (II)
watch el reloj (pulsera) (I, II)
to **watch** ver (I); vigilar (10)
water el agua *f.* (I)
— pistol la pistola de agua (II)
to — ski hacer esquí acuático (II)
— skiing el esquí acuático (II)
waterfall las cataratas (I)
watermelon la sandía (II)
we nosotros, -as (I)
weapon el arma, *pl.* las armas (10)
to **wear** llevar (I); usar (II)
weather el tiempo (I)
the — is nice (bad) hace buen (mal) tiempo (I)
— forecast el pronóstico del tiempo (I)
what's the — like? ¿qué tiempo hace? (I)
wedding la boda (II)
— anniversary el aniversario (de boda) (II)
Wednesday miércoles (I)
on — el miércoles (I)
week la semana (I)
weekend el fin de semana (I)

to **weigh** pesar (8)
weight el peso (8)
weights las pesas (II)
to lift — levantar pesas (II)
welcome: you're — de nada (I)
well bien (I); *(to indicate pause)* pues (I)
well-mannered (bien) educado, -a (II)
western la película del oeste (I)
wet mojado, -a (II)
whale la ballena (I, II)
what ¿qué? (I); lo que (II)
—'s it used for? ¿para qué sirve? (8)
wheel la rueda (8)
wheelchair la silla de ruedas (II)
when cuando (I)
when? ¿cuándo? (I)
where donde (I)
where? ¿dónde? (I)
from —? ¿de dónde? (I)
(to) —? ¿adónde? (I)
whether si (I)
which? ¿cuál? (I)
— ones ¿cuáles? (I)
while mientras (II)
white blanco, -a (I)
in black and — en blanco y negro (I)
who que (I)
who? whom? ¿quién(es)? (I)
who's calling? ¿de parte de quién? (6)
why? ¿por qué? (I)
that's — por eso (I)
width el ancho (8)
wife la esposa (II)
wild *(animal)* salvaje (II); *(plant)* silvestre (II)
to **win** ganar (II)
wind el viento (I)
window la ventana (I); *(plane)* la ventanilla (II)
to **windsurf** hacer surf de vela (II)
windy: it's — hace viento (I)
winter el invierno (I)
with con (I)
— me conmigo (I)
— you contigo (I)
to **withdraw** *(money)* sacar *(c → qu)* (I)
without sin (II)
witness el / la testigo (10)
wolf el lobo, la loba (I, II)
woman la mujer (I)
young — la joven (I)
wonderful fantástico, -a; ¡genial! (I); ¡una maravilla! (2)
wood la madera (I)
(made of) — de madera (I)
woods el bosque (II)
wool la lana (I)
work el trabajo (7)
— of art la obra de arte (3)

to **work** trabajar (I); *(machines)* funcionar (II)
world el mundo (11); mundial (12)
world-wide mundial (12)
to **worry** preocupar(se) (10)
worse peor (I)
worst el / la (los / las) peor(es) (I)
the — (thing) lo peor (1)
worthwhile: it's (not) — (no) vale la pena (I)
would be: it — sería (12)
wow! ¡vaya! (I)
to **wrap** envolver *(o → ue)* (6)
wrist la muñeca (II)
— watch el reloj pulsera (I, II)
to **write** escribir (I, II)
to — to each other escribirse (II)
writer el escritor, la escritora (II)
writing la escritura (5)
wrong equivocado, -a (6)
to be — no tener razón (I)
what's —? ¿qué tienes? (I)

X-ray la radiografía (II)
to take an — sacar *(c → qu)* una radiografía (II)

to **yawn** bostezar *(z → c)* (4)
year el año (I)
to be . . . —s old tener . . . años (I)
New —'s Day el Año Nuevo (II)
New —'s Eve el fin de año (II)
New —'s Eve party la fiesta de fin de año (I)
yearbook el anuario (II)
yellow amarillo, -a (I)
yes sí (I)
yesterday ayer (I)
yet: not — todavía no (I)
you *fam.* tú; *formal* usted (Ud.); *pl.* ustedes (Uds.); *dir. obj. pron.* lo, la, los, las; *fam. dir. obj. pron.* te; *ind. obj. pron.* le, les; *fam. after prep.* ti (I)
young *adj.* joven (I)
—er menor, *pl.* menores (I)
— lady la joven (I)
— man el joven (I)
— people los jóvenes (I)
your tu, tus *fam.;* su, sus *formal & pl.* (I); tuyo, -a; suyo, -a (II)
yours *fam.* el tuyo, la tuya, los tuyos, las tuyas; *formal & pl.* el suyo, la suya, los suyos, las suyas (II)
yuck! ¡qué asco! (I)

zero cero (I)
zipper la cremallera (II)
zoo el zoológico (I)

Más práctica y tarea

Aquí tienes una oportunidad adicional de practicar el vocabulario y la gramática de *PASO A PASO 3*. Escribe todas tus respuestas en una hoja aparte.

PASODOBLE

Escuela San Martín (página 2)

1 **El primer día de clases** Escribe la letra de la frase que mejor conteste las preguntas sobre el primer día de clases.

1. ¿Qué materia es la más interesante para ti?
2. ¿Tienes mucha tarea en la clase de español?
3. ¿Estudias otro idioma?
4. ¿Cuál es la tarea de álgebra?
5. ¿Piensas escribir para el club literario?
6. ¿Conoces a mucha gente?
7. ¿Qué materia es la menos interesante?
8. ¿A qué hora sales de las clases?

a. Por suerte, no tengo mucha esta noche.
b. O para el periódico escolar.
c. Sí, tengo muchos amigos en todas las clases.
d. El día escolar termina a las tres.
e. Para mí, la historia.
f. Tenemos que hacer los problemas 10–12 en la página 6.
g. La geografía es la menos interesante.
h. Sí, alemán.

(Practice Workbook PD-1)

¿Qué están haciendo? (página 3)

1 **¿Qué hacen?** Escribe lo que hacen estas personas antes de y después de las clases, usando el presente y el presente progresivo del verbo entre paréntesis.

¿Patina (patinar) bien Elisa?
Sí, está patinando ahora.

1. ¿___ (terminar) Jorge el proyecto?

2. ¿___ (bailar) bien Lourdes?

3. ¿___ (jugar) básquetbol todos los días Daniel y Nacho?

4. ¿___ (ganar) muchos partidos tu equipo?

5. ¿___ (estudiar) nosotros después de las clases?

6. ¿___ (caminar) tú mucho?

(Practice Workbook PD-2)

¿Qué clase de persona eres tú? (páginas 4–5)

1 **¿A qué hora?** Escribe cuándo estas personas se preparan para el día.

yo/levantarse/6:30   *Me levanto a las seis y media.*

1. Juan/despertarse/7:00
2. María Teresa/cepillarse los dientes/7:30
3. tú/ducharse/7:15
4. yo/lavarse la cara/ 6:45
5. mis hermanas/vestirse/6:30
6. Verónica y yo/peinarse/8:00

La moda (páginas 6–7)

1 **De pequeña** Escribe la forma apropiada del imperfecto de cada verbo entre paréntesis.

Cuando yo _1_ (ser) pequeña, yo _2_ (coleccionar) animales. Yo _3_ (tener) más de veinte animales grandes y pequeños, de todos los tamaños y colores. Mis hermanos y yo _4_ (jugar) con los animales día y noche. A mí hermano le _5_ (gustar) un dinosaurio que se _6_ (llamar) Rey. Y a mí me _7_ (encantar) un elefante morado, Violeta. Cuando mi familia y yo _8_ (salir), yo siempre _9_ (llevar) a Violeta. ¡Violeta _10_ (ser) mi mejor amiga!

2 **Ir de compras** Completa este diálogo con la palabra más apropiada entre paréntesis.

1. Vendedora: ¿Qué década de moda (prefiere/prefiera) Ud., los años 70 o los 90?
2. Tú: Prefiero (esta/esa) década.
3. Vendedora: ¿Le gusta este abrigo o (ése/aquella)?
4. Tú: No me gusta ése, pero me encanta (esta/este) abrigo negro.
5. Vendedora: (Este/Esta) chaleco es muy popular. ¿Ud. quiere probárselo?
6. Tú: Sí, y quisiera probarme (esas/esos) pantalones negros también.
7. Vendedora: Ud. necesita una camisa. ¿Prefiere (esta/este) camisa blanca o (esa/ese) camisa roja?
8. Tú: Prefiero (aquello/ésa), gracias.

(Practice Workbook PD-3)

Caricaturas (páginas 8–9)

1 **Celebraciones y posesiones** Escribe la letra de la palabra que no esté asociada con las otras palabras.

1. **a.** el cumpleaños   **b.** el tostador   **c.** el aniversario
2. **a.** el árbol   **b.** el nieto   **c.** el abuelo
3. **a.** apagar   **b.** felicitar   **c.** celebrar
4. **a.** el microondas   **b.** el fregadero   **c.** el sótano
5. **a.** la pulsera   **b.** la secadora   **c.** la lavadora
6. **a.** el televisor   **b.** el control remoto   **c.** el reloj

Nuestros pasatiempos (página 10)

1 **Los pasatiempos** Usando el pretérito, escribe los días en que Vicente, Eva y Tomás hicieron estas actividades.

trabajar en el hospital
Eva trabajó en el hospital el miércoles.

	lunes	martes	miércoles	jueves	viernes
Vicente	café	auditorio	parque	auditorio	parque
Eva	café	gimnasio	hospital	gimnasio	plaza
Tomás	biblioteca	centro	biblioteca	casa	plaza

1. patinar en el parque
2. estudiar en la biblioteca
3. hacer ejercicio en el gimnasio
4. jugar ajedrez en la plaza
5. tocar la trompeta en el auditorio
6. comer unos sandwiches en un café
7. ver la televisión en casa
8. ir de compras en el centro

(Practice Workbook PD-4)

El día de fiesta que más me impresionó (página 11)

1 **La fiesta de cumpleaños** Escribe el verbo del recuadro que mejor complete cada frase. Usa cada verbo sólo una vez.

di	jugué	se divirtieron	sirvió
encendiste	pidió	servimos	tuviste
encontró	pusieron	se vistió	

Ricardo ___ el helado.   *sirvió*

1. Cata ___ de ropa elegante.
2. Arturo ___ un pastel de chocolate.
3. Tú ___ las velas.
4. Yo le ___ un regalo estupendo.
5. Yo ___ damas.
6. Nosotros ___ los refrescos.
7. Clara, Rebeca y Manuel ___ los regalos encima de la mesa.
8. Tú ___ que salir temprano.
9. El próximo día Guillermo ___ más tarjetas.
10. Todos los invitados ___ mucho.

(Practice Workbook PD-5)

Los tiempos cambian (páginas 12–13)

1 **¿Cómo son los aparatos?** Contesta las preguntas con uno de los pronombres posesivos del recuadro.

la mía	la nuestra	la suya	el suyo
el mío	el nuestro	las suyas	la tuya

La lavadora es muy grande. ¿Y tu lavadora?
La mía es grande también.

1. Mi televisor es muy grande. ¿Y tu televisor?
2. Tu secador de pelo es viejo. ¿Y el secador de tu mamá?
3. Esta lavadora es muy buena. ¿Y la lavadora de Emilia?
4. Este calentador funciona bien. ¿Y el calentador de tu familia?
5. Mi bicicleta es roja. ¿Y tu bicicleta?
6. Sus joyas son muy caras. ¿Y las joyas de tus hermanas?

Tesoros del mundo hispano (páginas 14–15)

1 **¿Qué se encuentran aquí?** Contesta las preguntas con el *se* impersonal.

¿Qué se reparan aquí? / (joyas)
Se reparan joyas.

1. ¿Qué se venden aquí? / (recuerdos)
2. ¿Qué se hace aquí? / (cerámica)
3. ¿Qué se ven aquí? / (tesoros mayas)
4. ¿Qué se pide aquí? / (chocolate caliente)
5. ¿Qué se hablan aquí? / (español e inglés)
6. ¿Qué se compran aquí? / (tarjetas postales)

(Practice Workbook PD-6)

La salud (páginas 16–17)

❶ Muchos accidentes Usando el imperfecto progresivo y el verbo *caer,* escribe lo que estaban haciendo estas personas cuando se cayeron.

Juan Carlos/patinar   *Juan Carlos estaba patinando cuando se cayó.*

1. Luisa/esquiar
2. tú /montar en bicicleta
3. yo/bailar

4. Eduardo/jugar vóleibol
5. Carla y Susana /correr
6. el profesor Rodríguez/usar muletas

(Practice Workbook PD-7)

Nuestras películas favoritas (páginas 18–19)

❶ La película de ciencia ficción Completa el diálogo escribiendo la forma correcta del imperfecto o del pretérito de cada verbo entre paréntesis.

¿(Ir) tú al cine ayer?   *Fuiste*
Sí, (ser) muy tarde cuando fui.   *era*

Enrique: ¿ _1_ (Ver) tú ayer la nueva película del director Jaime Santos?
Alicia: ¿La película en que _2_ (haber) muchos efectos especiales?
Enrique: La película en que los extraterrestres _3_ (llegar) a Chile.
Alicia: Ah, sí. _4_ (Ser) las cuatro de la mañana cuando llegaron.
Enrique: ¿Te _5_ (gustar) mucho esa película?
Alicia: Sí, porque _6_ (ser) original. ¿A ti te _7_ (gustar)?
Enrique: ¡Sí! La actuación del actor principal _8_ (ser) fabuloso.

(Practice Workbook PD-8)

Las muchachas nunca deben romper las reglas (páginas 20–21)

❶ Los opuestos Escoge la letra de la palabra que tiene el significado opuesto.

1. alguien
2. algo
3. algún
4. alguna
5. siempre
6. también

a. nunca
b. ninguna
c. nadie
d. tampoco
e. ningún
f. nada

❷ ¡Qué negativo! Escribe estas frases de nuevo, cambiándolas al negativo.

¿<u>Alguién</u> compró jabón?   *¿Nadie compró jabón?*

1. ¿Compraste <u>algo</u> especial?
2. Andrés <u>siempre</u> va a los bailes.
3. ¿Hay <u>alguna</u> máquina de afeitar por aquí?
4. Isabel y Cristina llevan este perfume <u>también</u>.

5. <u>¿Alguién</u> encontró tu lápiz de labios?

6. <u>Alguno</u> de los chicos tendrá un cepillo.

¡Vamos de vacaciones! (páginas 22–23)

1 **¡A viajar!** Busca el verbo en cada frase y escríbelo si es un mandato con *tú*.

Compra tus cheques viajeros. *compra*

1. Primero, tienes que decidir adónde vas.
2. Habla con tus amigos y parientes.
3. Lee unos libros sobre tu destinación.
4. Puedes aprender mucho de tu destinación.
5. Compra temprano tu boleto.
6. ¡No vayas tarde al aeropuerto!
7. Y no traigas demasiado equipaje.
8. Ten cuidado con tu bolsa.
9. Si sigues estos consejos, estarás preparado.
10. ¡Te vas a divertir mucho!

(Practice Workbook PD-9)

El siglo XXI—unas predicciones (páginas 24–25)

1 **¿Qué serán?** Escribe lo que será cada persona en el futuro. Escoge una frase apropiada del recuadro y cambia el infinitivo al futuro.

A Samuel le gustan los coches. *Reparará coches.*

aprender japonés	reparar coches
casarse	ser médico
correr en los Juegos Olímpicos	tocar en una orquesta famosa
escribir una novela	trabajar en una clínica para animales
proteger a las víctimas	

1. A Manolo le encanta escribir.
2. A Francisca le encantan los animales.
3. Martín siempre sacaba buenas notas en las ciencias.
4. Diana e Inés estaban en la banda por ocho años.
5. Julio y Ana se quieren mucho.
6. ¡Tú corres tan rápido!
7. Yo hablo cuatro idiomas.
8. Armando y yo hacemos mucho trabajo voluntario.

(Practice Workbook PD-10)

Aquí tienes una oportunidad adicional de practicar el vocabulario y la gramática de cada capítulo. Escribe todas tus respuestas en una hoja aparte.

CAPÍTULO 1

Vocabulario para comunicarse (páginas 30–35)

1 **Antónimos** Escribe frases que digan lo contrario de estas frases, reemplazando las expresiones subrayadas por sus antónimos.

1. Pedro es muy <u>vanidoso</u>.

2. Nosotros estamos <u>nerviosos</u>.

3. Mi madre es una persona <u>comprensiva</u>.

4. ¡No seas tan <u>irresponsable</u>!

5. El guión fue <u>lo mejor</u> de la película.

6. Tener dinero es <u>lo menos importante</u>.

7. Es bueno <u>llevarse bien</u> con los enemigos.

8. <u>Nunca</u> vamos al cine los fines de semana.

2 **Definiciones** Empareja cada palabra o frase con su definición. Escoge la letra de la respuesta correcta.

1. hacer caso   **a.** lo que tiene una persona graciosa

2. nervioso   **b.** permitir que otra persona use una cosa tuya

3. mudarse   **c.** las otras personas

4. sentido del humor   **d.** ayudar

5. compartir   **e.** que dice la verdad

6. sincero   **f.** que no está tranquilo

7. los demás   **g.** obedecer, no ignorar

8. apoyar   **h.** cambiarse de casa

(Practice Workbook 1-1, 1-2)

Tema para investigar (páginas 36–39)

1 **La opción correcta** Completa cada frase escogiendo la palabra más apropiada entre paréntesis.

1. Para ser miembro de un club, uno tiene que (inscribirse / quejarse).

2. La (redacción / higiene) es muy importante para estar sanos.

3. Los niños que no tienen padres viven en el (orfanato / asilo).

4. La (campaña / esgrima) es un deporte que no se ofrece en la escuela.

5. Lo que hacemos mejor (adquiere / influye) en el trabajo que escogemos.

(Practice Workbook 1-3, 1-4)

Gramática en contexto (páginas 44–49)

Los mandatos afirmativos con *tú* (página 45)

1 **Mandatos** Responde a estas frases con un mandato afirmativo con *tú,* usando el verbo y las expresiones entre paréntesis.

Tengo mucha hambre. (comer / un taco)
Come un taco.

1. No tengo muchos amigos. (inscribirse / en un club)

2. Tengo muchos juegos y Roberto no tiene ninguno. (compartir / tus juegos con él)

3. No me gusta mi casa. (mudarse / a otra casa)

4. No participo mucho en clase. (hablar / con tu profesora)

2 **Más mandatos** Completa las frases con uno de los mandatos del recuadro.

di	sal
haz	sé

1. ___ siempre la verdad.

2. ___ caso a tus padres.

3. ___ considerado con las demás personas.

4. Para llegar a tiempo a la escuela, ___ temprano de tu casa.

(Practice Workbook 1-5)

Los complementos directos e indirectos (páginas 46–47)

3 **¿A quién?** Escoge el complemento directo o indirecto *[me, te, le(s), lo(s), la(s)* o *nos]* que mejor complete cada una de estas frases.

1. Jorge ___ manda una carta a Arturo.

2. Mi abuela ___ llama por teléfono a nosotros frecuentemente.

3. No ___ hago caso a las personas agresivas.

4. A mí, mis amigos ___ respetan.

5. ___ voy a escribir a Ángela.

(Practice Workbook 1-6, 1-7)

Otros usos de *lo* (páginas 48–49)

4 ***Lo* o *lo que*** Completa estas frases con *lo* o *lo que*.

1. ___ mejor del verano es que puedo ir a la playa.

2. ___ peor de estar enfermo es no poder ver a mis amigos.

3. ___ más me gusta es ir al cine.

4. Escucha siempre ___ dice el profesor.

5. ¿Sabes ___ mis padres me van a regalar por mi cumpleaños?

5 **¿Qué aprendiste?** Pon en orden estos grupos de palabras para hacer frases completas.

1. los / piensa / demás / en

2. apoyarse / necesario / entre / amigos / es

3. amigos / somos / íntimos / Guillermo / yo / y

4. les / no / hablar / a / voy /

5. considerado / sé / con / hermanos / tus

(Practice Workbook 1-8, 1-9)

Capítulo 2

Vocabulario para comunicarse (páginas 62–67)

1 **La opción correcta** Completa cada frase escogiendo la(s) palabra(s) más apropiada(s) entre paréntesis.

1. Me gustaría vivir en una ciudad (segura / peatón).

2. (Los peatones / Las cercas) caminaban rápido en la ciudad.

3. Caminamos por (la acera / el ruido).

4. Tardábamos mucho en llegar al trabajo por (los atascos / los rascacielos).

5. A mi abuelo le gustaba lo (lleno / sano) del campo.

6. El tráfico en la autopista era (aislado / peligroso).

7. En el campo, había muchos (rascacielos / senderos).

Tema para investigar (páginas 68–71)

1 **La respuesta correcta** Completa cada frase usando una palabra apropiada del recuadro.

atasco	paisaje	presión
las afueras	población	rural

1. No me gusta la ___ de la vida en la ciudad.

2. El ___ del campo es hermoso.

3. Hay oportunidades abundantes para vivir en ___.

4. ¿Crees que la ___ de San Antonio es mayor que la de El Paso?

5. Hay un ___ en la carretera porque hubo un accidente.

(Practice Workbook 2-1, 2-2)

2 **Definiciones** Empareja cada palabra con su definición. Escribe la letra de la respuesta correcta.

1. escaparse
2. jardín
3. ofrecer
4. abundante
5. impuestos
6. diario

a. mucho, suficiente
b. dinero que todos pagan
c. dar voluntariamente
d. ir lejos de
e. cada día
f. donde hay flores

(Practice Workbook 2-3, 2-4)

Gramática en contexto (páginas 76–83)

El imperfecto (páginas 77–79)

1 **En el pasado** Escribe la forma apropiada del imperfecto de cada verbo entre paréntesis.

1. Antes, María (hablar) ___ español con Marcos todos los días.

2. De niño, yo (comer) ___ chocolate por las mañanas.

3. Cuando era joven, mi abuelo (vivir) ___ en el campo.

4. Cuando vivía cerca del mar, Marta (ir) ___ con Juan a la playa.

5. En el pasado (haber) ___ menos contaminación.

(Practice Workbook 2-5, 2-6)

Otros usos del imperfecto (páginas 79–81)

2 **Mis amigos y yo** Cambia los verbos al imperfecto.

1. (Soy) una muchacha activa. Siempre 2. (juego) tenis o fútbol con mis amigos. Nosotros 3. (jugamos) los sábados por la mañana. Después, 4. (trabajo) tres horas en mis tareas. En la tarde 5. (vamos) todos al cine y mientras 6. (vemos) la película 7. (comemos) chocolates y 8. (bebemos) refrescos. Después 9. (hablamos) un rato y a las 9:00 de la noche 10. (nos despedimos).

3 **Antes no, ahora sí** Completa este diálogo con la forma correcta del imperfecto de los verbos entre paréntesis.

Daniela: Yo (pensar) __1__ que tú (vivir) __2__ en otra ciudad.

Miguel: Sí, antes yo (ser) __3__ agente de viajes en Montreal, pero ahora vivo aquí.

Daniela: ¡Qué bueno! Yo siempre te (decir) __4__ que tú (ir) __5__ a vivir cerca de mí.

Miguel: Sí. Antes no nos (ver) __6__ mucho. Ahora nos veremos siempre.

(Practice Workbook 2-7)

El participio pasado como adjetivo (páginas 81–83)

4 **¡Pero ya está...!** Expresa tu reacción a lo que dicen estas personas, completando las frases con el participio pasado.

1. Ángel: Vas a contaminar el medio ambiente.
   Tú: ¡Pero el medio ambiente ya está _____!

2. José: Miguelito va a dormir a las 8:00.
   Tú: ¡Pero él ya está _____!

3. Andrés: ¿Van ellos a esconderse?
   Tú: ¡Pero ellos ya están _____!

4. Patricio: ¡Cuidado! Vas a romper la ventana.
   Tú: ¡Pero la ventana ya está _____!

5 **¿Cómo está...?** Completa cada frase usando un participio pasado apropiado del recuadro.

abiertas	decorado	situada
aislados	encendidas	

1. El salón está ___ para la fiesta.

2. Mi casa está ___ en una comunidad muy bien cuidada.

3. En el verano, las ventanas siempre están ___.

4. Durante el día, las luces no están ___.

5. Gracias a los teléfonos y las computadoras, no estamos ___ de los otros países.

(Practice Workbook 2-8, 2-9)

Vocabulario para comunicarse (páginas 96–101)

1 **La intrusa** Para cada uno de estos grupos de expresiones, escribe la palabra que no pertenezca a este grupo.

1. paleta / pincel / arriba

2. reflejado / mural / obra

3. de pie / retrato / sentado

4. centro / estilo / forma

5. naturaleza muerta / autorretrato / sombra

6. primer plano / tema / fondo

7. tono / forma / galería

8. abajo / vivo / apagado

2 **El trabajo del (de la) artista** Completa cada frase con una palabra o expresión apropiada del recuadro.

abajo	fondo	paleta	reflejados
apagados	mural	pincel	retrato
autorretrato	naturaleza muerta	primer plano	temas

Un(a) pintor(a) necesita una __1__ para trabajar con los colores para hacer una pintura. Con un __2__ aplica los colores. Los __3__ de una pintura pueden ser variados: si el (la) artista pinta a una persona, se llama un __4__. Si pinta una composición con frutas sobre una mesa, se llama una __5__. Cuando la pintura se hace en una pared, se llama un __6__.

(Practice Workbook 3-1, 3-2)

Tema para investigar (páginas 102–105)

1 **Definiciones** Empareja cada expresión con su definición. Escribe la letra de la respuesta correcta.

1. el siglo
2. el punto de vista
3. el impresionismo
4. el cubismo
5. el surrealismo
6. el realismo

a. representa sólo las cosas como se ven
b. cien años
c. presenta imágenes desde más de un punto de vista
d. explora temas del subconsciente
e. manera específica de ver las cosas
f. reproduce las sensaciones creadas por el color y la luz

2 **La mejor opción** Completa cada frase con la palabra más apropiada.

1. Los nuevos estilos rompen las tradiciones artísticas de una (época / imagen).

2. No es nada fácil (criticar / tratar) una obra de arte.

3. Picasso presentaba (imágenes / inspiraciones) desde varios puntos de vista.

4. El movimiento (impresionista / realista) trataba de reproducir sensaciones creadas por el color y la luz.

5. Los pintores del (cubismo / surrealismo) pintan con temas de los sueños.

(Practice Workbook 3-3, 3-4)

Gramática en contexto (páginas 110–115)

Repaso: El pretérito del verbo *poner* (páginas 111–112)

1 **¿Dónde está?** Completa las siguientes frases con la forma apropiada del pretérito del verbo *poner.*

1. Mi abuela a veces se preguntaba "¿Dónde ___ yo mis anteojos?"

2. Nos ___ contentos al oír la buena noticia.

3. Dolores ___ los libros sobre el escritorio.

4. ¿Te ___ triste cuando tus padres se fueron de viaje?

5. Emilia se ___ un suéter porque tenía frío.

(Practice Workbook 3-5)

El pretérito de los verbos *influir* y *contribuir* (páginas 112–113)

2 **Las influencias** Completa las frases con la forma correcta del pretérito de los verbos *influir* o *contribuir*.

1. La cultura mexicana ___ mucho en las obras de Frida Kahlo.

2. Tú ___ muy poco al trabajo de tu grupo; la próxima vez debes hacer más.

3. Los colores vivos ___ para hacer más bonito el mural que pintamos.

4. Todos nosotros ___ a la fiesta.

5. Yo ___ mucho en la decisión de Ana de ser pintora.

(Practice Workbook 3-6)

Repaso: El imperfecto progresivo (páginas 113–114)

3 **¿Qué estabas haciendo?** Completa las frases con la forma correcta del imperfecto progresivo del verbo entre paréntesis.

1. ¿Qué (hacer) ustedes después de las clases?

2. Nosotros (mirar) los murales del patio.

3. Mis hermanos le (pedir) algo a Mamá.

4. El detective los (seguir) por toda la ciudad.

5. ¿(leer) tú el periódico cuando te llamé?

(Practice Workbook 3-7, 3-8)

Repaso: El uso del pretérito y del imperfecto progresivo (páginas 114–115)

4 **Estaba hablando cuando...** Pon en orden las palabras para formar frases lógicas.

1. ¿ / qué / cuando / llamaron / te / tú / haciendo / estabas / ?

2. de pie / puse / estaba / me / cuando / yo / la profesora / hablando

3. favorito / viendo / mi / estaba / programa / cuando / se / yo / un ruido / oyó

4. estaban / leyendo / la prima / llamó / cuando / ustedes

5. llegó / visitando / nosotros / la galería / el artista / estábamos / cuando

(Practice Workbook 3-9)

Capítulo 4

Vocabulario para comunicarse (páginas 128–133)

1 **Antónimos** Escribe palabras o frases que significan lo contrario de estas expresiones.

1. mayores

2. negativo

3. objetivo

4. aburrirse

5. prohibida para menores

2 **La respuesta correcta** Completa cada frase con una palabra apropiada del recuadro.

alquilar	grabar	recientemente
demasiados	multa	reportaje

1. Tuve que pagar una ___ por no devolver la película a tiempo.

2. ¿Qué has visto ___ en la tele?

3. ¿Es ilegal ___ programas de la televisión?

4. Hay ___ rascacielos en esta ciudad.

5. ¿Quieres ___ un video esta noche?

3 **¿Apto para toda la familia?** Decide si cada programa de televisión es *Apto para toda la familia* o es *Sólo para mayores.*

1. *Música para todos*

2. *Temas adultos*

3. *Las noticias deportivas*

4. *Las aventuras de Michito el gato*

5. *Violencia en las calles*

(Practice Workbook 4-1, 4-2)

Tema para investigar (páginas 134–137)

1 **Definiciones** Empareja cada palabra con su definición.

1. entretener

2. clasificar

3. el público

4. la censura

5. manipular

a. el control sobre lo que se puede ver

b. divertir

c. poner en categorías diferentes

d. influir en alguien

e. las personas que ven un programa

2 **La mejor opción** Completa cada frase con una palabra o expresión apropiada del recuadro.

censura	percepción	se ha dicho
derecho	se entretienen	tal como

1. ___ que la televisión es mala para los jóvenes.

2. Los niños ___ mucho al ver los dibujos animados.

3. En muchos países hay ___ y por eso la gente no puede ver algunos programas.

4. Celestina dice que tiene ___ a escoger los programas que puede ver.

5. Lo que vemos en la televisión influye en nuestra ___ del mundo.

6. La televisión casi nunca muestra la vida ___ es.

(Practice Workbook 4-3, 4-4)

Gramática en contexto (páginas 142–149)

El presente perfecto (páginas 143–145)

1 **¿Qué han hecho?** Completa las siguientes frases usando el presente perfecto de los verbos entre paréntesis.

1. Ellos (alquilar) un coche.

2. ¿(escoger) tú el libro que vas a leer?

3. El pobre niño (caerse) del árbol.

4. Nosotros no (pagar) ninguna multa por un video todavía.

5. Yo nunca (ir) a San Francisco.

(Practice Workbook 4-5)

MÁS PRÁCTICA Y TAREA

Los participios pasados irregulares (páginas 145–146)

2 **Hemos...** Escribe la forma correcta del presente perfecto de cada verbo subrayado.

1. Siempre les <u>digo</u> la verdad a mis padres.

2. Elisa y Camila <u>ven</u> la película que ganó el Óscar.

3. El único árbol de mi jardín se <u>muere</u>.

4. La contaminación nos <u>hace</u> daño a todos.

5. Jorge me <u>escribe</u> varias veces.

(Practice Workbook 4-6, 4-7)

Repaso: El pretérito de *poder, tener* y *estar* (página 147)

3 **¿Qué hicieron?** Completa las frases con la forma correcta del pretérito de los verbos *poder, tener* o *estar.*

1. Yo no ___ ir anoche a la fiesta.

2. Andrea ___ en Uruguay el año pasado.

3. ¿ ___ Guillermo y Manuel en la reunión de la semana pasada?

4. Emilia ___ que ir al dentista.

5. Los estudiantes no ___ terminar el examen a tiempo.

6. ¿ ___ (tú) que salir temprano?

(Practice Workbook 4-8)

Repaso: El pretérito de *decir* y *dar* (página 148)

4 **El pasado** Escribe frases lógicas con la información de abajo. Cambia los infinitivos *decir* y *dar* al pretérito.

1. decir / que / estaban / ellos / ocupados

2. nada / no / yo / decir

3. dar / problemas / tú / me / muchos

4. ¿ / repetir / puedes / decir / lo que / tú / ?

5. regalo / le / José / a Ángela / dar / un

(Practice Workbook 4-9)

Capítulo 5

Vocabulario para comunicarse (páginas 162–167)

1 **Sopa de letras** Pon en orden las letras para formar palabras del vocabulario.

1. o a g ó q o u r l e

2. c r n d ó i i t a

3. o t e l p m

4. u e t t s a a

5. n o c e c u

2 **La respuesta correcta** Completa cada frase usando una palabra del Ejercicio 1.

1. Una ___ es algo que hacen con frecuencia los miembros de una cultura.

2. El ___ es una clase de plato.

3. El ___ era el centro religioso de algunas civilizaciones.

4. Un ___ estudia las cosas enterradas de las civilizaciones antiguas.

5. La escultura de una persona o animal es una ___.

3 **Definiciones** Escribe la palabra correcta que corresponda a las definiciones.

1. casa pequeña hecha de árboles, hojas y otras cosas naturales

2. construcción sagrada

3. hábitos, costumbres

4. lugar donde están enterrados los muertos

5. hacer un edificio

6. una forma de escribir con dibujos

(Practice Workbook 5-1, 5-2)

Tema para investigar (páginas 168–171)

1 **Parejas** Empareja cada palabra con su definición.

1. el quiché   **a.** representación de algo

2. actual   **b.** que existía en América antes de 1492

3. el calendario   **c.** idioma de los mayas

4. precolombino   **d.** que existe en el momento presente

5. el símbolo   **e.** sistema de división del año

2 **La mejor respuesta** Completa cada frase con una palabra apropiada del recuadro.

cosecha	excavar	precolombinas
estrellas	legados	siembra

1. La ___ es la etapa en que se prepara para cultivar maíz y otros productos.

2. En la época de la ___ es cuando se recogen los frutos cultivados.

3. La lengua, la religión y la arquitectura son ___ importantes de las culturas antiguas.

4. Las civilizaciones ___ construyeron templos impresionantes.

5. Los planetas y las ___ se observan desde un observatorio.

(Practice Workbook 5-3, 5-4)

Gramática en contexto (páginas 176–181)

Hace ... que / Hacía ... que (páginas 177–178)

1 **Hace mucho tiempo** Completa las frases con *hace* o *hacía*.

1. Nicolás, ¿cuánto tiempo ___ que estudias español?

2. ___ tres años que Miguel vive en América Central.

3. ___ cinco meses que no llovía cuando llegó la tormenta.

4. ___ unas semanas que los arqueólogos excavan cerca de Chichén Itzá.

5. ___ mucho tiempo que no lo veía, hasta que nos encontramos ayer.

(Practice Workbook 5-5, 5-6)

El pluscuamperfecto (páginas 178–179)

2 **Cuando...** Combina las dos frases para formar una, usando *Cuando... ya...* Cambia el verbo de la segunda frase a la forma correcta del pluscuamperfecto. Sigue el ejemplo.

Llegaron los españoles. La civilización maya fundó ciudades como Tikal y Palenque.
Cuando llegaron los españoles, la civilización maya ya había fundado ciudades como Tikal y Palenque.

1. Construyeron el templo. Los mayas empezaron las ceremonias.

2. Los arqueólogos llegaron. Algunas personas excavaron las ruinas.

3. Visité México. Tú estuviste allí muchas veces.

4. Fui a buscar a Armando. Él se fue.

5. Entraste. Yo terminé de comer.

6. Descubrieron la ciudad. Algunos objetos sagrados de las tumbas desaparecieron.

(Practice Workbook 5-7, 5-8)

El verbo *seguir* y el presente progresivo (páginas 180–181)

3 **Sigo hablando.** Escribe las frases de nuevo, cambiando el verbo subrayado a la forma correcta del verbo *seguir* y el presente progresivo. Sigue el ejemplo.

Cuando estoy enfermo, trabajo.
Cuando estoy enfermo, sigo trabajando.

1. Es de noche y estudio.

2. Durante el día, los arqueólogos excavan.

3. Los arqueólogos descubren más ruinas.

4. Ellos dicen lo que piensan.

5. Celebramos las tradiciones de nuestros antepasados.

6. Tú bailas aunque es muy tarde.

(Practice Workbook 5-9)

Capítulo 6

Vocabulario para comunicarse (páginas 194–199)

❶ La conversación Completa cada frase del diálogo con la palabra o expresión más apropiada entre paréntesis.

ALEJANDRO: ¿Aló?

TINA: Sí, habla la __1__ (remitente / operadora).

ALEJANDRO: Quisiera __2__ (hablar en voz baja / hacer una llamada).

TINA: Muy bien. ¿Cómo la quiere pagar?

ALEJANDRO: Es una llamada __3__ (a cobro revertido / por formulario).

TINA: Si quiere, puede hacerla por menos dinero. Primero, __4__ (mande / cuelgue) para empezar de nuevo. Espere __5__ (el tono / la ficha). Finalmente, __6__ (marque / mande) el número 10-10-PASO.

ALEJANDRO: Gracias. Usted es muy amable.

TINA: De nada.

❷ Definiciones Empareja cada palabra o expresión con la definición más apropiada.

1. remitente

    a. Un documento que se manda electrónicamente por teléfono.

2. contestador automático

    b. Una persona que lleva cartas y paquetes a las casas.

3. fax

    c. La persona que manda una carta o paquete.

4. sobre

    d. Donde escribes la dirección y el nombre de la persona.

5. cartero

    e. Aparato para dejar recados si la persona no está en casa.

6. teléfono inalámbrico

    f. Se usa para hablar si uno quiere moverse por la casa.

(Practice Workbook 6-1, 6-2)

Tema para investigar (páginas 200–203)

1 **La mejor opción** Completa cada frase con una palabra o expresión apropiada del recuadro.

correo electrónico	cualquiera	interactivas
creará	esperar	privadas

1. ¿Cuántos días más tengo que ___?

2. Yo creo que la nueva tecnología ___ más problemas que soluciones.

3. ¿Sabes que ___ puede usar las nuevas computadoras?

4. Las computadoras ___ nos permiten conseguir toda clase de información.

5. Desde mi computadora puedo mandar cartas por ___.

(Practice Workbook 6-3, 6-4)

Gramática en contexto (páginas 208–213)

Repaso: El futuro (páginas 209–210)

1 **¿Qué pasará?** Escribe la forma correcta del futuro de cada verbo entre paréntesis.

1. En el año 2025, la gente (comer) más productos naturales.

2. Con la nueva tecnología, el correo electrónico (ser) mucho más rápido.

3. El próximo año nosotros (visitar) a nuestros amigos frecuentemente.

4. Ellos (llevarse) muy bien en el futuro.

5. Después de graduarme yo (hablar) español perfectamente.

(Practice Workbook 6-5)

El futuro: Continuación (páginas 211–212)

2 **¿Qué harás?** Cambia cada verbo subrayado a la forma correcta del futuro.

1. <u>Hago</u> muchas llamadas.

2. ¿<u>Hay</u> apartados postales en esta oficina de correos?

3. La cartera <u>sale</u> del correo muy tarde.

4. <u>Tenemos</u> clases de historia.

5. Juan <u>pone</u> los libros en la mesa.

6. Creo que no <u>puedo</u> ir a jugar.

(Practice Workbook 6-6)

Uso de los complementos directos e indirectos (páginas 212–213)

3 **Lo tengo.** Escribe las frases de nuevo, cambiando las palabras subrayadas por un complemento apropiado. Sigue el ejemplo.

Mi tío me enviará <u>el documento</u> por fax.
Mi tío me lo enviará por fax.

1. Teresa no te prestará <u>los libros</u>.

2. Eduardo y Juana nos mandarán <u>los cheques</u> por correo.

3. Nunca le diré a usted <u>el secreto</u>.

4. Dime <u>el secreto</u> por favor.

5. Magda me enviará <u>las cartas</u> por correo urgente.

(Practice Workbook 6-7, 6-8, 6-9)

CAPÍTULO 7

Vocabulario para comunicarse (páginas 226–229)

1 **La mejor opción** Completa cada frase usando la palabra o expresión más apropiada del recuadro.

los candidatos	gente sin hogar
el centro de rehabilitación	juntar fondos
la Cruz Roja	responsabilidad

1. Un problema social serio es que hay ___.

2. ___ es una organización que ayuda a la gente.

3. Todos tenemos una ___: servir a la comunidad.

4. En ___ ayudan a las personas a recuperarse de los accidentes.

5. En la escuela vamos a ___ para las víctimas del terremoto.

6. ___ prometen resolver los problemas sociales.

2 **Sinónimos** Escribe palabras con el mismo significado.

1. pedir

2. quejarse

3. ofrecer

4. incapacitado

5. ayudar

6. institución

7. persona de mucha edad

8. regalar

(Practice Workbook 7-1, 7-2)

Tema para investigar (páginas 230–233)

1 **Definiciones** Empareja cada palabra con su definición.

1. ejército

2. unirnos

3. obtener

4. ciudadanía

5. obligatorio

6. actualmente

a. te da el derecho de vivir y votar en un país

b. reunirnos

c. fuerza militar

d. ahora, hoy en día, en nuestros días

e. que se tiene que hacer

f. conseguir

2 **La mejor opción** Escoge la palabra apropiada entre paréntesis para completar cada frase.

1. La Cruz Roja ofrece (manifestaciones / ayuda) cuando hay terremotos o desastres.

2. Estoy (a favor / en contra) de la nueva ley, y por eso estoy protestando.

3. (Las causas / Las leyes) son necesarias para que la sociedad funcione bien.

4. Para tener más fuerza, tenemos que (unirnos / garantizarnos).

5. La (manifestación / ciudadanía) fue para protestar contra los nuevos impuestos.

(Practice Workbook 7-3, 7-4)

Gramática en contexto (páginas 238–245)

El subjuntivo (páginas 239–241)

1 **Quiero que...** Combina estas frases usando la forma apropiada del subjuntivo.

1. Mi mamá quiere que / mi hermano no juega fútbol en la casa.

2. La señora Rodríguez pide que / su esposo le compra un regalo por su cumpleaños.

3. El candidato espera que / los ciudadanos votan por él.

4. Es necesario que / ellos respetan las leyes.

5. ¿Sugieres que / los pobres solicitan ayuda?

6. Recomendamos que / los ancianos comen en el restaurante.

(Practice Workbook 7-5, 7-6)

El subjuntivo: Continuación (páginas 241–242)

2 **Es mejor que...** Completa estas frases con la forma apropiada del subjuntivo.

1. Es necesario que yo te (explicar) mis opiniones.

2. Será mejor que los pobres (ir) al comedor de beneficencia.

3. Es muy importante que Andrea (saber) la verdad.

4. Su mamá exige que Patricio (hacer) su tarea antes de salir a jugar.

5. Sugiero que ustedes (acostarse) en este momento.

6. Insistimos en que tú nos (decir) lo que hiciste ayer.

7. Eduardo espera que Juana le (dar) el dinero que él le prestó.

(Practice Workbook 7-7, 7-8)

La voz pasiva: *Ser* + participio pasado (páginas 243–245)

3 **Fue donado por él.** Escribe estas frases en la voz pasiva. Sigue el ejemplo.

Mi equipo de fútbol ganó el partido.
El partido fue ganado por mi equipo de fútbol.

1. La Cruz Roja organizó una campaña para juntar fondos para las víctimas del huracán.

2. El gobierno garantizó los derechos de los ciudadanos.

3. Nuestro candidato ganará las elecciones.

4. Santiago sacó al perro a pasear.

5. Los incas construyeron muchos templos.

6. El arqueólogo descubrió la tumba del líder del grupo religioso.

(Practice Workbook 7-9)

Capítulo 8

Vocabulario para comunicarse (páginas 258–263)

1 **Los misterios** Escribe el adjetivo del recuadro que mejor corresponda a cada palabra de abajo.

extrañas	geométrico	misteriosos
falsa	gigantesca	redonda

1. rueda
2. extraterrestres
3. diseño
4. piedra
5. noticia
6. huellas

2 **¿Lo crees?** Escribe la palabra o expresión que mejor complete cada frase.

1. ___ llegaron en una nave espacial.

2. La piedra es gigantesca: ___ 30 metros de alto.

3. ___ calcularon el diámetro de los diseños en el desierto.

4. Las ___ que dejan el Yeti son enormes.

3 **¿Qué son?** Escribe frases completas, escogiendo la expresión de la segunda columna que mejor complete la frase de la primera columna.

1. El casco
2. La noticia
3. El teléfono
4. El pincel
5. La nave espacial

a. sirve para pintar

b. es ovalada

c. sirve para proteger la cabeza

d. es increíble

e. sirve para llamar a otras personas

(Practice Workbook 8-1, 8-2)

Tema para investigar (páginas 264–267)

1 **¿Qué sabes?** Escribe la letra de la respuesta correcta para cada pregunta.

1. ¿Cuánto pesan las cabezas de piedra encontradas en La Venta?
   a. Entre 11 y 24 kilos. **b.** Entre 11 y 24 toneladas.

2. ¿Quiénes eran los olmecas?
   a. Dioses extraterrestres. **b.** Los habitantes de La Venta.

3. ¿Qué se puede encontrar en el desierto de Nazca, Perú?
   a. Un fenómeno inexplicable. **b.** Muchos monos y arañas.

4. ¿Por qué no creen los arqueólogos que se haya resuelto el misterio de Nazca?
   a. Porque no hay datos suficientes. **b.** Porque ya no hay dudas.

(Practice Workbook 8-3, 8-4)

Gramática en contexto (páginas 272–279)

El subjuntivo con expresiones de duda (páginas 273–274)

1 **Es posible que...** Escribe la forma correcta del verbo entre paréntesis para cada frase.

1. Es posible que (existen/existan) los extraterrestres.

2. Estoy seguro de que tu bicicleta (mide/mida) dos metros de largo.

3. Mi hermana duda que la ciencia (puede/pueda) explicarlo todo.

4. Nosotros no creemos que esa piedra (pesa/pese) diez toneladas.

2 **No lo creo.** Escribe las frases de nuevo, empezando cada una con *No creo que . . .*

1. Los científicos trabajan día y noche para resolver el misterio.

2. Mi padre conoce a todos los gobernadores.

3. Cada día se descubren nuevas ruinas arqueológicas.

4. Mis compañeros estudian mucho para los exámenes.

(Practice Workbook 8-5, 8-6)

El subjuntivo: Verbos irregulares (páginas 275–276)

❸ **Es mejor que...** Escribe la forma correcta del subjuntivo para cada verbo entre paréntesis.

1. Espero que tú ___ (dormir) bien esta noche.

2. Dudamos que Mariela ___ (estar) en casa.

3. No creo que nosotros ___ (ir) a la ceremonia de graduación.

4. Es posible que las noticias no ___ (ser) ciertas.

5. Es probable que los geólogos ___ (saber) la respuesta.

❹ **¿Qué debe hacer?** Escribe una frase completa para completar cada diálogo. Cambia el infinitivo a la forma apropiada del subjuntivo.

1. —Juana está muy cansada.
   —es necesario que / ella / dormir

2. —No quiero prestarle mi motocicleta a mi primo.
   —es mejor que / tú / ser generoso

3. —Vamos a ir a las montañas, pero no conocemos el camino.
   —es importante que / ustedes / saber cómo llegar

4. —Mis amigos quieren participar en el campeonato de fútbol.
   —espero que / tus amigos / estar preparado

(Practice Workbook 8-7, 8-8)

El presente perfecto del subjuntivo (páginas 277–279)

❺ **No creo que lo haya hecho.** Escribe frases completas, cambiando cada infinitivo a la forma apropiada del presente perfecto del subjuntivo.

1. es probable que / la policía / arrestar al ladrón

2. es posible que / ellos / ver esa película

3. espero que / tú / encontrar lo que buscabas

4. dudo que / ustedes / llegar a tiempo

(Practice Workbook 8-9)

CAPÍTULO 9

Vocabulario para comunicarse (páginas 294–299)

1 **La mejor opción** Escribe la letra de la palabra que mejor complete cada frase.

1. Un ___ para ser salvavidas es saber nadar.
  a. requisito   **b.** habilidad   **c.** cita

2. El jefe sólo ofrece el ___ máximo si tienes entrenamiento en computadoras.
  a. maduro   **b.** solicitud   **c.** sueldo

3. Si no tienes ___, no te van a dar trabajo como cocinero.
  a. anuncios   **b.** tarea   **c.** experiencia

4. Un vendedor debe tratar bien a los ___.
  a. modales   **b.** clientes   **c.** anuncios

2 **¿Cuál es más importante?** Escoge la característica del recuadro que sea importante tener para cada profesión.

> Hablar bien
> Saber idiomas
> Ser amable
> Ser cuidadoso(a)

1. intérprete

2. recepcionista

3. abogado(a)

4. médico(a)

3 **¿Cómo se llaman?** Escribe la profesión descrita en cada frase.

1. Protege a las personas en la piscina.

2. Se encarga de administrar un negocio.

3. Lleva los productos a las tiendas.

4. Representa a un país en otro país.

(Practice Workbook 9-1, 9-2)

Tema para investigar (páginas 300–303)

1 **La respuesta correcta** Escoge la letra de la respuesta apropiada.

1. ¿Para qué sirve la experiencia de trabajar en una oficina?
   a. para ser cortés   **b.** para dedicarse a tareas administrativas

2. ¿Qué cualidad personal se desarrolla gracias al trabajo?
   a. la puntualidad   **b.** la impaciencia

3. Saber usar y mantener archivos, ¿es una destreza o una cualidad personal?
   a. una destreza   **b.** una cualidad personal

4. ¿En qué momento hay que hablar con el jefe para pedirle un aumento?
   a. ahora mismo   **b.** en el momento oportuno

(Practice Workbook 9-3, 9-4)

Gramática en contexto (páginas 308–313)

Repaso: Mandatos afirmativos y negativos con *tú* (páginas 309–310)

1 **¿Sí o no?** Completa estas frases cambiando el verbo entre paréntesis al mandato afirmativo o negativo con *tú*.

1. (esperar el momento oportuno) ... para pedir un aumento de sueldo.

2. (preocuparse) ... por la entrada de cine, yo te invito.

3. (descansar) ... hasta que consigas lo que quieres.

4. (venir) ... cuando estés preparado para la entrevista.

2 **¿Debes hacerlo o no?** Cambia los mandatos afirmativos al negativo y viceversa. Sigue el ejemplo.

Ponte un vestido informal para ir a la oficina.
No te pongas un vestido informal para ir a la oficina.

1. No me despiertes temprano los fines de semana.

2. Pide una entrevista antes de llenar la solicitud.

3. Trae una carta de recomendación.

4. No le pidas trabajo al gerente.

(Practice Workbook 9-5, 9-6)

El subjuntivo con cláusulas adjetivas (páginas 311–312)

3 **¿Existe o no?** Completa estas frases escribiendo la forma apropiada del verbo entre paréntesis.

1. Estamos buscando a alguien que (saber) usar una computadora.

2. ¿Conoces a alguien que (querer) ser salvavidas?

3. Yo tengo un amigo que (querer) ser hombre de negocios.

4. No hay nadie en mi escuela que (tener) mejores notas que yo.

5. ¿Hay alguna persona aquí que (poder) trabajar de noche?

4 **Siempre dices lo contrario.** Escribe cada frase en la forma negativa usando el subjuntivo. Sigue el ejemplo.

Conozco a alguien que es muy puntual.
No conozco a nadie que sea muy puntual.

1. Conozco a alguien que busca un trabajo de tiempo parcial.

2. Tengo un amigo que trabaja de repartidor.

3. Conozco a alguien que escribe novelas.

4. Conozco a un vendedor que trata bien a sus clientes.

(Practice Workbook 9-7, 9-8)

El subjuntivo con *cuando* (páginas 312–313)

5 **¿Cuándo van a hacerlo?** Contesta estas preguntas usando el subjuntivo con *cuando* y la expresión entre paréntesis. Sigue el ejemplo.

¿Cuándo vas a buscar trabajo? (tener tiempo)
Cuando tenga tiempo.

1. ¿Cuándo van a venir (ustedes) a visitarnos? (terminar los exámenes)

2. ¿Cuándo vas a llenar la solicitud? (encontrar un lápiz)

3. ¿Cuándo vas a pagarme? (tener dinero)

4. ¿Cuándo vamos a ir al cine? (haber una película buena)

(Practice Workbook 9-9)

CAPÍTULO 10

Vocabulario para comunicarse (páginas 328–333)

1 **¿Qué hizo cada persona?** Escribe la descripción del recuadro que mejor corresponda a cada persona de abajo.

Arrestó al sospechoso.	Fue secuestrado.	Se piensa que es culpable.
Cuidaba el edificio.	Mató a una persona.	Vio el crimen.

1. el policía
2. el asesino
3. la guardia

4. el rehén
5. la acusada
6. el testigo

2 **¿Puedes describir lo que pasó?** Completa el párrafo usando palabras o expresiones apropiadas del vocabulario.

Ayer hubo un __1__: un hombre mató a un guardia. El asesino trató de escaparse, pero la policía llegó al __2__. El __3__ fue intenso. Para protegerse, el asesino __4__ a una persona. Sin embargo, el __5__ era un boxeador. Los dos __6__; el boxeador era más fuerte y por eso la policía pudo arrestar al asesino.

3 **La respuesta correcta** Escribe la letra que corresponda a la respuesta correcta para cada pregunta.

1. ¿Cómo se llama la persona que cuida un edificio?
   a. Asesino(a).　　　**b.** Abogado(a).　　　**c.** Guardia.

2. ¿Adónde van los asesinos después de la sentencia?
   a. De vacaciones.　　**b.** A la cárcel.　　　**c.** Al jurado.

3. ¿Quién decide las penas para los criminales?
   a. La policía.　　　**b.** El (La) juez.　　　**c.** El (La) terrorista.

4. ¿Quiénes deciden si el acusado es culpable?
   a. El jurado.　　　**b.** Las víctimas.　　　**c.** Los testigos.

(Practice Workbook 10-1, 10-2)

Tema para investigar (páginas 334–337)

1 **La mejor opción** Escribe la letra de la palabra o expresión que mejor complete cada frase.

1. Los terroristas no querían ___ a los rehenes.
    a. rescatar   **b.** poner en libertad   **c.** evitar

2. Las campañas de ___ son muy necesarias.
    a. inseguridad   **b.** seguridad pública   **c.** temor

3. Todos los días hay ataques ___ en la ciudad.
    a. a mano armada   **b.** atentado   **c.** las armas

4. Hay personas que creen que hay que dar penas más ___ a los criminales.
    a. corporal   **b.** arriesgadas   **c.** severas

(Practice Workbook 10-3, 10-4)

Gramática en contexto (páginas 342–349)

Mandatos afirmativos y negativos con *Ud.* y *Uds.* (páginas 343–345)

1 **Eso es lo que deben hacer.** Escribe la palabra correcta para el mandato con *Ud./Uds.*

1. ¡(Castiguen / Castigan) al asesino!

2. ¡No (tiene / tenga) miedo, que ya vienen los guardias!

3. ¡(Vigila / Vigile) bien el edificio!

4. ¡(Protegen / Protejan) los derechos de las víctimas!

5. ¡No (secuestren / secuestran) a los niños!

2 **¿Qué consejos dieron?** Escribe frases completas cambiando los verbos entre paréntesis a un mandato afirmativo con *Ud.* o *Uds.*

(tener cuidado)   Señora, ...   *Señora, tenga cuidado.*

1. (llamar una ambulancia)   Señor García, ...

2. (arrestar al sospechoso)   Señorita, ...

3. (defender a las víctimas)   Señor, ...

4. (hacer justicia)   Señores del jurado, ...

(Practice Workbook 10-5, 10-6)

El subjuntivo con expresiones de emoción (páginas 346–348)

3 **¿Y qué piensas tú?** Escribe la forma correcta del subjuntivo para cada verbo entre paréntesis.

1. Es una lástima que ___ (haber) tantos crímenes.

2. Me preocupa que nadie ___ (querer) formar parte del jurado.

3. Nos gusta que los rehenes ___ (estar) en casa finalmente.

4. Es triste que el juez no ___ (castigar) más severamente a los terroristas.

5. Me sorprende que tú no ___ (saber) defender tus derechos.

4 **Díganme cómo se sienten Uds.** Escribe frases completas cambiando los verbos a la forma más apropiada. Sigue el ejemplo.

a mí / dar miedo / los terroristas / volver a recurrir a la violencia
Me da miedo que los terroristas vuelvan a recurrir a la violencia.

1. nosotros / sentir / el testigo / no querer hablar

2. la abogada / temer / el sospechoso / ser inocente

3. yo / alegrarse de / los policías / proteger nuestra ciudad

4. ser evidente / la juez / querer ayudar a las víctimas

5 **Reacción personal** Escribe una reacción para los comentarios usando la expresión entre paréntesis. Sigue el ejemplo.

Hay muchos crímenes en esta ciudad.
(temer)
Temo que haya muchos crímenes en esta ciudad.

1. El acusado no quiere defenderse.
(asombrarnos)

2. Hay más violencia cada día.
(preocuparme)

3. Los asesinos tienen la culpa.
(darme miedo)

4. Los castigos para los ladrones son hoy más severos.
(alegrarnos)

(Practice Workbook 10-7, 10-8)

CAPÍTULO 11

Vocabulario para comunicarse (páginas 366–371)

1 **La respuesta correcta** Completa cada frase usando una palabra apropiada del recuadro.

castillo	iglesia	mezquita	rey
cristianos	judío	musulmanes	sinagoga

1. La estrella de David es un símbolo ___.

2. Mohamed fue el profeta de los _____.

3. Los católicos, los protestantes y los luteranos son todos ___.

4. Un ___ es el líder de una nación.

5. El templo de los judíos es la ___.

6. Los musulmanes van a la ___ para sus ceremonias religiosas.

7. Los católicos van a la ___ para dar gracias a su dios.

2 **La sopa de letras** Pon en orden estas letras para formar palabras del vocabulario.

1. l a t a l a b

2. s e r d v i d d a i

3. c z e r a l m

4. o l b e u p

5. g o r a s

6. o i e e c n t n t n

7. o e j u l z a

8. l o c s a i l t

3 **Definiciones** Escribe las palabras a las que se refieren las siguientes definiciones.

1. Lucha entre dos ejércitos.

2. Características de alguien o algo.

3. Arte que consiste en componer con palabras.

4. Conquistar otra vez.

5. Unir las partes de dos cosas o más.

6. Que habla español.

(Practice Workbook 11-1, 11-2)

Tema para investigar (páginas 372–375)

1 **La mejor opción** Escribe la(s) palabra(s) que mejor complete(n) cada frase.

1. La (raza / lengua) es necesaria para la comunicación.

2. La raza (mestiza / duradera) es resultado de la mezcla de españoles con indígenas.

3. Los españoles (esclavizaron / establecieron) a los indígenas.

4. La población de las Américas (se compone / se rebela) de gente de muchas culturas diversas.

5. Los españoles son (encuentros / europeos).

2 **Analogías** Escribe palabras del vocabulario para completar cada analogía.

1. europeo → Europa; ___ → África

2. mezcla → separación; ___ → diversidad

3. producir → crear; fundar → ___

4. mezcla → mestizo; causa → ___

(Practice Workbook 11-3, 11-4)

Gramática en contexto (páginas 380–385)

El imperfecto del subjuntivo (páginas 381–382)

1 **Reacción personal** Combina estas frases usando la forma apropiada del imperfecto del subjuntivo.

1. No fue necesario que / Antonio compró esos objetos de arte.

2. Los conquistadores dudaban que / los indígenas se rebelaron contra ellos.

3. Me sorprendió que / Estela se mudó en junio.

4. Me gustó que / Emilia adoptó a dos niños.

5. No fue justo que / Cristóbal le trató así a su hermano.

(Practice Workbook 11-5, 11-6)

El imperfecto del subjuntivo: Los verbos irregulares (páginas 382–384)

2 **¿Qué querían que hicieran?** Empezando cada frase con *Querían que,* cambia estas frases usando el imperfecto del subjuntivo.

1. Norberto y yo dijimos la verdad.

2. Augusto vino por la mañana.

3. César y Claudio trajeron un regalo.

4. Rosa fue al hospital.

5. Tú supiste lo que pasaba.

(Practice Workbook 11-7, 11-8)

El subjuntivo en frases con *para que* (páginas 384–385)

3 **Lo hicieron para que ellos...** Completa estas frases con la forma apropiada del imperfecto del subjuntivo de los verbos entre paréntesis.

1. Los indígenas escondieron el oro para que los conquistadores no los (robar).

2. Los misioneros vinieron para que los indígenas (aprender) la religión cristiana.

3. El profesor nos pidió que estudiáramos para que (sacar) buenas notas.

4. Julio se sentó para que Juliana lo (perdonar).

5. Nos callamos para que la reina (poder) hablar.

(Practice Workbook 11-9, 11-10)

Capítulo 12

Vocabulario para comunicarse (páginas 400–405)

1 **La respuesta correcta** Completa cada frase usando una palabra o expresión apropiada del recuadro.

asistente social	lenguaje por señas	redactora
banquero	periodista	traductor

1. Una persona que trabaja con los pobres o ancianos es una ___.

2. Mi tío Marcos trabaja en un banco. Él es ___.

3. Estudié idiomas en la universidad. Soy ___.

4. El ___ permite comunicarse a las personas que no pueden hablar.

5. Me gusta entrevistar a las personas. Creo que seré ___.

2 **Mi futura carrera** Escribe los nombres de estas profesiones.

1. Ayuda a la gente a entender algo que está en otro idioma.

2. Envía noticias desde otros países a un periódico en su propio país.

3. Ayuda a las personas a encontrar libros en la biblioteca.

4. Se encarga de los negocios financieros de sus clientes.

5. Representa a su país en otro país.

(Practice Workbook 12-1, 12-2)

Tema para investigar (páginas 406–409)

1 **Definiciones** Empareja cada palabra con su definición.

1. armonía
2. frontera
3. lengua materna
4. inmigrante

a. límite entre países
b. paz; cuando no hay conflictos
c. primer idioma que se aprende
d. una persona que se muda a vivir a un país

2 **La mejor opción** Escoge la palabra apropiada entre paréntesis para completar cada frase.

1. Siempre he (apreciado / expresado) lo que tú haces por mí.

2. Para participar (oficialmente / activamente) en un mundo multicultural, hay que saber hablar otras lenguas.

3. Para tener una buena educación, es necesario (diversificar / viajar) lo que estudiamos.

4. Poder conocer otras culturas es un (beneficio / contacto) de estudiar lenguas extranjeras.

5. Una (armonía / frontera) es algo que separa a dos países.

(Practice Workbook 12-3, 12-4)

Gramática en contexto (páginas 414–419)

El condicional (páginas 415–416)

1 **Sería mejor.** Combina estas frases cambiando el verbo subrayado al condicional. Sigue el ejemplo.

para ser profesor / es necesario tener paciencia
Para ser profesor, sería necesario tener paciencia.

1. Guillermo me dijo que / vino por la tarde

2. para trabajar en un banco / tuviste que estudiar matemáticas

3. Ernesto, / ¿vas conmigo a la biblioteca?

4. pensábamos que / era útil seguir estudiando español

2 **¿Qué harían?** Completa estas frases con la forma apropiada del condicional de los verbos entre paréntesis.

1. Yo no (poder) hacerlo tan bien como tú.

2. (Haber) menos atascos si la gente caminara más.

3. ¿Me (poder) abrir tú la puerta de la biblioteca?

4. Nosotros (tener) que estudiar más.

5. ¿Qué le (decir) los candidatos al periodista?

(Practice Workbook 12-5, 12-6)

El imperfecto del subjuntivo con *si* (páginas 417–418)

3 **Si fuera posible...** Completa estas frases con la forma correcta del imperfecto del subjuntivo o del condicional del verbo entre paréntesis.

1. Si pudiera escoger, yo (ser) redactor en una revista.

2. Nosotros estaríamos más contentos si tú nos (pagar) más por el trabajo que hacemos.

3. Si tú (decir) la verdad, tendrías más amigos.

4. Si tuviera facilidad para trabajar con la gente, Matilde (estudiar) para asistente social.

5. Si estuviéramos en tu lugar, nosotros (tratar) de estudiar más.

6. Si esa universidad fuera menos cara, (tener) más estudiantes.

(Practice Workbook 12-7, 12-8)

Examen cumulativo

Aquí tienes una oportunidad de ver si has aprendido bien el vocabulario y la gramática de *PASO A PASO 3*. Escribe todas tus respuestas en una hoja aparte.

I. Escoge la letra que corresponda a la mejor respuesta o que mejor complete cada frase.

1. Quiero participar en unas actividades más interesantes.
   a. ¿Por qué no practicas la esgrima?
   b. ¿Por qué no resuelves el problema?
   c. ¿Por qué no se apoyan?
   d. ¿Por qué no mantienes discusiones más civiles?

2. En este mundo se necesitan más oportunidades de empleo.
   a. Sí. Hay muchas cercas aquí.
   b. Quiero vivir en un lugar más sano.
   c. Son abundantes en la ciudad pero no en el campo.
   d. El paisaje es una maravilla.

3. ¿Te gusta este retrato realista?
   a. Las imágenes de las montañas son bastante bonitas.
   b. No comprendo la interpretación del perfil.
   c. Sí, pero el estilo es muy abstracto.
   d. Sí, la naturaleza muerta es muy interesante.

4. Recientemente se han evaluado las opiniones del público.
   a. No. Son demasiado fáciles.
   b. Pero son sólo para mayores.
   c. Se ha dicho que la percepción es todo.
   d. Se emocionan mucho.

5. Se había desarrollado mucho esa civilización.
   a. Sí. Gracias a las excavaciones sabemos mucho.
   b. Sí. Los mayas usaban sílabas.
   c. Sí. Las chozas son el centro de la cultura.
   d. Sigue aceptando la religión de los otros.

6. Hay diferentes medios de comunicación.
   a. No necesito un apartado postal.
   b. Prefiero el correo electrónico y las conferencias por video.
   c. ¿Quién es el destinatario?
   d. Se equivocó, señor.

7. Eres una persona muy responsable.
   a. Sí. Hay que juntar fondos.
   b. No es justo.
   c. Sí, mis padres exigen que actúe como un buen ciudadano.
   d. Prometo donar más.

8. Hay bastante evidencia de que existe el Yeti.
   a. Es improbable comprenderlo todo.
   b. Dudo que las huellas enormes pertenezcan a esa criatura.
   c. A pesar de eso, no hay datos.
   d. Hay toneladas de ruedas.

9. ¿Cuáles son las cualidades necesarias para ser diplomática?
   a. Hay que tener destreza en mantener relaciones positivas.
   b. Hay que realizar sus metas.
   c. Hay que merecer el sueldo.
   d. Hay que ser productiva.

10. El inocente fue acusado del asesinato.
    a. ¿Crees que tiene la culpa?   c. La sentencia fue severa.
    b. El guardia tiene que vigilar la exposición.   d. No lo van a poner en
                                                          libertad.

11. Hay una fusión de culturas en España.
    a. No vamos a la sinagoga hoy.   c. No es bueno esclavizar
                                             a nadie.

    b. Hay que rebelarse de vez en cuando.   d. Hay rasgos hoy de muchas
                                                 influencias.

12. Casi no me confundo ahora en español.
    a. Entonces, eres completamente bilingüe.
    b. Es la dificultad de dominar la lengua.
    c. Los redactores también.
    d. ¿Por qué sueñas con ser corresponsal?

II. Escribe la letra de la palabra o expresión que mejor complete cada frase.

1. No son amigos. Casi nunca ___ bien.
   a. se llevan   c. se quejan
   b. se enojan   d. se llaman

2. Si no queremos tener un accidente con los coches, debemos caminar
   por ___ en la ciudad.
   a. la acera   c. el puente
   b. la granja   d. el sendero

3. Van a pintar ___ en la parte exterior de un edificio.
   a. la naturaleza muerta   c. el autorretrato
   b. el perfil   d. el mural

4. Si no quieres comprar el video, siempre lo puedes ___.
   a. alquilar   c. reír
   b. grabar   d. hacer daño

5. Se han interpretado ___ divididos en meses, similares a los nuestros.
   - a. los jeroglíficos
   - b. los símbolos
   - c. los calendarios
   - d. los orígenes

6. —¿Cómo puedes tener un número equivocado?
   —¿Por qué no vuelves a ___ el número?
   - a. marcar
   - b. sonar
   - c. colgar
   - d. descolgar

7. Mi sueño es ser ___ de ese país un día.
   - a. ciudadano
   - b. campaña
   - c. comedor de beneficencia
   - d. candidato

8. Muchas veces ___ es una explicación para un fenómeno natural.
   - a. un fantasma
   - b. una huella
   - c. una nave espacial
   - d. un mito

9. Para su edad, es muy ___. Siempre cumple bien con sus responsabilidades.
   - a. cuidadoso
   - b. honesto
   - c. maduro
   - d. adecuado

10. Los criminales ___ a los clientes del banco y ahora son sus rehenes.
    - a. hirieron
    - b. secuestraron
    - c. castigaron
    - d. vigilaron

11. Quisiera saber más sobre los orígenes de la ___ africana.
    - a. mestiza
    - b. esclava
    - c. raza
    - d. reja

12. Nuestro país ___ porque hay gente de otras culturas.
    - a. se diversifica
    - b. se expresa
    - c. traduce
    - d. habla por señas

III. Escribe la letra de la palabra o expresión que mejor complete cada frase.

Me gusta vivir y hacer mis quehaceres en la ciudad. __1__ bueno de vivir en la ciudad es que las tiendas están __2__ en el centro. La semana pasada yo __3__ por el centro cuando __4__ por primera vez tres nuevas tiendas. Eran unas tiendas enormes y había una selección muy grande de artículos. Nunca __5__ tantos lugares tan magníficos. En el futuro mis amigos y yo __6__ que ir al centro para comprar todo lo que se necesita. Espero que mis amigos __7__ que el centro es tan seguro como el campo. Cuando __8__ al centro en el futuro, __9__ importante enseñarles que la ciudad es un buen lugar para ir de compras. En total, me gusta la ciudad porque ofrece una variedad de tiendas.

1. a. El
   b. Lo
   c. La
   d. Los

2. a. situado
   b. situada
   c. situados
   d. situadas

3. a. estaba caminando
   b. estaba entrando
   c. estaba cayéndome
   d. estaba mintiendo

4. a. veo
   b. voy
   c. fui
   d. vi

5. a. había ido
   b. había visto
   c. estaba viendo
   d. he ido

6. a. podremos
   b. tendremos
   c. haremos
   d. saldremos

7. a. sean
   b. sepan
   c. hayan
   d. tengan

8. a. vamos
   b. vayamos
   c. fuimos
   d. íbamos

9. a. es
   b. fue
   c. era
   d. será

IV. Completa cada frase con la forma apropiada de la palabra entre paréntesis.

1. ¿Los libros? Se ___ (lo) daré a Eduardo.
2. Trabajo mucho para que mi familia ___ (poder) comer bien.
3. Anoche Catalina y Patricia nos ___ (decir) la verdad.
4. Los exámenes fueron ___ (escrito) por los profesores anoche.
5. Sería mejor que ellos ___ (luchar) más para integrar la tecnología en el estudio de los idiomas.
6. En 20 años la inmigración ___ (ser) posible para muchos inmigrantes.
7. Es importante ___ (mantener) una perspectiva multicultural del mundo moderno.
8. La profesora dijo: "___ (sacar) Uds. la tarea inmediatamente."
9. Teresa y Paulina ahora ___ (escribirse) mucho.

V. Escribe la forma apropiada del verbo entre paréntesis para completar estos párrafos.

1. Antes de __1__ (buscar) un trabajo es necesario que yo __2__ (saber) más del mundo administrativo. Sería necesario que yo __3__ (llevarse) bien con los clientes y los gerentes. Es una buena idea __4__ (tratar) bien a la gente. En el futuro cuando yo __5__ (buscar) trabajo en la ciudad, __6__ (poder) usar mis destrezas en el trabajo. Yo les __7__ (decir) también a los empleados que sería bueno que __8__ (ser) productivos. Así todos nosotros __9__ (realizar) nuestras metas.

2. La violencia es prevalente en la sociedad moderna. Se ha __1__ (decir) que es una reacción contra las normas de la sociedad. Personalmente he __2__ (hacer) muchas cosas para evitar conflictos. Hace tres años que sigo __3__ (trabajar) con otros para resolver conflictos cuando ocurran. Dudo que se __4__ (haber) resuelto todos los problemas de la violencia social. ¿Y la violencia personal? En el futuro, (nosotros) la __5__ (eliminar) cuando (nosotros) __6__ (comprenderse) mejor. Insistiría en que todos nosotros __7__ (ayudarse) en vez de pelearnos.

ÍNDICE

En la mayoría de los casos, las estructuras se presentan primero en *Vocabulario para comunicarse*, donde se practica su léxico en contextos conversacionales, o en *Tema para investigar*, donde las estructuras se practican en contextos narrativos. Se explican más adelante, normalmente en la sección *Gramática en contexto* del capítulo. Los números de trazo fino se refieren a las páginas donde se presentan inicialmente las estructuras o, tras una explicación, donde se encuentran los recordatorios para los estudiantes. Los números en negrita se refieren a las páginas donde se explican o donde se destacan de alguna forma las estructuras.

a personal 18-19, 46
accents:
  in commands with object pronouns **45, 212**
  with demonstrative pronouns 6-7
  with past participles of certain verbs 143
adjectives:
  demonstrative 6-7, 14-15
  with **estar 76, 81**
  nominalization of 31, **48**
  past participles used as 63, **76, 81,** 83
adverbs as cue to imperfect 77
affirmative words 20-21
-ar verbs:
  conditional **414-415**
  future 24-25, 201, **208-209**
  imperfect 6-7, 11, 65, **76-77**
  imperfect subjunctive **380-381,** 417
  present subjunctive **238, 239**
  preterite 10, 11
  stem-changing 4-5, **240, 275**

caerse, preterite of **112**
-car verbs 103, 135, 195, 201, 407
  commands 343
  preterite 10, 195
  subjunctive **240, 343**
-cer verbs 69, 259, 265, 301, 373
  commands 343
  subjunctive **241**
-cir verbs 401
commands (familiar) 22-23, **44-45, 308-309**
  irregular 22-23, **44-45, 309**
  negative 22-23, **308-309**
  used with object pronouns 22-23, **45, 46, 212, 309**
  used with reflexive pronouns 22-23, **308, 309**
commands (polite) **342-343**
  irregular **343**
  negative **342-343**
  used with object pronouns **343**
  used with reflexive pronouns **343**
comparatives 6-7
conditional:
  formation 401, **414-415**
  in sentences with **si** clauses **414, 417**
  irregular 401, **414-415**
  use **414-415**
creer, preterite of **112**

dar:
  imperfect subjunctive **383**
  present subjunctive **241, 275**
  preterite 11, 129, **383**
de:
  used with materials 14-15
decir:
  conditional **415**
  future **211**
  imperfect subjunctive **383**
  polite commands **343**
  present subjunctive 241
  preterite 11, **383**
  tú commands **44-45**
direct object *see* pronouns

-er verbs:
  conditional **414-415**
  future 24-25, **209**
  imperfect 6-7, 11, 65, **76-77**
  imperfect subjunctive **380-381,** 417
  present subjunctive **239**
  preterite 10, 11
  stem-changing 4-5, **240, 275**
estar:
  imperfect subjunctive **383**
  present subjunctive **241, 275**
  preterite **383**
  use of in imperfect progressive 16-17, **110, 113**
  use of in present progressive 3
  use of with past participle **76, 81**

future 24-25, 201, **208-209**
  after **si** clauses 209
  formation **208-209**
  irregular 24-25, 201, **208, 211, 415**
  uses of **209**
  with **ir a** + infinitive 209

-gar verbs 195, 295, 309, 329, 335
  present subjunctive **240,** 332
  preterite 10, 11, **195,** 332
-gir verbs 227
gustar 65, 415

haber:
  conditional **415**
  future 24-25, **211**
  imperfect 6, 11, 65, **76-77**
  imperfect subjunctive **383**

haber *(cont'd)*
  present subjunctive 275
  preterite 11, **383**
  use of in pluperfect **176, 178**
  use of in present perfect 129, 135, **142-143**
  use of in present-perfect subjunctive 265, **272, 277**
hace . . . que 177
hacer:
  conditional **415**
  future **211**
  imperfect subjunctive 367, **383**
  present subjunctive 231, **241**
  preterite 10, 11, 111, **383**
  tú commands 22, **44-45, 309**
hacía . . . que 177
imperfect:
  -ar verbs 6-7, 11, 65, **76-77**
  -er verbs 6-7, 11, 65, **76-77**
  -ir verbs 6-7, 11, 65, **76-77**
  formation **76-77**
  irregular 6-7, 11, **77**
  progressive
    formation **110, 113**
    uses of **110, 113**
  progressive and preterite 16-17, **110, 114**
  subjunctive
    formation 367, **380-381, 382, 383,** 417
    uses of **380-381,** 417
    vs. present **380-381**
  uses of 11, **76-77, 79**
  vs. preterite 11, 18-19
indirect object *see* pronouns
infinitive:
  with object pronouns **46, 212**
ir:
  imperfect 11, **76-77**
  imperfect subjunctive **382**
  present subjunctive **241, 275**
  preterite 10, 11
  tú commands 22-23, **45**
  with future meaning 209
-ir verbs:
  conditional **414-415**
  future 24-25, **208-209**
  imperfect 11, 65, **77**
  imperfect subjunctive **380-381**

-ir verbs *(cont'd)*
  preterite 10, 11
  stem-changing 11, **113,** 128, 131, 169, **180,** 259, **275**
  subjunctive **238-239, 275**

leer, preterite of 10, **112**
lo + adj. 31, **48**
lo que 11, **44, 48**

negative:
  commands
    familiar 22-23, **308-309**
    polite **342-343**
  words 11, 20-21
    placement of with perfect tenses 179, **277**
    use of with subjunctive in adjective clauses **311**
nouns:
  adjectives used as 31, **48**

oír:
  present 63
  preterite 63, **112**

para + infinitive 4-5
para que:
  used with imperfect subjunctive **380, 384**
parecer 65
passive voice:
  formation **238, 243**
  use **238, 243**
  with **se 243**
past participles 129
  formation **76, 81, 142-143,** 178
  irregular **81, 142, 145,** 178, 265
  used as adjectives **76, 81,** 83
personal **a** 18-19, 46
pluperfect:
  formation **176, 178**
  use **176, 178**
poder:
  conditional **414-415**
  future 24-25, **211**
  imperfect subjunctive **383**
  preterite **383**
poner:
  conditional **414-415**
  future **208, 211**
  imperfect subjunctive **383**
  other verbs that follow the pattern of 265, 335, 373, 383
  present subjunctive **238**
  preterite **110-111, 383**
  reflexive use of **111**
  tú commands 22-23, **45**
por:
  uses 244
  with passive voice **238, 243**

present *see* individual verb listings
  used to imply future 209
present participles:
  irregular **110, 113**
  of **-ir** stem-changing verbs **113**
present perfect:
  formation 129, 135, **142-143**
  use **142-143**
present progressive 3, 169, **176, 180**
  use of with **seguir** 169, **176, 180**
  use of with **si** 209
preterite 10, 11
  and imperfect progressive 16-17, **110, 114**
  irregular, *see* individual verb listings
  of **-ar** verbs 10, 11
  of **-er** verbs 10, 11
  of **-ir** verbs 10, 11
  of **-ir** stem-changing verbs 11, 131
  of reflexive verbs 11
  of spelling-changing verbs **128, 195, 401**
  vs. imperfect 11, 18-19
pronouns:
  demonstrative 6-7
  direct object 11, **46,** 113, 208, **212**
  double object **208, 212**
  indirect object 11, **46,** 208, **212**
    redundant use of **46**
  object, used with commands 22-23, **45, 46, 212, 309,** 343
  object, used with infinitive **46, 212**
  object used with perfect tenses **142,** 179, **277**
  object, used with progressive tenses **46,** 113
  possessive 12
  prepositional, used for clarity **212**
  reflexive 11
    reciprocal use of 34
    used with commands 22-23, **308-309,** 343
    used with perfect tenses 179, **277**

que, use of with subjunctive **239**
querer:
  conditional **415**
  future 24-25, 201, **211,** 415
  imperfect subjunctive **383**
  preterite 103, **383**

reflexive verbs 4-5, 103
  preterite 11

saber:
  conditional **415**
  future 24-25, **208, 211, 415**
  imperfect subjunctive **383, 414**
  present subjunctive **241, 275**
  preterite **383**

salir:
  conditional **415**
  future **211,** 415
  subjunctive 241
  tú commands 45
se:
  as replacement for **le/les 208, 212**
  impersonal 14-15, 20-21
  with passive meaning **243**
seguir 401
  subjunctive **275**
  use of in present progressive 169, **176, 180**
ser:
  imperfect 6-7, 11, 18-19, **76-77**
  imperfect subjunctive **382, 414,** 417
  present subjunctive **241, 275**
  preterite 417
  tú commands 22-23, **44-45, 309**
  use of with passive voice **238, 243**
  uses of 4-5, 14-15
spelling-changing verbs *see* verbs
stem-changing verbs *see* verbs
subjunctive:
  formation **238-239, 241**
  imperfect 367, **380-381, 382–383,** 417
    after **si 414, 417**
    with **para que 380, 384**
  irregular, *see* individual verb listings
  of **-ar/-er/-ir** verbs **239**
  of **-ar/-er** stem-changing verbs **240, 275**
  of **-car/-gar/-zar** verbs **240**
  of **-ir** stem-changing verbs **275**
  present-perfect 265, **272, 277**
  use of to form polite commands **342-343**
  vs. indicative **238-239, 272-273, 308, 311, 312, 342**
  with adjective clauses **308, 311**
  with **cuando** 301, **308, 312**
  with expressions of disbelief/doubt/ uncertainty 259, **272-273, 277**
  with expressions of emotion 329, **342, 346**
  with impersonal expressions **238, 241**
  with verbs of asking / hoping / insisting / telling / recommending / requiring **238-239, 346**
superlatives 2, 3

tener:
  conditional 401, **414-415**
  future 24-25, **208, 211**
  imperfect subjunctive **383,** 417
  other verbs that follow the pattern of 31, 135, 231, 383
  present subjunctive **238, 241**
  preterite 11, **383,** 417
  tú commands 22-23, **45**

traer:
  imperfect subjunctive **383**
  other verbs that follow the pattern of 97
  preterite 372-373, **383**
  subjunctive **241**
  tú commands 22-23, **309**

-uir verbs 37, 69, **112**, 113, 162, **241**, 301, 382
  imperfect subjunctive **381**, 382
  preterite **112**, 382
  subjunctive **241**

venir 69
  conditional **415**
  future **211**, **415**
  imperfect subjunctive **383**
  other verbs that follow the pattern of 295
  preterite **383**
  tú commands **309**

ver:
  imperfect **77**
  preterite 10, 11
  subjunctive **241**
verbs:
  irregular *see* individual listings
  spelling-changing 10, 11, 37, 69, **112**, 113, 128, 135, 162, 195, 201, 227, 231, **240, 241,** 258, 259, 265, 295, 301, 329, 335, 373, 382, 401, 407
  stem-changing:
    e → i 4-5, 11, **113,** 128, 131, 169, **180,** 259, **275,** 401
    e → ie 4-5, 11, 31, 69, **113,** 135, 201, 231, **275,** 295, 328, 329, 401
    i → ie 37
    o → ue 4-5, 11, 31, **113,** 135, 194, 195, 258, 265, **275,** 373, 401
    u → ue 10

verbs *(cont'd)*
  see also **poder, querer**
  see also infinitive, reflexive, and individual tenses and moods

-zar verbs 128, 135, 231, 258, 295, 301, 373
  preterite 128, 258
  subjunctive **240,** 258

ACKNOWLEDGMENTS

Illustrations   Iskra Johnson Lettering: pp. I, III, VI-XIII, 428; Mapping Specialists Ltd.: pp. XIV-XIX; Joe Fournier: pp. 4-5, 51, 417; Tom Tierney: p. 6; Anthony Sigala: p. 6; Shawn Banner: p. 7; Don Morrison: p. 7; Lane Gregory: p. 7; Genine Smith: p. 10; George Thompson: p. 11; Iskra Johnson: pp. 12-13; Andy Lendway: pp. 16-17; Janet Darby: p. 18; Chuck Passarelli: pp. 20-21; Cheryl Cook: pp. 30-31, 32, 34, 47, 48-49, 57, 121; Rob Magiera: pp. 52-53; Mitch O'Connell: p. 55; Scott Snow: pp. 62-63, 64-65, 66-67, 78-79, 80, 82, 91, 390-391, 392-393, 394-395, 406-407, 417; Susan Aiello: p. 75; Bryan Peterson: pp. 85, 315, 359; Laszlo Kubinyi: pp. 87, 264, 272; Tatjana Krizmanic: pp. 89, 422; Jim Owens: pp. 96-97, 98, 111, 112, 114-115, 123; Rod Vass: pp. 110, 342; Phil Cheung: p. 117; Barbara Callow: p. 118; John Zielinski: pp. 128-129, 130-131, 133, 145, 147, 148, 157; Wayne Vincent: pp. 150-51; David Diaz: p. 155; Sandie Turchyn: pp. 162-163, 164-165, 167, 171, 179, 181, 189; Mary Lempa: pp. 172-3; Karen Nigida: p. 182; Mary Jo Phalen: pp. 183, 366-367, 368-369, 384, 395; Dennis Dzielak: p. 187; Jannine Cabossel: pp. 194-195, 196-197, 209, 210, 213, 221; Gary Krejca: p. 214; Hiro Kimura: p. 215; Mark Stearney: p. 218; Tom Bachtell: pp. 226-227, 228-229, 240, 245, 253, 393; Tom Nachreiner: p. 238; Matt Foster: p. 247; Bob Gleason: p. 250; Jim Starr: pp. 258-259, 260-261, 262-263, 276, 278-279, 289; Paul Rodgers: p. 281; Garth Glazier: p. 287; Mitchell Heinze: pp. 294-295, 296-297, 303, 310-311, 323; Bill Scott: p. 300; Jane Mjolsness: pp. 317-19; Susan Blubaugh: p. 321; Robert Burger: pp. 328-329, 330-331, 333, 344-345, 347, 348, 361; Ruth Brunke: p. 345; Steve Salerno: p. 351; Ted Burn: pp. 353-57; Jeff Marinelli: p. 380; Tuko Fujisaki: p. 387; Neverne Covington: pp. 389-91; Dan John Sandford: pp. 431-435; Patti Green: pp. 437, 439, 464-467; Clyne: pp. 445, 447, 453; Evan Schwarze: pp. 454-457; Joe Joe VanDerBos: pp. 462-463; Troy Thomas: pp. 468-475; Marlene Kay Goodman: pp. 476, 481; James Mellet: pp. 482-487; James McMullen: pp. 488-491; James Learned: pp. 492-497.

Photography   Front Cover: Stewart Aitchison/DDB Stock Photos; Back Cover: ©Buddy Mays/Travel Stock II: ©Byron Augustin/DDB Stock Photos; IV: (tl)Museo del Templo Mayor, Mexico City; (tr)(b)Museo Nacional de Antropología, Mexico City; VI: Museo del Templo Mayor, Mexico City (CNCA-INAH-MEX); XVIII-1: ©Frerck/Odyssey/Chicago; 3: (tl)©Frerck/Odyssey/ Chicago; (tc)Cameramann International; (tr)(bl)David R. Frazier Photolibrary; (br)©Joe Viesti; 8: (t)©Jacques Faizant/courtesy ¡Hola!; (bl)©José Luis Martin-Mena/courtesy Semana; (br)©Hoviv/courtesy ¡Hola!; 9: ©Alcacer/courtesy Semana; 12: Arthur Tilley/FPG International; 13: ©Frerck/Odyssey/Chicago; 14: (t)Museo de América, Madrid; (b)Museo del Templo Mayor, Mexico City (CNCA-INAH-MEX); 15: (tl)(b)Museo Nacional de Antropología, Mexico City; (tr)Museo del Templo Mayor, Mexico City; 18: Everett Collection; 19: (t)The Kobal Collection; (b)Everett Collection; 22-23: O'Brien & Mayor Photography/FPG International; 22: ©Peter Menzel; 23: (t)©Michele Burgess/Photo Bank, Inc.; (b)©Jerry Alexander/Tony Stone Images; 24: (tl)©Kent Knudsen/Photo Bank, Inc.; (bl)©Ken Fisher/Tony Stone Images; (br)©Frerck/Odyssey/Chicago; 25: (tl)©Bruce Ayres/Tony Stone Images; (tr)©Frerck/Odyssey/ Chicago; (b)FPG International; 26-27: ©Rick Reinhard; 28: ©Bob Daemmrich/Stock Boston; 29: (t)©Bob Daemmrich/Stock Boston; (b)Don Smetzer/Tony Stone Images; 33: Joan Miró, "Self-Portrait," (1919), Musée Picasso, Paris, Photo ©R.M.N.; 35: ©Robert Fried; 36: (l)©Michael Newman / Photo Edit; (tr)©Dave Black/Sports Photo Masters, Inc.; (br)©Tony Freeman/Photo Edit; 37: ©Beryl Goldberg Photographer; 38: ©Peter Menzel; 39: ©Beryl Goldberg Photographer; 40-41: Courtesy La Peña Cultural Center, Berkeley, CA/Photo by Irene Young; 40: ©Beryl Goldberg Photographer; 41: ©Beryl Goldberg Photographer; 42: ©Beryl Goldberg Photographer; 43: ©Bob Daemmrich/The Image Works; 45: ©Beryl Goldberg Photographer; 46: Giraudon/Art Resource, NY; 50: (l)©Robert Fried; (c)©Chip and Rosa Maria de la Cueva Peterson; (r)©Robert Fried; 51: Illustration by Carol Lay, reprinted with permission.; 54: Art Resource, NY; 56: ©David Wells/The Image Works; 58-59: ©Peter Menzel; 60: ©Ulrike Welsch; 61: ©Inga Spence/The Picture Cube, Inc.; ©Frerck/Odyssey/Chicago; 68: (t)Art Museum of the Americas/Courtesy Organization of American States; (b)Yale University Art Gallery, Gift Collection of Société Anonyme; 69: ©Frerck/Odyssey/Chicago; 70: Reprinted with permission of Artists Right Society; 72: ©Ulrike Welsch; 73: ©Robert Fried; 74: (t)©Gene Dekovic; (b)©Bill Bachmann/Photo Edit; 76: Jon Bradley/Tony Stone Images; 78: ©'93 Mug Shots/The Stock Market; 81: ©Alfredo Arreguín; 83: (t)©Ulrike Welsch/Photo Edit; (b)Philadelphia Museum of Art. Purchased by Nebinger Fund; 84: (t)M. Algaze/The Image Works; (b)Chad Ehlers/Tony Stone Images; 87: Darius Koehli for ScottForesman; 90: ©Jack Stein Grove/Photo Edit; 92-93: Schalkwijk/Art Resource, NY; 94: ©Diane Joy Schmidt; 95: (t)©William Dyckes; (b)©Wendy Walsh Photography; 99: Erich Lessing/Art Resource, NY; 100: BOTERO, Fernando. <u>The Presidential Family</u>. 1967. Oil on canvas, 6'8⅛" × 6'5¼" (203.5 × 196.2 cm). The Museum of Modern Art, New York. Gift of Warren D. Benedek. Photograph ©1999 The Museum of Modern Art, New York; 102: (t)© <u>Composición surrealista</u>, (1927-28) Fundación Gala-Salvador Dalí, Figueres, Spain; (b) <u>Paysage, Juan-les-Pins</u>, (1920) Musée Picasso, Paris/Photo © R.M.N., Paris ©ARS, NY; 104: <u>Violin</u>, (1915) Pablo Picasso, Musée Picasso, Paris/Photo ©R.M.N., Paris ©ARS, NY; 105: DALÍ, Salvador. <u>The Persistence of Memory</u> {Persistance de la mémoire}. 1931. Oil on canvas, 9½ × 13" (24.1 × 33 cm). The Museum of Modern Art, New York. Given anonymously. Photograph ©1999 The Museum of Modern Art, New York; 106: (l)Los Angeles County Museum of Art/LA County Funds; (r)Private Collection, Courtesy CDS Gallery, New York, NY; 107: ©1995 Fernando Botero/Licensed by VAGA, New York, NY/Photo ©1994 Chicago Tribune. Reprinted by permission. All rights reserved.; 108: (t)Museum of Art, Rhode Island School of Design; Nancy Sayles Day Memorial Fund; (b)María Izquierdo "El Alhajero." oil on canvas; 65x95cm. Collection: Banco Nacional de México; courtesy of Fomento Cultural Banamex, a.c.; 113: Art Resource, NY; 117: (l)AP/Wide World

by permission **Chapter 5, pp. 454-457:** "Quetzal No Muere Nunca" from LEYENDAS LATINO-AMERICANAS by Genevieve Barlow, pp. 25 and 27-28. Copyright©1989, 1980, 1974 by NTC Publishing Group. Reprinted by permission.**Chapter 6, pp. 458-461:** Adaptation of "Una carta a Dios" from CUENTOS CAMPESINOS DE MEXICO by Gregorio López ´y Fuentes. Reprinted by permission of Ana María Herrera de López. **Chapter 6, pp. 462-463:** "Apocalipsis" by Marco Denevi. Reprinted by permission of the author. **Chapter 7, pp. 464- 467:** "La Pobreza" from CUENTOS DE OXKUTZCAB Y MANÍ by María Luisa Góngora Pacheco, pp. 7–10. Reprinted by permission of the author. **Chapter 8, pp. 468-475:** "La Herencia" from LEYENDAS LATINO-AMERICANAS by Genevieve Barlow, pp. 95 and 97-100. Copyright©1989, 1980, 1974 by NTC Publishing Group. Reprinted by permission. **Chapter 9, pp. 476-481:** "Naranjas" by Angela McEwan-Alvarado is reprinted with permission from the publisher of A DECADE OF HISPANIC LITERATURE: AN ANNIVERSARY ANTHOLOGY (Houston: Arte Público Press - University of Houston, 1982).**Chapter 10, pp. 482-487:** "Espuma y nada más" by Hernando Téllez´. Reprinted by permission of Germán Téllez C. **Chapter 11, pp. 488-491:** "Balada de los dos abuelos" by Nicolás Guillén. Reprinted by permission of La Agencia Literaria LatinoAmericana. **Chapter 12, pp. 492-497:** "Las salamandras" by Tomás Rivera is reprinted from the publisher of TOMÁS RIVERA: THE COMPLETE WORKS. (Houston: Arte Público Press - University of Houston, 1992.).

Acknowledgments 593